切断と義肢

Amputation and Prosthesis 3rd ed.

第3版

澤村 誠志 著

医歯薬出版株式会社

This book was originally published in Japanese
under the title of :

SETSUDAN-TO GISHI

(Amputation and Prosthesis)

SAWAMURA, Seishi
  Honorary Director, Hyogo Rehabilitation Center

© 2007 1st ed., © 2016 2nd ed., © 2025 3rd ed.
ISHIYAKU PUBLISHERS, INC.
  7-10, Honkomagome 1 chome, Bunkyo-ku,
  Tokyo 113-8612, Japan

第3版の序

筆者は米国カリフォルニア大学で義肢製作技術を学び，1960年に帰国した．神戸医科大学に復帰後，兵庫県立身体障害者更生相談所の年30回にわたる巡回相談に参加して，県下5,000人の切断者の義肢の処方判定業務に就き，多くの切断者の自宅・職場を訪ねた．切断者の日常生活から多くを学び，それ以後「切断者こそわが師，地域が教科書」を座右の銘としている．

この経験を基に，『切断と義肢』は1973年に，リハビリテーション医学全書（医歯薬出版）の第18巻として出版された．その後，切断術・義肢装着訓練・義肢のめざましい進歩に応じて3回の改訂を行った．しかし，本書の第1版の序に述べているように，この間の切断と義肢に関わる技術の進歩が著しく，そのうえわが国の独特の日常生活動作，とくに正座，あぐら，玄関での靴の脱履動作に適応する義足の研究開発に従事した結果を紹介したく，内容が増えたために，2007年に医歯薬出版と相談して，リハビリテーション医学全書のシリーズを離れて，単行本とする形で本書の第1版を発行することとなった．

その後，切断と義肢をめぐる日進月歩の情報を読者の皆さまにお届けするために頻繁に小規模な内容更新を重ねてきたが，2016年に兵庫県立総合リハビリテーションセンター，神戸医療福祉専門学校三田校（ISPO日本支部）などの協力を得て，第2版の改訂を行った．

近年は，シリコーンをはじめ新たな材質や各種継手の開発など，まさに日進月歩の著しい発展が続いている．そのような情報については，オットーボック・ジャパン株式会社の深谷香奈氏，八幡済彦氏，オズールジャパン合同会社の楡木祥子氏，金子正一氏，株式会社佐藤技研の佐藤拓郎氏をはじめとするメーカー各社にご協力をいただき，新製品のご紹介をいただいたことを深謝したい．また，野坂利也氏（北海道科学大学）には国内で入手可能な足部・継手をご紹介いただき，重ねて御礼を申し上げたい．申すまでもなく，筆者が所属している兵庫県立総合リハビリテーションセンターにおいては，陳　隆明氏，戸田光紀氏をはじめとする義肢装具研究班（理学療法士・作業療法士）の方々，義手の情報・写真を提供いただいた浜本雄司氏（株式会社近畿義肢製作所），増田章人氏（株式会社近畿義肢製作所），高橋功次氏（有限会社タカハシ補装具サービス），小林伸江氏（専門学校川崎リハビリテーション学院），義足の情報・写真を提供いただいた佐野太一氏（株式会社澤村義肢製作所）に心から感謝を申し上げる．

義肢の適合技術が進歩してきた一方では，義手の適合判定基準は長年の経緯のなかで不統一となっている点が散見され，とくに，完成した義手が果たして処方通りに製作されているか，また，能動義手が切断者により十分な機能を発揮できているかが問題視された．その結果，能動義手の適合検査の統一化が重要な研究課題となった．そこで，日本義肢装具学会は特設委員会「義手適合判定検討委員会」を設置し，現状で使用されている義手の適合判定を再検討し，新しい日本版の適合判定（チェックアウト）検査表と手順書・解説動画を作成することとなった．

そこで，本書『切断と義肢』においては，すでに第3版改訂に取り組んでいたのだが，できれば日本義肢装具学会での最終報告を待って新しい能動義手の適合判定を掲載し読者に正確な情報を伝えたいと考え，第3版改訂を遅らせることとした．それと同時に，従来の第2版までは上肢切断・義手と下肢切断・義足が整理不十分のままに掲載されており，とりわけ上肢切断・義手の抜

本的な見直しが必要となった．幸い，上肢切断のリハビリテーションをライフワークとして，過去30年以上にわたって著者の盟友として兵庫県立総合リハビリテーションセンターで約100名の筋電義手装着訓練を担当してきた，リハビリテーション療法部次長兼主任作業療法士の柴田八衣子氏から貴重な協力をいただき，以下の通り第3版改訂の骨子とした．

　本書の構成は，第1章ではわが国における切断者のプロフィールや切断の原因となる疾病や障害，切断手技や切断高位の選択，先天性奇形など，「切断」を学習するための基本を示した．第2章では，多職種協働で行う切断者のリハビリテーションの過程や断端ケア，義肢装着の開始時期など，「切断者のリハビリテーション」に関わるすべての医療従事者に対しての心得を示した．第3章では，義肢の分類や装着・適合・アライメントなど「義肢に関する基本的な事項」として必要な知識を示した．第4章「義手」では義手と上肢切断者へのリハビリテーション，第5章「義足」では義足と下肢切断者へのリハビリテーションの実践について具体的に解説した．第6章「わが国内外における義肢装具発展のあゆみ」では，国内における義肢装具発展のあゆみとして筆者が携わった歴史，および海外との関わりについて紹介した．

　これらが，切断と義肢を学ぶ初学者から，長年にわたって切断・義手・義足に携わっておられる臨床・教育・研究現場などの関係者に至るまで，すべての方に役立てば幸いである．

　今回の第3版改訂は，読者目線に立った各章間の内容調整，義手の適合判定などにおいて数多くのアドバイスをいただき実行された柴田八衣子氏のご尽力無しではなし得なかった．感謝申し上げたい．

　最後に，長きにわたって終始細心のご尽力をいただいた医歯薬出版編集部および関係者の皆さまに深謝申し上げる．

2025年1月

澤　村　誠　志

兵庫県立総合リハビリテーションセンター名誉院長
神戸医療福祉専門学校三田校校長
元ISPO（国際義肢装具協会）会長

第2版の序

　1973年にリハビリテーション医学全書第18巻として出版した『切断と義肢』は，その後の切断・義肢の進歩に合わせて，1983年，1992年，1999年と改訂を行った．さらに2007年にはリハビリテーション医学全書を離れた単行本とする形で改訂を実施した．しかし，切断の主原因であった末梢動脈疾患や悪性腫瘍などに対する治療技術のその後の著しい進歩，そして，筋電義手，骨格義肢などを中心とする著しい義肢の進歩，さらに障害者総合支援法に基づく義肢の継手の分類，義肢装具部門のJIS用語の見直しなど，多岐にわたる変化の中で，読者の方々のニーズに対応する必要性を強く感じるようになった．そこで，医歯薬出版株式会社と相談の上，今回，単行本の改訂第2版として本書を出版することとした．
　この第2版については，とくに次の点に留意した．

1）切断者がわが師，地域が教科書
　　これは，私が多くの切断者の在宅での生活から学んだもので，この言葉を今でも座右の銘としている．単なる福祉先進国からの切断と義肢の紹介ではなく，第1版から心掛けてきた日本人の生活様式・文化・風土・気候に合う切断術と義肢の生活の場での装着現場を紹介することに務めた．

2）兵庫県における40年間にわたる切断者の疫学調査
　　これは兵庫県の協力により小嶋功氏がライフワークとして取り組んだ，国際的に誇れる貴重な資料である．

3）末梢動脈疾患，悪性腫瘍に対する最近の治療法の進歩
　　切断の主原因である末梢動脈疾患における診断，治療法，悪性腫瘍の分類，治療法の進歩と切断術との関連などについて，最近の知見をまとめた．

4）義肢パーツの進歩の紹介
　　義肢のパーツはまさに日進月歩の世界であり，各主要メーカーにお願いして最近の資料をいただき紹介することとした．とくにお世話になったオットーボック・ジャパンの深谷香奈氏，オズールの楡木祥子氏，ナブステコの児玉義弘氏に御礼を申し上げたい．

5）義肢・装具部門のJIS福祉関連機器用語JIS T 0101の使用
　　平成27年5月20日に改正されたJIS用語に統一した．

6）障害者福祉施策と義肢交付制度の動向
　　障害者総合支援法による義肢の交付の動向，とくに義肢装具の標準規格化，義肢価格体系の改革，福祉用具法などについて新しい情報を記した．

7）補装具の完成用部品の機能区分整備
　　補装具評価検討会第Ⅰ類にて，補装具の適切な支給実現のための制度・仕組みの提案に関する研究（平成27年3月）が行われた．今回，膝継手の機能区分整備が初めて行われ，委員長を務められた児玉義弘氏のご指導により，その成果を掲載させていただいた．我が国にとって初めての貴重な情報といえる．また，義足足部の改定については，第1版に引き続き野坂利也氏のご指導を受けたことを心から御礼申し上げる．

8）国内外における義肢サービスの変遷
　　過去50年における国内での日本義肢装具研究同好会から義肢装具学会誕生までの歩み，国際的にはISPO世界大会（2019年に再び神戸で開催決定），アジア義肢装具学会，義肢装具士の国際資格（Cat. 1），日本財団支援によるタイ，インドネシア，フィリピン，スリランカにおける義肢装具教育施設の建設をはじめとする国際的な動きを紹介した．

兵庫県立総合リハビリテーションセンター切断プロジェクトチームに感謝

　切断者のリハビリテーションは，医師，看護師，義肢装具士，理学療法士，作業療法士，リハエンジニア，臨床心理士，ソーシャルワーカーなど多職種によるチームアプローチ，多職種協働で行われることはご存じの通りである．しかし，私が最初に切断に取り組んだ1960年頃は専門職の教育・資格制度が無く，切断術，術後のケア，仮義足，本義足の製作，装着訓練等を一人でこなしていた．その成果が兵庫県立総合リハビリテーションセンターに活かされ，現在は，陳隆明先生をリーダーとする，下記に述べるような専門職を横断した切断プロジェクトが育ち，さらにロボットリハビリテーションに向けて進化しつつある．

　　リーダー：陳隆明（MD）
　　幸野秀志（MD），中村春基（OT），柴田八衣子（OT），古川宏（OT），溝部二十四（OT），大庭潤平（OT），小嶋功（PT），長倉裕二（PT），大藪弘子（PT），高瀬泉（PT），町田勝広（PT），佐久間香（PT），池原由布子（Ns），木原律子（Ns），嵯峨根奈央（Ns），高田久美子（Ns），松原裕幸（PO），小西克浩（PO），伊原秋義（PO），佐野太一（PO），田中真悟（PO），濱本雄次（PO），増田章人（PO），中川昭夫（Eng），赤澤康史（Eng），中村俊哉（Eng）

　これまで43年間にわたりこの『切断と義肢』の発行を継続できたのは，この兵庫県立総合リハビリテーションセンターの切断リハビリテーションプロジェクトを引き継ぎ，チームを育てていただいた陳隆明先生のリーダーシップと，すでにセンターを去られた方もおられるが多くのリハビリテーション専門職の皆様のご協力の賜である．そして，ご協力いただいた切断当事者の方々に，改めて心から感謝申し上げたい．

　また，第2版への改訂を進めるにあたり，終始ご尽力をいただいた戸田健太郎氏をはじめとする医歯薬出版社株式会社の関係者の皆様に改めて深謝を捧げたい．

2016年　1月

澤　村　誠　志
兵庫県立総合リハビリテーションセンター名誉院長
神戸医療福祉専門学校三田校校長
元ISPO（国際義肢装具協会）会長

第1版の序

『切断と義肢』は，リハビリテーション医学全書第18巻として医歯薬出版株式会社より1973年1月に第1版が出版された．その後の切断・義肢の分野における内外の日進月歩の研究・開発に応じて，新しい進歩の流れを取り込むべく，1983年，1992年，そして1999年と3度にわたり改訂した．この間，私が常に心がけてきたことは，切断と義肢に関する知識の欧米からの単なる導入ではなく，あくまで日本人の生活・文化・気候・風土などのニードに合う切断術の紹介，そして義肢の進歩・開発の紹介である．これは30数年間，兵庫県下の障害者の巡回相談を通じ，地域で生活されている切断者の家庭や仕事などその生活実態から多くのニーズを学んだ結果である．「切断者はわが師，地域が生きた教科書である」を今でも心の鏡としており，これが私の地域リハビリテーションのルーツとなっている．

さて，義肢の進歩は著しく，特に，近年の大腿四辺形ソケットから坐骨収納型大腿義足への流れ，PTB下腿義足からTSB吸着下腿義足への動き，前腕筋電義手などの適合技術の進歩，さらに，インターフェイスなど材料の開発，遊脚相・立脚相制御の機能を兼ね備えた膝継手の開発，スポーツなどの社会参加が可能となることによってQOLを高めることのできる足継手の開発など，多くの際立った進歩が見られる．

そのような状況のなかで，本書の内容として上記のような新たな知見を紹介することが必要であると感じ，改訂の準備を進めていたところ，今回からリハビリテーション医学全書を離れ，大型化（B5判）・2色刷の単行本として，第1版第1刷として新たに発行することとなった．

本書の内容として特に留意したのは，義肢の進歩について，いかに具体的に踏み込んで紹介できるかという点であった．カリフォルニア大学（米国）に留学し，義肢装具士としての研鑽を積むなかで「座学だけでは義肢の理解は困難である」と感じた筆者の経験から，製作技術の基本を紹介することとした．幸い，神戸医療福祉専門学校三田校の内田充彦氏のご努力で，国立La Trobe（ラ・トローブ）大学（オーストラリア）義肢装具学科との連携ができていた．そして三田校の義肢装具教育にLa Trobe大学の先生方が参加されて，基本に忠実な方向で，義足の適合理念・製作方法・適合評価などについて教授され，すばらしい教育成果を挙げている．そこで，La Trobe大学の先生方の許可を得て，本書に適合理念や製作手技などを紹介させていただいた．

本書の出版にあたり，新たに取り上げたのは次の点である．

1) 大腿ソケットでは，近年，注目を浴びているIRC坐骨収納型ソケットについて，Michael P. Dillon氏による断端の評価・陽性モデルの採形と修正・適合評価を紹介した．また，オズール社，川村義肢株式会社の協力を得て，IRCソケットのなかでも前後壁を低くしたM.A.S.®ソケットについて，開発者であるMarlo Ortiz氏による採形手技を紹介した．
2) 下腿ソケットで主として用いられているTSBソケットについては，Les Barnes氏による採形手技・陽性モデルの修正・適合手技について紹介した．
3) 膝継手などのパーツや，シリコーンライナーを代表とするインターフェイスについてはその進歩を紹介した．
4) 前腕切断者にとって海外では常識となっている筋電義手は，わが国では現在，公的交付の

対象になっていないために不幸にも利用の機会が閉ざされているが，そのようななかで，兵庫県立総合リハビリテーションセンターで行われている筋電義手（オットーボック社）の適応・装着訓練・レンタルシステムなどの供給システムを紹介した．
5）障害者自立支援法の施行に伴う補装具費制度について取り上げた．

私が切断のリハビリテーションに取り組み始めた1960年頃は，理学療法士，作業療法士，義肢装具士の教育制度も資格制度もない時代であった．その後46年を経過し，現在，兵庫県立総合リハビリテーションセンターには，陳　隆明先生をリーダーとする，すばらしいチームアプローチを有する専門職を横断した切断プロジェクトが育っている．このことをたいへん誇りに思っている．

本書は，下記の専門職から構成される切断プロジェクトの臨床研究および協力によって得られた成果が中心となっている．メンバーの皆様に心からお礼を申し上げる．

兵庫県立総合リハビリテーションセンター
　リーダー　陳　隆明（MD），幸野秀志（MD），長倉裕二（PT），大籔弘子（PT），高瀬　泉（PT），町田勝広（PT），前田慶明（PT），柴田八衣子（OT），溝部二十四（OT），深澤喜啓（OT），赤澤康史（Eng.），中村俊哉（Eng.），松原裕幸（PO），池原由布子（Ns），木原律子（Ns），嵯峨根奈央（Ns），高田久美子（Ns）

兵庫県立西播磨総合リハビリテーションセンター
　中村春基（OT），佐久間香（PT）

神戸学院大学
　中川昭夫（Eng.），小嶋　功（PT）

神戸大学
　古川　宏（OT）

国際医療福祉大学
　大庭潤平（OT）

株式会社澤村義肢製作所
　小西克浩（PO），伊原秋義（PO），辻　誠一（PO），近藤潤侍（PO）

株式会社近畿義肢製作所
　濱本雄次（PO），増田章人（PO）

これまでの33年間にわたって『切断と義肢』の出版を継続することができたのは，義肢教育に関係されてきた多くの先生方のご支持のお陰と改めて深謝したい．また，これまで『切断と義肢』を長く支えていただき，また，本書の新たな出版にあたってご尽力いただいた医歯薬出版株式会社の関係者の皆様に心から感謝する．

2006年12月

澤　村　誠　志

兵庫県立総合リハビリテーションセンター顧問・名誉院長
神戸医療福祉専門学校三田校校長
前ISPO（国際義肢装具協会）会長

目次

第3版の序 ……………………………………… iii
第2版の序 ……………………………………… v
第1版の序 ……………………………………… vii

第1章　切断　　　1

1 わが国における切断者のプロフィール　2

— 1 ▶ わが国における切断者の発生率 ………… 2
— 2 ▶ 兵庫県における切断者の疫学調査 ……… 2
　　(1) 調査対象 ………………………………… 2
　　(2) 調査結果（一側上下肢切断者）………… 3
— 3 ▶ 海外における切断者の疫学調査 ………… 4

2 切断の原因となる疾患・障害　7

1 末梢動脈疾患 ………………………………… 7

— 1 ▶ 末梢動脈疾患とは ………………………… 7
　　(1) 末梢動脈疾患により起こる他の臓器疾患 …………………………………… 7
　　(2) 閉塞性血栓性血管炎（バージャー病）… 7
　　(3) 糖尿病 …………………………………… 7
— 2 ▶ 末梢動脈疾患の臨床症状 ………………… 9
　　(1) Fontaine 分類 …………………………… 9
　　(2) 皮膚温度と皮膚組織の状況 …………… 10
— 3 ▶ 末梢動脈疾患における末梢血行の測定方法 …………………………………… 10
— 4 ▶ 末梢動脈疾患の治療 ……………………… 10
　　(1) 基本的な治療法 ………………………… 10
　　(2) 血行再建術（カテーテル治療，バイパス手術）………………………… 11
　　(3) 足潰瘍，壊疽の局所治療と予防 ……… 11
— 5 ▶ 切断高位の決定 …………………………… 12
— 6 ▶ 末梢動脈疾患による切断後の予後 ……… 14

2 重度の外傷：患肢温存か切断か ………… 14

3 悪性骨腫瘍：切断から患肢温存へ ……… 14

3 切断高位の選択　15

1 上肢切断高位の選択 ……………………… 15

— 1 ▶ 肩部の切断 ………………………………… 17
— 2 ▶ 上腕部の切断 ……………………………… 17
— 3 ▶ 肘部の切断 ………………………………… 17
— 4 ▶ 前腕部の切断 ……………………………… 17
— 5 ▶ 手部の切断 ………………………………… 18
— 6 ▶ 指の切断 …………………………………… 19
　　(1) 母指 ……………………………………… 19
　　(2) 示指 ……………………………………… 19
　　(3) 中指および環指 ………………………… 20
　　(4) 小指 ……………………………………… 20

2 下肢切断高位の選択 ……………………… 21

— 1 ▶ 仙腸関節離断，解剖学的股離断の選択（義足装着による能力差）……………… 21
　　(1) 義足の装着率 …………………………… 21
　　(2) 義足の適合 ……………………………… 22
　　(3) 義足歩行の実用性 ……………………… 22
— 2 ▶ 機能的・義肢学的股離断（大腿骨頸部，転子下切断）の選択 …………………… 23
— 3 ▶ 大腿短断端の選択 ………………………… 23
　　(1) 短断端の定義 …………………………… 24
　　(2) 大腿短断端に対する義足 ……………… 25
— 4 ▶ 大腿長断端の選択 ………………………… 30
　　(1) 断端負荷性を与えるべきか …………… 30
　　(2) どの程度の長断端であれば膝継手の取り付けが可能か …………………… 31
— 5 ▶ 膝離断の選択 ……………………………… 33
　　(1) 外科手技上の利点 ……………………… 33
　　(2) 義足装着の立場からの利点 …………… 33
　　(3) 外科手技上の欠点 ……………………… 33
　　(4) 義足装着の側からみた欠点 …………… 34
— 6 ▶ 下腿短断端の選択 ………………………… 34
— 7 ▶ 下腿長断端の選択 ………………………… 34
— 8 ▶ サイム切断の選択 ………………………… 36
— 9 ▶ 足部切断の選択 …………………………… 36

4 切断手技の最近の傾向　38

— 1 ▶ 皮膚の処理 ………………………………… 38
　　(1) 上肢 ……………………………………… 38

(2) 下肢 ································ 38
─2▶ 血管の処理 ····························· 39
─3▶ 神経の処理 ····························· 40
─4▶ 骨の処理 ································ 40
　　　(1) 一般的な骨の処理 ············ 40
　　　(2) 骨膜の処理 ······················ 41
　　　(3) 骨直結型切断術
　　　　　(osseointegrated implant) ····· 42
─5▶ 筋肉の処理 ····························· 42
　　　(1) 筋膜縫合法 ······················ 43
　　　(2) 筋肉形成術 ······················ 43
　　　(3) 筋肉を骨端部に固定縫合する方法 ··· 43
─6▶ 切断術実施前に，将来装着する義肢の
　　処方を明確に指示 ····················· 44

5 各切断部位の切断手技　45

1 上肢　45
─1▶ 肩甲胸郭間切断 ······················ 45
　　　(1) 前方進入法 ······················ 45
　　　(2) 後方進入法 ······················ 45
─2▶ 肩離断 ···································· 46
─3▶ 上腕切断 ································ 47
─4▶ 肘離断 ···································· 48
─5▶ 前腕切断 ································ 49
─6▶ 手部および指での切断 ············ 51
　　　(1) 手関節離断 ······················ 51
　　　(2) 手部切断 ·························· 51
　　　(3) 手指切断 ·························· 52
─7▶ 特殊な切断 ····························· 54
　　　(1) クルーケンベルグ切断 ······ 54
　　　(2) シネプラスティー ············ 56

2 下肢　57
─1▶ 骨盤部での切断 ······················ 57

─2▶ 股離断 ···································· 57
─3▶ 大腿切断 ································ 59
─4▶ 膝離断 ···································· 62
　　　(1) 皮膚切開 ·························· 62
　　　(2) 膝蓋骨の切除 ··················· 64
　　　(3) 大腿骨顆部の切除 ············ 66
　　　(4) 筋腱の再縫合 ··················· 66
　　　(5) 血行障害例に対する膝離断後の断端の
　　　　　保護 ································ 66
─5▶ 下腿切断 ································ 66
　　　(1) 皮切 ································ 66
　　　(2) 筋肉の処置 ······················ 66
─6▶ 足関節離断──サイム切断 ······ 70
─7▶ ボイド切断，ピロゴフ切断 ···· 70
─8▶ 足部切断──ショパール関節離断 ··· 70
─9▶ 足指切断 ································ 73

6 先天性奇形・切断　75

1 分類　75
─1▶ O'Rahilly, Frantz, Aitken による分類 ·· 75
　　　(1) terminal transverse ··········· 75
　　　(2) terminal longitudinal ········ 75
　　　(3) intercalary transverse ······· 76
　　　(4) intercalary longitudinal ···· 76
─2▶ ISO/ISPO の分類 ···················· 77
　　　(1) 横断性四肢欠損（先天性切断）··· 77
　　　(2) 長軸性四肢欠損 ··············· 77

2 症例　79

3 先天性の欠損に対する基本的な考え方　84

第2章　切断者のリハビリテーション　85

1 リハビリテーションとは　86

2 切断者のリハビリテーションの過程　87
─1▶ 医学的リハビリテーション ······ 87
─2▶ 心理的リハビリテーション ······ 88
─3▶ 社会的リハビリテーション ······ 88
─4▶ 職業的リハビリテーション ······ 88

3 多職種協働による切断義肢クリニック　89
─1▶ 切断義肢クリニックの機能 ······ 89

─2▶ クリニックチームメンバーの役割 ··· 89
　　　(1) 医師 ································ 89
　　　(2) 看護師 ····························· 89
　　　(3) 理学療法士，作業療法士 ···· 90
　　　(4) 義肢装具士 ······················ 90
　　　(5) リハビリテーションエンジニア ··· 92
　　　(6) 医療ソーシャルワーカー ···· 92
　　　(7) 切断者 ····························· 92

4 切断直後の断端のケア　93

1 切断術直後の断端創の処置　93
- **—1** ソフトドレッシング (soft dressing, 弾性包帯) ……93
  - (1) 利点 ……93
  - (2) 欠点 ……93
- **—2** リジッドドレッシング (rigid dressing, ギプスソケット) ……93
  - (1) 利点 ……93
  - (2) 欠点 ……94
- **—3** リムーバブルリジッドドレッシング (removable rigid dressing：RRD) ……94
  - (1) 利点 ……95
  - (2) 欠点 ……95
- **—4** リジッドドレッシングを利用した後にシリコーンライナーを用いる方法 ……95
- **—5** 創治癒後にシリコーンライナーを用いた早期義肢装着法 ……95

2 切断術直後の断端ケアの方針　96

5 義肢装着開始の時期　100
- **—1** 在来式義肢装着法 (delayed prosthetic fitting) ……100
- **—2** 術直後義肢装着法 (immediate postoperative prosthetic fitting) ……100
  - (1) 歴史的背景 ……100
  - (2) 施行の実際―下肢切断 ……103
  - (3) 施行の実際―上肢切断 ……109
  - (4) 施行上注意しなければならない点 ……111
  - (5) 本法の利点と問題点 ……112
- **—3** 早期義肢装着法 (early prosthetic fitting) ……113

6 義肢の処方　116

7 断端の異常と合併症　118

1 断端痛　118
- (1) 神経断端部の刺激による疼痛 ……118
- (2) 断端の循環障害による疼痛 ……118
- (3) 断端筋肉の異常緊張による疼痛 ……118
- (4) 中枢神経性の疼痛 ……118

2 幻肢および幻肢痛　118
- (1) 幻肢の特徴 ……118
- (2) 幻肢および幻肢痛の成因 ……119
- (3) 幻肢痛に対する治療 ……120

3 断端における皮膚疾患　120
- (1) 接触性皮膚炎 ……120
- (2) 細菌感染症 ……120
- (3) 皮膚真菌症 ……120
- (4) アレルギー性皮膚炎 ……120

4 断端の拘縮と発生の予防　121

5 断端の浮腫と予防　122

8 断端の衛生保持　126
- (1) 断端の清拭 ……126
- (2) 義肢ソケットの取り扱い ……126
- (3) 断端袋の取り扱い ……126
- (4) シリコーンライナーの取り扱い ……126
- (5) 弾性包帯の取り扱い ……126
- (6) 皮膚に異常を認めたときの処置 ……126
- (7) 末梢血管障害がある場合の足部に対する治療および予防 ……128
- (8) 断端自己管理に向けての看護師サイドからの取り組み―スキンケアパンフレットの作成 ……128

第3章　義肢に関する基本的な事項　131

1 義肢とは　132

2 義肢の分類　132
- **—1** 義肢の構造による分類 ……132
  - (1) 殻構造義肢 (exo-skeletal prosthesis) ……132
  - (2) 骨格構造義肢 (endo-skeletal prosthesis) ……132
- **—2** 義肢の機能面からみた分類 ……133
  - (1) 装飾用義肢 ……133
  - (2) 作業用義肢 ……133
  - (3) 能動義肢 ……133
- **—3** 切断術後の装着する時期による義肢の分類 ……133
  - (1) 術直後装着義肢 (immediate postoperative fitting prosthesis) ……133
  - (2) 訓練用仮義肢 (temporary prosthesis) ……133
  - (3) 本義肢 (permanent prosthesis) ……137

3 義肢の装着・適合・アライメントなど基本的な事項 137

―1▶ソケットの適合 137
(1) ソケットの適合とは 137
(2) ソケットの適合方法の種類 137
(3) ソケットの製作材料の種類と機能 138

―2▶義肢のアライメント (alignment) 138
(1) 義足のアライメント 138
(2) 継手のアライメント 138

4 義肢素材，特に合成樹脂材料について 138

第4章　義手　143

1 義手に関する基本的な事項　144

1 上肢切断の部位・測定方法と義手の名称　144

―1▶切断の部位と断端長 (stump length) ... 144
―2▶関節可動域の測定 148
―3▶義手の長さの決定 149

2 義手の機能　150

3 機能面からみた義手の分類　151

―1▶装飾用義手 (cosmetic upper-limb prosthesis) 151
―2▶作業用義手 (work arm, Arbeitsarm) 153
―3▶能動義手 (functional upper-limb prosthesis) 154
(1) 体内力源義手 (internally powered upper-limb prosthesis) 154
(2) 体外力源義手 (externally powered upper-limb prosthesis) 155

2 義手の構成と部品　157

1 ソケット　157

(1) 陰性モデルの採型 157
(2) 第1陽性モデルの製作 157
(3) チェックソケットの製作 157
(4) 第2陽性モデルの製作 162
(5) 合成樹脂製ソケットの製作 162

2 支持部　162

―1▶殻構造，骨格構造 162
―2▶上腕支持部，前腕支持部 163

3 ハーネス　164

(1) 8字ハーネス (figure eight harness, 8-förmige Kraftzugbandage) 164
(2) 9字ハーネス (figure nine harness, 9-förmige Kraftzugbandage für Unterarmstumpf) 164
(3) リュックサックハーネス (double axillar loop harness) 164
(4) 胸郭バンド式ハーネス (chest strap harness) 164
(5) 両前腕義手のハーネス 167
(6) 両上腕義手のハーネス 167
(7) 上腕カフ (arm cuff) や三頭筋パッド (triceps pad) 168

4 コントロールケーブルシステム (control cable system, Kraftzugsystem)　169

(1) 単式コントロールケーブルシステム (single control cable system, Einzugkabel) 169
(2) 複式コントロールケーブルシステム (dual control cable system, Zweizugkabel) 170
(3) 3本制御ケーブルシステム (triple control cable system, Dreizugkabel) 170
(4) 肘ロック・コントロール (elbow lock control) 170
(5) ケーブルハウジングライナー (ライナー入りケーブルハウジング・，プラスチックライナー) 171

5 継手 (joint)　172

―1▶肩継手 173
(1) 隔板式肩継手 (sectional plate shoulder joint) 173
(2) 屈曲・外転式肩継手 (flexion-abduction shoulder joint) 173
(3) ユニバーサル式肩継手 (universal ball shoulder joint, Kugelschultergelenk) 173
(4) スィング式肩継手 173
(5) 歯止め式肩継手 (Schulterbremsgelenk) 174

―2▶肘継手 174
(1) ブロック式肘継手 174

(2) ヒンジ式 ……………………… 175
　　　(3) たわみ式 ……………………… 177
　　　(4) 肘継手と連結して機能する部品 …… 177
　—3▶手継手 ……………………………… 179

6 手先具 (terminal device) …………… 181
　—1▶装飾用手先具 ……………………… 181
　—2▶作業用手先具 ……………………… 182
　　　(1) 曲鉤 (C-hook) ……………… 182
　　　(2) 双嘴鉤 (mechanical claw, Arbeitsklaue) ……………………………… 183
　　　(3) 鎌持ち金具 …………………… 183
　　　(4) 鍬持ち金具 …………………… 184
　　　(5) 物押さえ (holder) …………… 184
　　　(6) 作業用手先具の工夫 ………… 184
　—3▶能動フック (utility hook, Greiger-hook) ……………………………… 184
　—4▶市販されている能動フックの種類 … 186
　　　(1) ホスマーフック ……………… 186
　　　(2) APRL-Sierra フック ………… 186
　　　(3) 国産能動フック ……………… 187
　—5▶能動ハンド (utility hand, Kraftzug-Hand) ……………………………… 187
　　　(1) オットーボックシステムハンド … 189
　　　(2) 国産能動ハンド ……………… 189
　　　(3) APRLハンド ………………… 189
　　　(4) ホスマーハンド ……………… 189
　　　(5) その他 ………………………… 189
　—6▶電動ハンド ………………………… 189

3 肩離断と義手　191

1 切断部位と機能的特徴 ……………… 191

2 肩義手ソケットの適合 ……………… 191
　—1▶ソケットの種類 …………………… 191
　　　(1) 肩甲胸郭間切断ソケット …… 191
　　　(2) 解剖学的肩離断ソケット …… 191
　　　(3) 上腕骨頸部切断ソケット …… 192
　—2▶ソケットの採型と適合 …………… 192
　　　(1) 解剖学的肩離断の場合 ……… 192
　　　(2) 肩甲胸郭間切断の場合 ……… 192
　　　(3) 上腕骨頸部切断の場合 ……… 192
　—3▶肩義手のアライメント …………… 193
　　　(1) 肩甲胸郭間切断の場合 ……… 193
　　　(2) 解剖学的肩離断の場合 ……… 193
　—4▶ハーネスとコントロールケーブルシステム ……………………………… 194
　　　(1) 肩離断における基本的なハーネスとコントロールケーブルシステム …… 195
　　　(2) その他の肩義手のハーネスとコントロールケーブルシステム …… 195
　—5▶操作性向上のための工夫 ………… 196
　　　(1) 肩スリングを用いたハーネス … 196
　　　(2) ケーブルハウジングライナーやコーティングケーブル ………… 197
　　　(3) 肘プーリーユニットによる複式コントロールケーブルシステム … 197
　　　(4) 9字ハーネスやリテーナーを増やす方法 ……………………………… 198
　　　(5) コントロールケーブル操作効率倍増装置 (excursion amplifier) …… 198
　—6▶肩継手に能動単軸肘ブロック継手を用いた肩義手 ……………………… 200

4 上腕切断と義手　201

1 切断部位と機能的特徴 ……………… 201
　　　(1) 上腕短断端 …………………… 201
　　　(2) 上腕標準型断端 ……………… 201
　　　(3) 肘離断 ………………………… 202

2 上腕義手ソケットの適合 …………… 202
　—1▶ソケットの種類 …………………… 202
　　　(1) 差し込み式上腕ソケット …… 202
　　　(2) 差し込み機能適合式上腕ソケット (差し込み式全面接触上腕ソケット) …… 202
　　　(3) 吸着式上腕ソケット ………… 203
　　　(4) オープンショルダー式上腕ソケット ……………………………… 203
　　　(5) ミュンスター式上腕ソケット … 203
　　　(6) 肘離断用ソケット …………… 203
　　　(7) シリコーンライナーを用いたソケット ……………………………… 203
　—2▶ソケットの採型と適合 …………… 204
　　　(1) 短断端の場合 ………………… 204
　　　(2) 標準型断端の場合 …………… 204
　　　(3) 長断端の場合 ………………… 205
　　　(4) ソケットの適合 ……………… 205

3 上腕義手のアライメント …………… 206

4 ハーネスとコントロールケーブルシステム ……………………………… 207
　—1▶上腕義手における基本的なハーネスとコントロールケーブルシステム …… 207
　　　(1) 肘継手屈曲および手先コントロールケーブルシステム ………… 207
　　　(2) 肘継手ロック・コントロールケーブルシステム ……………… 208
　　　(3) 上腕義手の8字ハーネス …… 208
　　　(4) 義手の操作に必要な身体の運動 …… 208

—2▶その他の上腕義手のハーネスとコントロールケーブルシステム ……………………209
　　　　(1) 上腕義手ハーネス胸郭バンド式（AE chest strap harness）……………209
　　　　(2) 上腕義手3本制御ケーブルシステム（AE tripple control system）………209
　　　　(3) 両上腕義手のハーネス ……………210

5　前腕切断と義手　211

1　切断部位と機能的特徴 ……………211

2　前腕義手ソケットの適合 ……………211
　　—1▶ソケットの種類 ……………………212
　　　　(1) 前腕用スプリットソケット（trans-radial split socket）………………212
　　　　(2) ミュンスター式前腕ソケット（Münster type trans-radial socket）………212
　　　　(3) 差し込み式前腕ソケット …………212
　　　　(4) 差し込み式機能適合前腕ソケット（差し込み式全面接触前腕ソケット）……212
　　　　(5) 吸着式前腕ソケット（trans-radial suction socket）…………………212
　　　　(6) ノースウェスタン式前腕ソケット（Northwestern type trans-radial socket）…………………………212
　　　　(7) 有窓式ソケット ……………………212
　　—2▶ソケットの採型と適合 ……………212
　　　　(1) ミュンスター型前腕義手 …………212
　　　　(2) ノースウェスタン型前腕義手 ……214
　　　　(3) 手義手 ……………………………215

3　前腕義手のアライメント ……………215

4　ハーネスとコントロールケーブルシステム ……………………………218
　　—1▶前腕義手における基本的なハーネスとコントロールケーブルシステム ……………218
　　　　(1) 手先コントロールケーブルシステム ………………………………218
　　　　(2) 前腕義手のハーネス ………………218
　　　　(3) 義手の操作に必要な身体の運動 ……219
　　—2▶両前腕義手のハーネスとコントロールケーブルシステム …………………219

6　手部切断（手根骨離断・中手骨切断・手指切断）と義手　220

1　切断部位と機能的特徴 ……………220

2　手部切断（手根骨離断・中手骨切断・手指切断）の義手 ……………………220
　　—1▶手根中手骨切断の場合 ……………220
　　—2▶全指切断の場合 ……………………221
　　—3▶母指切断の場合 ……………………221
　　—4▶母指以外の手指切断の場合 ………222

3　手指切断におけるリハビリテーション ……………………………………223

7　能動義手の適合検査　226

1　身体機能検査 ……………………227
　　　　(1) 断端部の状態 ……………………227
　　　　(2) 上肢長の測定 ……………………227
　　　　(3) 関節可動域の測定 ………………227

2　義手検査 …………………………231
　　　　(1) 仕様 ………………………………231
　　　　(2) 仕上げ ……………………………231
　　　　(3) 手先具 ……………………………231
　　　　(4) 手継手 ……………………………231
　　　　(5) コントロールケーブルシステム（前腕義手追加項目あり）…………231
　　　　(6) ハーネスの腋窩パッド ……………231
　　　　(7) 義手の長さ ………………………231
　　　　(8) 義手の重さ ………………………231
　　　　(9) 肘継手の屈曲可動域（上腕義手のみ）……………………………………231
　　　　(10) 肘屈曲に必要な力（上腕義手のみ）…231
　　　　(11) 肘継手の動作確認（上腕義手のみ）…231
　　　　(12) ターンテーブル（上腕義手のみ）…231

3　義手装着検査 ……………………238
　　　　(1) 断端の収納状況 …………………238
　　　　(2) ソケットの適合 …………………238
　　　　(3) たわみ継手の取り付け位置（前腕義手のみ）………………………………238
　　　　(4) 上腕半カフの位置（前腕義手のみ）…238
　　　　(5) ハーネス …………………………238
　　　　(6) 義手の長さ ………………………238
　　　　(7) コントロールケーブルシステム ……238

4　義手操作適合検査 ………………238
　　　　(1) 可動域の測定 ……………………238
　　　　(2) 伝達効率（コントロールケーブルシステム）……………………………238
　　　　(3) 操作効率 …………………………238
　　　　(4) 手先具の固定性と可動性 ………239
　　　　(5) ターンテーブルの固定性と可動性（上腕

義手のみ) 239
　(6) 懸垂力に対する安定性 239
　(7) 肘ロックコントロールケーブル
　　　ストラップの適合 (上腕義手のみ) 239

8 義手装着訓練　246

1 装着前訓練 246
— 1 ▶ 創の良好な治癒と成熟断端の早期獲得 246
　(1) 弾性包帯の施行 246
　(2) ギプスソケットの施行 246
— 2 ▶ 関節可動域の確保 246
— 3 ▶ 良好な姿勢の確保 248
— 4 ▶ 筋力増強訓練 248
— 5 ▶ 断端訓練 248

2 義手コントロール訓練 248
— 1 ▶ 前腕義手 248
— 2 ▶ 上腕義手 250
— 3 ▶ 肩義手 251

3 義手使用訓練―基本訓練 251
— 1 ▶ 義手手先の位置の設定 (prepositioning of terminal device) 251
— 2 ▶ "どちら側が利き手か"の決定 252
— 3 ▶ 訓練は，単純なものから複雑なものに 253

4 義手使用訓練―日常生活動作 253
— 1 ▶ 衣服着脱動作 253
　(1) ズボンをはく 253
　(2) シャツのボタン留め (袖口および前ボタン) 253
　(3) ネクタイ 254
　(4) 靴紐を結ぶ 255
　(5) 上着，シャツの着脱 255
— 2 ▶ 食事動作 255
— 3 ▶ 事務動作 256
— 4 ▶ 整容動作 256
— 5 ▶ 家事動作 258
— 6 ▶ 自動車運転 260

9 筋電電動義手　262

1 筋電電動義手の特徴と背景 262

2 筋電電動義手の構成と部品 264
— 1 ▶ 筋電電動義手の基本的構造 264
— 2 ▶ 制御用信号源 264
— 3 ▶ システムコントロール 265
— 4 ▶ 制御方法 265
　(1) 2サイト2ファンクション 265
　(2) 1サイト2ファンクション 265
　(3) 2サイト4ファンクション 266
— 5 ▶ バッテリー 268
— 6 ▶ 手先具 268

3 日本で取り扱われている筋電義手 268
— 1 ▶ MYOBOCK® ハンド成人用と小児用 268
— 2 ▶ bebionic Hand 270
— 3 ▶ Michelangelo hand® ミケランジェロハンド 272
— 4 ▶ i-Limb® hand 274
— 5 ▶ i-Digits Quantum 275

4 わが国における前腕切断に対する筋電電動義手 276

5 筋電電動義手の公的交付の変化 282

6 上腕電動義手 282

10 筋電電動義手の装着訓練とメインテナンスの実際　286

1 義手装着前訓練の評価と訓練について 286
　(1) 切断者のオリエンテーションとニーズの確認 286
　(2) 切断肢の評価 286
2 訓練用筋電電動義手 (仮義手) の製作 286
3 仮義手訓練 286
　(1) 仮義手による基本操作訓練 286
　(2) 仮義手による応用動作訓練 287
　(3) 仮義手による日常生活動作訓練 288
　(4) 仮義手による職場や家庭での使用訓練 288
4 メインテナンス 288
5 筋電電動義手利用者の立場に立って―筋電電動義手装着を成功に導くためには― 289
6 筋電電動義手を装着利用されている具体的事例 289
　(1) 筋電電動義手装着前の評価と訓練 289
　(2) 訓練用筋電電動義手 (仮義手) の製作 290
　(3) 仮義手訓練 (基本操作訓練) 290
　(4) 仮義手訓練 (応用動作訓練) 291
　(5) 仮義手訓練 (日常生活動作訓練) 291
　(6) 家での動作訓練 291
　(7) 訓練を行って 292

第5章　義足　293

1 義足に関する基本的な事項　294

1 下肢切断の部位・測定の方法と義足の名称　294

2 義足継手と足部　298

1 股継手　298
2 膝継手　298
— 1 ▶ 膝継手軸の形状による分類　298
  (1) 単軸膝ブロック継手　298
  (2) 2軸膝継手 (double axis knee), 多軸膝継手 (polycentric knee)　299
— 2 ▶ 立脚相の制御 (stance phase control)　302
  (1) 固定式膝継手　302
  (2) 荷重ブレーキ膝——安全膝 (safety knee)　302
  (3) 油圧ロック膝 (auto locking hydraulic knee)　302
— 3 ▶ 遊脚相制御 (swing phase control)　305
  (1) 伸展補助装置 (extension bias)　305
  (2) 定摩擦膝継手 (constant friction knee joint)　305
  (3) 可変摩擦膝継手, 間欠摩擦膝継手 (variable friction knee joint)　305
  (4) 油圧・空圧制御膝 (hydraullically, pneumatically controlled knee joint)　305
— 4 ▶ インテリジェント義足　307
— 5 ▶ 最近におけるハイブリッド型膝継手の開発実用化　309
  (1) オットーボック膝継手　309
  (2) Rheo Knee (オズール社)　310
  (3) ナブテスコ・ハイブリッドニー　310
  (4) ナブテスコ・NK-6＋Lシンフォニー　310
  (5) LAPOC空圧制御シリンダー付き荷重ブレーキ膝 (P-BASS)　312
  (6) 四軸油圧電子制御膝継手ALLUX™ (ナブテスコ社)　312
— 6 ▶ 膝継手の機能区分整備 (厚生労働省障害者対策総合研究事業；平成27年)　313
— 7 ▶ 膝継手の処方 (選択)　322

3 足継手と足部　324
— 1 ▶ 中足指節関節の底背屈運動　324
— 2 ▶ 距腿関節の底背屈運動　325
  (1) 単軸足部 (single axis ankle)　325
  (2) サッチ足部 (SACH：solid ankle cushion heel)　325
— 3 ▶ 足根間および足根中足関節の回内外運動　326
— 4 ▶ エネルギー蓄積型足部 (energy storing foot)　326
— 5 ▶ 義足足部の臨床比較　330
— 6 ▶ スポーツ用義足足部　330
— 7 ▶ トルクアブソーバー　332
— 8 ▶ 国内で入手可能な義足足部　333

3 義足の理解に必要な正常歩行について　340

1 歩行周期　340
— 1 ▶ 立脚相　340
— 2 ▶ 遊脚相　340
— 3 ▶ 両脚支持期　341

2 歩行の基本的要因　341
  (1) 骨盤の回旋　341
  (2) 骨盤の傾斜　342
  (3) 立脚相における膝関節屈曲　342
  (4) 足部と足関節の運動　342
  (5) 膝関節の運動　342
  (6) 骨盤の側方移動　342

3 歩行における下肢の回旋　342

4 歩行における筋肉の働き　342

5 歩行における床反力　344
  (1) 垂直方向の力　344
  (2) 前後方向への剪力　345
  (3) 側方方向への剪力　345
  (4) ねじれ　345

6 義足歩行におけるエネルギー消費　345

7 義足歩行に必要な4つの条件　345

4 股義足　346

1 受皿式およびティルティングテーブル式の股義足……346

2 カナダ式股離断用股義足……347
- 1 ▶ 特徴……347
  - (1) 合成樹脂製ソケットと三点固定……347
  - (2) アライメントによる安定性の獲得……351
  - (3) 広く耐久性がある股継手……352
  - (4) 股継手の前後にあるバンパーの役割……354
  - (5) 股屈曲制限バンドと膝伸展補助バンド……354
- 2 ▶ 歩行の特徴……355
  - (1) 踵接地期……355
  - (2) 立脚中期……355
  - (3) 踏み切り期……356
- 3 ▶ 製作方法……356
  - (1) 陰性モデルの採型……356
  - (2) 陽性モデルの修正……357
  - (3) ソケットの製作……357
  - (4) 股継手の取り付け……357
  - (5) 大腿部の製作……357
  - (6) アライメントの決定……357
  - (7) 復元ジグによる最良のアライメントの再現……357
  - (8) 外装……357
- 4 ▶ 歩行能力と実用性……357
  - (1) 装着率……358
  - (2) 義足歩行の実用性……358
- 5 ▶ 殻構造義足から骨格構造義足への移行……361
- 6 ▶ 継手の処方……361
  - (1) 股継手……361
  - (2) 膝継手……362
  - (3) 足部の処方……363
  - (4) ターンテーブルの処方……363

5 片側骨盤切断（仙腸関節切断）用義足　364
- 1 ▶ 特徴……365
- 2 ▶ 製作過程……365
  - (1) 採型……365
  - (2) 陽性モデルの修正……365
  - (3) 合成樹脂製ソケットの製作……367
  - (4) アライメントの決定……367
  - (5) 外装……367
- 3 ▶ 歩行能力……368
- 4 ▶ 膝継手および足部の処方……368

6 大腿義足　369

1 大腿義足の種類と変遷……369

2 吸着式ソケット……370
- 1 ▶ 吸着義足の利点……370
- 2 ▶ 初期の吸着式ソケット……370
- 3 ▶ open end socket から全面接触ソケットへ……370
- 4 ▶ 全面接触ソケットの利点……371

3 四辺形吸着式ソケット……372
- 1 ▶ 円形から四辺形ソケットへ……372
- 2 ▶ 断端に対する四辺形吸着式ソケットの機能的役割……373
  - (1) ソケット前壁……374
  - (2) ソケット内壁……376
  - (3) ソケット外壁……377
  - (4) ソケット後壁……378
- 3 ▶ 木製ソケットから合成樹脂ソケットへ移行……379
- 4 ▶ 合成樹脂製ソケットの処方および製作上必要な断端の諸検査……379
- 5 ▶ 坐骨結節支持レベルでのソケットパターンの概略の決定……381
- 6 ▶ 大腿ソケット適合上の愁訴と原因……382

4 坐骨収納型ソケット（IRCソケット）…384
- 1 ▶ 四辺形ソケットから坐骨収納型ソケットへ……384
- 2 ▶ Normal Shape-Normal Alignment（N.S.N.A.：Ivan Long）……385
- 3 ▶ CAT-CAM……386
- 4 ▶ Ishial-Ramal-Containment Socket（IRCソケット：坐骨収納型ソケット）を統一名称に決定……390
- 5 ▶ 坐骨収納型ソケットの機能と形状……391
  - (1) 内壁の機能と形状……392
  - (2) 前壁の機能と形状……393
  - (3) 外壁の機能と形状……394
  - (4) 後壁の機能と形状……395
- 6 ▶ 坐骨収納型ソケットの利点と欠点（四辺形ソケットと比較して）……396
- 7 ▶ 坐骨収納型ソケットの製作……396
  - (1) 坐骨収納型ソケットの製作に必要な身体評価……396
  - (2) 採型……398
  - (3) 断端から取り外したギプスキャストの評価……398
  - (4) 陽性モデルの修正……399

―8 ▶ M.A.S.® (Marlo Anatomical Socket)
.... 403

5 Flexible Sub-Ischial Vacuum Socket
.... 406

―1 ▶ NU-FlexSIV ソケットデザインの特徴 · 407
―2 ▶ NU-FlexSIV ソケットの製作 407
―3 ▶ NU-FlexSIV ソケットの不適応例 407

6 大腿義足のアライメント 411

―1 ▶ アライメントの決定方法 411
　　（1）作業台上でのアライメントの決め方
　　　　.. 411
　　（2）静的アライメント 412
　　（3）動的アライメント 412
―2 ▶ 膝の安定性 412
　　（1）切断者の意思によらない不随意制御
　　　　因子 412
　　（2）切断者による随意制御 414
　　（3）股関節屈曲拘縮とアライメント設定
　　　　との関係 414
　　（4）断端末負荷による利点 415
―3 ▶ 大腿義足の側方安定性（mediolateral
　　　stability） 415

7 大腿義足における義足歩行異常とその
原因 417

8 大腿義足の懸垂方法 423

―1 ▶ シレジアバンド 424
　　（1）シレジアバンド3つの型 424
　　（2）シレジアバンドの利点 424
―2 ▶ 股ヒンジ継手と骨盤帯 424
　　（1）骨盤帯の利点 426
　　（2）骨盤帯の欠点 426
―3 ▶ シリコーンライナーによる懸垂 426

9 大腿吸着義足の適応例 427

　　（1）切断者の障害に対する克服意欲および
　　　　クリニックチームに対する協力 427
　　（2）断端長 427
　　（3）断端筋の発達程度 427
　　（4）年齢 428
　　（5）性別 428
　　（6）反対側下肢の状態 428
　　（7）日本式生活様式，道路条件など 428

10 わが国の大腿切断者の悩みとその解決
方法 428

―1 ▶ 日本の日常生活動作への適応 429
　　（1）ターンテーブルの処方 429
　　（2）キップシャフト 429
　　（3）足継手の底背屈角度の調整ユニット · 431
―2 ▶ 高齢大腿切断者に対する軽量化，適合調節
　　　に関する問題 432
―3 ▶ 水泳・入浴用大腿義足 438
―4 ▶ 農耕用大腿義足 438

7 膝義足　440

　　（1）外科手技上の利点 440
　　（2）膝義足装着の立場からみた膝離断の
　　　　利点 440
　　（3）義足装着の側からみた欠点 440

1 膝離断用ソケットの適合 441

―1 ▶ 在来式ソケット 441
―2 ▶ 軟ソケット付き全面接触ソケット 441

2 膝義足の遊脚相制御 443

8 下腿義足　445

1 機能的特徴とその機能を生かすための
条件 445

―1 ▶ 下腿切断の機能的特徴 445
―2 ▶ 下腿切断後の残余機能を最大限に生かす
　　　下腿義足の条件 445

2 下腿義足の進歩の歴史 446

3 PTB 下腿義足 447

―1 ▶ PTB 下腿義足の構成 447
　　（1）軟ソケット付き全面接触ソケット
　　　　（closed end total contact plastic
　　　　socket） 447
　　（2）サッチ足 447
　　（3）膝カフ 448
　　（4）合成樹脂による外装 448
―2 ▶ PTB 下腿義足の特徴 448
　　（1）膝カフによる懸垂 448
　　（2）解剖学的特徴に応じた陽性モデルの
　　　　修正 448
　　（3）最も適正なアライメントの決定 448
　　（4）膝屈曲位での歩行 448
―3 ▶ PTB 下腿義足の採型とソケットの製作 · 450
　　（1）ソケットの適合の基本理念 450
　　（2）採型の方法 450
　　（3）下腿義足の他の採型方法 452
　　（4）陽性モデルの修正 453
　　（5）合成樹脂製ソケットの製作 454

- 4 ▶ PTB 下腿義足のアライメント …………… 454
  - (1) ベンチアライメント ………………… 455
  - (2) 静的アライメント ……………………… 455
  - (3) 動的アライメント ……………………… 456
- 5 ▶ PTB 下腿義足の特性（利点・欠点）と処方方針 ……………………………………… 459
  - (1) 装着率 …………………………………… 459
  - (2) 利点 ……………………………………… 459
  - (3) 特に注意すべき問題点 ………………… 460
  - (4) PTB を中心とした下腿義足の分類および改善の方向 ……………………… 461
  - (5) 適応と不適応 …………………………… 462
- 6 ▶ エアクッションソケット付き PTB 下腿義足 ……………………………………… 462
  - (1) 利点 ……………………………………… 462
  - (2) 欠点 ……………………………………… 463

4 PTS 下腿義足 ……………………………………… 463
  - (1) 装着率 …………………………………… 464
  - (2) 利点 ……………………………………… 465
  - (3) 欠点 ……………………………………… 465
  - (4) 適応と不適応 …………………………… 466
  - (5) 膝関節伸展拘縮を伴う短断端に対するPTS 型スプリットソケット ………… 466

5 KBM 下腿義足 …………………………………… 468
  - (1) 利点 ……………………………………… 468
  - (2) 欠点 ……………………………………… 468

6 TSB 吸着下腿義足 ……………………………… 469
- 1 ▶ TSB 吸着下腿義足の特徴 ………………… 469
- 2 ▶ TSB 吸着ソケットの適合理念 …………… 470
- 3 ▶ TSB 吸着ソケットのギプス採型手技の基本 ……………………………………… 470
- 4 ▶ インターライナーの開発・進歩 ………… 474
  - (1) インターライナー開発の基礎となった役割 ……………………………………… 474
  - (2) インターライナーの利点と欠点 ……… 474
  - (3) 各インターライナーの材質と特徴 …… 475
  - (4) シリコーンライナーの研究・開発の経過 ……………………………………… 476
- 5 ▶ 代表的なシリコーンライナー …………… 478
  - (1) アイスロスソケット …………………… 478
  - (2) シリコーン吸着ソケット ……………… 481
  - (3) ハイドロスタティック・ローディング・ソケット ………………………………… 481
- 6 ▶ TSB ソケットの適合上によく起こる問題点と対策 …………………………………… 482
- 7 ▶ シリコーンライナー適用への円滑な移行 ……………………………………………… 483

9 サイム義足 485

1 サイム切断のもつ機能的特徴 ……………… 485
  - (1) サイム切断の利点 ……………………… 485
  - (2) サイム切断の欠点 ……………………… 485

2 サイム義足の種類 ……………………………… 485
- 1 ▶ 在来式サイム義足 ………………………… 485
- 2 ▶ カナダ式合成樹脂製サイム義足 ………… 486
- 3 ▶ VAPC 内側開き式サイム義足 …………… 487
- 4 ▶ 軟ソケット付き全面接触式サイム義足 ……………………………………………… 487
  - (1) 切断手技での変法 ……………………… 487
  - (2) 義足の改良 ……………………………… 487

3 サイム義足用足部 ……………………………… 489

10 足部切断と義足 491

1 足部切断のもつ問題点 ……………………… 491
- 1 ▶ わが国において足部切断が多い理由 …… 491
- 2 ▶ ショパール・リスフラン関節離断部位に対する評価 ………………………………… 491
  - (1) 体重の負荷性 …………………………… 491
  - (2) 断端部の変形 …………………………… 492
  - (3) 断端部の皮膚の状態 …………………… 493
  - (4) 歩容および歩行能力 …………………… 493

2 足部切断用義足 ………………………………… 494

11 3D-CAD/CAM による義足ソケットの製作 497
  - (1) 3D デジタル技術によるソケット製作の概要 ……………………………………… 497
  - (2) 3D デジタル技術によるソケット製作の工程 ……………………………………… 497

12 義足装着訓練 499

1 義足装着前訓練 ………………………………… 499
- 1 ▶ 断端訓練 …………………………………… 499
- 2 ▶ 健常な姿勢の保持 ………………………… 499
- 3 ▶ 体幹筋訓練 ………………………………… 499
- 4 ▶ 下肢切断者の健脚訓練 …………………… 499
  - (1) 健脚起立訓練 …………………………… 499
  - (2) 連続片足跳び（hopping）……………… 501
  - (3) 膝関節屈伸運動 ………………………… 501
- 5 ▶ 水治療法およびマッサージからシリコンライナー装着へ …………………………… 503

2 義足装着前後の断端の評価 ... 503

3 義足の適合検査 ... 503

4 義足装着訓練 ... 507
- 1 義足の装着 ... 507
- 2 立位での平衡訓練 ... 508
- 3 平行棒内での平衡訓練 ... 510
- 4 歩行訓練 ... 510
- 5 日常生活動作訓練 ... 510
  - (1) いすに腰をかけ，次いで立ち上がる訓練 ... 510
  - (2) 床上よりの起立と，座位をとる訓練 ... 510
  - (3) ズボン，靴下，靴などの着脱訓練 ... 511
  - (4) 切断者に重量物を持たせて歩行させる ... 511
  - (5) 自転車，自動車の乗降訓練 ... 511
  - (6) バスステップの乗降訓練 ... 511
  - (7) 階段昇降訓練 ... 511

6 応用・習熟訓練 ... 512

7 両下肢切断者の歩行訓練の特殊性 ... 513
- (1) 両側大腿切断例 ... 513
- (2) 一側大腿・一側下腿切断例 ... 517

8 下肢切断者の歩行能力 ... 518
- (1) 歩行速度，持続距離，実用歩型 ... 518
- (2) 階段昇降能力 ... 519
- (3) その他，難路・坂道・障害物歩行などの応用動作 ... 520

9 義足装着訓練ステップアッププログラムについて ... 522
- (1) ステップ1：従来の歩行訓練プログラム ... 522
- (2) ステップ2：歩行速度を向上させる訓練プログラム ... 522
- (3) ステップ3：スポーツ，レクリエーションを目的とした訓練プログラム ... 522

第6章 わが国内外における義肢装具発展のあゆみ　525

1 障害者福祉施策の動向 ... 526
- 1 わが国の障害者数 ... 526
- 2 わが国の障害保健福祉施策の歴史 ... 526
- 3 国連障害者権利条約批准へ ... 528

2 わが国における義肢装具発展のあゆみ ... 528
- 1 日本義肢装具研究同好会から「日本義肢装具学会」発足へ ... 528
- 2 日本リハビリテーション医学会および日本整形外科学会に設置された義肢装具委員会の協働による行政への提言と，これにより実施された義肢装具サービスの改革 ... 528
  - (1) 統一処方箋と義肢装具のJIS用語 ... 529
  - (2) 義肢装具の標準規格化 ... 529
- 3 義肢装具の価格体系の変遷と今後の改革について ... 529
  - (1) 身体障害者福祉法から障害者総合支援法へ ... 529
  - (2) 補装具費の支給基準の改革 ... 532
- 4 福祉用具法 ... 533
  - (1) 背景 ... 534
  - (2) 福祉用具法の展開 ... 535
- 5 義肢装具研究開発と地域リハビリテーションサービスの向上にむかって ... 535
  - (1) 義肢装具の研究開発体制のあり方について ... 535
  - (2) 地域における義肢装具の処方・装着訓練を行うリハビリテーション医療機関の整備 ... 535

3 義肢装具における国際協力のあゆみ ... 536
- 1 ISPO（国際義肢装具協会）の目的と組織 ... 537
  - (1) ISPOの目的 ... 537
  - (2) ISPOの会員組織 ... 537
  - (3) ISPO会員のメリット ... 537
  - (4) ISPOによる義肢装具士のカテゴリー区分 ... 538
  - (5) 世界大会およびセミナー，研修コース，カンファレンス ... 539
  - (6) 出版 ... 539
  - (7) 国際標準化活動 ... 540
  - (8) 国際組織との交流 ... 540
  - (9) ISPO世界義肢装具教育者会議（Global P&O Educator's Meeting） ... 540
- 2 わが国の義肢装具における今後の国際協力のあり方 ... 540
  - (1) ISPO第6回，第17回世界大会を神戸で開催 ... 541
  - (2) アジア義肢装具学術大会の設置 ... 541
  - (3) 日本財団によるアジアにおける義肢装具教育施設の設置 ... 541

文献 ... 543
和文索引 ... 555
欧文索引 ... 560

第1章

切　断

amputation

1 わが国における切断者のプロフィール

　切断(amputation)とは四肢の一部が切離された場合をいい，この中で，関節の部分で切離されたものを離断(disarticulation)とよんでいる．わが国の切断者の実態は，欧米先進国と比較して過去長年において切断者総数，切断年齢，切断原因などにおいて著しい差異を認めてきた．

─1▶ わが国における切断者の発生率

　人口10万人に対する年間の下肢切断者の発生率は0.9人である．この数は欧米先進国とは比較にならないほど少ない．たとえば，兵庫県人口(540万人)とほぼ同じ人口(510万人)をもつデンマークの下肢切断者が，最近減少傾向にあるとはいえ，1990年頃に年間1,800人であったことからしても明確で，わが国はデンマークの4～5％程度の頻度に過ぎないと考えられる．その切断原因の80％以上は，高齢者の末梢動脈疾患および糖尿病によるものである．また，英国における末梢動脈疾患例は100万人あたり500例(英国全体で25,000人)が認められ，そのうち毎年25％(6,250人)が切断術を受けている(P. T. MaCollum)．

　令和3年(2021年)度におけるわが国における身体障害者手帳交付台帳登録数[386]は4,910,098人(日本の総人口1億2550万人の3.9％に相当)で，18歳以上が4,816,047人，18歳以下が94,051人となっている．障害の種類別では，肢体不自由が2,46,523人(50.2％)，内部障害が1,623,012人(33.1％)，聴覚・平衡機能障害が443,013人(9.0％)，視覚障害が322,310人(6.6％)，音声・言語・そしゃく機能障害が59,240人(1.2％)であった．

　切断者の唯一の調査である平成18年(2006年)の厚生労働省「身体障害児・者実態調査」では[387]，全国の身体障害者数(在宅)は3,483,000人と推計され，肢体不自由176万人(50.5％)のうち上肢切断者は8.2万人(肢体不自由者の2.4％)で，下肢切断者は6万人(肢体不自由者の1.7％)とされ，2001年の同様の調査結果と比較すると上肢切断者は16.3％減少し下肢切断者は22.4％増加したと報告している．

─2▶ 兵庫県における切断者の疫学調査

　わが国において，これまで長期にわたる切断者の明確なプロフィールを明らかにした疫学調査は行われていなかった．そこで，兵庫県立総合リハビリテーションセンター切断プロジェクトでは，小嶋　功氏(現神戸学院大学)をリーダーとするプロジェクトを組み，兵庫県福祉部障害福祉課と身体障害者更生相談所の協力を得て，50年間にわたる疫学調査を行ってきた．

　令和3年(2021年)度，人口約540万人の兵庫県における身体障害者手帳交付台帳登載数[388]は，2,462,523人で，うち肢体不自由は129,495(55.1％)であった．1年間の身体障害者手帳新規交付者総数は12,624人で，肢体不自由は4,518人(35.8％)で，2014年を境に新規発行数はやや減少している．

(1) 調査対象

　兵庫県身体障害者更生相談所は，兵庫県の人口約540万人のうち，指定都市，中核市を省く約310万人に対する身体障害者手帳の審査・交付事務を担っている．

兵庫県身体障害者更生相談所が保管している，2011年から2020年までの身体障害者手帳診断書をもとに，切断年月日，切断原因，性別等について調査し，過去に筆者らが調査した1965年から2004年までの40年間のデータに，この10年間分のデータを加えて分析した．

多肢切断者，再切断者を省く切断者総数は，4,435人（一側上肢切断者2,677人，一側下肢切断者1,758人）であった．

(2) 調査結果（一側上下肢切断者）

① 一側上肢切断者

2020年の上肢切断者の発生率は，人口10万人あたり0.6人であった．50年間を5年ごとに区切った期間における一側上肢切断の発生数と切断原因の推移をみると，1970年代前半をピークに直近5年間平均で約10分の1へと急激に減少した（図1-1）．

2016年から2020年の平均5年間の切断原因を見ると，外傷が78.4％（業務上の事故66.7％，交通事故2.0％，その他の外傷9.8％）を占めた（図1-2）．切断部位では，指切断の占める割合は全体の70.6％（母指または母指以外の指全体）を占め，顕著な年次的変化はみられなかった（図1-3）．

② 一側下肢切断者

2020年の下肢切断者の発生率は，人口10万人あたり0.9人であった．50年間を5年ごとに区切った期間における一側下肢切断の発生数と切断原因の推移をみると，2000年代後半より減少していた（図1-4）．

2011年から2020年の10年間の一側下肢切断者総数は，394人であった．2011年から2015年までの5年間で末梢動脈疾患が占める割合は86.0％，2016年から2020年の5年間は77.3％と減少していた．そのうち糖尿病の占める割合は，1995年から2004年の10年間で50.1％，2011年から2020年の10年間で45.3％へと減少した（図1-5）．

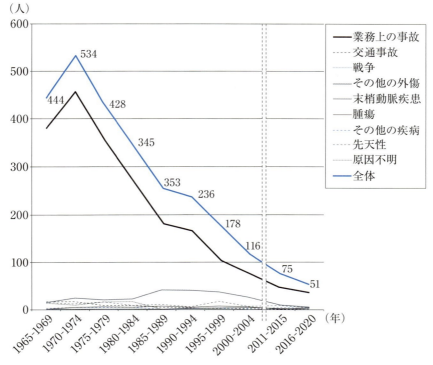

図1-1 一側上肢切断者の切断原因別推移（実数）

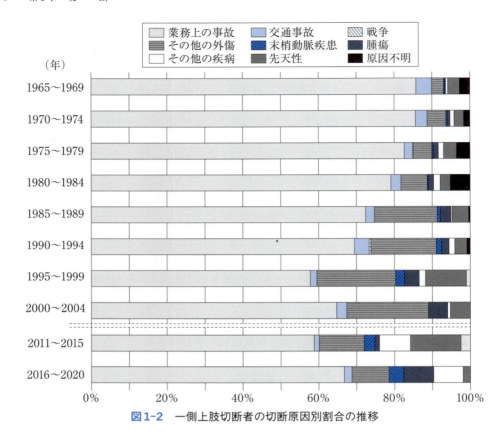

図1-2 一側上肢切断者の切断原因別割合の推移

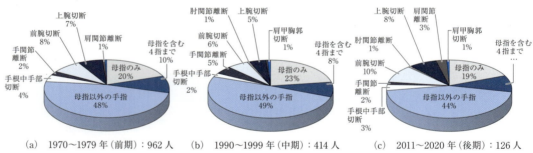

(a) 1970～1979年（前期）：962人　(b) 1990～1999年（中期）：414人　(c) 2011～2020年（後期）：126人

図1-3 一側上肢切断者の切断部位別内訳，年代比較

　切断部位別の年代別推移（前期：1970～1979年，中期：1990～1999年，後期：2011～2020年）を比較してみると（図1-6），下腿切断は前期43％に対し後期は57％，大腿切断は前期40％に対し後期は32％であった．

―3▶海外における切断者の疫学調査

　切断者の疫学調査は，国の機関や地域・施設間レベルなど，異なる調査対象による報告がみられる．

　フィンランド，スウェーデン，デンマークでは，末梢動脈疾患による下肢切断者の年間発生率は約20～35/10万人で[389,390]，約半数が糖尿病によるものであったと報告[391]している．2000年代

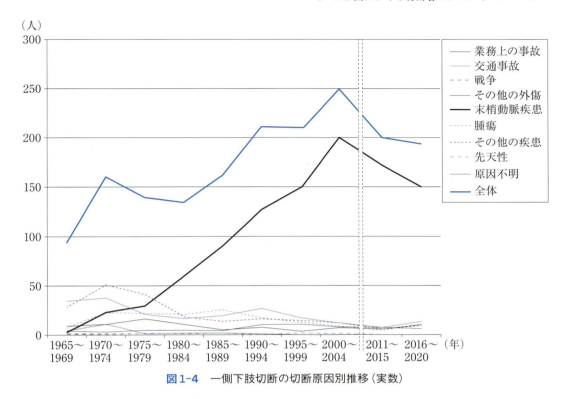

図1-4 一側下肢切断の切断原因別推移(実数)

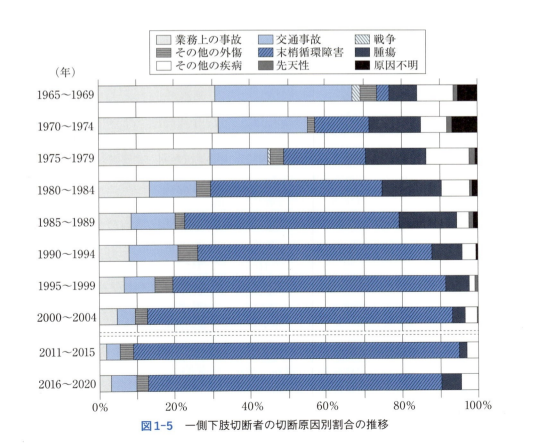

図1-5 一側下肢切断者の切断原因別割合の推移

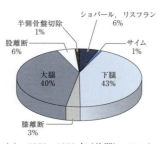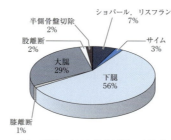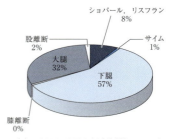

(a) 1970〜1979年（前期）：324人　　(b) 1990〜1999年（中期）：423人　　(c) 2011〜2020年（後期）：394人

図1-6　一側下肢切断者の切断部位別内訳，年代比較

に入ってからは，欧米からの一連の報告[392〜396]では，下肢切断の発生率が減少していた．

　日本やオセアニアを含めた16学会による末梢動脈疾患に関する治療指針をまとめた，TASKⅡ（The Trans-Atlantic Inter-Society Consensus Document on Management of Peripheral Arterial Disease Ⅱ）[397]は，欧米での重症下肢虚血の発生率は，人口10万人あたり年間で50〜100人とし，重症下肢虚血による大切断（大腿切断，膝関節離断・下腿切断）の発生率は，人口10万人あたり年間で12〜50人と報告している．

　Moxeyら[398]は，2003年から2008年の間に下肢切断術を行った病院のデータでは大切断は5.1人/10万人で5年間は変化しなかった，小切断（サイム切断，足部・足趾切断）は6.3/10万人で，小切断のうち39.4％は糖尿病によるものだった，と報告している．また，下肢切断の発生率の有意な減少の理由については，専門家による糖尿病性足病変に対する包括的な治療・指導体制の導入後の影響によるものであると述べている[399]．

　Fortingtonら[400]は，下肢切断の発生率は，全年齢層で8.8人/10万人，45歳以上の年代層は23.6人/10万人で，切断原因となる糖尿病の相対的リスクは，糖尿病でない人よりも糖尿病のある人は12倍であったと述べている．

　Hughesら[401]は，1990年から2017年までの期間で，EU15か国以上では末梢動脈疾患における足趾近位部の切断の発生率について変動傾向があったと報告している．足趾近位部の切断では，19か国中8か国で増加傾向が観察され，19か国中9か国で減少傾向が観察され，そのうち4か国では性別間で異なる傾向がみられたとしている．

　経済協力開発機構（OECD：Organization for Economic Cooperation and Development）加盟37か国のうち21か国の調査[402]では，大切断率は2000年では人口10万人あたり10.8人，2013年では7.5人へと減少しており，糖尿病による大切断率も減少したと報告している．

　欧米の切断者発生数に関する報告と比べて，日本の発生数はきわめて低い．長年にわたる下肢切断の疫学的調査から，主原因が外傷から末梢動脈疾患および糖尿病性足病変に変化したが，2000年以降，欧米では下肢切断者数が減少している．兵庫県においても直近10年間で減少傾向がみられた．末梢動脈疾患における重症下肢虚血に対する治療戦略が浸透したことによって下肢切断のリスクは低下したものと推察できる．下肢温存と糖尿病性足病変による下肢切断を回避することは，医療経済的な視点からも重大な課題であり，切断者の疫学調査はリハビリテーションのさまざまな施策を行ううえで貴重な基礎資料となる．

　小嶋 功氏をはじめ，切断研究グループの方々に敬意を表したい．

2 切断の原因となる疾患・障害

切断の適応となる原因に次のようなものがあげられる．

1 末梢動脈疾患

─1▶ 末梢動脈疾患とは

　加齢とともに，誰でも血管は固くもろくなるが，これに高血圧，脂質異常症（高脂血症）などの生活習慣病や糖尿病などが加われば，末梢動脈の硬化・閉塞などの病変が進行する．これらの「慢性動脈閉塞症」や「閉塞性動脈硬化症」と呼ばれる疾患は，現在では一般に**末梢動脈疾患**（Peripheral Arterial Disease：PAD）という疾患名で呼ばれている．

　図1-7は，年齢を経るにしたがって起こってくる動脈の病理学的な変化を示したものである．切断に関係する四肢の動脈硬化は，一般に40歳までに下腿動脈，50歳までに大腿動脈，50歳を過ぎると腸骨動脈がおかされてくる．

　末梢動脈疾患は，一般には，加齢により血管が肥厚し，脂質やカルシウムなどが沈着し，弾力性が消失し，血栓の形成，閉塞・狭窄をきたす．その結果，血行が悪くなり（阻血），壊死または壊疽に陥り，切断せざるをえない状態となる（図1-7）．さらにこれに感染が加われば悪化の原因となる．また，糖尿病，高血圧や脂質異常症（高脂血症）などがあれば，動脈硬化はさらに進展する．

(1) 末梢動脈疾患により起こる他の臓器疾患

　動脈の硬化は，下肢の腸骨動脈や大腿動脈，膝窩動脈のみならず全身の動脈に起こるために，各臓器の血行に影響を与え，さまざまな病変を起こす．したがって，下肢の壊死により切断を余儀なくするケースでは，図1-8に示すように，冠動脈（狭心症，心筋梗塞），脳動脈・脳細動脈・脳底動脈（脳梗塞，脳出血，クモ膜下出血），網膜細動脈（眼底出血），胸部・腹部大動脈（動脈瘤），腎動脈（腎硬化症）などの疾患が合併していることを留意しておくことが大切である．症状のある末梢動脈疾患の場合，22％に慢性心不全が合併し，間欠性跛行が22.5％，重症下肢虚血が77.5％に認められる[375]．

(2) 閉塞性血栓性血管炎（バージャー病）

　これは20～40歳の青年男性の下肢に多く認められ，動脈の炎症の結果として起こる下肢の乏血，壊疽を起こす疾患である．症状としては，間欠性跛行，表在性静脈血栓炎の反復，通常疼痛を伴う足指の継続的潰瘍，足の安静時の冷感，異常知覚，足指の腫脹およびチアノーゼを認める．一側の下肢または上肢に障害があれば他側もおかされることが多い．20％に動脈閉塞が突然起こる．

(3) 糖尿病

　糖尿病では，側副血行の形成が妨げられるために，予後が不良となる．欧米では，糖尿病患者の約半数が切断を起こすとされている．糖尿病により末梢神経障害が起こり深部痛が減少し，足部に再三の外傷が加わりやすくなる．末梢血管にもアテローム硬化を起こし壊死に至ることがあ

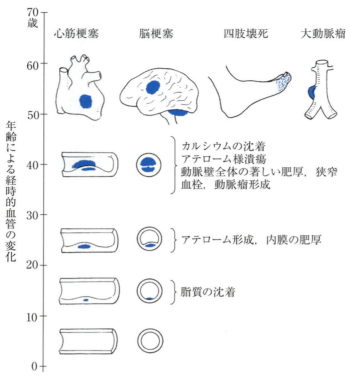

図1-7　動脈硬化症の加齢変化（Tor Hiertonによる）

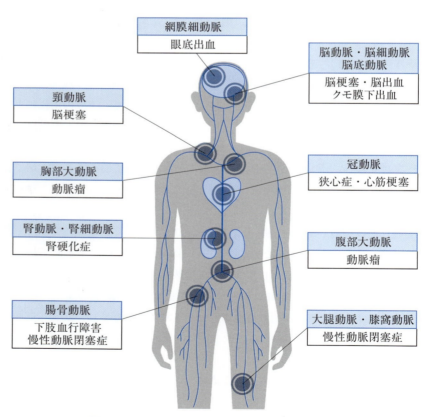

図1-8　末梢動脈疾患により起こる他の臓器疾患

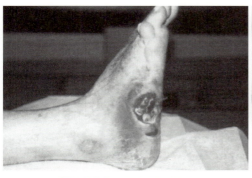
図1-9(a) 糖尿病性潰瘍

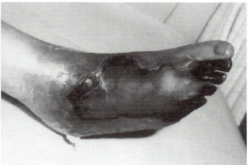
図1-9(b) 糖尿病性壊死

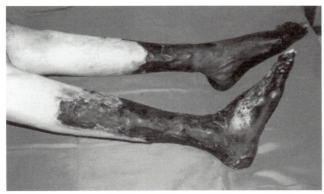
図1-10(a) 閉塞性動脈硬化症による両下肢壊死

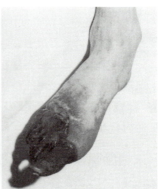
図1-10(b) 閉塞性動脈硬化症による下肢の壊疽

る(図1-9(a)(b)).また,外傷が反復すると足関節や足部に神経障害性関節症を起こし,これが切断の原因となることもある.

─2▶ 末梢動脈疾患の臨床症状

(1) Fontaine分類
末梢動脈疾患はその進行状況において次のように4段階に分類されている.
Ⅰ度:臨床症状のない動脈硬化症
Ⅱ度:**間欠性跛行症(intermittent claudication)が認められるとき**
　これは末梢動脈の閉塞が起こり始めたときに,安静時にはどうもないが,歩行中に下腿筋や大腿筋に痛みを訴え,しばらく休むと軽減し再び歩けるようになる状態をいう.この距離が200m以下になると進行している証拠となる.
Ⅲ度:**安静時でも,足指の痛み,冷感,灼熱感,知覚障害などを訴えてくるとき**
　その場合,糖尿病を合併せずに足関節部での圧が50mmHg以上で足指での圧が30mmHg以上の人と,糖尿病を合併していて足関節部での圧が50mmHg以下で足指での圧が30mmHg以下の人とに分けている.
Ⅳ度:さらに進行すると罹患部が**壊疽**(重症下肢虚血;critical limb ischemia:CLI)となり切断せざるをえない状態となる(図1-10(a)(b)).

(2) 皮膚温度と皮膚組織の状況

　皮膚の温度とその著しい差がある場合には，予後予測診断上に重要な意味をもつ．皮膚温度の著しい低下を表す境界をもっている場合には，最近における動脈閉塞と側副血行の不良であることを示す．足部の下垂時のチアノーゼを認め，挙上したときに蒼白化する場合は側副血行の不良である証拠であり，この場合には，チアノーゼの部位での切断部位の選択は禁忌である．その他，皮膚組織が薄く光沢を帯び，無毛で皮下組織の薄いときには血行が不良であることを示す．

　血行障害が進むと壊死となり，壊死のある範囲と周囲組織との境界（demarcation）の有無が切断部位の決定に重要な因子となる．たとえば，壊死の範囲が1指の末節部に限局しているときは，1指切断での治癒が期待しうる．しかし，壊死の範囲が1～2指の全足指に及ぶ場合は中足骨部での切断の適応となる．また，壊死が前足部にある場合には下腿切断の適応となり，下腿中央部以上にある場合には大腿切断の選択となる．

　また，周囲組織の境界線の有無は，切断部位の決定のみならず切断時期の決定にも重要である．すなわち，この境界線がない場合は局所壊死の進行を示すことが多く，逆に境界線がはっきりしている場合は，この線より近位部での手術の適応となることを示している．

　局所組織の壊死に感染が加わりリンパ管炎などの合併症を起こすと，化学療法では十分な治療効果が期待できない．特に発熱，意識障害などの壊死による急性の中毒症を起こした場合，救急的に切断術を行わないと，しばしば死の転帰をとる．

―3▶ 末梢動脈疾患における末梢血行の測定方法

　① 足関節/上腕収縮期血圧比

　末梢動脈疾患の診断治療ガイドラインについては，2007年に国際的に合意を得た下肢閉塞性動脈硬化診断治療指針（Trans Atlantic Inter-Society ConsensusⅡ：TASCⅡ）[376]が現在の基準となっている．このTASCⅡでは，足関節/上腕収縮期血圧比（ankle brachial pressure index：ABI）の測定で評価を行っている．ABIは血圧カフまたはドプラーを用いて簡単に測定することができるため臨床場面でよく用いられている．動脈硬化性疾患がなければ足関節と上腕の血圧はほぼ同じ数値であり，ABIは1.0となる．これが0.9以下の場合には末梢動脈疾患が疑われ，さらに，0.75～0.90が軽度，0.40～0.75が中程度，0.40以下が重度の末梢動脈疾患と分類されている．

　② 脈拍（鼠径部，膝窩部，足部）の強弱の確認
　③ 血管エコー検査（超音波により下肢全体を描き出す方法）
　④ トレッドミルを用いた運動負荷試験
　⑤ 動脈造影検査（CT，MRアンギオグラフィ）

　その他，末梢の血行評価法として，皮膚組織灌流圧（skin perfusion pressure：SPP），サーモグラフィーなどが補助診断として用いられている．

―4▶ 末梢動脈疾患の治療

(1) 基本的な治療法

　末梢動脈疾患の重症度に対する基本的な治療法を表1-1に示す．末梢動脈疾患の危険因子は，糖尿病，慢性腎不全，喫煙，高血圧，脂質異常症などであり，これらの危険因子に対する治療を併せて行うことが大切である．

表 1-1　末梢動脈疾患の重症度に応じた治療法

Fontaine分類	症状	治療法
Ⅰ	無症候	禁煙を始め動脈硬化因子の管理・治療　フットケア
Ⅱa	軽度跛行	上記を含め薬物療法　運動療法（推奨）
Ⅱb	中等度から重度跛行	上記を含め血行再建術
Ⅲ	安静時疼痛	血行再建術（積極的）（血管新生療法）
Ⅳ	虚血性潰瘍・壊疽	血行再建術　創部処置（血管新生療法）

（国立循環器病研究センター）

（軽症→重症）

① 禁　煙
② 薬物療法

下肢へ向かう血液の流れを増やして症状を改善し，同時に心臓や脳への血流を良くすることを目的として，抗血小板薬や血管拡張剤がよく用いられる．

③ 運動療法

下肢の血流を増加させる一方で，血液中の酸素の利用効率を高めるため，運動療法が初期治療としてよく行われる．運動することにより，高血圧症をはじめ，脂質異常症，糖尿病などを管理することができ，運動療法を習慣化して行うことが大切である．

④ 重症下肢虚血（critical limb ischemia：CLI）の治療に際しては，血行再建と創傷治療の両面から行われる．

(2) 血行再建術（カテーテル治療，バイパス手術）

近年の血行再建術の発展により重症下肢虚血の治療が著しく進歩した．

カテーテル治療は，細くなったり，詰まったりしている動脈にカテーテルを操作して血流を良くする，またはカテーテルを通じてステント（金属を円筒にした人工血管）を動脈内に導き閉塞した部分に固定し血行を良くする治療法である．

バイパス手術は，血管の細くなったり閉塞したりした箇所に，体の他の部分からとった血管や人工血管をバイパスとして取り付け，血流を確保する方法である．重症虚血肢に対しては，血管外科，循環器内科，腎臓内科，形成外科，リハビリテーション科などによるチーム医療が不可欠である．

(3) 足潰瘍，壊疽の局所治療と予防

糖尿病性足病変や血行障害による難治性の下肢創傷の場合，慢性創傷と呼ばれ，停滞している創傷治癒過程を好転化させることが必要である．そのためには，その阻害因子となる，①壊死組織・不活性組織，②感染・炎症，③湿潤の不均衡，④創遅延を認める辺縁および皮下ポケット，などに対して，フットケアチーム（形成外科，皮膚科，整形外科，リハビリテーション科，看護師，整形靴製作技術者など）の協働による総合的なマネジメントが必要である．

① 壊死部の感染制御のために壊死部の切断またはデブリドマンを行い，その後感染制御のために創傷を洗浄し抗菌剤を使用する．

② 十分肉芽形成が認められるようになれば，軟膏治療や局所陰圧閉鎖療法で肉芽形成を促進させる．

③ 十分に血流の良好な肉芽形成を認めれば，植皮術などにより創閉鎖を行うことができる[377]．
④ 足部に対して薬用石けんを用い，温水で毎日洗い，洗ったあとラノリンを塗布する．
⑤ 暖かい毛糸のソックスなどを履き，局所を保温したり外傷を予防したりする．この場合，ガーターやゴム紐入りの靴下などで足部の近位部の周囲をしめつけないようにする．湯たんぽ，こたつなどによる火傷を避ける．
⑥ 循環障害がある部位への外傷を避ける．体位変換時などに，足部，特に踵部がベッドなどで擦ることを防ぎ，また，下肢の外旋時での外踝部の褥瘡形成を避けなければならない．このため，足部に軟らかい装具を装着させる．
⑦ 関節可動域，筋力の保持と増強訓練，ベッド上の肢位に留意し，膝関節屈曲拘縮などの発生を防がなければならない．特に高齢者では，長期臥床による筋力低下を避けなければならない．

―5▶ 切断高位の決定

切断高位（level of amputation）の決定は，末梢動脈疾患の臨床症状（p9～10）を参考にして行われる．
一般的に，末梢動脈疾患において切断術を必要とする適応例として，
① 絶えがたい激痛が続くとき
② 潰瘍や壊疽が広がり，障害を残すことが確実となったとき
③ 生命にかかわる敗血症となったとき
④ 血管外科術（移植術，血管造影術など）による患肢温存が困難になったとき
⑤ 足指，中足部，足根部での切断に失敗したとき
などがあげられる．

過去の文献から，末梢動脈疾患による切断高位の選択と創治癒成功率を表1-2に示した．ただし，近年の血管外科の進歩などにより，今後，下腿より近位部でのmajor amputationの選択は減少する傾向にある．
切断高位を判断する際の具体的な考え方は以下のとおりである．
① 下腿切断の可能性を求める
血行障害の場合，義足歩行によるリハビリテーションの可能性は，いかに膝関節機能を残して下腿切断として成功するかどうかにある．具体的な目標として，下肢切断の70％を下腿切断にとどめ，90％を一次治癒させることを目指すべきである．その理由は，一側の大腿切断者と下腿切断者の移動方法の差をみれば明白である．図1-11は，兵庫県立総合リハビリテーションセンターで入院訓練された下肢切断者735人（1969～1998年）のうち，一側大腿切断者210人，下腿切断者181人について，循環障害と外傷，65歳以上と以下に分け，移動方法の差を検討したものである（下肢切断プロジェクト，PTR大藪弘子）．いかに，膝関節機能を残した下腿切断者が，大腿切断者に比較して，65歳以上であっても独歩・一側支持歩行の可能性が高いかがわかる．そのためには，切断術に十分な経験をもつ外科医と，血行障害の程度を測定する検査技師の参加が大切である．この際，特に，経験の少ない外科医に切断術を任せることは，切断者の将来の社会参加にマイナスの影響を与えるので厳に慎むべきである．さらに，後述する術後ケアにおいて，切断グループの看護師，義肢装具士，理学療法士などによるチームアプローチが必要であることはいうまでもない．

2 切断の原因となる疾患・障害

表1-2 末梢動脈疾患による切断高位の選択と創治癒成功率

	適 応	禁忌および注意	成 功 率 （ ）は報告者と症例数
足指切断	壊疽がPIP関節*より遠位にある場合	母指，小指の場合は，基節骨よりも中足骨骨頭下で切断	
中足骨切断	壊疽が1～2指に限局し，足底部MP関節**より遠位にある場合	皮膚切開線まで壊疽が進み感染のある場合	78%（Silbert 59） 74%（Haimovici 46） 64%（McKittrick 145） 67%（Warren 43） 73%（Pederson 23）
サイム切断	①壊疽が足指にあり中足骨切断不良の場合 ②全身状態が不良で下腿切断の適応に危険性のある場合	女性の場合（外観が不良）	64%（Silbert 14） 83%（Warren 6） 73%（Dale 22） 50%（Sarmiento 38） 28%（Hunter 54）
下腿切断	①中足骨切断に失敗し，壊疽が足関節上方に及ぶ場合 ②ほとんどの足指がMP関節を越えて壊死に陥り，健常部との明瞭な境界線がない場合 ③足指の感染の広がりが著明で敗血症の恐れがある場合	下腿中央部で筋肉の変色が著明な場合 〔膝窩動脈，大腿動脈の脈拍をふれないとき．また，血管造影で，膝上部で膝窩動脈の血行を認めない場合でも下腿切断の可能性は十分にある．特に最近のギプスソケットの装着によって成功率が高い〕	93%（Silbert 183） 90%（Hoar 100） 83%（Pedersen 60） 91%（Shumacker 58） 84%（Kendrick 51） 80%（Kelly 131） 85%（Bradham 84） 71%（Warren 121）
膝離断	下腿切断として可能性がないが，大腿部の血行が良い場合	長い前方皮膚弁よりも，内外に皮膚弁をもつ切開を用いる	50%（Chilvers 22） 90%（Baumgartner 72） 　（内外皮膚弁による）
大腿切断	①下腿部の壊疽と感染が広範囲で，膝離断が不能な場合 ②反対側に大腿切断など障害があり，将来のゴールとして車いすが考慮される場合 ③大腿動脈の閉塞が急性に起こった場合		84.4%（Thompson 128） 100%（Warren 41） 98%（Shumacker 61） 98%（Claugus 71） 96%（Bradham 46）

*proximal interphalangeal joint：近位指節間関節
**metacarpophalangeal joint：中手指節関節

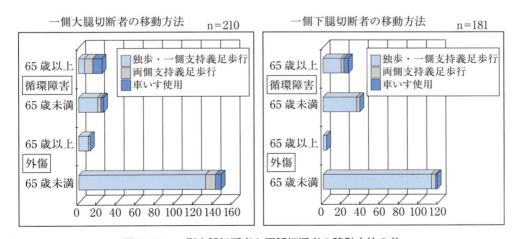

図1-11 一側大腿切断者と下腿切断者の移動方法の差
（兵庫県立総合リハビリテーションセンター下肢切断プロジェクト，PTR大藪弘子）

② 下腿切断より大腿切断を考慮すべき場合

可能な限り下腿切断を選択するべきであるが，血行障害による末期の腎臓障害，冠動脈疾患などの合併症を伴う場合や，切断前の下肢機能の著しい低下により義足歩行が望めない場合，そして局所の壊死や感染の拡がりなどの程度によっては，大腿切断を選択すべきである．

6 ▶ 末梢動脈疾患による切断後の予後

末梢動脈疾患により切断した後，3カ月以内の死亡率は，15％と高い．同側高位での再切断の可能性は6カ月以内で18.8％に，3年以内の対側切断の頻度は27.3％にみられる（B. Ebiskov[57]）．

2 重度の外傷：患肢温存か切断か

交通事故，災害事故，戦傷などにより，開放性の複雑骨折，骨髄炎，広範な皮膚欠損，神経障害などを伴う場合，患者の残された機能とQOL（生活の質）を考慮して，切断するかどうかを決定する．そのとき，局所の病的状態，関節拘縮，神経障害，そして社会復帰までのリハビリテーションに必要な期間などが決定因子となる．さらに，各国で差があるが，この間にかかる医療費の経済的な問題も無視できない．この問題について多くの研究がなされているが，まだ結論は出ていない．しかし，切断手術は決して敗北的な手技でなく，社会参加への重要な治療手段であることを指摘しておきたい．特に，外傷の中でも，生命にかかわるような感染症（ガス壊疽（図1-12）や敗血症など）の場合は，切断に躊躇してはならない．

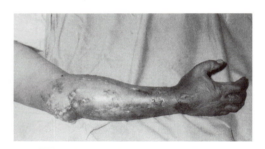

図1-12　ガス壊疽による右上肢壊疽

3 悪性骨腫瘍：切断から患肢温存へ

かつて，四肢に発生した悪性骨腫瘍に対しては，切断術が唯一の治療法であった．しかし，切断術を行い義足装着訓練を行っている2年以内に肺転移を起こし，残念ながら死の転帰をとることが多く，生存率は20〜30％程度であった．

1970年代に入り，骨肉腫に対する化学療法が画期的に進歩し，放射線治療，そして原発巣に対するさまざまな患肢温存手術（limb salvage surgery）などの集学的治療法の進歩により，生存率が著明に改善された．5年後の生存率は，骨肉腫で70％，ユーイング肉腫で60％，軟部組織の肉腫で60％となっている．

3 切断高位の選択

　切断部位（level of amputation）の選択は，切断者の将来の歩行および就業能力を決定するものであるだけに，外科医としてきわめて慎重に決定しなければならない．
　これには，図1-13のように，年齢，性別，原因疾患，全身状態，克服意欲などの一般的事項の他に，日本における特殊な条件も考慮しなければならない．すなわち，生活様式——畳上の膝関節屈曲能力を必要とする生活，用便動作，履物の複雑性，通勤通学時の交通機関の利用，農業や日本に特有な職業など——が重要な因子となる．また，切断術を行う前に常に，将来装着する義足義手のソケットの適合および股継手，膝継手，足継手，肘継手，手継手など，処方を念頭に留めておかねばならない．
　従来，この切断高位の価値については，zur Verth以来，Watermann[308]，Slocum[272]，Alldredge[5]，Thompson[293]などにより述べられている（図1-14，19）．しかし，最近の義肢適合技術や材料の進歩と，これを技術的にバックアップしているリハビリテーション工学面での研究などにより，切断高位の価値域は著しく変わりつつある．特に一般的傾向として，断端をできるだけ長く残存させ，残った機能を義肢の適合技術により最大限に活かそうとする方向が認められる．

1 上肢切断高位の選択

　上肢切断の原因はそのほとんどが労働災害あるいは交通外傷によるものであり，下肢と比較すると循環障害によるものはまれである．その切断高位の選択については，zur Verthの図（図1-14）にあるとおり，上腕骨骨頭，肘関節周辺部，手関節の遠位部，手指などの価値域に問題があるとされてきた．しかし最近では，一般にできるだけ長い断端を残存させる方法を選択するという傾向にある（図1-15）．

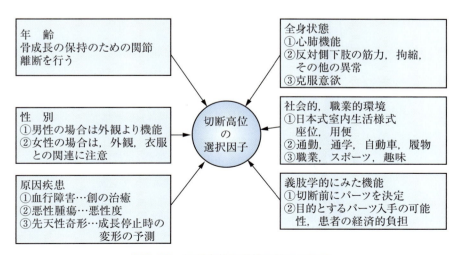

図1-13　切断高位の選択に関する因子

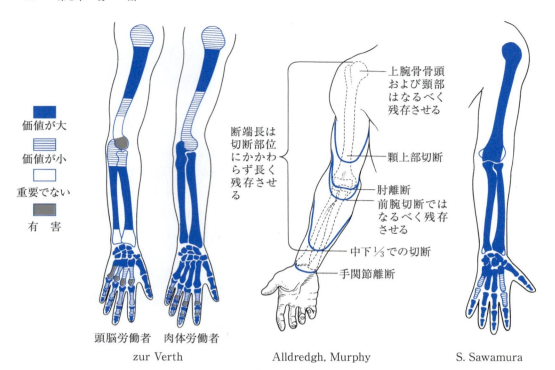

図1-14 上肢切断高位の選択

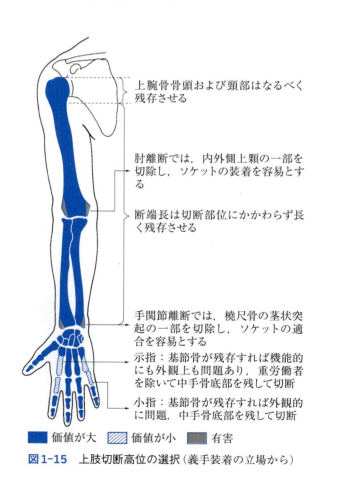

図1-15 上肢切断高位の選択（義手装着の立場から）

─1▶肩部の切断

肩部で切断を必要とする場合は，上腕骨骨頭はできるだけ残存させるべきである．それは次のような理由からである．

① 外観上良好な結果を得る．
② 義手ソケットの装着上，肩離断の場合は，肩峰の突出（p194 図4-73）があるため良好な適合を得ることが困難である．これに対し，骨頭の残存により肩部の丸い広い形態を得てソケットの適合範囲が増加し，良好な適合が得やすくなる．
③ 特に能動義手の動作に際して，骨頭残存によって生体力学的に肘継手およびフックの作動が容易となることは明らかである（p196 図4-75）．

─2▶上腕部の切断

上腕義手の機能は，残存している上腕骨のテコの長さ，筋力，肩関節可動域などによって決定される．それゆえ，上腕骨はできるだけ残存させるべきである．長断端であれば吸着義手の可能性があり，また上腕の回旋能力を多く残すことになる．

Alldredgeは，上腕部が腋窩ヒダから5cm以内であると価値が少ないと述べている．しかし，この部位での切断でも，上腕義手ソケットの解剖学的適合とコントロールケーブルおよびハーネスの適正な取り付けにより，上腕義手としての機能を活かすことは十分可能となる場合がある．また，ときどき，大胸筋の付着部の部分的切腱術により腋窩ヒダを深くし，断端長を長くする方法がとられる場合がある．

─3▶肘部の切断

肘離断は従来から，上腕骨顆部の出っ張りによってソケットの適合が困難であるため，切断に不適当な部位とされてきた．しかし肘離断は，上腕切断よりはテコの長さが長いため，義手のコントロールに関してはより良好である．最近では，能動単軸肘ヒンジ継手（outside locking-elbow joint）が開発され，十分な実用性をもつことができるようになり，合成樹脂製ソケットによって適合面が改善されたことにより，顆部の膨隆がソケット回旋のコントロールと懸垂に利用され，肘離断の解剖学的特性が機能的には大きな利点となっている．ソケットの装着を容易にするために内側および外側の上顆の一部を切除する（図1-15）ことがあるが，一般的には肘離断は良好な切断高位とされている．

─4▶前腕部の切断

前腕短断端の選択は，過去において，義手の良好な適合を得ることがなかなか困難であるとされてきた．そのため，特に肘継手についてさまざまな試みが行われ，倍増肘継手が開発され，また，断端にわずかに残存する屈曲伸展運動を積極的に活用して継手の固定および解除を行う断端操作式能動単軸肘ヒンジ継手が用いられている．特に独ミュンスター大学や米国ノースウェスタン大学で開発された前腕顆上部支持式ソケット（p213 図4-94）の使用により，短断端であっても深く十分な適合を得て，前腕切断としての機能を活かすようになっている．

したがって，上腕切断との機能的な差をみて明らかなように，できるだけ前腕短断端を残存させるべきであろう．前腕短断端の場合，実用的な断端長を増すため二頭腕筋付着部の切離が試み

られた(Blair and Morris)が，ミュンスター型ソケットの屈曲側でこの腱に対するチャンネルを作ることによって解決され，大きな障害もなく実用性が得られている．

前腕切断は，断端が長くなれば，肘継手に可撓性のある簡単なものが用いられ，これにより断端のテコの長さを機能的に活かすことができる．特に断端の回旋能力は，断端が長いほど残存し（p211 図4-92），ソケットをやや楕円形に製作することにより断端に残存した回旋能力を最大限に義手に伝達し，日常生活動作でも著明な利点を与えている．

―5▶手部の切断

手関節部での切断を選択することは過去において禁忌とされた経過がある．その理由としては，長断端のために手部を取り付けるスペースが十分なかったことと，解剖学的特徴のためソケットの良好な適合が十分得られなかったことがあげられる．

しかし，手関節離断で正常な前腕回旋が残存し，合成樹脂製ソケットの適合により残った機能を十分活かすことができるようになり，現在では良好な切断部位とされている．

手部での切断部位は，図1-16に示すように分かれる．

同(a)は手関節離断の場合で，橈骨および尺骨の茎状突起の隆起の一部を図のように切除するのが一般的である．これは義手ソケットを適合するための処置である．

同(b)は手根中手関節離断の場合で，手関節の運動の一部は残存する．

同(c)は中手骨切断の場合で，残存部は手関節運動とともに義手のコントロール源として利用される．

同(d)は基節骨切断の場合で，義指を用いても断端のみでも，機能的には上記のものよりはるかに優れている．

図1-16(b)(c)の場合には，軟部組織に問題を抱える断端となることがある．その場合，図1-17のように義手を装着した際に義手長が長くなったり，義手手首の周径が太くなったりするなど，外観に不利が生じる．したがって，手根中手関節離断や中手骨切断によって残存関節の機能が期待できない場合には，図1-16(a)に示すように橈骨・尺骨の茎状突起を5mm程度切離して断端を少し細くして，義手の適応と外観を優先する．

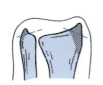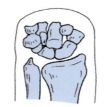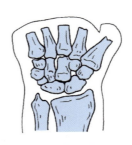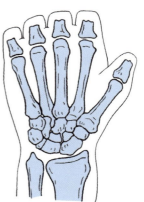

(a) 手関節離断（茎状突起の一部切除）　(b) 手根中手関節離断　(c) 中手骨切断　(d) 基節骨切断

図1-16　手部における切断

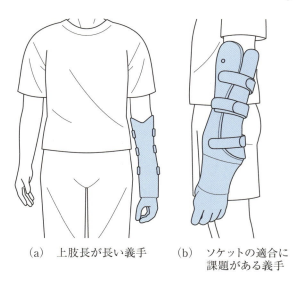

(a) 上肢長が長い義手 (b) ソケットの適合に課題がある義手

図1-17 外観（義手長）に問題がある義手（筋電義手）

─6▶指の切断

　手指の切断においては，握り動作（grasp），つまみ動作（pinch），ひっかける動作（hook）などの手の基本的な機能を残すべく，そのために必要であると考えられる部分はできる限り温存するよう努めるべきである．Slocum[271,273]，Swanson[282]などは，各部位における切断についてその機能喪失の程度を示しているが，一般に1指の切断の場合には，PIP関節（proximal interphalangeal joint：近位指節間関節）レベルまではその機能障害の程度は喪失した指の長さに比例し，これより中枢での切断ではその断端は手掌の幅を保ち，握りに際して固定力を強める程度の役目しか果たしえなくなる．

　したがって，手指の切断の場合にはできるだけ断端長を長く残すのがよく，その理想的な切断部位とは，良好な断端を作りうる最も末梢の部であるといえよう．

(1) 母　指

　握り，つまみに際してポールとしての機能を果たすため，その長さは最大限に温存する必要があり，中手骨での切断を余儀なくされるような場合には，造母指術，足指の移植術などの再建術が勧められる（図1-18(a)）．また，示指との指間部を深くして機能を改善しうる（同(b)）．

(2) 示　指

　つまみ動作において母指に次いで重要な役割を果たすため，できるだけ長く温存するのがよい．しかしPIP関節より中枢になると，基節骨での切断ではその断端は醜状を残すのみで機能的には何らの用もなさず，また中手骨骨幹部の切断では，つまみ動作，握り動作の際にかえって邪魔になり，しばしば疼痛の原因となる．

　したがって示指においては，基節骨より中節骨骨幹部までの間での切断は好ましくなく，むしろ中手骨基部での切断あるいはCM関節（carpometacarpal joint：手根中手関節）での離断のほうが，手掌の幅は減じるものの，醜状も残さず，さらに機能的にもより優れている（図1-18(d)の左）．場合によっては，同(c)のように示指を母指側に移行することがある．

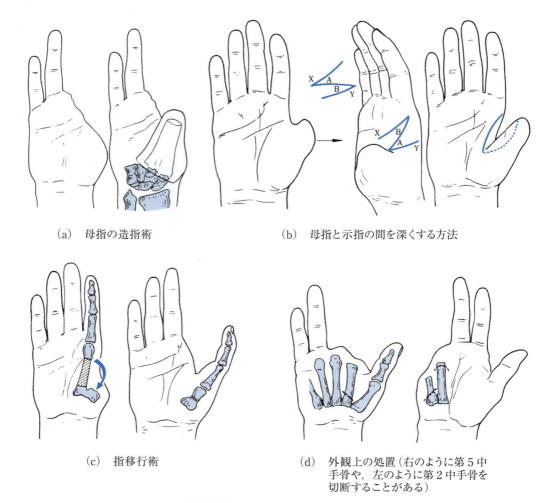

(a) 母指の造指術　　(b) 母指と示指の間を深くする方法

(c) 指移行術　　(d) 外観上の処置（右のように第5中手骨や，左のように第2中手骨を切断することがある）

図1-18　指の切断（Bunnelによる）

(3) 中指および環指

示指と異なり，基節骨における切断でも，その断端は物をすくうときに役立つため，できるだけ長く温存するのがよい．しかし，これらの指においての中手骨切断では隣接指の回旋変位がみられ，問題となることが多い．

これを矯正するには，示指あるいは小指を隣接の切断指の部位へ移動させるのが最も確実な方法で外観上も良好である．ただし，手掌の幅を減じるため握力は低下する．

(4) 小　指

小指においても，手掌の幅を保ち握力の低下を防ぐ意味でできるだけ長く温存するのがよいが，中手骨骨幹部の切断では残された骨の動きが増し，骨断端部の突出をきたして対象物に当たり，傷をつけやすく，また疼痛の原因となることがある．このような場合にはより中枢での切断が望ましい（**図1-18(d)**の右）．

2 下肢切断高位の選択

　下肢切断高位の選択についての最近の傾向は，基本的には上肢切断と同じように，できるだけ長く断端を残存させようとする方向にある．その理由は，義足の適合技術の進歩により，従来は禁忌とされていた部位の適合が得られ，全面接触ソケットによって負荷を分散させることにより残存機能を十分に利用することが可能となったためである．下腿短断端および大腿短断端がこの例であろう（図1-19）．また，義足歩行時のエネルギー消費は断端長に反比例し，近位での切断は酸素消費量を増大させる．

　現在までの下肢切断高位の価値域に関する意見を参考にすると，問題となる切断高位は図1-20に示すとおりである．すなわち，ⓐ股離断と大腿短断端との比較，ⓑ大腿長断端と膝離断との比較，ⓒ下腿長断端選択の適否，ⓓショパール関節離断，リスフラン関節離断など足部切断選択の適否，などがあげられる．

─1▶ 仙腸関節離断，解剖学的股離断の選択（義足装着による能力差）

　股離断および仙腸関節離断に対しては通常，カナダ式股義足が処方される．この両者の切断高位の優劣について比較してみると概ね次のとおりである．

(1) 義足の装着率

　義足の装着率では，この両者の切断高位に大差を認めていない．両者とも，外出時には装着し，自宅における室内生活においては除去することが多い．なぜなら，義足を装着したままで畳上で投げ出し座りをすると，ソケット装着による窮屈感，特に腹部に対する圧迫感が強いからである．なお，大腿部にターンテーブル（回転盤）を取り付けることにより，あぐら，横座りが容易となるため，処方することが多い．

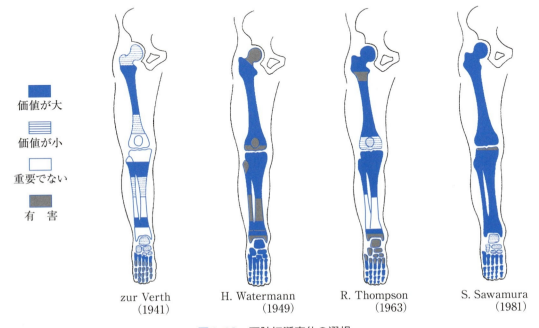

zur Verth (1941)　　H. Watermann (1949)　　R. Thompson (1963)　　S. Sawamura (1981)

■ 価値が大
▦ 価値が小
□ 重要でない
▨ 有　害

図1-19　下肢切断高位の選択

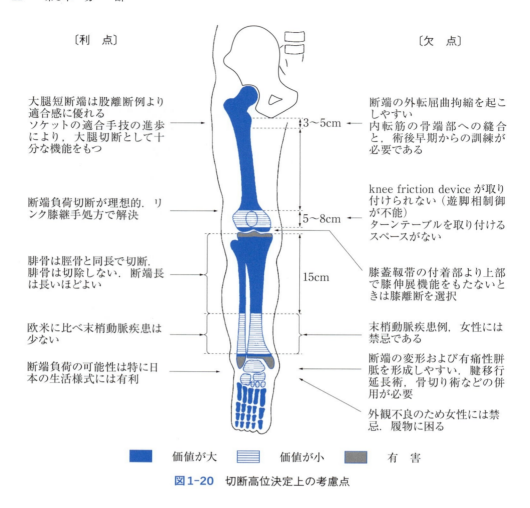

図1-20 切断高位決定上の考慮点

　また，夏季の発汗過多の場合，ソケットが合成樹脂製であるため不快感は大きな障害となっている．この不快感は，股離断の場合よりも仙腸関節離断の場合のほうが，ソケットの適合範囲が広いために強いことは明らかである．また，仙腸関節離断の場合ソケット前壁が高いため，座位で前屈して作業をする場合に問題となることが多い．

(2) 義足の適合

　仙腸関節離断では，坐骨結節を欠き，断端外下方部での負荷を行うため，負荷・非負荷時でのソケット内でのピストン運動がかなり大きく，同側肋骨前部での支持が必要とされる場合が多い（**図1-21**）．腸骨稜上部およびこれに相当する部位での懸垂が重要である．

　したがって，外傷または炎症などによる場合では，できるだけ腸骨稜を残存させた腸骨切断のほうが，ソケットの適合および懸垂に大きな利点となる．

(3) 義足歩行の実用性

　この両者の歩行の実用性は，ソケットの適合，アライメントが優れ，義足歩行訓練を十分行えば両者とも高齢者を除き杖を必要としない．100m歩行速度は1分15～20秒，持続歩行距離は2～4kmで，坂道，階段，不整地の歩行にも十分な実用性を得ることができる．しかし，実際の生活では自動車の運転によることが多い．

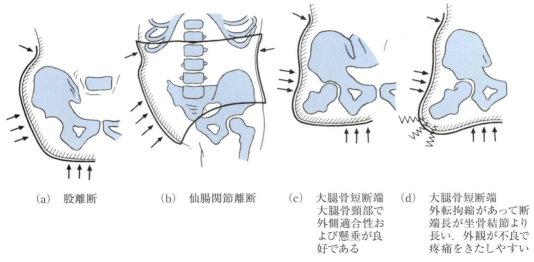

(a) 股離断　(b) 仙腸関節離断　(c) 大腿骨短断端 大腿骨頸部で外側適合性および懸垂が良好である　(d) 大腿骨短断端 外転拘縮があって断端長が坐骨結節より長い．外観が不良で疼痛をきたしやすい

図1-21　股義足における負荷と懸垂部位

―2▶機能的・義肢学的股離断（大腿骨頸部，転子下切断）の選択

　大腿骨の上部で切断を余儀なくされたが，大腿切断としての機能をもたず，義肢学的にみて股離断とみなされる場合には，原則として，大腿骨骨頭，頸部ともに残存させるべきとの意見が多く（Alldredge，Thompson），筆者もこれに賛成である．

　しかし，ここで注意すべきは，大腿骨が切断により外内転筋の不均衡から外転拘縮をとり，これに小転子残存による腸腰筋の作用で股関節の屈曲拘縮が加わる傾向が多少とも起こることである．図1-22のX線像の場合のように，大腿骨が著しく外転位をとる場合には外観が不格好となり，既製のズボンが装着できないことがあり，ソケット内での適合が良好でないと断端末梢部に疼痛を訴えることが少なくない．

　さらに屈曲拘縮が著明な場合には，カナダ式股義足の股継手の取り付け位置は普通よりも前方に寄らざるをえなくなり，この場合には，椅座位で義足の膝部が健側膝より前方に突き出て外観に問題を残す結果となる．

　これに対して，小転子直下で切断を行った場合でも，著明な外転拘縮を認めなければ，大転子の残存によって中小殿筋の機能を残存させることができる．大転子と腸骨稜の間でのくぼみを作り，この部位でのソケットの適合がソケットの懸垂に役立つとともに，側方への安定性に大きく働いていることは明らかである．図1-23のように，外観的にも良好であり，特に問題を認めることは少ない．

　したがって切断手技では，骨切断レベルは大腿骨小転子直下までにとどめ，内転筋への侵襲は最小限にとどめ，できれば筋肉固定術（myodesis）を施行するとともに，早期に内転方向および伸展方向への運動療法を行うことが必要であろうと思われる．

―3▶大腿短断端の選択

　大腿切断において短断端を切断部位として選択することの可否については，主として義足の処方とも関連して賛否両論がみられる．この短断端を切断部位として選択することに反対する大半

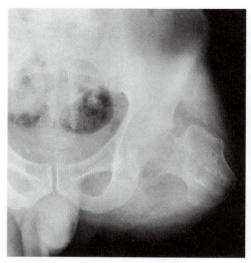

図1-22 左転子下切断にみられる大腿骨の外転屈曲拘縮

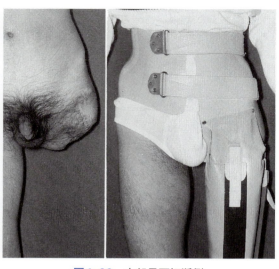

図1-23 左転子下切断例
義足装着に特に問題を認めない

の理由は，大腿義足として十分な適合を得るには断端が短すぎ，一方，カナダ式股義足のソケットの適合には断端が長すぎるということである．したがって，坐骨結節以下の2.5～5.0cmの短断端の選択は不適であるとしている(Thompson, Burgess)．

基本的に，ⓐ 短断端の場合にはテコの長さが短いこと，ⓑ 股関節の外転屈曲拘縮を伴うこと，ⓒ 股継手の取り付け位置不良，ⓓ 日本の室内における畳上の座位動作，靴の着脱動作，などの日常生活動作などがこの選択を不利とする原因としてあげられている．

しかし，最近における強化プラスチックソケットの開発と，立脚相安定機能をもつ膝継手の進歩などにより，短断端を見直し，その残余機能をできるだけ活かそうとする傾向がみられるようになっている(Sommelet, Paquin, Fajal)．短断端は，義足の細心にわたる適合手技により，十分にその残存機能を活かして**股義足よりも大腿義足としての機能をもたせる**ことができるため，手術にあたっては少しでも長く残すよう努力すべきである．

(1) 短断端の定義

短断端の定義については明確なものはない．一応，成人で坐骨結節下10cm以内と定義してみると，断端の長さにより機能解剖学的には次の3つの型に分けられる．

① 転子下切断型

小転子の直下で切断されたもので，骨の切断レベルとしては坐骨結節と同じレベルにあり，義肢学的には従来より股離断として取り扱われてきたものである．中小殿筋，大腿方形筋と腸腰筋の大部分の起始部が残存する．したがって，外転筋，内転筋の筋力は軽度の低下があるけれども十分な能力があり，これに対して股関節伸展筋の筋力はかなりの低下を認める．

② 極短断端型

坐骨結節のレベルから5cm以下の断端であり，文献上，切断部位として選択に問題とされてきた部位であり，股関節の屈曲外転拘縮を多少とも認める．

③ 短断端型

坐骨結節のレベルから5～10cmのもので，切断部位として選択するのは問題ない．

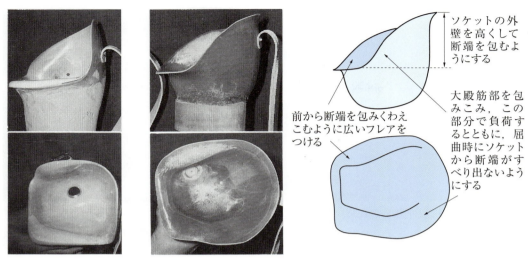

(a) 従来型ソケット　　　(b) 筆者が好んで用いる広く深いソケット

図1-24 同一断端に適合させた従来型ソケットと広く深いソケット

一方，短断端の場合には，このように断端長のみで分類し検討することは，日常の臨床では問題が少なくない．特に断端長以外に注意すべき点は，**断端の周径**（軟部組織の肥満と関連して），**断端筋肉の活動性**（等尺性収縮の可能性），**瘢痕の大きさ・深さおよび場所**，**断端における疼痛・知覚異常・神経腫**などである．特に問題となるのは吸着義足の適合と筋肉の動きであり，筋肉の著明な活動を認めた例では，その筋収縮により全面接触ソケット（total contact socket）に再適合させることは容易であり，座位動作に際して失われた懸垂を瞬間的に回復することが可能である．逆に，脂肪組織が多く筋肉の等尺性収縮（isometric contraction）がみられない断端では，吸着ソケットの適合を持続的に得ることは困難で，特に座位がとりにくいので，処方上細心の注意が必要である．

(2) 大腿短断端に対する義足

大腿短断端に対する義足では，ソケットの形状と重量，および膝継手の可動域が問題となる．

① ソケットの形状

従来の四辺形のものでは接触面が狭く，短いテコの長さを活かすことができない．このため，外壁をきわめて高くし，中小殿筋を中にかかえ込んだ形のソケットが必要で，さらに，屈曲時にソケット外へ断端が出るのを防ぐ，および，負荷面を増やして前後の安定性を増す目的から前後壁とも高くすることが必要である（**図1-24**）．CAT-CAMソケット（p386）の適合理論の応用が注目される．

② 吸着式ソケットの選択の適否

大腿切断における吸着義足の適応となる断端長は大転子下12.5〜15cm（Bechtol），7.5cm（Canty），10cm（Thorndike）などさまざまな意見があり，短断端に対しては，吸着式ソケットを積極的に用いた報告はきわめて少ない．しかし，ソケットの適合手技やソフトインサートなど材料の進歩した現在では，かなりの短断端でも吸着式ソケットの適合が十分可能となっている．

図1-25は転子下切断に近い極短断端例（23歳の建築士）である．差し込み式ソケットから吸着式全面接触ソケットに変更し，以来11年間，その優位性を切断者自身が認めている．この断端

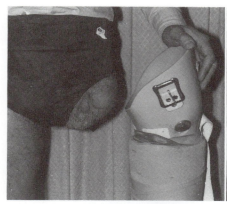
(a) 転子下切断と骨格構造義足

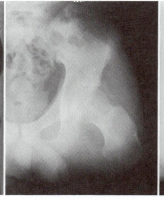
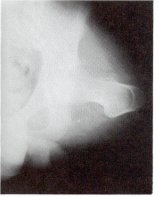
内転　　　　　　外転（大腿骨は80°まで）
(b) (a)のX線像

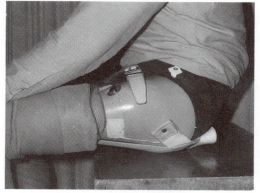
(c) 座位（大殿筋バンドに注意）

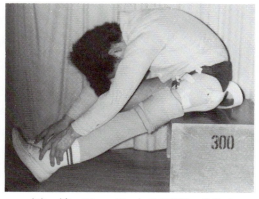
(d) 低い30cmのいすでの座位．身体の前屈において特に問題はない

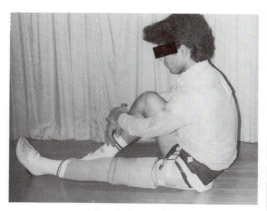
(e) 床上での座位

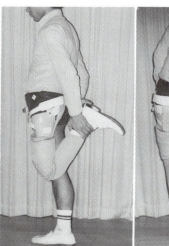
(f) 靴の着脱

図1-25 左大腿転子下切断例（23歳，男性，建築士）吸着式ソケットの装着により日常生活へ適応している

の特徴としては，同(b)に示すように，大腿骨が80°近くまで外転できること，および断端筋肉のきわめて優れた等尺性収縮があげられる．このことと股関節の屈曲動作により，吸着性が若干失われても，立位でバルブの握りを引っ張りながら断端をソケットに再適合することがきわめて容易である．

図1-26は同様の転子下切断例（43歳の工員）であり，切断後しばらくカナダ式股義足を装着していたが，その後，2カ月間にわたって大腿短断端用義足装着訓練を実施した．本例は吸着式ではないが，内股より大腿外側部を広く包んだ全面接触ソケットを装着させ，切断者にきわめて高い満足度を与えた症例である．この例では，断端にブリーフの端を縫ったものを履かせ，これにソケットを装着させるだけである．同(e)のX線像で明らかなように，遊脚相では，断端大腿骨の外転能力により矢印の箇所で懸垂力が加わり，シレジアバンドとともに十分な実用性のある懸垂能力が得られた．座位においては，断端がソケットから少し後方にはみ出る傾向にあるが，これが逆に断端に対して不快感を与えない結果となっており，吸着式ソケットに比較して大きな利点ともなっている．

③ ベルトによる懸垂方法

短断端に対する従来からの懸垂方法として，一般的に腰ベルトおよび肩ベルトが用いられてきた．また，股継手付きの骨盤ベルトが一部に用いられてきたが，骨盤と大腿部の間で歩行中に起こる回旋を制限することは避けられず，また重たくなることと，座位での位置が不良であることから，一般的に好まれていない．

短断端に対する懸垂方法は，個々の症例に応じてさまざまな形状や材質が考慮されるべきである．筆者がよく用いている懸垂ベルトは，すでに図1-26(b)で示したようなシレジアバンドを基本とし，必要に応じて腰ベルトを追加したものである．シレジアバンドよりソケット後面には，約10 cm幅の弾性のあるバンド（大殿筋バンドと仮称）がよく処方されている．このバンドは，歩行時に大殿筋の作用をすると同時に，座位で断端がソケットの後方から脱出するのを防ぐ作用があり，きわめて重要である．

④ IRCライナーソケットの適応

図1-27(a)は小転子の直下（坐骨結節と同じレベル）で切断された，皮下脂肪は多いが外転筋・内転筋・屈曲筋の筋力が若干残されている大腿短断端である．これに対して，はじめに外壁・前壁を高くしたIRCソケットを用い，断端形状が落ち着いてきた段階で，断端のボリューム変化にライナー＋断端袋で対応した（同(b)）．シレジアバンドを併用し，座位時にソケットから断端が抜けることを防止した（同(c)）．外出時に脱着がしやすい利点から，愛用されている．

⑤ 義足の軽量化の必要性

短断端に対する義足の軽量化へのニーズは，中長断端に比較してきわめて高い．特に高齢者に対しては，骨格構造型の義足の処方による軽量化が必要である．短断端の場合には，ソケットから膝継手までの間の重量が問題で，これが義足の懸垂能力を損ない，歩行能力の低下に関連する場合が多い．したがって，今後，大腿短断端に対する義足の処方の場合は，カーボンファイバー製やアルミ合金などの**軽量の骨格構造型の義肢の処方を積極的に行うべきである**．

⑥ 室内での日常生活動作への適応

義足の膝継手の関節可動域が，日本における日常生活動作，特に畳上での投げ出し座り，あぐら，靴の着脱時にかなり問題をもつ症例が多く，特に外国製のパーツの使用の場合には**膝屈曲可動域に注意が必要である**．なお，ほとんどの短断端の場合には，立脚相の安定性を考慮した膝継

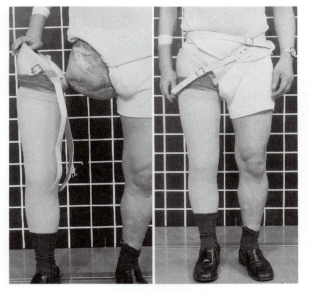
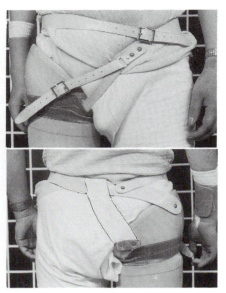

(a) 短断端と骨格構造義足

(b) シレジアバンド（短断端用），後方股関節伸展用大殿筋バンド，腰ベルトを追加

後内側から　　　　　　　内上側から
(c) 広く深いソケット

(d) 座位

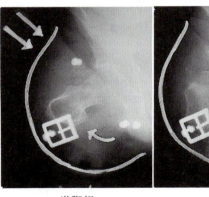

遊脚相　　　　　　立脚相
(e) 短断端 X 線像

図1-26 右大腿転子下切断例（43歳，男性，工員）
機能適合式全面接触ソケットを適合

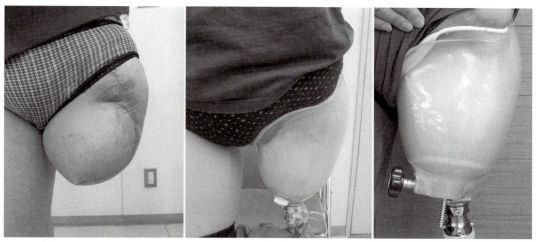

(a) 大腿転子下切断　　　　　(b) IRC吸着式ソケット→IRCライナーソケット

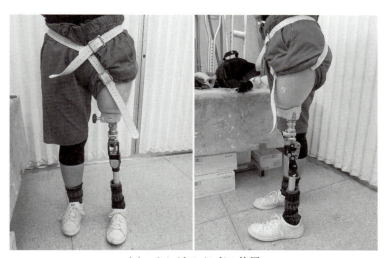

(c) シレジアバンドの使用

図1-27　大腿短断端例
IRCソケットを適合
〔写真提供：佐野太一（義肢装具士／澤村義肢）〕

手を選択する必要がある．

　短断端例の場合，また股関節の伸展拘縮を合併している場合，いすや床上での座位を容易にするために，ソケットの下に**屈曲機能**をもつ継手を用いることがある（図1-28）．また，ターンテーブルを取り付けることによって座位姿勢をとりやすくなることが多い．

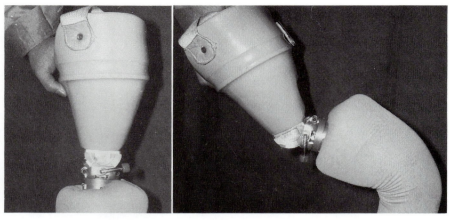

(a) ソケット下に取り付けられた屈曲ユニットとターンテーブル

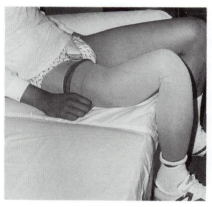

(b) 屈曲ユニットにコスメチックカバーをかぶせたところ

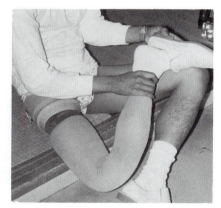

(c) ターンテーブルの使用により靴の着脱が容易である

図1-28 右大腿短断端例（建築業）
屈曲ユニットを開発して利用した
〔写真提供：雨森邦夫（エンジニア／兵庫県立総合リハビリテーションセンター）〕

―4▶大腿長断端の選択

　大腿切断では，断端長が長いほど機能的には優れた利点がある．したがって断端をなるべく長く残存させるように手術をすべきであるが，次の2点が問題になるであろう．

(1) 断端負荷性を与えるべきか

　大腿長断端の場合に，部分負荷または完全負荷を目的として多くの手術手技が試みられている（Callander，Slocum，Kirk，Gritti-Stokes）．

　断端末端部に負荷性を与える利点は次の2点が考えられる．

　① 坐骨支持ソケットの場合には，体重支持線が坐骨結節の少し前外側を通ると推定されるため，これが骨盤前傾を起こし，したがって腰椎前弯を増強させる方向に働く（**図1-29**）．この傾向は，股関節屈曲拘縮がある場合や両大腿切断の場合には著明となる．

　② これに対して**断端負荷性**のある場合には正常な体重支持点に近い線上で断端支持ができ，

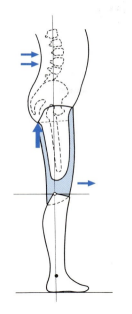
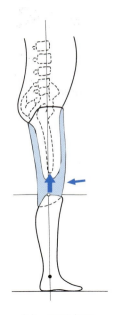

(a) 坐骨支持
腰椎前弯が増強し，膝継手が不安定になる

(b) 断端負荷
腰椎弯曲が正常で，膝継手の安定性が増強される

図1-29　大腿切断の断端負荷と坐骨支持におけるアライメントの差

このため腰椎前弯の増強が起こらず，生理的に保たれる利点がある．断端負荷性は床反力（floor reaction force）を直接断端に感じるため位置的運動的な感覚（proprioceptive sensation）の獲得が容易で，したがって膝継手の安定性の獲得と義足のコントロールが容易となる．

このように，負荷性を与える利点は明らかである．特に高齢者や両下肢切断例の場合にはきわめて有利な切断部位である．

(2) どの程度の長断端であれば膝継手の取り付けが可能か

長断端の場合，大腿骨下端より何cm上で切断されれば，膝の安定性と遊脚相制御を目的とした膝継手およびターンテーブルを取り付けることができるかが問題となる．断端長は個々の膝継手の構造により変わってくるのは当然で，処方にはこの点を熟知していなければならない．

筆者は種々の膝継手をX線像で見てきたが，おおよそ膝継手軸から2.5〜5cm上部のところまでソケットの底部が取り付けられることが明らかである．膝継手軸は通常，関節裂隙より2.5cm上のところにあるため，結局，断端の軟部組織の末端が大腿骨顆部下端より5〜7.5cm上部のところにくるように切断すべきものと考えられる．

図1-30は，大腿骨下端から5.8cm上で切断され，筋肉形成術（myoplasty）を行った例である．オットーボック長断端用3R16の使用により，十分な歩行能力と外観を得ることができる．しかし，特に室内での畳上の座位に適応するためには，義足にターンテーブルを取り付けたほうがよく，この取り付けるスペースのためにもう少し大腿骨を短く切断する必要がある．特に，大腿骨を内転位に保持するために大内転筋縫合術（Gottschalk，図1-60(c)）を行うときには，ターンテーブルのスペースを考慮する必要がある．図1-31は，大腿骨下端より11.4cm上で切断し，空気圧制御膝にターンテーブルを取り付けた例である．遊脚相制御機能をもたせあぐらを行うた

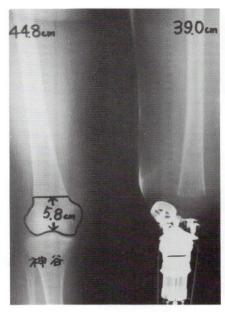
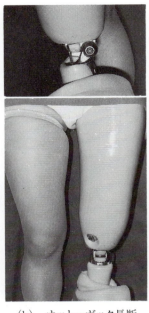
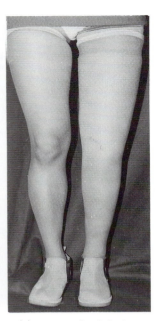

(a) 大腿骨下端から5.8cm上で切断　　(b) オットーボック長断端用 3R16　　(c) コスメチックカバーをかぶせて仕上げる

図1-30 左大腿長断端（23歳，女性，事務員）のオットーボック3R16使用例

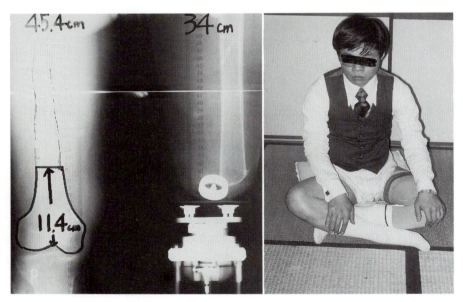

図1-31 左大腿長断端（大腿骨下端から11.4cm上で切断）空気圧制御膝およびターンテーブル処方によりあぐらが可能である

めにはこの部位での切断が必要で，切断者の職業，生活様式などを考慮して切断部位を決定しなければならない．ただし，最近の多軸膝継手とターンテーブルの開発によりこの問題は解決されつつあり，荷重性をもつできるだけ長い断端を選択すべきであろう（**図1-32**）．

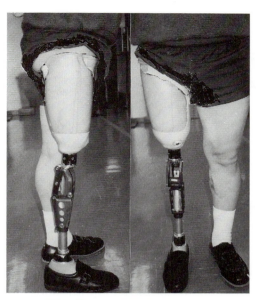

図1-32 右大腿切断，長断端例
HRC4本リンク膝継手（LAPOC）

―5▶ 膝離断の選択

膝離断を下肢切断部位として選択すべきかどうか，外科的手技上から，また義肢適合技術的な面から多くの論議がなされてきている．これらの問題点と，膝義足におけるこれまで改良工夫された点をまとめてみると**表5-11**（p440）のようになる．

(1) 外科手技上の利点

① 手術侵襲が下肢切断の中で最小であり出血量が少ないため，リスクの高い高齢者などに最適な手術である，② 大腿四頭筋腱，ハムストリング筋腱の十字靱帯，関節囊への再縫合により大腿筋肉の等尺性収縮の可能性を残し，ソケットの適合上良好な結果を得る，③ 小児切断では骨端線の保存による成長障害を起こさない，④ 大腿骨顆部の軟骨が残存することにより炎症が起こったとしても骨まで及ばない，⑤ 断端の術後変化が比較的少ないために早期義足装着によるリハビリテーションが可能である，などがあげられる．

(2) 義足装着の立場からの利点

① 断端の長いテコを利用した前後左右方向での優れた安定性，② 大腿骨顆の残存によるソケット内での回旋方向での安定性，③ 広い大腿骨下端関節面における負荷（特に，畳上の膝立ち，膝歩きに利点）と，これによる位置的運動的な感覚（proprioceptive sensation）の獲得，④ 大腿骨顆部の膨隆によるソケットの良好な懸垂機能，などがあげられる．

(3) 外科手技上の欠点

外科手技的には，主として創の治癒遅延および失敗が原因としてあげられている．すなわち，動脈硬化症，糖尿病による血行障害が膝離断の原因の大半を占める欧米では，従来の長い前方皮膚弁を用いるアプローチでは創の治癒に不満足な成績をきたすことが多く，このため，膝離断よりも大腿切断，グリッチ・ストークス（Gritti-Stokes）切断などを勧める報告も少なくない（Chilvers, Howard）．これに対して，最近では，膝離断の項で述べるように，皮膚切開の工夫に

よって治癒率の改善を図る方法（Vitali, Baumgartner, Greeneなど）が用いられるようになっている．

(4) 義足装着の側からみた欠点

① ソケットの懸垂のためには利点であった大腿骨顆部の膨隆がそのまま不格好であると同時に，② ソケットの適合手技が困難なことが欠点としてあげられる．単軸ヒンジ型継手を用いたときには，③ 立脚相・遊脚相制御機構を取り付けるスペースがないことと，④ 軸受けの耐久性に問題があること，⑤ 筋金による下着など衣服の破損，が欠点としてあげられる．

以上，膝離断の利点，欠点を述べたが，これらの膝離断の利点をそのまま活かしながら欠点を義足の側で解決しようとの試みが**表5-11**（p440）の右欄に示したものである．日本人に適応させる場合には当然，比較的低い身長などの身体的特徴への対応と，室内での座位動作を中心とする生活様式への適応など，われわれが独自に考慮しなければならない問題が多い．筆者らは，膝義足の項（p440～444）で述べるように，軟ソケットを用いた全面接触による適合，空気圧シリンダーによる遊脚相制御機能をもつ4節リンク機構膝継手を開発し，それによって本切断部位の欠点が解消されたため，本切断部位はきわめて優れた切断部位であると考えている．

—6▶ 下腿短断端の選択

下腿短断端の選択について，zur Verthは有害な切断部位であると述べ，Alldredgeは断端長が3.5cm以上だと下腿義足の装着が可能であるとし，短断端の場合には膝関節屈曲位で膝屈曲位保持用下腿義足（bent-knee prosthesis）を適合させるとの意見を述べている（Slocum, Alldredge & Murphy, **図1-33**）．この膝屈曲位保持用下腿義足は，膝関節を直角位で膝立ちのような格好で体重負荷させたもので，最も優れた負荷断端として考えられてきた．この義足は，特に，① 膝関節屈曲拘縮があって加療できない場合，② 短断端で下腿切断としての機能をもたない場合，③ 熱帯国で温度，湿度が高い場合，などに処方された．一方，この義足は膝後方の突出のために不格好で，女性には禁忌とされている．しかし，このような膝屈曲位での義足は，せっかく残した下腿骨のテコの長さを活かし得ず，膝関節機能を犠牲にしていることは明らかな欠点であり，後述するように，最近の下腿義足の適合技術の進歩により，本義足の適応はほとんどなくなったといっても過言ではない．

下腿短断端の選択の場合，膝蓋靱帯の付着部が残存していれば下腿切断としての膝関節機能を十分残すことができ，階段昇降その他において膝離断よりもはるかに優れた機能をもつことは明らかである．したがって，下腿切断にあたってはできるだけ断端を長く残存させることを勧めたい．

—7▶ 下腿長断端の選択

下腿切断の理想的な断端長は12～15cmである，というのが欧米の外科医の一致した意見である．Alldredgeらは15cm以上残存させるべきでないとしている．その理由として次のような点があげられている．

① 外科医，義肢製作者の長い経験から，長断端の場合には循環障害，潰瘍形成などを起こしやすい．しかもこの傾向は，背の高い肥満型の人ほど強いとされている．

② 機能的には断端長が15cmあれば十分であり，これ以上の断端長は義足

図1-33
膝屈曲位保持用
下腿義足
下腿短断端，屈
曲位拘縮の場合

のコントロールには不要である.

③ 長断端の場合には，義足の形状が牛乳びんを逆にした形態をとるため，外観の点で特に女性には不適である.

以上が断端長を15cm以内にとどめようとする理由で，欧米ではこの方針が現在普遍的に用いられている．このうち，③の外観の不良については筆者も同感である．図1-34は下腿長断端の女性であり，PTS下腿義足を装着させたが，下腿下部の非対称は避けられない欠点といえよう．

しかし，前二者の循環障害と機能上の問題はわが国において検討されるべき点がある．すなわち，循環障害の問題では，切断原因の80%以上が末梢動脈疾患で，わが国の10倍の切断頻度のある欧米人と日本人とでは明らかな差がある．わが国における戦傷を初めとする外傷による多くの下腿切断者の長い経過をみても，長断端者で再び高位にて切断する例はきわめてまれである．一般に，外傷例では断端長の差による症状に著明な差を認めていない．断端の疼痛，幻肢痛などの出現は，断端長いかんよりも，むしろ，神経腫と関連した癒着性瘢痕の存在と筋肉の処理に大きな関連をもっているように思われる．特に，最近の筋肉固定術，筋肉形成術のように，筋肉を切断前と同様の緊張下に断端骨に縫合する方法を用いれば，断端の循環動態の改善は十分可能と思われる．したがって，血行障害による下腿切断では，長断端の選択は避けるべきであるが，特に循環状態が良好な若年者の悪性腫瘍や外傷により切断を余儀なくされる男性の場合には，むしろ**長断端での切断**を勧めたい．

この長断端を残存させた場合，断端長が長いほど義足のコントロールが容易となる．それと同時に，適合面が広くなりソケット後壁の高さを低くしても適合性を失わないことになる．これによる膝屈曲角度のより大きな獲得は，生活様式で欧米人よりも膝関節屈曲角度を多く要求される日本人では重要な利点であるといえよう．

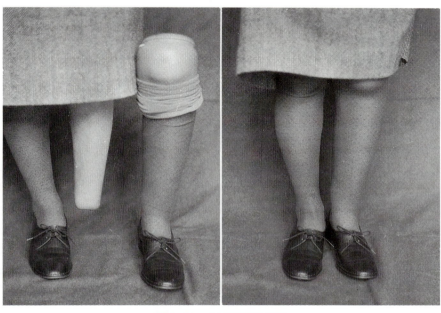

図1-34　左下腿長断端例
女性の場合にはどうしても外観の不良が問題となる

─ 8 ▶ サイム切断の選択

サイム切断（Syme amputation）は，1842年にエディンバラ大学（英国）のJames Syme教授が足根骨の結核カリエスの16歳の男児に，足根骨を切除して踵のパッド（皮膚弁）を下腿下部に付着させた手術である．その適応や手術手技などについて多くの報告がみられるが，次のような見解が一般的である．

① サイム切断は，さまざまな批判もあるが，現在なお，外傷，感染，先天性奇形などに対しては，最も優れた切断術である．
② 切断手技は，きわめて正確に行う必要がある（Harris）．
③ 糖尿病や血行障害に対しては，サイム切断の選択は困難である．

その特徴を述べると図5-263（p485）のようになる．まず利点としては，① 断端長が長いためテコの作用が十分に活かされ，正常と変わらない歩行能力をもつ，② 断端末の膨隆のため，この上部でのソケットの適合によりソケットの懸垂が容易となる，③ 断端の状態が安定していて創を作りにくい，④ 断端に負荷性があるため，日本の室内での生活様式，特に夜間や入浴時には有利，などである．

これに対して，欠点として断端末の膨隆のために外観が不良であることがあげられ，これが「女性ではこの部の切断は禁忌」の理由となっている．

─ 9 ▶ 足部切断の選択

一般に足部切断の適応がある場合，切断端はできるだけ長く残してほしいとの本人および家族の考え方が強く打ち出され，外科医がこれに同意して足部切断を行うことが少なくない．しかし足部切断では，一般に体重負荷性，義足の適合，履物との関連などに問題点があることは，術前よりわれわれが熟知しておかねばならない．

従来より足部ではボイド（Boyd），ピロゴフ（Pirogoff），バスコンセロス（Vasconcelos）など種々の切断方法が用いられたが，現在では広くは用いられていない．また，ショパール（Chopart）関節離断，リスフラン（Lisfranc）関節離断，中足骨切断に関する筆者の遠隔成績によると，ショパール関節離断，リスフラン関節離断ともに70％近くに変形を認めている．すなわち，リスフラン関節離断では尖足変形が多く認められ，ショパール関節離断ではこれに内反変形が加わったものが多い[242]（p492 表5-15）．

体重負荷性，皮膚の瘢痕などについても，ショパール関節離断はリスフラン関節離断に比較して明らかに不良である．また，この両者の離断ではトウレバーアーム（toe lever arm）が短くなっているため，立脚相の後期にドロップオフ（drop off）の現象が起こることは欠点として認めざるをえない．ショパール関節離断は，義足の適合性が得がたいこと，耐久性・外観が不良なこと，履物の選択が困難なことからも，たとえ体重負荷性の利点があったとしても避けるべき切断部位であるとされていた．しかし一方では，その荷重能力と足関節の可動性の魅力はすてがたい．また図1-35に示すように，他の切断部位に比較して下肢長の短縮は少ない．そこで最近では，前脛骨筋，腓骨筋腱などの移行や再縫合，アキレス腱の延長術や足根骨の骨切り術の併用によるショパール，リスフラン関節離断が行われることが見直されつつある．

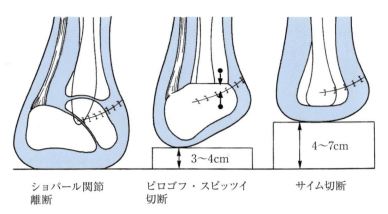

図1-35 足部切断における切断手技による下肢短縮度
　　　（R. Baumgartnerによる）

4 切断手技の最近の傾向

　切断術の目的は，① 病的な組織を切離し，創の治癒を促進させるとともに，② 筋肉，神経，血管などをできるだけ生理的に残存させて，義肢装着によりその残余機能を最大に引き出すことにある．このため，切断術を行う外科医は，将来，装着する義肢とそれによる歩行の実用性，ゴールを見定めておかねばならない．

　ここでは，1990年グラスゴー（英国）で開かれたISPO（国際義肢装具協会）の切断術におけるコンセンサス・カンファレンスの結果をもとに，日本人の生活様式への適応を中心に，切断手技の一般的な傾向について述べてみたい．

―1▶皮膚の処理

　良好な断端では，皮膚の適度の可動性と緊張性が必要である．特に，皮膚の癒着を起こすとソケットのピストン運動により断端痛を起こす結果となる．

(1) 上　肢

　上肢では断端の前後皮膚弁は等長とする．ただし，前腕長断端か手関節離断の場合には，屈曲側の皮膚瘢痕を背側に置くことが必要である．また，ソケットからの圧力が直接かかる橈骨下端部，上腕骨の前下端には皮膚瘢痕がこないようにすることが望ましい．

(2) 下　肢

　下肢では，負荷性との関係を常に留意せねばならない．大腿および下腿の切断で断端末での体重負荷を目的としない場合では，手術瘢痕が骨断端の後縁にくるように前後に等長の魚口状の皮膚弁を作るか，または，前方皮膚弁を後方皮膚弁より2～3cm長くして，皮膚瘢痕がやや後方にくるよう形成する．

　循環障害がある場合には，症例に応じて皮膚弁の血行が良好なほうを長く残すべきであろう．下腿切断で循環障害による場合は，多くの症例で後方の筋肉筋膜の血流が前方のそれに比較して良好なことから，図1-36のような長い後方皮膚弁を用いた切断術が好んで用いられている（Burgess）．図1-37は，この方法を用いて切断術直後義肢装着法を行い，2週間後にギプスソケットを切除した断端で，良好な治癒を示している．

　血行障害の場合の皮膚縫合では，図1-38のように，ピンセットなどを用いず，できるだけ愛護的に指先で皮膚弁が密着するようにマットレス縫合（mattress suture）を行う．なお最近では，皮膚への毛細血管を保存するため，皮下縫合は行わずステープル（staple）を用いた縫合やストリップ（strip）による創縁の密着を図る方法がしばしばとられている．

　断端負荷が必要であれば，負荷面に瘢痕を形成しないようにすることは当然である．仙腸関節離断，股離断，サイム切断では後方皮膚弁を長くする．一方，膝離断，グリッチ・ストークス切断では前方皮膚弁を長く残す．また，下腿切断で特に断端負荷を目的とし，骨端部にシリコーンゴムによるインプラントを挿入する（Swanson）場合には後方皮膚弁を長くする必要がある．

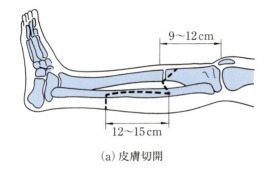
(a) 皮膚切開

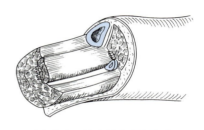
(b) 後方の筋肉筋膜弁を残す

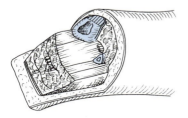
(c) 残した筋肉筋膜弁を斜めに切り離す

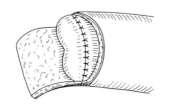
(d) 筋肉筋膜弁を前方に縫合する

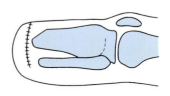
(e) 皮膚縫合線

図1-36 末梢循環障害での長い後方皮膚弁を用いた下腿切断（Burgessによる）

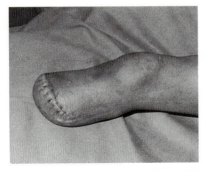
図1-37 図1-35の方法を用いて切断した断端

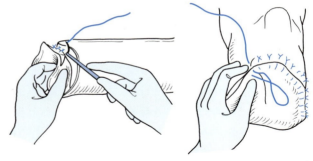
図1-38 血行障害における皮下皮膚縫合（W. S. Moorによる）

― 2 ▶ 血管の処理

　切断時には，たとえ小血管であっても，完全に止血し血腫の形成を防ぐことが創の治癒を良好とし感染を予防する結果となる．動脈と静脈はなるべく分けて結紮をし，大きな動静脈は必ず二重結紮を行う．血行障害例では，できるだけ血行を保持するため，不必要な軟部組織の層間の分離を避けねばならない．手術の縫合前には，必ずドレーンを挿入する．ドレーンは創の治癒を考慮して創縁ではなく図1-39のように，中枢側より挿入し，原則的に持続吸引を用いる．ドレーンは，ギプスソケット（リジッドドレッシング：rigid dressing）を開窓しなくても引き出しやすいように縫合せず，図1-39のように滅菌したテープで留めておくほうがよい．断端形成術後も血腫の形成を避けるため，ドレーンを必ず挿入する．

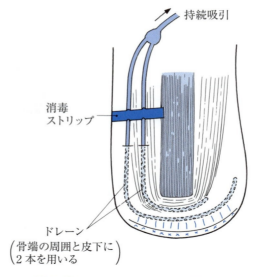

図1-39　持続吸引ドレーンを用いる

─3▶神経の処理

　神経の切断では，神経腫の形成予防と側副血管からの出血防止に重点が置かれる．神経腫形成予防のために今まで多くの方法と実験が行われてきている．鉗子にて圧挫する方法（Krüger），筋肉中に埋没させる方法（Moscowicz），骨に穴をあけ神経端を移植する方法（Boldley[34]），神経腫を扇状に広げ付近の筋膜に縫合させる方法（児玉），60％アルコール注射をする方法（Sicald），5％フォルマリン注射（Foerster），フェノール注射（Beswerschenko）を行う方法などである．しかし現在，一般的には神経を軽く遠位部に引っ張り鋭利なメスで切断する方法がとられている．坐骨神経や脛骨神経のような大きな神経の処理を行う場合には，随伴血管からの出血を防ぐ目的から，原則的に神経をナイロンまたは絹糸で結紮する方法がとられる．

　筆者らの経験によると，神経腫はかなり大きくても，筋肉の中に遊離している場合には疼痛を常時伴うことは少ない．しかし，逆に神経腫が細小であっても，骨膜や瘢痕組織の中に網目状になっている場合には，強い疼痛を訴えて義肢の装着に支障をきたすことはまれでない．したがって神経腫切断時には，将来，神経の末梢端が瘢痕を形成すると思われる部位より離れ，かつ筋肉内に遊離するような状態にすべきであろう．切断された神経末端には神経腫の形成は避けられないため，周辺組織への癒着を防ぐ目的で結紮したほうが良いとされている．下腿切断を例に，血管，神経，筋肉などの切断縫合部位を断面像で示したのが図1-40である．

─4▶骨の処理

(1) 一般的な骨の処理

　一般には，電動骨鋸またはギグリ鋸で骨を切断し，硬くとがった骨皮質部をやすりで丸くする．特に，下腿切断の場合に脛骨の前下端を図1-40，42にあるように斜めに切断することと，腓骨末端部の外側を丸くすることがソケットの適合上必要である．

　骨膜状の骨新生がソケットの適合に支障となる理由から，以前には切断した骨端部の外骨膜を

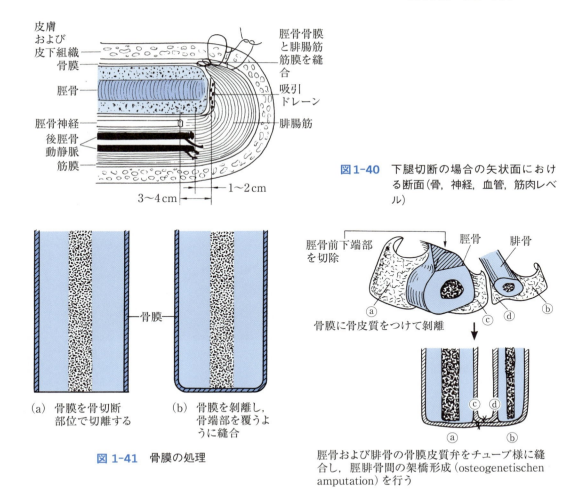

図1-40 下腿切断の場合の矢状面における断面(骨, 神経, 血管, 筋肉レベル)

図1-41 骨膜の処理

(a) 骨膜を骨切断部位で切離する
(b) 骨膜を剥離し, 骨端部を覆うように縫合

脛骨および腓骨の骨膜皮質弁をチューブ様に縫合し, 脛腓骨間の架橋形成(osteogenetischen amputation)を行う

図1-42 骨の処理

約1～2cmにわたって剥離切除すると同時に骨髄内に搔爬を行う方法(Bunge)が行われた. しかし, この方法では血行障害から輪状骨壊死(Ringsequestrum)を起こすことから, 現在はむしろ禁忌とされている.

(2) 骨膜の処理

骨膜は, 一般に骨の切断部位と同じ高さで切断される(図1-41(a)). これに対して, 骨切断部位より遠位から骨膜を剥離し, これで骨髄腔を閉鎖し骨髄腔内の圧を流動的にコントロールし, 血流をよくする方法(同(b), Loon[142], Dederich[52])が行われることがある.

下腿切断では, 負荷性獲得を目的として骨膜を用いる手技が古くから行われている. Bier(1891)が初めて断端骨部に外骨膜と骨皮質弁を作り, これで断端骨部を覆う方法(osteoplastische Methode)を行った.

Ertl[63](1949)は, さらに積極的に脛骨腓骨間の架橋形成(Bügelbildung)を図1-42のように行い, 断端負荷性の獲得の必要性を強調している. これは, 脛骨の骨膜および皮質が約4～5cmにわたって弁状にノミで切り起こされ, 脛骨腓骨間で弓状に架橋形成を行う方法である. 筆者の経験からすると, この方法は症例に応じて次のような場合に行うべきである.

① 下腿の主な荷重部位である脛骨内側顆部や膝蓋靱帯部の軟部組織の状態が不良で, 荷重が

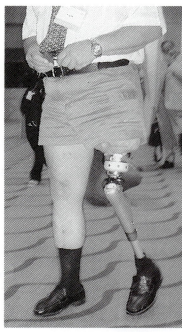
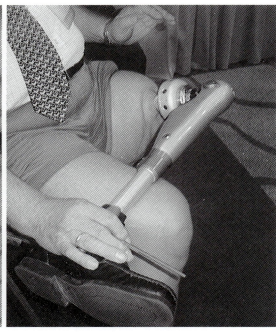

図1-43　大腿骨直結型切断術（1999年，スウェーデンのRickard Brånemarkによる）．Eric AX．第11回ISPO世界会議（香港）の会場にて

困難なとき．

② 小児下腿切断で，腓骨の過成長を予防するため（成長により，下腿内反が起こることに留意が必要）．

③ 腓骨の浮動感が強く，外側からの圧迫により，疼痛のため長期間義足の装着ができない場合．

④ 視覚障害などの合併症があって，断端末での荷重が位置的運動的な感覚（proprioceptive sensation）上有利と考慮される場合．

(3) 骨直結型切断術 (osseointegrated implant)

この方法は，1960年代からPer-Ingvar Brånemarkにより，骨髄内にチタン合金ネジの埋め込み手術として始まった．このネジに直接，義肢のパイロンを取り付けるため，骨直結型切断術（osseointegration）と呼ばれ，スウェーデン，英国などを中心にして行われている（図1-43）．下肢では，限られた大腿切断（断端長10cm以上，外傷，腫瘍例）に用いられている．床からの感覚入力に優れ，ソケットを必要としないことから，発汗や皮膚の問題がない，座位での問題がない，無痛である，義足の着脱が簡単であるなど装着感に優れる利点がある．問題として，義足装着まで，チタン骨髄釘の固定術や，この骨髄釘に義足パイロンの取り付け部を付加する手術などで1年以上が必要であること，感染など合併症に留意する必要がある．

─5▶筋肉の処理

断端筋肉は，切断後筋膜縫合を行うと，一般に関節筋はその機能を失い，同時に多少とも萎縮する．これにより，断端の容積があまり変化しない安定した断端が得られることが望ましいとされてきた．しかし，筋肉萎縮に伴う局所の循環状態の低下，退行変性はどうしても避けられな

い．この筋肉の萎縮を可及的に防ぎ，切断前と同様の緊張度を断端筋に与え，より生理的な状態に保とうとする考え方が好んで用いられつつある傾向が最近強くなっている．

切断時の筋肉の処理については多くの意見があるが，大別すると次の3つに分かれる（図1-44(a)）．

(1) 筋膜縫合法

筋肉を骨軸に対して直角方向に切断し，皮膚と筋膜との間を剥離しないで**筋膜を縫合する方法**（myofascial suture）である．最近まで一般的に用いられてきた方法であるが，断端筋膜で骨断端部が覆われる結果となり，筋肉自体の固定性が乏しいため筋肉の収縮により近位側に引き込んだ形となり，ある程度の筋萎縮の発生は避けられない（図1-44(a)）．

(2) 筋肉形成術

筋肉形成術（myoplasty）は，断端筋肉の生理的な機能を重要視し，筋肉を切断前と同様の緊張下にそれぞれの拮抗筋を縫合しようとする方法である（図1-44(b)）．図1-45は大腿切断の例であるが，外側の外側広筋，大腿筋膜張筋と内側の内転筋群，内側広筋，薄筋を縫合し，次いで前側の大腿直筋，縫工筋と後側のハムストリング筋を縫合する．これはMondry[167]，Dederichなどにより述べられ，生理的な状態下で筋肉は良好な循環状態が得られるとされている．

Mondry, Hoffman-Kuhntは，従来あまり問題とされなかった大腿切断時における内転筋の作用の重要性を述べている．この内転筋群の縫合により外転拘縮の発生を予防でき，中小殿筋とともに立脚相におけるバランスを十分に保持することが可能である．なおDederichは，筋膜が筋肉と皮膚との間の血流の障害になっているとし，これを可及的に切除するよう勧めている．

(3) 筋肉を骨端部に固定縫合する方法

筋肉固定術（myodesis）は筋肉を切断前と同様の緊張下におくことを目的とすることは前者と同様であるが，筋肉を骨端部のドリル孔を通して骨端部に強固に固定する手技である（図1-44(c)）．この方法はWeiss, Burgessなどにより行われ，切断術直後義肢装着法として世界的な関心を集める結果となった．しかし一方，このような筋肉縫合法に対し批判的な意見もある．たと

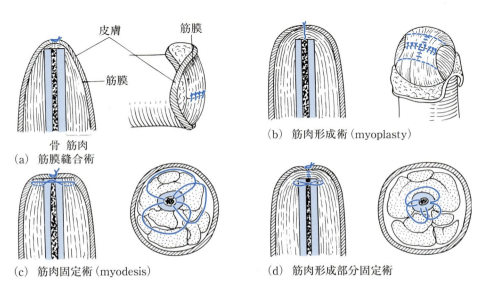

(a) 筋膜縫合術　　(b) 筋肉形成術（myoplasty）
(c) 筋肉固定術（myodesis）　　(d) 筋肉形成部分固定術

図1-44 断端における筋肉の縫合法

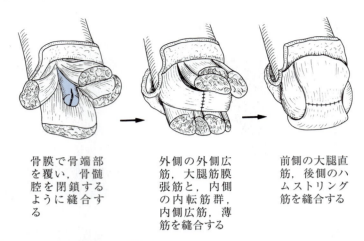

骨膜で骨端部を覆い，骨髄腔を閉鎖するように縫合する

外側の外側広筋，大腿筋膜張筋と，内側の内転筋群，内側広筋，薄筋を縫合する

前側の大腿直筋，後側のハムストリング筋を縫合する

図1-45 骨筋肉形成切断術手技 (osteomyoplastic amputation technique)

えばThompson[293]は，筋肉は骨端部を越えて縫合してはいけないとし，その理由として，このような組織が直接圧に耐えることができずに瘢痕組織に変化し，骨端部に過剰の軟部組織を残すとしている．またAlldredge[5]もこのような筋肉縫合法の必要性を認めていない．深層の筋膜層の縫合で筋肉端が骨端部に再付着するためとしている．

　以上のように，筋肉の処理についていろいろな意見があるが，最近の傾向としては，Weissが指摘するように，筋肉を切断前に近い緊張度で縫合し生理的な状態におこうとする方法が優れているとされている．

　問題はその縫合の方法である．筋肉全体の縫合を骨端部のドリル孔を通じて行うやり方では，どうしても末梢部に組織の壊死や瘢痕化を起こしやすい．そこで筆者は，筋肉の内層部のみを骨端部に縫合し，外層部と骨端部を覆って縫合する方法（図1-44 (d)）をとっている．この縫合方法の成績については，脈管学的組織学的検討[108]，筋電図学的検討[181]を行い，従来の筋膜縫合法よりも優れていることを認めている．

─6▶切断術実施前に，将来装着する義肢の処方を明確に指示

　切断術や皮膚移植などの形成術を実施する前には，整形外科医は，義肢装具士，理学療法士，作業療法士，患者などの意見を尊重し，ソケットの形状，取り付ける継手，義肢の長さなどの処方を決定しておくことが大切である．

5 各切断部位の切断手技

1 上　肢

—1 ▶ 肩甲胸郭間切断

　肩甲胸郭間切断（forequarter amputation）には，前方より進入するBerger法と，後方より進入するLittlewood法があるが，後者のほうが容易で出血も少ない．

(1) 前方進入法

　皮切は胸鎖乳突筋の外縁に始まり，鎖骨の前方に沿って肩鎖関節に至り，さらに上後方に回って肩甲棘を経て肩甲骨内側縁に沿って下角に達する上方皮切線と，鎖骨の中1/3より始まり，三角大胸筋溝を通って下行し，腋窩を回って鎖骨の下角に達し上方切開線と連結する下方切開線よりなる．

　まず鎖骨部で大胸筋をその起始部より切離し下方へ反転する．深層筋膜は鎖骨上縁に接して切り，鎖骨の深層面では鈍的に剥離する．

　外頸動脈は内方へ引くか，邪魔になる場合には切る．鎖骨を胸鎖乳突筋の外縁でギグリ線鋸で切り，上方へ持ち上げ肩鎖関節で切除する．

　次いで，大胸筋を上腕骨の付着部から，小胸筋を烏口突起から切離すると神経血管束が完全に露呈する．鎖骨下動脈，鎖骨下静脈を二重結紮し，腕神経叢を下方に引き，切離し下方へ退縮させる．広背筋その他胸郭前面に肩甲帯を固定している軟部組織を切ると，上肢は後方へ落ちるようになる．

　次いで，上肢を内転し下方へ牽引しながら肩甲骨に付いている筋を切り，さらに肩甲骨を胸郭に固定している僧帽筋，肩甲舌骨筋，肩甲挙筋，大菱形筋，小菱形筋，前鋸筋を順次切っていくと上肢帯が外れる．大胸筋，僧帽筋その他の残存筋を側胸壁に縫合し，ドレーンを挿入，皮膚縫合を行う（図1-46）．

(2) 後方進入法

　体位は健側を下にし側臥位をとらせる．後方（cervicoscapular）と前方（pectroaxillary）の2つの皮切を加える．

　まず鎖骨内側端に始まり鎖骨全長に外側へ伸び，肩峰突起を越えて肩甲骨外縁に沿って肩甲骨下角に達し，さらに内方へ曲がり背部の中央線の5cm外側で終わる後方切開を加える．この皮切で作られた皮膚弁および皮下組織を肩甲骨内側縁まで反転する．次いで僧帽筋，広背筋を肩甲骨より切離，さらに肩甲挙筋，大小菱形筋，前鋸筋，肩甲舌下筋を切離する．その際，頸横動脈，肩甲上動脈などの血管を結紮する．

　次いで鎖骨から軟部組織を剥離し，その内側端で鎖骨を切除する．鎖骨下筋も同時に切除する．上肢を前方へ垂らすと鎖骨下動静脈と腕神経叢が緊張し，その走行がわかりやすくなる．

　腕神経を脊椎の近くで切離，鎖骨下動静脈は二重結紮し切離する．

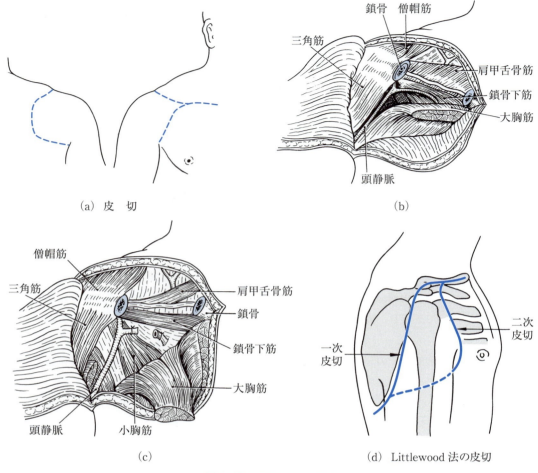

図 1-46 肩甲胸郭間切断

次いで鎖骨の中央に始まり外方へ三角大胸筋溝に平行に走り，腋窩の前方に至り，さらに下後方へ進め，肩甲骨外側縁の下1/3の部で後方皮切と連絡する前方皮切を加える．この皮切により大胸筋および小胸筋を切除すると上肢帯の切断は終わる．ドレーンを挿入し皮膚縫合を行う．

2 ▶ 肩離断

肩離断（shoulder disarticulation）では，まず患側の肩の下へ枕を入れ，45°斜め背臥位をとらせる．

烏口突起から始まり三角筋の前縁に沿って末梢へ進め，上腕骨の三角筋付着部に達し後方へ回り，三角筋の後縁に沿って腋窩後面に達する皮切を加える．次に腋窩部に第二の皮切を加え，先の皮切の両端を連結させる．

まず大胸筋を上腕骨付着部で切離し，内方へ反転する．小胸筋と烏口腕筋の間を分けると神経血管束が露呈する．腋窩動静脈を二重結紮して切離し，小胸筋の中枢側で胸肩峰動脈を同様に切離する．正中，尺骨，橈骨，筋皮の各神経は下方に引っ張って切離し，小胸筋下へ退縮させる．

次いで烏口腕筋と二頭筋短頭をその烏口突起付着部近くで切離し，三角筋は上腕骨付着部で剥

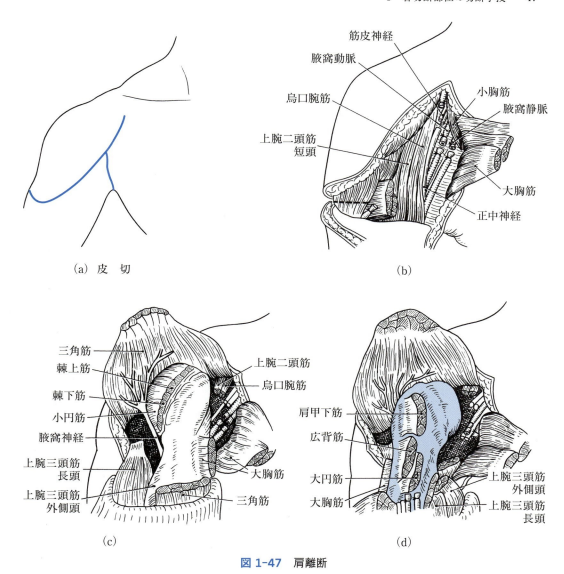

図 1-47 肩離断

離し,上方へ反転,関節包を露呈する.大円筋と広背筋はその付着部付近で切離する.上腕を内旋させて棘上筋,棘下筋,小円筋を切り,関節包の後方を切開する.

次いで上腕を外旋させ,関節包の前方と肩甲下筋を切離する.三頭筋はその付着部近くで切離し,関節包の下部を切ると上肢は完全に離断される.すべての筋肉の離断端を引き寄せて関節窩を完全に満たすようにし,三角筋弁を下方に引いて関節窩の下部に縫合する.そしてドレーンを挿入し,皮膚縫合を行う(図1-47).

─3▶ 上腕切断

上腕切断(trans-humeral amputation)では,骨切断部に基底をおく前後等長の皮膚弁を作る.その長さは切断部における上腕の半径よりやや長くする.少し中枢で上腕動静脈を求め二重結紮し,正中,尺骨,橈骨の各神経を下方に引き切離する.屈筋群は骨切断部より約1cm末梢で,三頭筋は3.5〜5cm末梢で切離する.

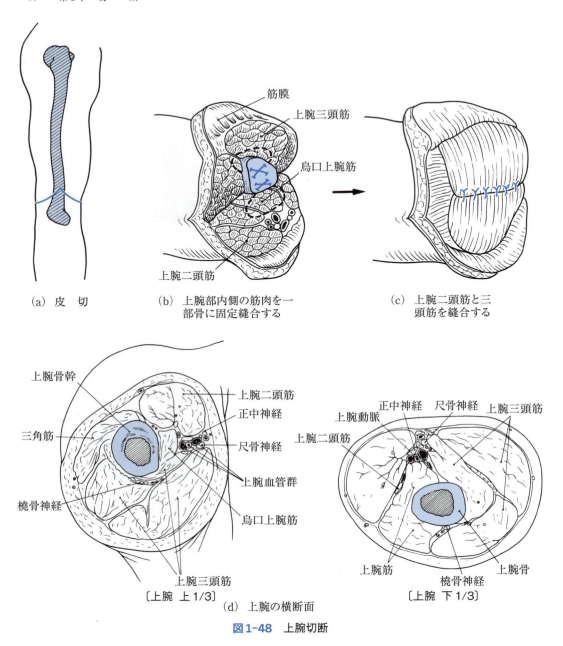

図1-48 上腕切断

　次いで骨膜を環状に切開剝離し上腕骨を切断する．先に切離した三頭筋および屈筋群の内側を，図1-48(b)に示したように上腕骨骨端部のドリル孔を通じて筋肉固定術を行う．次いで，同(c)に示すように，三頭筋と二頭筋を切断前と同様な緊張度で骨端部を覆うように縫合する（myoplasty）．同(d)に上腕上1/3および下1/3での横断面を示す．

—4▶肘離断

　肘離断（elbow disarticulation）では，上腕骨上顆部に基底をおく前後同形の皮膚弁を作る．後方の皮膚弁は肘頭より約2.5cm長く，前方の皮膚弁は二頭筋の付着部のやや末梢になるようにする．

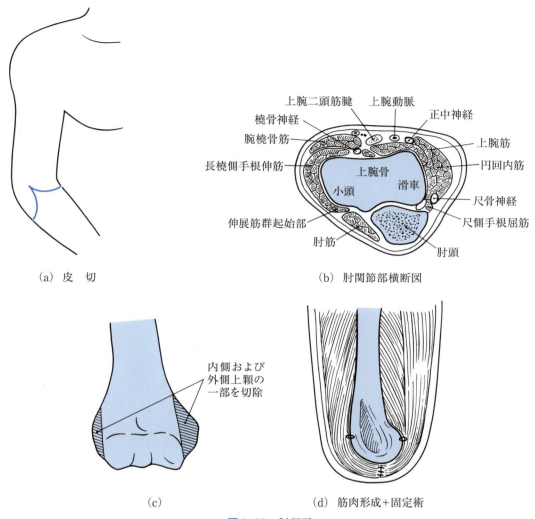

図1-49 肘離断

まず，屈筋を上腕骨内上顆の起始部から切離し，肘関節の中枢で血管神経を求め，血管は二重結紮し，正中神経と尺骨神経は末梢方向へ引き切離する．次いで，二頭筋および上腕橈骨筋を，それぞれ，橈骨および尺骨の付着部で切離し，橈骨神経を中枢に求めて切離する．伸筋群は肘関節から約6cm末梢で横に切離する．

次いで関節を前方から開き，関節軟骨を損傷しないよう注意し前方を離断する．図1-49のように，通常，内側外側上顆部の一部を切除することが多い．三頭筋腱を前方へ引き寄せ，二頭筋腱および上腕橈骨筋腱に縫合し，さらに外上顆部に残した伸筋群の筋膜弁を内方へ引き寄せ，内上顆部に縫合し断端を覆うようにする．ドレーンを挿入し，表層筋膜，皮膚縫合を行い，創を閉じる．

5 ▶ 前腕切断

前腕切断（trans-radial amputation）では，骨切断部に基底をおく前後等長の皮膚弁を作る．その長さはその部における前腕の半径とほぼ等しくする．皮膚弁を反転し，橈骨動脈と尺骨動脈を

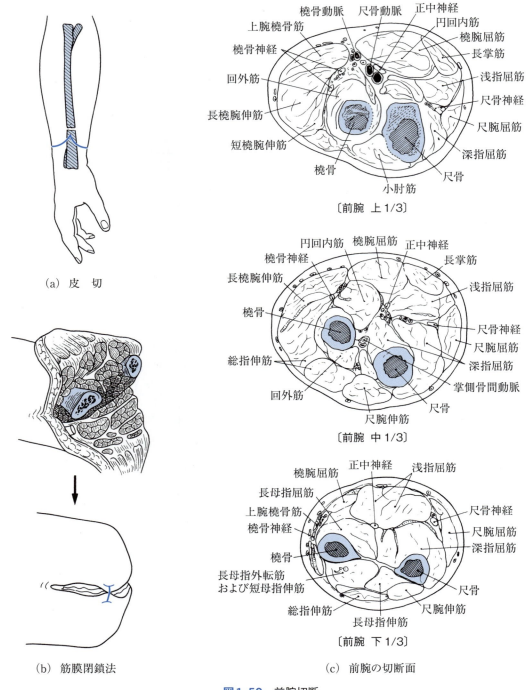

図1-50 前腕切断

求め二重結紮して切離し,橈骨,正中,尺骨の各神経は下方へ引いて切離する.

次いで骨切断部よりやや末梢で筋を横に切離し,筋の退縮した高さで橈骨,尺骨を切断し,断端はやすりをかけて丸みをつける.深層筋膜を縫合し,ドレーンを挿入し,浅層筋膜,皮膚縫合を行い,創を閉じる(**図1-50**).同**(c)** に,前腕切断:上1/3,中1/3,下1/3における横断面を示した.

なお最近では，上腕同様，骨端部に筋肉を縫合固定（myodesis）し，その上を筋肉で骨端部を覆うように縫合する方法（myoplasty）が好んで用いられている．電動義手などの開発を考慮すれば，より良い情報源を残すための方法と考えられる．

─6▶ 手部および指での切断

手部での切断は，図1-16（p18）のように分かれる．

(1) 手関節離断

手関節離断（wrist disarticulation）では，両側茎状突起の約2.5 cm末梢部に基底をおき，掌側が長く背側が短い2つの皮膚弁を作る．その長さの比はおおよそ2：1が適当である．皮膚を中枢へ反転し，血管，神経を求め，橈骨動脈と尺骨動脈を二重結紮し，橈骨，正中，尺骨の各神経は末梢へ引き出し切離する．

次いですべての腱を切離し，可及的に骨端部に縫合する（図1-51）．手根中手関節離断の場合も手根骨へ腱を縫合する（図1-52）．関節包を円周状に開き，遠位橈尺関節を損傷しないよう注意しながら離断する．橈骨茎状突起，尺骨茎状突起の一部を切除し，やすりで切除端を丸くしておく．ドレーン挿入後皮膚縫合を行う（図1-53）．

(2) 手部切断

手部切断（partial hand amputation）は手根部から中手骨までの範囲の切断である．

中手骨切断（metacarpal amputation）では，手背部でラケット状皮切を加える．中手骨の基部に始まり，示指では中手骨の尺側を，環指，小指では橈側を中手骨に平行に中手骨骨頭まで進め，ここで皮切を両側へ扇形に広げ指のまわりを回り，前方で中枢皺壁に終わる．

伸筋は末梢部で引き出し切離し，退縮するに任せる．次いで前方の軟部組織を剥離し，屈筋を引き出し切離し，手掌内へ退縮させる．中手骨をその基部かあるいはCM関節で離断する．神経，血管の処置をすませ，縫合部が手背にくるように皮下縫合および皮膚縫合を行う（図1-54）．

その際，示指における切断では第1背側骨間筋を中指の橈側へ移しておく．また中指，環指の切断では，隣接指の回旋変位を防ぐ目的で示指あるいは小指の隣接切断指の部位への移動も考慮しなければならない．

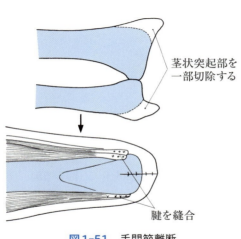

図1-51　手関節離断

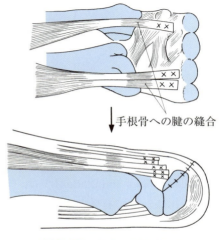

図1-52　手根中手関節離断

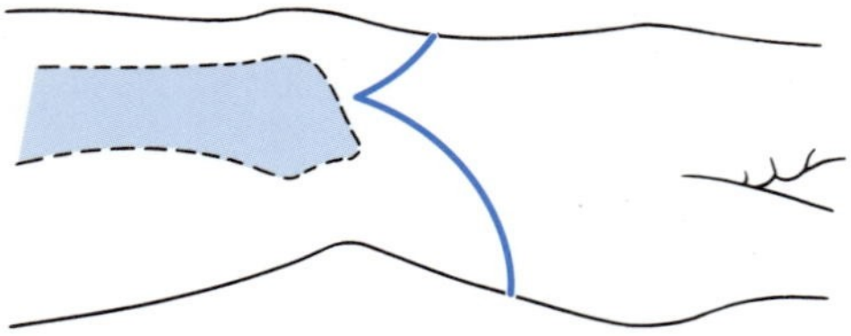

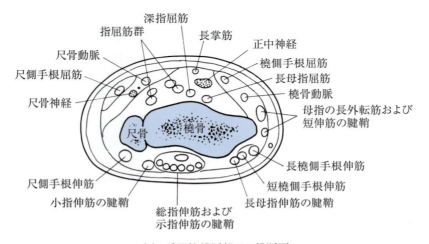

(a) 皮切 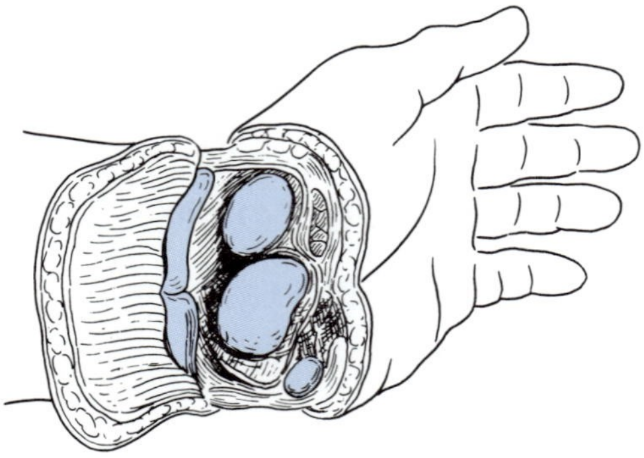　　　　　　　　(b) 橈尺骨と手根骨の間で離断

(c) 手関節離断部での横断面

図1-53　手関節離断

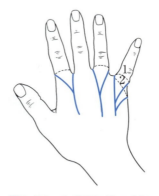

図1-54　中手骨切断の皮切

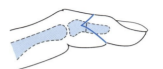

図1-55　指切断の皮切

(3) 手指切断

　手指切断（finger amputation）では，掌側が長く背側が短い2つの皮膚弁を作る（図1-55）．その長さの比は2：1が適当である．掌側の皮膚弁は指を伸展させておいて，背側の皮膚弁は指を屈曲させておいて作製するのがよい．

　指骨は皮膚弁が容易に覆いうる部で切断し，断端はやすりをかけて丸みをつける．関節離断の

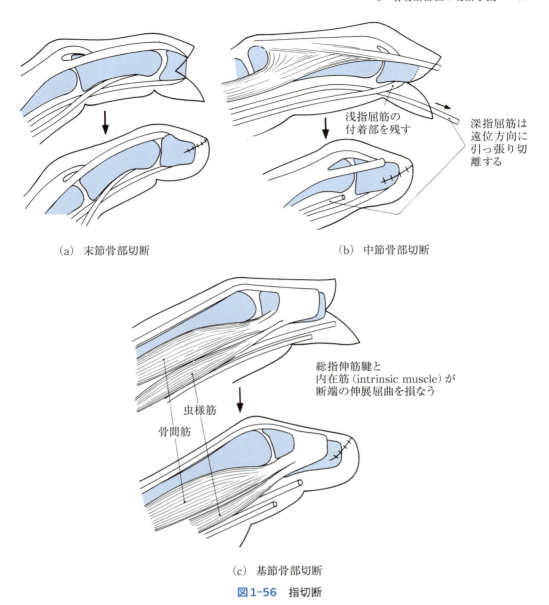

(a) 末節骨部切断
(b) 中節骨部切断
(c) 基節骨部切断

図1-56　指切断

場合は顆部の骨突出部を削り，関節軟骨を切除する．神経は軟部組織の状態の良いところまで中枢に追い，鋭利なメスで切る．伸筋腱，屈筋腱はともに単に横切し，中枢へ退縮するに任せる．血管を結紮し，皮膚縫合を行う（図1-56）．

　指の切断においては，握り（grasp），つまみ（pinch），ひっかける動作（hook）などの基本的な機能を残すべく，そのために必要と考えられる部分はできる限り温存する．

① 母　指

　握りおよびつまみ動作に際してポールとしての機能を果たすため，長さ，可動性および位置が機能に大きな役割を占める．特にその長さは最大限に温存する必要があり，中手骨での切断を余儀なくされるような場合には造母指術などの再建術を考慮しなければならない（図1-18(a)）．また，示指との指間部を深くして機能を改善しうる（同(b)）．

② 示　指（図1-18(c)）．

　つまみ動作において母指に次いで重要な役割を果たすため，できるだけ長く温存する．しかし近位指節間関節より中枢になると，基節骨での切断では，つまみ握りの際にかえって邪魔になり，しばしば疼痛の原因となる．したがって示指においては，基節骨から中節骨骨幹部までの間での切断は好ましくなく，むしろ中手骨骨基部での切断のほうが，手掌の幅は減じるが醜状も残さず機能的にもよい（同(d)）．

③ 中指および環指

　中指は，握り，つまみ，ひっかける動作および押さえる動作に役に立ち，示指の機能を強化する作用がある．示指と異なり，基節骨における切断でもその断端は物を運ぶのに役立つため，できるだけ長く温存するのがよい．しかし，これらの指においての中手骨切断では隣接指の回旋変位がみられ，問題となることが多い．これを矯正するには，示指あるいは小指を隣接の切断指の部位へ移動させるのが最も確実な方法で外観上もよい．ただし手掌の幅を減じるため握力は低下する．

④ 小　指

　小指においても，手掌の幅を保ち握力の低下を防ぐ意味でできるだけ長く温存するのがよいが，中手骨骨幹部の切断では残された骨の動きが増すため骨断端部が突出し，疼痛とともにズボンのポケットに入れるのに邪魔になることがある．この場合には中手骨の近位部での切除が行われる（図1-18(d)）．

―7 ▶ 特殊な切断

(1) クルーケンベルグ切断

　本法は，手関節離断，前腕切断においてその前腕を縦割二分し，この橈骨と尺骨に別れた断端で物を把持させるようにするものである．このクルーケンベルグ切断（Krukenbergplastik）では，前腕の回内によって橈骨の外転が起こり両断端が開き，回外によって橈骨の内転が起こり両断端が閉じ，物を把持することができるようになる．

　本法は，義手に比して，本来の知覚が残存しているという点においてはるかに優れているが，その外観が奇怪であるために広くは用いられていない．しかし，盲人切断者，両上肢切断者，両上肢先天性奇形などの場合に用いてよい方法である[74, 114, 284]．

〔手術法〕

　前腕を縦に二分するように，その屈側ではわずかに橈側へ，背側では尺側へ偏位した皮切を前腕の約3/5すなわち円回内筋の高さまで加え，その中枢端には合指症に対するBunnellの皮切のようにV字形の皮膚弁を作る．次に浅指屈筋，深指屈筋および総指伸筋の橈側半分と橈側手根伸筋，橈側手根屈筋および円回内筋，腕橈骨筋は橈側へ，浅指屈筋，深指屈筋，総指伸筋の尺側半分と尺側手根伸筋および尺側手根屈筋は尺側へ残し，それぞれ橈骨端，尺骨端に縫合する．

　骨間膜は尺骨骨膜への付着部で切離し，正中神経は橈側へ，尺骨神経は尺側へ残す．次に，橈骨と尺骨の相対する部分に健全な皮膚を回してその断端を覆い，橈骨背側に生じた皮膚欠損部へは大腿部からの中間層皮膚弁を移植する（図1-57, 58）．

　術後2週間で機能訓練を開始する．

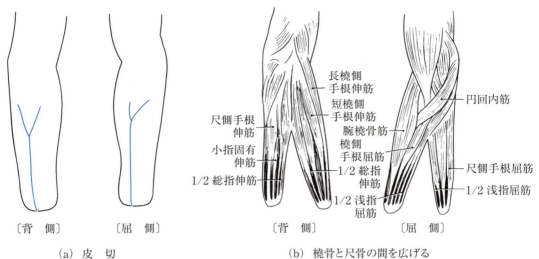

(a) 皮切　　　　　(b) 橈骨と尺骨の間を広げる

図1-57 クルーケンベルグ切断

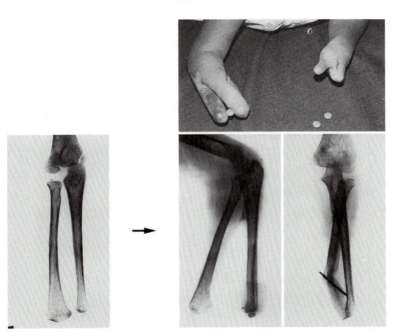

(a) 先天性手関節離断例（両側），術前と術後

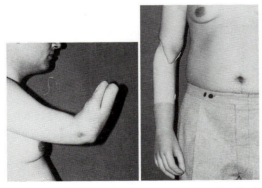

(b) クルーケンベルグ切断例（右側），術後と義手

図1-58 クルーケンベルグ切断

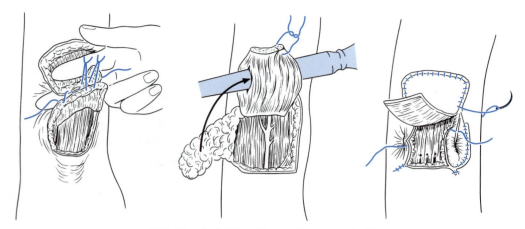

図1-59　シネプラスティー（Spittlerによる）

(2) シネプラスティー

　シネプラスティー（cineplasty）は，上肢の動きや，他側の肩あるいは胸郭からのリモートコントロールによらないで，断端近くの筋肉により義手を動かすように形成されるものであり，前腕あるいは上腕部で普通の断端を作り，二次的に義手を動かすための筋肉モーターを作るという2つの段階よりなっている．

　筋力を利用するために，筋線維に直角に作ったトンネルの中に反転させた皮膚弁を挿入し，このトンネル内に棒を通し，その両端にケーブルを付け，これを義手につなぎ筋力で引っ張って義手を動かすようにする．

　シネプラスティー（図1-59）は普通の切断に比して有利な点もあるが，最近では瘢痕のためハーネスが付けられないもの，あるいは職業上特に手先の器用さが必要なものなどごく限られた症例にのみ行われている．また従来多くの筋肉がモーターとして用いられてきたが，力が不足したり滑動距離が限られたりしていて，現在では，前腕切断，上腕切断長断端に対して上腕二頭筋が用いられるのみである．

〔手術法〕

　前腕切断では皮膚弁の基底を上腕の内側におき，上腕骨外顆より中枢へ7.5〜9cmの部に7.5〜9cmの長さの横切開を加える．さらに，これより7.5〜9cm中枢に，先の皮切と平行した皮切を加える．次いで，この2つの皮切を結ぶように外側の筋間中隔上に縦の皮切を加える．

　上腕切断の場合には，末梢側の横皮切は少なくとも骨の断端より5cm中枢におき，中枢側の横皮切は腋窩の前面より1.5cm末梢へ離すようにする．

　2つの横切開の内側端で筋膜を約1.5cm残し，切開は深層筋膜まで達する．皮膚，皮下組織，筋膜を一緒に鈍的に剥離し，内方へ反転させ，上腕二頭筋を露出する．皮膚弁を反転し表皮面が内側になるようにし，その中央の1/3〜3/5がチューブになるようにその両端縁を腸線で縫い合わせ，No.35ステンレス・スチールワイヤーで連続埋没縫合し補強する．

　次いで筋を穿通する部位を決め，筋膜を末梢端まで切開する．注意深く二頭筋を上腕筋より分け，筋腱移行部の直下で二頭筋腱を切断する．次いで二頭筋の末梢部を創外に引き出し，筋皮神経の一番下の枝が侵入している高さのところまで中枢方向へ剥離する．

　筋の末梢部で一側から他側へ前後の筋の量が同じになるように孔をあける．この孔は先細になった拡大器にて約4cmぐらいの広さに広げる．拡大器を入れたまま二頭筋の断端を細い腸線

で縫合する．次いで筋肉にあけた孔に皮膚筒を挿入するが，あとに挿入する棒がトンネル内の縫合部の瘢痕に当たらないように，皮膚筒を90°中枢方向へひねっておく．皮膚筒の外側縁を元の外側の切開部へ縫合する．その際，トンネルが上腕を横断するように注意する．

内側のトンネルの入口の部は筋膜との縫合のみにする．皮膚縫合部は，No.35か36のステンレス・スチールワイヤーで埋没縫合し補強しておく．植皮床をよくし，治癒を早めるために外側筋間中隔の上に数本の筋線維を乗せておく．トンネル内の皮膚の損傷を防ぐためにワセリンガーゼかナイロンガーゼを入れておく．

最後に残った皮膚欠損部は中間層植皮で覆う．その際，少なくとも幅10cm以上の皮膚弁を用いるのがよい（図1-59）．

手術後は目の細かいナイロンガーゼなどをトンネル内に詰め，ガーゼを乗せて弾性包帯を軽く巻いておく．包帯交換は，皮膚縫合を行ったワイヤーを抜去するまで10～14日間は行わない．皮膚筒を作る際，皮膚縁を近づけるためのワイヤー縫合は3週間後に抜去する．

この時期にトンネル内のガーゼ栓を抜き，直径約1cmのプラスチックのピンを挿入する．3週間経ってから筋の訓練を開始し，義肢装着が可能になるまで次第に抵抗を増していく．トンネル内は毎日石けんで洗い清潔にしておく．

2 下　肢

―1▶骨盤部での切断

骨盤部での切断（transiliac and sacroiliac amputation）では，仙腸関節での切断を片側骨盤切断（hemipelvectomy, hindquarter amputation）とよんでいたことがある．しかし，現在は，仙腸関節で切断する離断に対して仙腸関節離断（sacroiliac amputation），そして，骨盤部の一部を残す形で骨盤部で切断する方法を腸骨切断（transiliac amputation）とよんでいる．片側の骨盤を前方では恥骨結合で，後方では仙腸関節のやや外側で腸骨を縦切し，下肢以下を切離する侵襲の大きな手術である．通常，キング（King, Steelquist）の方法が用いられる．要点を拾うと次のようになる．

① 皮切は，図1-60(a)のとおり，恥骨結合の上から鼠径靱帯，腸骨稜に沿って腸骨後上棘のところから大転子を通り，大殿筋皺襞に沿って後方の坐骨結節のところに達し，これより前方へ会陰部を通り，元の皮切に達するように加えられる．

② 残存している筋肉は，前方では腹直筋，腹斜筋，腰方形筋が鼠径靱帯とともに残存している．後方では大殿筋が残存し，これが腹膜を包むように前方の筋肉と縫合される．したがって体重を支持しうる骨組織はなく，この筋縫合部を受けた断端の外下側部が重要な体重支持面となる（p348図5-46，p364図5-68）．

③ 血管，神経は，前方で外腸骨動静脈および大腿神経が切離され，後方では坐骨神経が切断されている．

―2▶股離断

股離断（hip disarticulation）は，解剖学的には股関節から大腿骨以下を切離してしまう手術であるが，義肢学的な立場では大腿骨の転子下位のところまでを含んでいる．

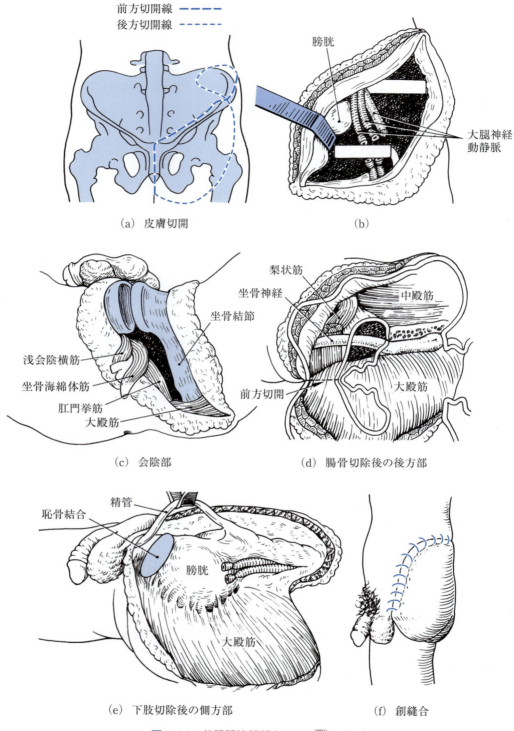

(a) 皮膚切開
(b)
(c) 会陰部
(d) 腸骨切除後の後方部
(e) 下肢切除後の側方部
(f) 創縫合

図1-60 仙腸関節離断（Slocum[272]による）

　この股離断を行う場合には，義足の適合上，どの筋肉が残存しているのか，神経がどの部位で切断されているのか，体重負荷面，義足の懸垂部位がどのあたりにくるのかをよく理解しておく必要がある．通常，この部位の手術にはボイド（Boyd）の方法が用いられる．

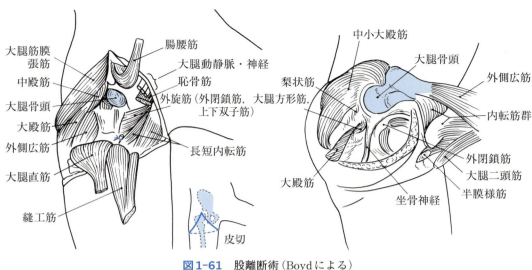

図1-61 股離断術（Boydによる）

① 皮切は，図1-61のように上前腸骨棘の下から始まり，鼠径靱帯に沿って下約5cmのところを通り，内後側では坐骨結節の下約5cmの高さで横切され，外側では大転子下8cmのところを通る皮切となる．この結果として，手術後では断端の後外側の大きな皮膚弁ができ，これが負荷面となり，縫合された皮切は創の前内側に位置するようになり義足の適合に好都合である．

② 筋肉は前側では縫工筋と大腿直筋が起始部より切離されてしまうが，腸腰筋は小転子から切離され，のちに大殿筋などと縫合される．内側では，内転筋群はその起始部よりわずかに離れたところで切離され残存しないが，後側で大転子から切離された中小殿筋，大腿骨粗線から切離された大殿筋と縫合される．この筋肉の縫合が断端の早期成熟にきわめて重要であり，また十分な負荷面を得るためにも必要である．なお，ハムストリング筋群は坐骨結節部から切離され，梨状筋，双子筋，閉鎖筋などは大腿骨付着部から切離され残存する．

③ 大腿動静脈および神経は鼠径靱帯の下で切断され，坐骨神経は後方でできるだけ上方で切離される．この場合，随伴血管を伴うため，神経切離の前に結紮の必要がある．

─3▶ 大腿切断

大腿切断(trans-femoral amputation)の切断手技の原則は，すでに述べたとおりである．

① 皮切は図1-62(c)のとおり前方皮膚弁を後方皮膚弁よりやや長くするのが普通である．もし，グリッチ・ストークス(Gritti-Stokes，図1-63(a))，カーク(Kirk，同(b))のように断端末に負荷性を与える場合には，前方皮膚弁を長くする．

② 最近では，筋肉は直接骨端部に固定し，なお骨端部を覆うように縫合する方法が用いられている．このように，筋肉を切断する前と同様な生理的緊張下におくことにより，断端の変化を少なくし循環状態を最良に保つことができる．また，筋肉の等尺性収縮により大腿周径が増大しソケットの懸垂が容易となる利点がある．実際には，内側の内転筋群と外側の大腿筋膜張筋，外側広筋を縫合し，次に前側の大腿直筋，内側広筋と後側の半膜様筋，半腱様筋，大腿二頭筋とを縫合する(Dederich，図1-62(a))．筋肉の固定縫合法は種々の方法で行われており，最終的に前方の大腿四頭筋で骨端部を覆う方法(Murdoch，同(b))や，後方のハムストリングで骨端部

を覆う方法（Mooney）などがある．いずれにしても，特に大腿義足歩行および屈曲外転拘縮防止のためには，内転筋，ハムストリング筋の縫合を注意深く行う必要がある．

最近，大内転筋を大腿骨内転位にして再縫合する方法（Gottschalk）が注目されている（**同(c)**）．下肢の正常のアライメントは，①大腿骨が内転位で，大腿骨骨頭から膝関節中央部を通り足関節中央部を結ぶ線にあり，これが機械軸として働く．②これにできるだけ近いアライメントになるように大内転筋を結節より切離し，③顆上部で切断した大腿骨端から1～1.5cm近位部の外側に2～3のドリル孔をあけ，これに再縫合を行う．そして，大腿四頭筋を後方のドリル孔を通じて骨に縫合する方法④である．これにより股関節の内・外転筋のバランスがよくとれ，エネルギー消費の少ない効率的な義足歩行が可能となる．ただ，切断部位の選択（p31）の項にて述べたように，この手技はターンテーブルを取り付けるためには，やや長すぎる可能性があることを留意すべきである．

③　骨は横切された後に鋭利な骨端辺縁部にヤスリをかけて丸くする．特に，あとで装着する大腿ソケット適合のために外側および前側の部位で丸みをつけることが大切である．

④　術後は，若年者の場合にはギプスソケットを装着させ術直後義肢装着法を行い，術後2日目より起立，歩行させる．しかし，高齢者で血行障害の患者の場合には，まず血行を障害せずに良好な創の治癒を得ることと苦痛を与えないことが大切で，術直後義肢装着法の適用とはならな

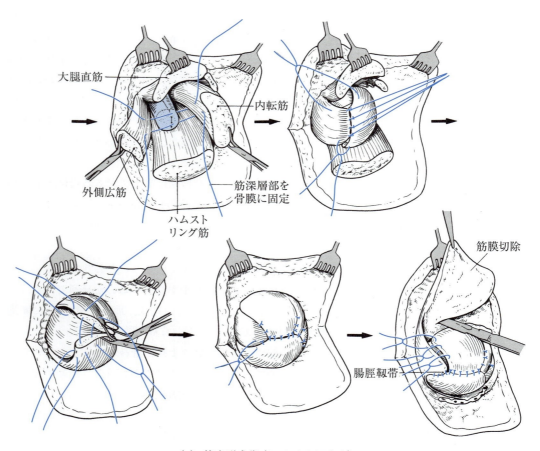

(a)　筋肉形成術（Dederich による）

図1-62　大腿切断

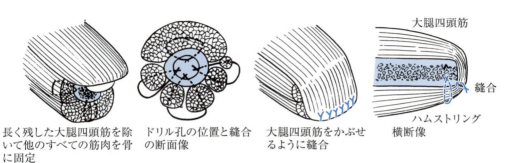

(b) 大腿切断筋肉固定術（Murdoch による）

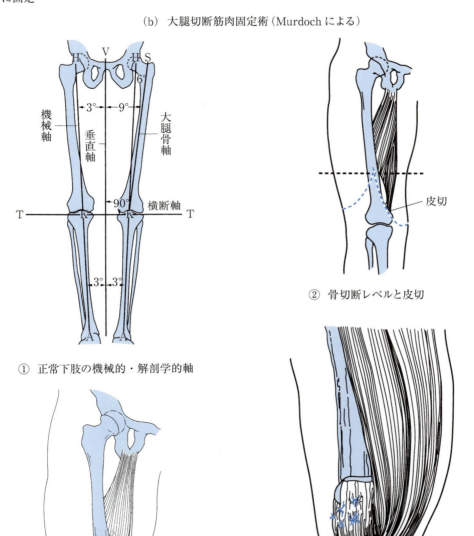

(c) 大内転筋縫合術（Gottschalk[322]による）

図1-62 つづき

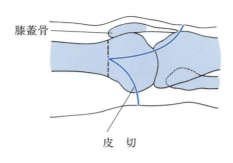 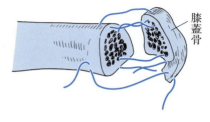

(a) グリッチ・ストークス切断

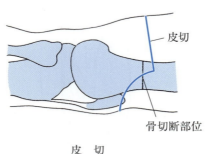 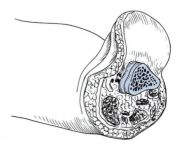

(b) 腱形成的手術（Kirk による）

図1-63　断端末負荷性大腿切断

い．弾性包帯や弾性ギプス包帯を薄く巻いた軽いソケット（rigid dressing）を用いる方法がよく用いられている．術後，できるだけ早期に離床させ，創の治癒を待ってポリプロピレン製の周径を調整しうるソケットと骨格構造パイロンを用いた仮義足を装着させる．

― 4 ▶ 膝離断

　膝離断（knee disarticulation）が問題視されてきたのは，義足適合技術以外に創の満足な治癒が得がたいことがその原因である．特に，動脈硬化症，糖尿病などによる血行障害の場合の創の治癒率が最も大きな問題である．

(1) 皮膚切開

　① 前方に長い皮膚弁（anterior long flap）を用いる従来からの方法

　皮切は図1-64のとおり前方に大きい皮膚弁を作り，負荷面に皮切がこないようにする．

　筋肉が切断前と同様の生理的緊張を保つようにすることに留意する．そのため，前方の膝蓋靱帯を脛骨結節から切離し，これを十字靱帯に縫合する．後方のハムストリングは十字靱帯，または大腿骨顆部の後方関節囊に再縫合する．しかし，この前方に長い皮膚弁をとる場合には，皮膚縫合部位が断端大腿骨顆部のところにくるため創縁に壊死を起こしやすく，創の治癒遅延，ひいては高位切断を余儀なくされるケースが多い．このため，次にあげるような手術手技を用い，特に皮膚切開部位を変えることによって治癒率を改善しようとする試みがなされている．

　② 円弧状皮膚切開（circular incision；Jansen）

　脛骨結節下1.3cmのところで円弧状の皮膚切開を加えるものである（図1-64(c)）．

5 各切断部位の切断手技

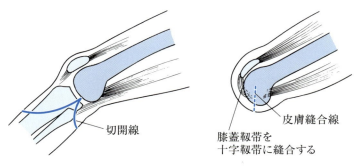

(a) 切開線および縫合線

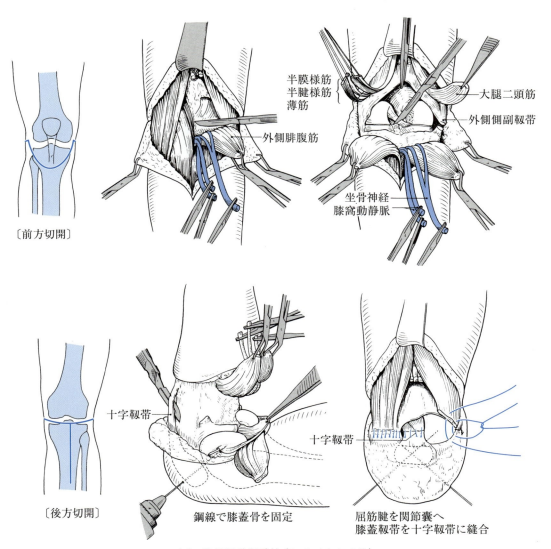

(b) 膝離断手術手技（Dederich による）

図1-64　膝離断

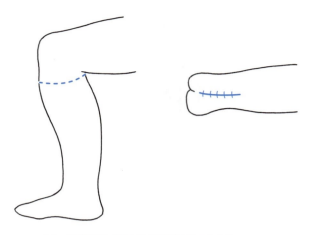
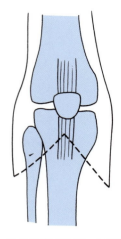

(c) 円弧状皮膚切開（脛骨結節より1.3cm 遠位部で）（Jansenによる）

(d) 内外皮膚弁を用いる方法（Kjølbe, Murdochによる）

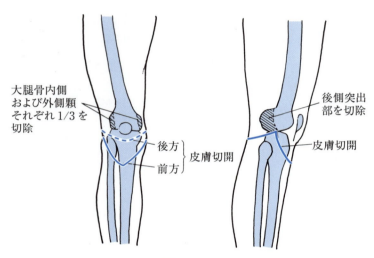

(e) 大腿骨顆部を切除する方法（Mazetによる）

図1-64 つづき

③ 内外皮膚弁を用いる方法（Kjølbe, Murdoch, Baumgartner）（図1-64（d））

上記②，③とも，皮膚縫合部位が同(c)(d)のように大腿骨顆間部に縦走する縫合線となり，良好な治癒を得やすい．

(2) 膝蓋骨の切除

一般には膝蓋骨の周辺にある動脈の血流を残存させることが前方皮膚弁の活性度を残すために必要であるとの意見から，膝蓋骨は切除すべきでないとされている．一方，膝蓋骨を外観上の理由から切除すべきであるとの意見（Mazet, Utterbach and Rohren）や，膝蓋骨と大腿骨前下端部とを縫合する方法（Roger）などが一部では述べられている．しかし，義足の適合手技上，膝蓋骨上部が懸垂の場所としてきわめて有用であること，および，場合によっては膝蓋骨下面部が負荷面を広くすることに役立つなどの利点の経験的認識から膝蓋骨は残すべきであると思われる．

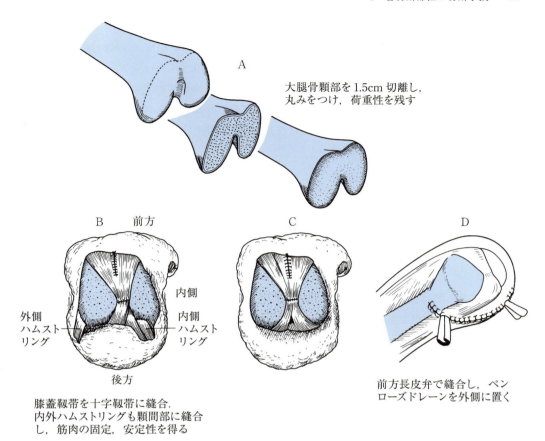

(f) 大腿骨顆部での膝離断術（Ernest Burgess, Archives of Surgery, Vol. 112, 1977.）

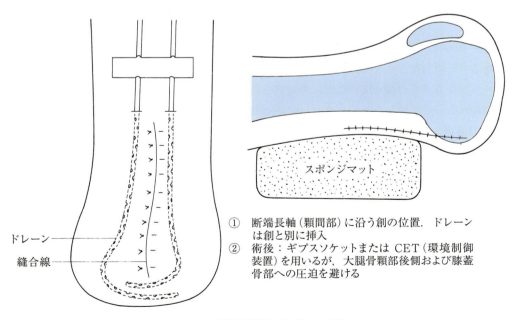

(g) 膝離断術後の留意すべき点

図1-64　つづき

(3) 大腿骨顆部の切除

膝離断の欠点が大腿骨顆部の隆起による不格好さにあることから，Mazetは，内顆の内側1/2，外顆の1/3および顆部の後方突出部を切除する方法（図1-64(e)）を実施し，血行障害例を除き骨切除の必要性を推奨している．また，Burgessは，筋肉の再固定と荷重能力を残しながらも，外観の改善のために同(f)のように，大腿骨顆部を1.5cm切り上げる方法をとっている．これらの方法は，膝離断の利点である広い荷重性また懸垂機能に若干のマイナス効果があり，必ずしも広くは用いられていない．

(4) 筋腱の再縫合

大腿筋腱の切離による萎縮および血行障害を可及的に防ぐために，膝蓋靱帯を十字靱帯に，ハムストリングを十字靱帯または関節囊に再縫着することが望ましい．

(5) 血行障害例に対する膝離断後の断端の保護

上記のような注意深い愛護的な手術により膝離断を成功させたとしても，術後の創の治療方法に誤りがあってはならない．特に，大腿骨顆部の後面の内外側顆部に相当するところと，膝蓋骨部に圧迫による壊死を防ぐために図1-64(g)のようにスポンジマットを置くこと，包帯などの圧迫を防ぐことが重要である．

─5 ▶ 下腿切断

下腿の上1/3，中1/3，下1/3の部位での断面を示すと図1-65(a)のとおりである．下腿切断（trans-tibial amputation）では，筋肉，骨の処理においてさまざまな手術が行われている．

(1) 皮　切

皮切は，皮膚に対して直角に行うことが肝要である．外傷，腫瘍などの場合には，通常，前後の皮膚弁がほぼ同じ長さになるように魚口に似た皮膚が用いられる（図1-65(b)）．しかし，血行障害に対しては，後方の筋肉，皮膚などの血流が前方より良好であることから後方の長い**筋肉皮膚弁**（long posterior myofascio-cutaneous flap；Bickel）がよく用いられる（図1-36）．その他，**内外皮膚弁**（medial and lateral (sagittal) myofascio-cutaneous flap；Persson, B）が用いられることがある．その利点として，前方の血行不良の皮膚弁部分を少なくすること，この皮膚弁のほうがベースとなる部分の幅が広いこと，骨端部を内外筋肉の形成術を行って扱うことができることがあげられる．その他，**斜めの皮膚弁**（skewed flap；Robinson）などが用いられることがある．

(2) 筋肉の処置

切断された骨の上を，皮膚，筋膜との間を剝離しないで筋肉を覆うことは，皮膚への血流を促すためにも，また，骨端への皮膚の癒着を防ぐためにも重要である．長い後方筋肉筋膜皮膚弁（long posterior myofascio-cutaneous flap）を用いるときは，後方の筋肉がかさばるために，後脛骨筋を切離する方法や，ヒラメ筋を切離する方法が行われている．これは，ヒラメ筋が膝関節機能と関係がないこと，静脈血栓を防ぐこと，かさばりを小さくすることなどが理由にあげられている．なお，壊死とみられる筋肉はすべて切除する．次いで，筋肉同士を縫合する筋肉形成術（myoplasty）を行う．骨にドリル孔をあけ，これに筋肉を縫合固定する（myodesis）．ここは意見の分かれるところであるが，一般には血行障害例では筋肉固定術は禁忌という意見が多い．したがって，筋肉を縫合して骨端部を覆う方法がよく用いられている．

5 各切断部位の切断手技　67

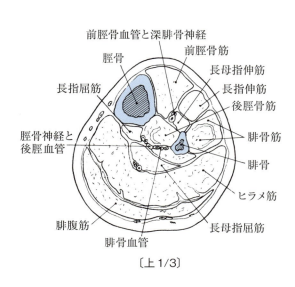
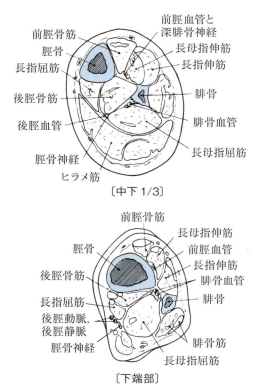

(a) 下腿の断面

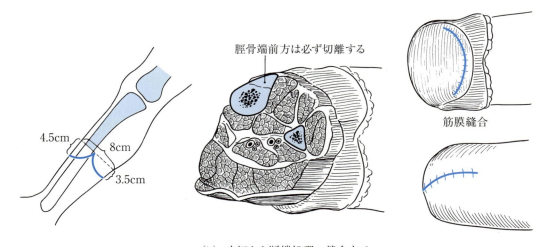

(b) 皮切から断端処理，縫合まで

図 1-65　下腿切断（筋膜縫合）

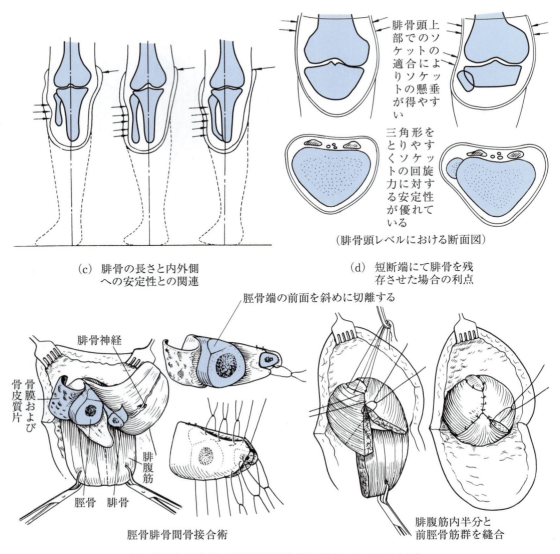

(c) 腓骨の長さと内外側への安定性との関連

(d) 短断端にて腓骨を残存させた場合の利点

腓骨頭上部でのソケットの適合によりソケットの懸垂が得やすい

三角形をとりやすくソケットの回旋力に対する安定性が優れている

(腓骨頭レベルにおける断面図)

脛骨端の前面を斜めに切離する

腓骨神経
骨膜および骨皮質片
腓腹筋
脛骨　腓骨

脛骨腓骨間骨接合術

腓腹筋内半分と前脛骨筋群を縫合

(e) 筋固定形成術＋脛骨腓骨間骨接合術 (Dederich による)

図1-65　つづき

(3) 骨の処置

① 脛　骨

脛骨端は，図1-65, 66のようにその前面を45～60°の角度で斜めに切り落とす：これはソケット適合上きわめて重要である．

下腿義足では，脛骨を中軸とする断端をソケット内に屈曲位に保つことが重要である（図1-66(a)）．このためには，膝蓋靱帯への荷重の対抗圧としてソケットの後壁の高さと輪郭が問題となり，後壁の高さが低いときには，断端がソケットの中で同(b)のように伸展位をとり，脛骨端部がソケットに当たり，疼痛跛行の原因となることが多い．したがって，脛骨端部の遠位端の前方の切離が重要である．

② 腓　骨

腓骨は特に外観を問題としない男性例では脛骨と同じ高さで切断する：従来から腓骨を脛骨端

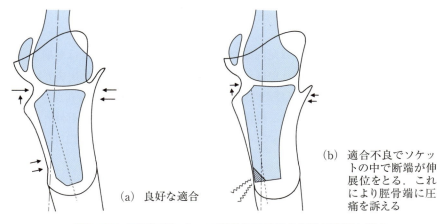

図1-66　下腿切断において脛骨前下端部の切除が重要な理由

から2.5～3.5cm上部で切断すべきであるとの意見が一般的であった．その理由として次のものがあげられている――ⓐこれによって断端が円錐形に近い形をとり，外観上優れている，ⓑ腓骨が長いとソケットの良好な適合が得にくい，ⓒ小児切断における腓骨の過成長による障害を見越して上位で切断するほうがよい．

　これに対して脛骨と同長で腓骨を切断する方法が最近行われつつある．その理由は，下腿義足のソケットの側方安定性を得るために腓骨骨軸の外側にかかる圧が重要であることから，腓骨が長く残存するほどその外側圧がかかる面積が広くなり，単位面積にかかる力が少なくて良好な側方安定性を得ることができるためである．この側方安定性の獲得により，ソケットに対して足部を内側に位置するようにアライメントを設定することができ，筆者はこの方法を好んで行っている（図1-65(c)）．

　③　下腿短断端では腓骨を切除する

　脛骨粗面より短い下腿切断においては，腓骨の全切除をすることが一般的である．もし残存させると，小球状の腓骨頭がソケット面と不適合を起こしやすいためである．しかし，義足ソケット適合技術が優れている場合には，腓骨頭がソケットの懸垂にアンカーとしての役割を果たすこと，腓骨頭の高さでの断面像で三角形に近く，ソケットの中での断端の回旋に対する安定性とコントロールが増加することなどの利点がある（図1-65(d)）．

　④　脛骨腓骨間骨接合術

　脛骨腓骨間骨接合術は一般的には必要でない．しかし，次の利点があるため，症例に応じて適応される：ⓐ断端の状態を安定させる，ⓑ断端に負荷性を与える，ⓒ脛腓関節が安定する，ⓓ瘢痕癒着，神経腫などの困難な断端に適応する，ⓔ骨膜縫合により骨髄内圧を正常に保つことができ，末梢循環動態を改善しうる．

　手術方法はさまざまである．図1-65(e)にDederichによる方法を示した．その適応は小児と成人では異なる．小児では腓骨過成長に対する方法として用いられることがあるが，完全な対策とはいえず，脛骨および腓骨の内反傾向，腓骨頭の上方移動に注意を要する．

─6▶足関節離断──サイム切断

　足関節離断（ankle disarticulation）は足関節での離断であるが，現実的には断端末荷重を得るためにサイム切断（Syme amputation）が行われている．サイム切断では，皮膚弁の固定性，負荷性の獲得と外内果の処理，筋肉の処理が問題となる．サイム切断における利点および欠点は図5-263（p485）に示したとおりである．この利点を活かしつつ，できるだけその欠点を修正し補う方法として手術手技および義足でとっている筆者のアプローチを示すと図1-67のとおりである．

　① 皮切は通常，図1-67のように外果の遠位端から脛骨下端部を通り，内果の遠位端から約1.5cm下部のところに達する．これより足底部の長軸に達して直角となるように皮切を加える．
　② 脛骨動静脈は踵皮膚弁の遠位端で結紮される．このため，特に脛骨動静脈が剥離に際して内果の後方部で損傷されないよう注意を要する．
　③ 踵皮膚弁の弾力性を損傷しないように，踵骨から骨膜下に剥離する．
　④ 脛骨の切断部位は，同(d)のように，脛骨下端の軟骨が指頭大に残る程度の高さで長軸に対して直角に切断する．
　⑤ 内果，外果ともに骨隆起部の一部を懸垂機能を失わない程度で切除する（同(b)）．
　⑥ 踵皮膚弁の内側移動により負荷性を失うことを予防するため，脛骨前下端部のドリル孔を通じ皮膚弁を固定したほうがよい（同(e)）．
　⑦ 切離された腱を可及的に元の緊張下に縫合する．このため筆者は，同(g)のような腱縫合法を行っている[261]．
　⑧ 同(f)のように縫合時に皮膚の両側が余り，犬の耳（dog ear）のような過剰皮膚弁を作ることが多いが，血行障害例では皮膚弁への血行を考慮して切除してはならない．

─7▶ボイド切断，ピロゴフ切断

　足関節部の切断にはサイム切断以外に多くの切断方法があるが，現在あまり多く用いられていない．ピロゴフ切断（Pirogoff amputation）は，踵骨の後半分を前方に90°回転させ，脛骨下端部に取り付け，この間に骨癒合を起こさせ，断端の負荷性をもたせようとしたものである（図1-68, 70）．

　ボイド切断（Boyd amputation）は，図1-69のように距骨を摘出し，踵骨を前方にずらして，踵骨と脛骨下面とで骨癒合を起こさせようとする方法である．

─8▶足部切断──ショパール関節離断

　足部切断（partial foot amputation）は足根部から中足骨までの範囲の切断である．図1-71に示すように，切断または離断する部位によって名称がつけられている．この足根部の切断，特にショパール関節離断の場合は，負荷性が得られ，きわめて良好な断端が得られる場合がある反面，筋力の均衡が起こるために二次的な変形が生じやすいことに注意を必要とする．特にショパール関節離断では，背屈筋である前脛骨筋が切離されるのに対して主たる足底屈筋は残存するため，図5-277, 278（p493）のように尖足を起こしやすい．また，長短腓骨筋の付着部が切離されるため内反足変形を起こしやすい．

　この変形の継続により，足部に胼胝瘢痕を作りやすく，また前足部のテコの長さが短いために

5 各切断部位の切断手技 71

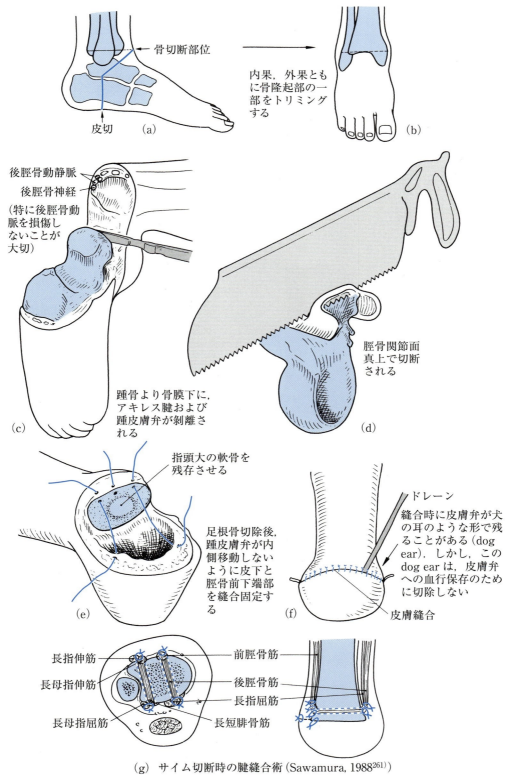

図1-67 サイム切断

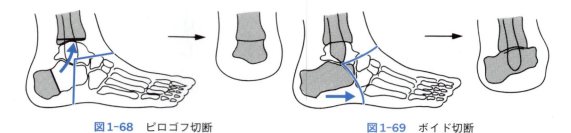

図1-68 ピロゴフ切断　　　　　　　　　図1-69 ボイド切断

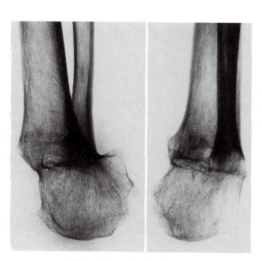

図1-70 ピロゴフ切断

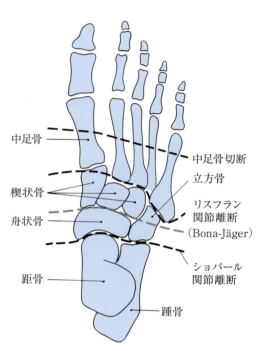

図1-71 足部切断部位

立脚相の後期にドロップオフの現象が起こることが欠点である．特にショパール関節離断は，義足の適合性を得がたいこと，耐久性および外観が不良であること，履物選択が困難であることなどは避けられない．このため1980年頃までは，この部位の選択は，どちらかといえば否定的であった．しかし，その後アキレス腱延長術，前脛骨筋の腱移行術などを併用することが推奨されるようになった．特に，このショパール関節の距腿関節機能の残存および荷重性の利点に注目して，内反尖足変形を起こしたショパール関節離断に積極的な手術方法を試みる方向にある．**図1-72 (a)** のように距踵関節間の楔状骨切り術，**同 (b)** のように距腿関節間の矯正後の固定術が行われることがある（R.Baumgartner）．

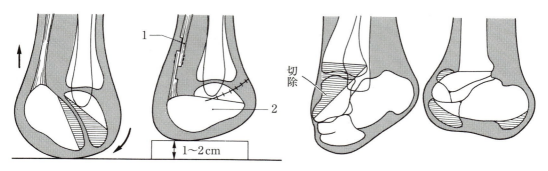

(a) 距踵関節間の楔状骨切り
　　術とアキレス腱延長術

(b) 距腿関節間の楔状骨切りと腓骨切除
　　後の固定術（R. Baumgartner による）

図1-72　ショパール関節離断による尖足内反変形に対する矯正骨切り術

9 ▶ 足指切断

　足指（趾）切断（toe amputation）は足指の範囲での切断である．血行障害による足指の壊死に対しては，その壊死の範囲により，図1-73のように切断を行う．
　① 足指の末端部の背側の爪部を中心に壊死のあるときは，末節骨の一部を切除して縫合する（図1-73①）．
　② 足指の1指に限局した壊死が起こった場合には，足指の基節骨まで切除して全指を切断する（同②）．
　③ 母指全体に壊死を認めるときは，第1中足骨の底部まで切除して切断する（同③）．
　④ 環指，小指に壊死があるときは，環指，小指の中足骨を含めて切断する（同④）
　⑤ 壊死の範囲が多数の指にまたがる場合には，足指の切断では対応できず，中足骨切断を行う．

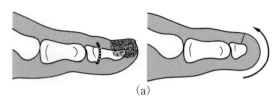

①足指末節部背側部の壊死
足指末節部の壊死に対して末節骨の一部を切除し，短くして縫合する

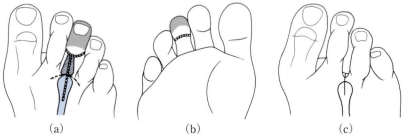

(a)   (b)   (c)

②第3足指の末節部全体の壊死
足指の基節骨まで切除し，全指を切断する

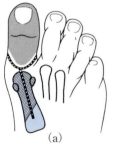 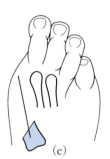

(a)   (b)   (c)

③母指全体の壊死
第1中足骨の底部まで切除して切断する

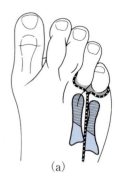 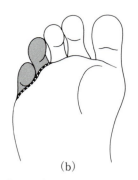 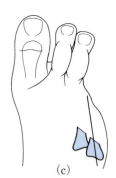

(a)   (b)   (c)

④環指，小指の壊死
環指，小指の中足骨を含めて切断

図1-73 壊死のある場合の足指切断

6 先天性奇形・切断

1 分類

　四肢の先天性奇形・欠損を系統的に分類することについて，過去，多くの試みが米国，ドイツなどで行われた．ここでは，現在では用いられていないが，その基礎となった米国の分類と，現在用いられているISO/ISPOによる国際的な分類法について紹介する．

―1 ▶ O'Rahilly, Frantz, Aitken による分類

　四肢の先天性欠損・切断を，基本的にはamelia, hemimelia, phocomelia, acheiria, apodia, adactylia, aphalangiaの7つに分けている．これをさらに四肢を横断して欠損をみるtransverseのものと，長軸方向に向かって欠損をみるlongitudinalのものに分け，後者に含まれるものの中で橈骨・脛骨側（preaxial）あるいは尺骨・腓骨側（postaxial）のみに欠損がみられるものを特にparaxial hemimeliaとよんでいる．

　さらに四肢の末梢部のみに欠損がみられるものと，中枢部および末梢部は健全でその中間部にのみ欠損がみられるものに大別し，前者をterminal，後者をintercalaryとよんでいる．これらの組み合わせにより四肢先天性欠損・切断はterminal transverse, terminal longitudinal, intercalary transverse, intercalary longitudinalの4群に分類できるとしている（図1-74）．

(1) terminal transverse

　① terminal transverse amelia：上肢あるいは下肢の完全欠損．
　② terminal transverse hemimelia：前腕および手部あるいは下腿および足部の欠損．
　③ terminal transverse partial hemimelia：前腕あるいは下腿の一部が残存しているもの．
　④ terminal transverse acheiria apodia：手部あるいは足部の欠損．
　⑤ terminal transverse complete adactylia：中手骨あるいは中足骨を含み，5指（趾）のすべてを欠くもの．
　⑥ terminal transverse complete aphalangia：5指（趾）のすべてに指骨を1節あるいはそれ以上欠くもの．

(2) terminal longitudinal

　① terminal longitudinal complete paraxial hemimelia：前腕あるいは下腿の一側が手部あるいは足部も含めて完全に欠損するもの（内反手のようなものをいう）．
　② terminal longitudinal incomplete paraxial hemimelia：①のものと似ているが，前腕あるいは下腿の一部が残存するもの．
　③ terminal longitudinal partial adactylia：中手骨あるいは中足骨を含んで1～4指を欠くもの．
　④ terminal longitudinal partial aphalangia：1～4指の指骨を1節あるいはそれ以上欠くもの．

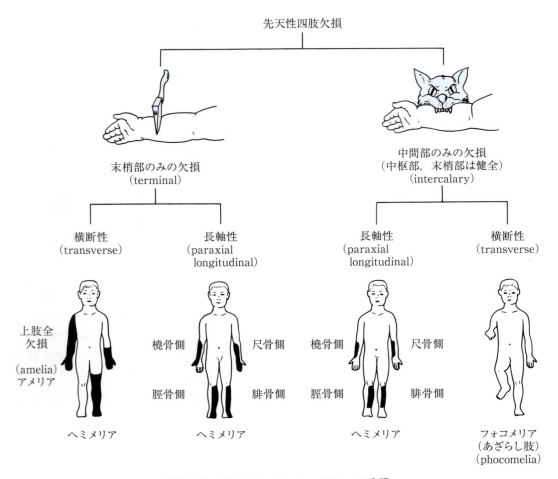

図1-74 O'Rahilly, Frantz, Aitkenの分類

(3) intercalary transverse

① intercalary transverse complete phocomelia：手あるいは足が直接体幹についているもの.

② intercalary transverse proximal phocomelia：手と前腕あるいは足と下腿が直接体幹についているもの.

③ intercalary transverse distal phocomelia：手あるいは足が直接上腕あるいは大腿についているもの.

(4) intercalary longitudinal

① intercalary longitudinal complete paraxial hemimelia：terminal longitudinal complete paraxial hemimelia に似ているが，手あるいは足が多少とも完全に近い状態にあるもの.

② intercalary longitudinal incomplete paraxial hemimelia：前者同様terminalのものに似ているが，手あるいは足が完全に近い状態のもの.

③ intercalary longitudinal partial adactylia：中手骨あるいは中足骨を欠くもの.

④ intercalary longitudinal partial aphalangia：中節骨か基節骨，あるいはその両者を欠くもの.

─2 ▶ ISO/ISPO の分類

　上記のFrantzらの分類は米国では一般的に用いられたが，ヨーロッパでは十分に受け入れられずドイツ，スコットランドで独自の分類が試みられた．このため，国際的に統一した用語を用いるべきであるとしてISO（国際標準規格）のTC168（義肢装具）は，ISPO（国際義肢装具協会）の参加により，以下の国際標準案を作成した．これが現在，国際標準として用いられている．この標準化には，次の3つの条件が含まれている．
　① 分類は，骨の欠損に限られている．
　② 分類は，解剖学的，放射線学的な立場によっている．
　③ 前述したO'Rahilly，Frantz，Aitkenによる分類のようなhemimelia, peromeliaなどは正確性を欠くために用いない．欠損は，横断性（transverse）と長軸性（longitudinal）に記述される．

(1) 横断性四肢欠損（先天性切断）（図1-75）
　特徴として，命名は欠損した部位の骨の名前により呼ばれる．上肢を例にして図1-76に示した．

(2) 長軸性四肢欠損
　長軸性四肢欠損については上肢は図1-77 (a) に，下肢は同 (b) に示した．その骨の欠損が完全か部分的かをすべての部位に明記する．手（足）指の数は，手（足）根骨，中手（足）骨，指骨について橈側または脛骨側から記載する．わかりやすく図1-78に示した．

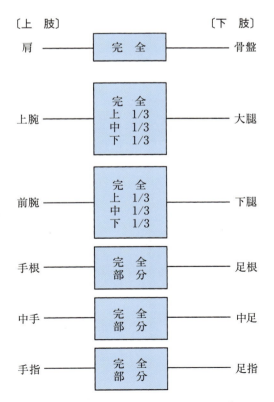

図1-75　横断性四肢欠損（先天性切断）

78　第1章　切　断

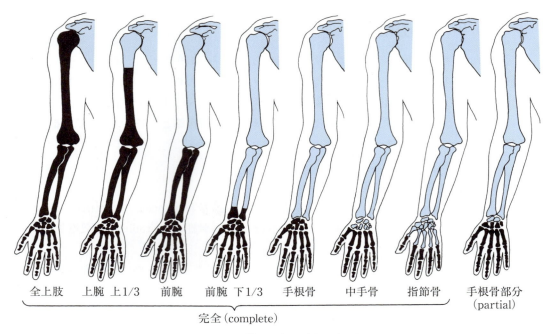

図1-76　横断性欠損（右上肢例）

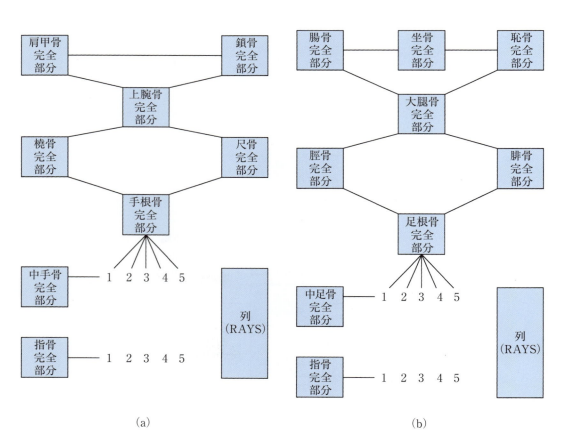

図1-77　長軸性四肢欠損

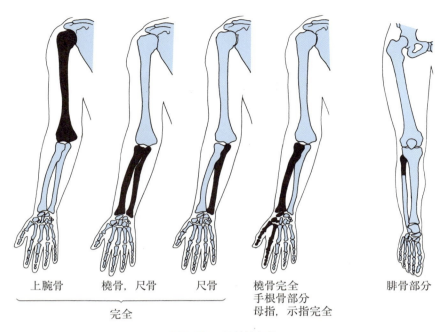

| 上腕骨 | 橈骨，尺骨 | 尺骨 | 橈骨完全
手根骨部分
母指，示指完全 | 腓骨部分 |

完全

図1-78　長軸性欠損

2 症例

代表的なケースを図1-79〜83で紹介する．

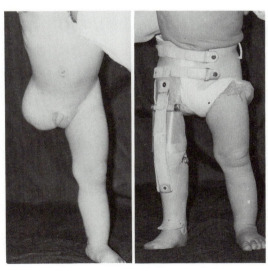

図1-79　先天性右下肢欠損（股離断）
生後1年にてカナダ式股義足を装着．生後7年2カ月で歩行するようになる．早期義足装着を行うことが大切である

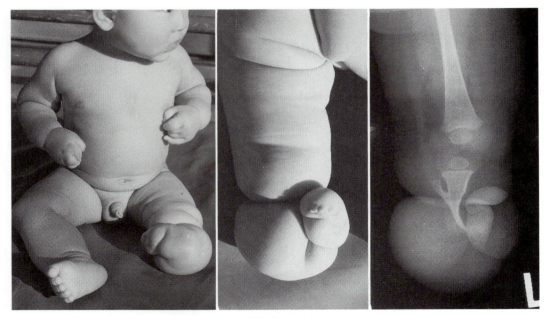

(a) 術前（生後8カ月）

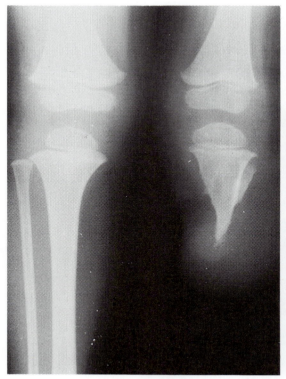

(b) 絞扼輪に対するZ字形形成術および足指部切除

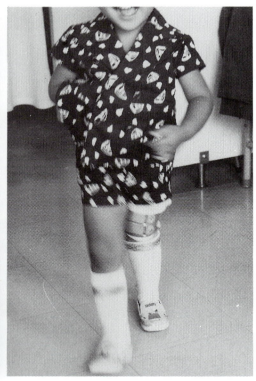

(c) 9歳で下腿義足（PTB）を処方して歩行能力に問題を認めない

図1-80 左足横断性欠損，絞扼輪をもつ（transverse deficiency left leg, constriction band）

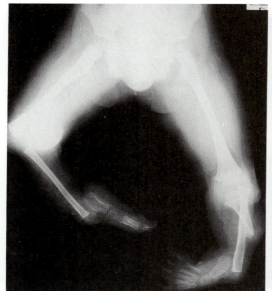

(a) 術前

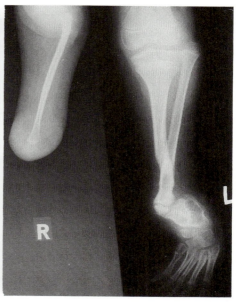

(b) 術後10年．右はサイム切断（Brown手術），左は脛腓骨間骨接合術

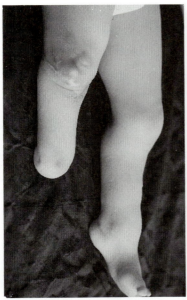

(c) 術後10年で右膝関節屈曲約120°

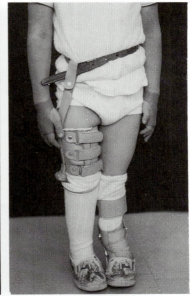

(d) 術後10年で義肢装具装着によって歩行の実用性を得る．将来，左下肢装具の補正が問題となる

図1-81 長軸性欠損（右側脛骨完全欠損，左側脛骨部分欠損）(longitudinal deficiency, right tibial, complete, left tibial, partial)

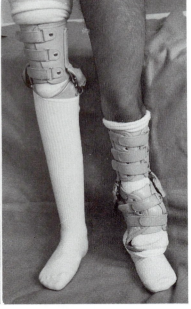

(e) 21歳．術後20年．正常人と変わらぬ歩行能力をもつ（左：補高7.0cm，右：大腿コルセット付き下義足）

図1-81 つづき

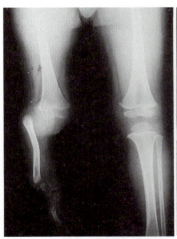
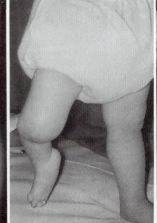
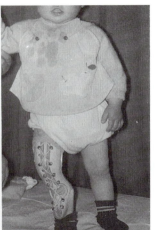

(a) 生後1年にて長下肢装具に補高を加えて歩行可能となるも，歩容，外観とも問題を残す

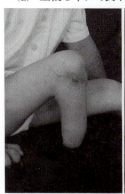
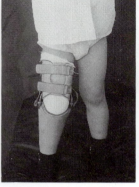
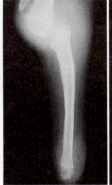
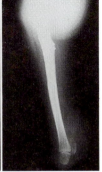

(b) Brown手術およびサイム切断を施行（1.2歳）．大腿コルセット，膝ヒンジ継手付き下腿義足を装着して歩行の実用性を得る

(c) 8歳．腓骨の長軸の成長により腓骨頭が後外側へ移行する．内反傾向，屈曲制限が起こるため再手術が必要である

図1-82 長軸性欠損（右側脛骨完全欠損）(longitudinal deficiency, right tibial, complete)

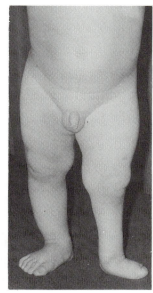
(a) サイム切断を施行

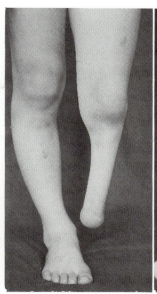
(b) 左サイム切断後12年．サイム義足を装着し健常児と変わらぬ歩行能力を得る

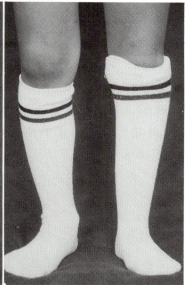

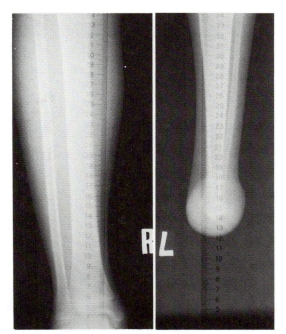
(c) 20歳にて両側脛骨長にて11.0cmの差をみる．腓骨欠損時には健側との下肢長差が最も大きな問題であるが，サイム義足により問題ない

図1-83　長軸性欠損（左側腓骨部分欠損）(longitudinal deficiency, left fibular, partial)

3 先天性の欠損に対する基本的な考え方

　先天性奇形のうち，義肢の装着を必要とするのは横断性欠損の群に属するものであり，特に，いわゆる古典的な先天性切断（classical congenital amputation）とよばれる末梢部横断性欠損の群に属するものである．このような先天性欠損・切断は，外傷による切断が下肢に多くみられるのに反し上肢に多くみられ，両側性であったり，あるいはいくつかの奇形を合併しているため，義肢装着に際してさまざまな問題が生じてくる．

　① 義肢の製作にあたっては，個々の奇形をできる限り義肢の形に置き換えて行うが，しばしば特殊な形の義肢を必要とし，特にソケット，ハーネスなどに工夫を要することが多い．また中には，義肢装着に先立って適当な部位での切断を余儀なくさせられるものもある．

　② 義肢装着の時期については，早ければ早いほどよく，MacDonell1[47]，Lamb[132]，Aitken[1]，Frantz[71]などによれば，上肢では生後6カ月頃に，下肢では乳児が立ち始める時期である生後8～10カ月頃に装着するのがよいとされている．

　③ 上肢切断の場合，肘継手ロック（elbow lock）などを使って義手を上手に使いこなせるようになるのは4歳頃であるが，成長につれて手先の器用さ，必要性が変わってくるので，手先用具もそれに応じたものに変えなければならない．一般に，6カ月から2歳くらいまではパッシブミトン（passive mitten）を用い，2歳くらいになると随意開き式フック（voluntary opening hook），8歳くらいになると随意閉じ式フック（voluntary closing hook），12歳くらいになると随意閉じ式ハンド（voluntary closing hand）に変えるのがよいとされている．しかし現在，オットーボックの小児用電動義手（p270 図4-172）のような小児用の電動義手の開発により，一人座りができる生後6カ月頃の早期より筋電義手を装着する方法が実施されている．

　④ いずれにしても，このような先天性奇形・切断の治療対象は幼小児に多く，両親の協力なくしては決して良い結果は得られないし，また成長期にあたるので常に義肢の適合について検査し，年齢に応じた義肢を装着させるよう心がけることが大切である．

第2章

切断者のリハビリテーション

rehabilitation for amputee

1 リハビリテーションとは

　リハビリテーション（rehabilitation）とは，語源的には re（再び）-habilis（適する，ふさわしい）-ation（にすること）である．つまり，障害をもつ人々が再び生き生きとして人間たるにふさわしい状態，行動を取り戻すことである．1981年 WHO（World Health Organization：世界保健機関）はリハビリテーションを次のように定義づけている．"リハビリテーション"とは，能力障害，あるいは社会的不利をおこす条件を減少させて，障害をもつ人々が差別を受けることなく地域共生社会の中で，一人の人間としての各誉，権利，資格の回復という「全人間的復権」を目指すことこそがリハビリテーションの本質であるとしている．

　よくリハビリテーションというと，理学療法や作業療法に代表される機能回復訓練のように思われているが，これはリハビリテーションをきわめて狭義的にとらえたものである．障害のある人々に接するわれわれにとっては，リハビリテーションをもっと広義に「全人間的復権」ととらえ，1人の障害のある人間として，できるだけ健常者とともに生き生きと住み慣れた地域に住み続け，地域の社会活動に参加していく地域リハビリテーションの理念を底辺にもつことが大切である．

2 切断者のリハビリテーションの過程

　切断者のリハビリテーションの目的は，手足の切断という大きな心理的ショックをできるだけ軽減しながら，できるだけ早期に安定した成熟断端を作って義肢の早期装着訓練を行い，終局的には早く社会へ復帰させることにある．
　そのためには，図2-1のように，単に医学的な分野だけでなく，義肢の進歩に寄与する工学的な面や，心理的，社会的，職業的，さらに，上肢切断や両下肢切断の場合にはバリアフリーの福祉のまちづくりなど，総合的なリハビリテーションサービスが必要である．そして，義肢が本当に切断者の身体の一部となるためには，社会復帰後の巡回相談や修理サービスなどを通じてのアフターケアが大切である．

─1▶ 医学的リハビリテーション

　切断者のリハビリテーションは，医師をリーダーとするチームアプローチの中で，①切断前の評価カンファレンスから始まる．そこで，②切断術における切断部位の決定，術直後のケアの方針が立てられる．③切断創の一次治癒を目標とし，原因疾患，全身・局所の状態に応じた断端治療を行う．④創治癒後は，できるだけ早期に，訓練用の仮義肢を装着し，理学療法・作業療法による義肢装着訓練を始める．⑤この間に断端容積の変化に伴う仮義手・仮義足ソケットの調整を義肢装具士により行い，断端の状態が安定したときに，本義手・本義足の処方がチームアプローチのもとに行われる．⑥本義手・本義足が製作され，適合・アライメントが良好であれば，本格

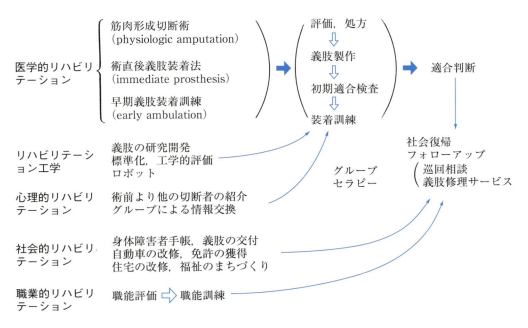

図2-1　切断者に対するリハビリテーションサービス

的に装着訓練を開始する．そして，⑦最終的な評価と今後の断端や義足のメインテナンスの方法や義肢再交付手続きなど，フォローアップについての情報を切断者に伝え指導する．

─2 ▶ 心理的リハビリテーション

切断者は手術前から，将来装着する義手の機能，格好および色など，また義足による歩行能力の実用性について強い不安をもっているのが常である．たとえばよく経験することだが，悪性腫瘍が原因で股離断を勧めた場合でも，術後，義足歩行は杖なしでは到底できないと考えている．カナダ式股義足で，杖なしでも階段や坂道を歩行することができ，自転車に乗ることもできるのを知らない場合がほとんどである．両下肢切断者の場合にはこの傾向がさらに強い．このような義足歩行能力についての情報不足からくる不安感を最もよく，そして的確に解消する方法は，切断義肢クリニック（p89〜92参照）への参加である．この場において，すでに同じレベルで切断している先輩切断者からの義足歩行の紹介と励ましの言葉は，われわれ健常者専門職のだれよりも説得力がある．これをピア・カウンセリングと呼んでいる．

─3 ▶ 社会的リハビリテーション

社会リハビリテーションとは，切断者の社会生活力を高めることを目的としたさまざまなプロセスが含まれる．身体障害者手帳および義肢の交付，障害年金の手続き，自動車の改修および免許の獲得（p261 図4-157），両下肢切断者や高齢切断者に対する住宅の改修，自立生活に向けて社会生活力をつけるために教育，余暇，スポーツなどへの積極的な参加を促すこと，さらに，バリアフリーのまちづくりなど，障害のある人々の社会参加を促進することが重要である．

─4 ▶ 職業的リハビリテーション

職業的評価を経て職業訓練を行い，社会復帰へと進める．特に，上肢切断（p259〜260 図4-154），両下肢切断（p521 図5-313, 314）ではその意義が高い．

3　多職種協働による切断義肢クリニック

　切断者のリハビリテーションを成功に導くためには，義肢について十分な経験と知識をもつ医師，看護師，義肢装具士，理学療法士，作業療法士，リハビリテーションエンジニア，医療ソーシャルワーカー（MSW）などを中心とするチームによるクリニックを通じて，切断者の機能回復訓練，義肢の処方，義肢装着訓練，適合検査などが迅速で経済的に行われる（図2-2）.

―1▶切断義肢クリニックの機能

　切断義肢クリニックの理想的な機能として，次のような目標があげられる．
　① 新しい切断者の登録と総合評価を行う．
　② 切断者に最適な義肢を迅速に処方し供給する．
　③ 切断者の義肢装着訓練の進行具合，ソケットの適合やアライメントを評価し，処方，初期適合，そして最終適合検査を行う．
　④ 研究開発された新しい義肢パーツの積極的な適用とフィールドテストへの参加とその評価を行う．
　⑤ 研修医，リハビリテーション学生に対する義肢装具の教育の場としての機能をもつ．
　⑥ 切断者同士グループとしての互いの情報交換の機会を作る．
　⑦ 巡回相談その他のクリニックの場を通じての装着状態の追跡を行う．

―2▶クリニックチームメンバーの役割

　切断義肢クリニックは，各チームメンバーがそれぞれの専門的知識と経験を生かして切断者のニーズを確かめ，残余の身体的・職業的能力を最大に生かす場である．最も重要な点は，他の職種の専門性に対する信頼関係である．その一般的な役割を示すと次のとおりである．

(1) 医　師

　医師は，術前の評価から処方，判定，社会復帰までの全過程を通じて，このクリニックを管理する責任をもたなければならない．したがって，医師には，基本的知識としての運動学，リハビリテーション工学に関する知識，他の関連メンバーの役割における正しい理解を必要とする．チームを育てるという医師の努力のないところには良いクリニックが育たない．また，義足の処方ひとつをとってみても，日進月歩のパーツやソケット適合の進歩の中で最適の処方を医師自ら行うことは，相当の経験をもつ専門医であっても不可能であることは筆者の経験からも明らかである．その意味で，まず患者の立場に立って，経験を有する義肢装具士，セラピストなど，他のチームメンバーの意見を聞く心をもってほしい．処方権にこだわり，独断に走ると，切断者本位のサービスが困難となることを心すべきである．

(2) 看護師

　看護師は主として，切断術前後における24時間看護の中で，切断というショックから患者をいかに情緒的に支持するかが主な役割となる．特に，切断後の断端痛と幻肢痛の注意深い観察が必要である．切断の原因となる疾患や合併症に対する理解をもち，切断者に対する日常生活動作

への援助と，切断者の病棟での現状について，他のメンバーへの情報を提供する役割をもっている．

(3) 理学療法士，作業療法士

理学療法士（PT），作業療法士（OT）は，まず切断術前における評価と訓練を通じて，患者を身体的，心理的に支援する．そして，術後には患者の義肢装着訓練を主として担当するが，義肢の処方，適合判定，仮義肢より本義肢への移行，装着訓練のゴール決定などの各場面で，重要な役割を果たす．理学療法士は，主として下肢切断者のリハビリテーションを受けもち，作業療法士は，上肢切断者のリハビリテーションを担当する．ともに，医療面だけではなく，住宅改修や退院後の在宅生活，自動車の改造と運転および職場への訪問活動を通じて十分経過を観察することが望ましい．

(4) 義肢装具士

クリニックにおける義肢装具士は，PT，OTと同様な医療職として，クリニックのメンバーとしての責任と役割を果たすことが必要である．したがって，切断前における切断の原因疾患の医学的理解と評価，処方におけるソケットの適合手段やパーツの選択決定などに対して積極的な意見をチームメンバーに提供することが最も望まれる重要な職種である．義肢の進歩は，材料，製作方法，パーツ，適合方法，アライメントなど，いずれをとってもまさに日進月歩である．そのため，ISPO（国際義肢装具協会）などの国際会議を初めとして国内外の関係学会への参加を通じて，常に新しい知識の吸収に貪欲であってほしい．他のメンバーと協調し，義肢製作に関する

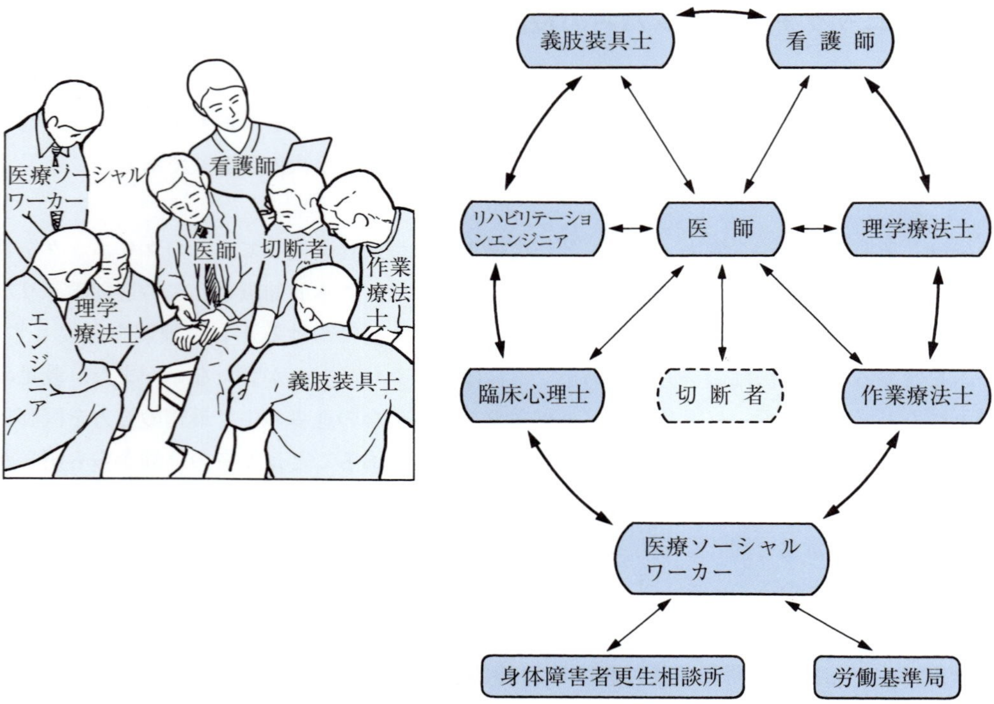

図2-2 切断者のリハビリテーション過程と切断者に対するリハビリテーション過程に関連するチームメンバー

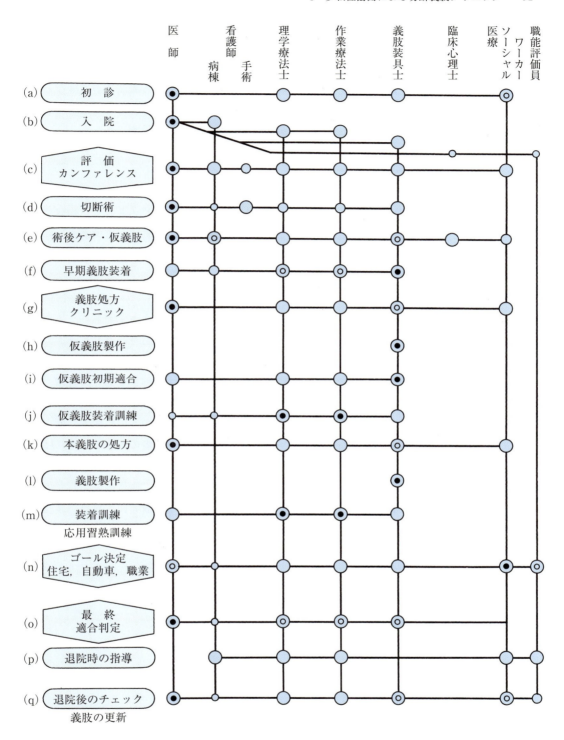

図2-2 つづき（◉はそれぞれの過程における責任者を示す）

斬新な情報の提供をしながら，切断者との温かいコミュニケーションの中で，あくまで，切断者の立場にたって将来の生き方の動機づけに，大きな役割を果たしてほしい．

(5) リハビリテーションエンジニア

義肢装具士による義足の適合・アライメントの調整，セラピストによる義肢装着訓練などを科学的な面で支え，切断者のニーズに合うパーツの研究開発，評価など，障害をもつ人々にフィードバックできる研究開発を行うのが，リハビリテーションエンジニアの役割である．

今後ますます，多様化する切断者のニーズとQOLに対応するためにはリハビリテーションエンジニアの果たす役割はきわめて大きい．

(6) 医療ソーシャルワーカー

術前・術後・退院後の経過を含めて，仮義足，本義足の交付手続をはじめとして，切断者の精神面・経済面を支え，チーム全体が円滑に動くようにする役割がある．特に，障害者総合福祉法など法改正に伴う切断当事者の負担増などについては，具体的な支援とていねいな説明が必要である．

(7) 切断者

すでに義肢を装着し社会復帰している切断者は職業も経済的状況もさまざまであり，また過去において装着した義肢の評価に関してかなりはっきりした意見をもっており，クリニックの重要なメンバーである．したがって，切断者の希望・意見は，希望する義肢が最新式のものでなくても，また理論的に問題があるとしても，最大限にその考え方を支持するべきである．特に，医師の独断的な処方の変更は敗北的な結果となろう．常用大腿義足における膝継手を固定から遊動へ変更する場合などがその良い例である．この場合には，遊動義足を本人のものにするには，かなりの義肢装着訓練の期間を必要とするので，必ず初期適合の場への切断者の参加がなければならない．さらに，筋電電動義手 (p262) や，IRCソケット (p384) にインテリジェント義足 (p307) を装着する場合には，切断者の協力・理解がまず大切な条件となる．特に，両側高位切断者の場合には，両側切断者で義肢装着訓練を行い，すでに社会復帰されている切断者に，自己の義肢装着の経験を生かして，新しい切断者に対するピア・カウンセリングを依頼することがきわめて大切である．

4 切断直後の断端のケア

1 切断術直後の断端創の処置

　切断創を縫合する前に，血腫を防ぐ目的で必ず持続吸引用のドレーンを挿入し，2～3日後に出血の持続がなければこのドレーンを抜去する．
　切断術直後の断端のケアには，次にあげるようないくつかの方法がある．

―1▶ ソフトドレッシング（soft dressing，弾性包帯）

　切断創の上にガーゼを当て弾性包帯を巻いて血腫の形成を予防し，断端を固定する方法で，ソフトドレッシング（soft dressing）とよんでいる．

(1) 利 点

①装着が安易である．
②低価格である．
③傷へのアクセスが安易である．
　これらの利点から，弾性包帯の装着は現在でも術後断端ケアの重要な選択肢である．

(2) 欠 点

　しかし，次のような欠点もあげられる．
① 弾性包帯を巻くのにかなりの技術と熟練を必要とする．
② 包帯の交換のたびに創に機械的刺激を加える結果となり，創の治癒過程が障害される．
③ 断端の疼痛，幻肢痛がかなり強いため切断者の苦痛が著しい．
④ したがって断端の不良肢位をとりやすく，拘縮が起こりやすい．
⑤ 創からの出血，浸出液による細菌感染の可能性がある．
⑥ 断端の萎縮，浮腫などが起こりやすく，不安定で，早期に成熟断端を得ることがむずかしい．

―2▶ リジッドドレッシング（rigid dressing，ギプスソケット）

　弾性包帯を用いたソフトドレッシングに対して，主としてギプス包帯をソケットの材料とし，それを術直後の断端に巻いて軽量のソケットを作り，断端固定，血腫および浮腫の予防，静脈血の還流促進を目的としたものをリジッドドレッシング（rigid dressing）とよんでいる．

(1) 利 点

① 創の治癒が従来の弾性包帯に比較してきわめて良好である．欧米では切断原因の大半が末梢血管障害によるもので，従来の方法では下腿切断の創の治癒が不良でやむなく大腿切断を行わざるをえないことが多かった．それが本法の適用により創の良好な治癒を得ることができ，下腿切断の可能性が明らかに増加しており，良好な評価がされている．

② 断端の浮腫の発生を予防し，安定した成熟断端を早期に得ることができる．筋肉縫合術か固定術を行うと断端の萎縮が少ないことは明らかである．また，繰り返しギプスソケットを交換

することによって浮腫発生の可能性が少なくなることも明らかであり，ギプスソケットを断端の容積の変化に応じて積極的に更新することが必要である．

③ 断端痛を訴えることは従来の方法に比較して少ない．筋肉の生理的な緊張とギプスソケットによる固定のためであろう．そのために，常に，発熱や出血による痛みの有無をチェックしておく必要がある．特に激痛を訴えるときは切断部からの出血によることが多く，その場合はギプスソケットを除去し，創をひらいて止血することが大切である．

④ 幻肢痛を訴えることはきわめて少ない．ギプスソケット除去直後に幻肢痛が出現した症例を認めている．

⑤ 早期移動が可能である．

⑥ 看護ケアの負担が少ない．

(2) 欠　点

① ギプスソケットの正確な適合技術と経験が要求される．術後麻酔がさめた後に，手術を担当した医師と義肢装具士が連携して，ギプスソケットの適合をチェックすることが重要である．

② 術後の断端の変化に対応することが困難で，再三ギプスソケットを交換することが必要である．特に，切断創の治癒が確認できた段階では，後述するようにギプスソケットに代わってシリコンライナーの適応が今後の方向を示すものであろう．

③ 断端の状態を外側から観察することが不能である．そのために，常に，発熱や滲出液の有無に留意しておく必要がある．

④ ギプスソケットの中における創周辺の温度や湿度をコントロールすることができないため，細菌感染に適する条件を作りやすい．

─3▶ リムーバブルリジッドドレッシング（removable rigid dressing：RRD）

切断術直後リジッドドレッシングには，さまざまな研究や試みが行われている．米国ノースウエスタン大学のWuは，創の観察を容易にした取り外しができるリムーバブルリジッドドレッシングを発表している（1979）．この方法は，図2-3に示したように，断端に厚いソックスをかぶせ，その上に繊維ガラスを用いたRRDシェルを装着する方法である．

1. 断端にソックスをかぶせる．

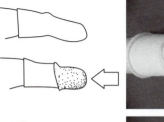

2. 断端にRRDシェルを装着する．

3. 綿のソックスをRRDシェルの上にかぶせる．

4. ベルクロのストラップを膝上に取り付け，かぶせてあるソックスを折り返す．

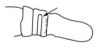

図2-3　リムーバブルリジッドドレッシング（オーストラリア，ラトローブ大学，Rowan English）

(1) 利　点

①浮腫の予防，②創の観察が容易，③創の治癒の促進，早期の成熟断端の獲得，④転倒などによる外傷が原因の創の損傷を防ぐ，⑤入院期間の減少，などがあげられる．

(2) 欠　点

① 手術終了後に義肢装具士の参加が必要である．
② 熟練した技術が必要である．
③ リハビリチームの教育が必要である．

─4 ▶ リジッドドレッシングを利用した後にシリコーンライナーを用いる方法

スウェーデンでは，術後の断端処理において，まずリジッドドレッシングを5～7日行い，感染症や重度の認知症がないときには，Iceross を図2-4に示すように断端末より転がすように巻き付けて（roll on）断端を圧迫する方法が用いられている．断端の浮腫を低減させ，痛みの軽減を進め，断端の容積の一定化によるリハビリテーションを促進し，入院期間の短縮ができるなどの利点をあげている．特に，入院期間の短縮を目指し，切断後5，6日で退院するのが常識となっている欧米では，このシリコーンライナーを用いる方法が推奨されている．

─5 ▶ 創治癒後にシリコーンライナーを用いた早期義肢装着法

リジッドドレッシング法が断端の成熟促進に優れ，切断から義肢装着までのリハビリテーション期間が短いことから，一般的には好ましい切断術後ケアと受けとめられてきた．しかし，現実的にはリジッドドレッシングを行うにはかなりの経験と綿密な技術，そしてチームを必要とする．さらに最近の傾向として，切断手術は急性期の病院で行われ，回復期リハビリテーション病院に転院して義肢の装着訓練が行われることが多くなった．そのためにリジッドドレッシングの施行頻度は減少傾向にある．

このような視点から，陳隆明・戸田光紀ら[379,380,386]（兵庫県立総合リハビリテーションセンター）により，近年，末梢動脈疾患による下腿切断者に対して，切断創治癒後よりシリコーンライナーを用いての断端マネジメントが積極的に行われ，注目されている．

【創治癒後にシリコーンライナーを用いた早期義肢装着法（兵庫県立総合リハビリテーションセンター）】

・創治癒を確認した直後，シリコーンライナー装着による圧迫療法を開始する．

> 装着期間は1日1時間（30分×2回）から開始し，問題がなければ徐々に装着時間を延長していき，最長1日8時間（4時間×2回）まで装着する．
> ライナーの装着方法は繰り返し指導し，切断者自身が正しく装着できるように習得させる．同時に病棟において断端とライナーの管理方法を指導する．このステップは退院後に切断者自身が断端・義足を管理していくうえで非常に重要であり，兵庫県立総合リハビリテーションセンター病院では独自に作成した断端自己管理ブックを用いて看護師が患者を指導している．

・2週間後：訓練用義足製作（図2-5），即日立位訓練（平行棒内での立位，義足側への加重，重心移動）．
・4週間後：平行棒内での歩行時の体重移動．
・5週間後：仮義足ソケットの採型（医療保険による訓練用義足製作）．

・6週間後：出来上がった仮義足による歩行訓練，応用動作訓練，坂道・階段訓練，外泊訓練．
↓
・8週間後：訓練終了．

2 切断術直後の断端ケアの方針

前項では切断創治癒後の早期からシリコーンライナーを用いる理想的な断端ケアの方法を紹介した．しかし現実的には，切断創の極端な血行障害や感染，疾病，精神障害などの合併症を伴う場合や，熟練したチームメンバーに恵まれない場合がある．筆者の経験から，これらの場合に対する断端ケアの基本的な方針を**表2-1**に示す．

  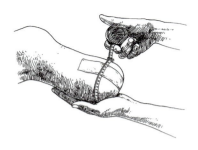

(a) 切断術直後にリジッドドレッシングを行う（5〜7日）

(b) 創の処置
出血を吸収するために，小さくカットした絆創膏を創部にかぶせる．創部の検査のたびにこの絆創膏は交換する

(c) Iceross のサイズ選択
ライナーのサイズとしては，断端末から4cm 近位の周径を採寸し，その周径より1サイズ小さいものを選択する．わずかにきついライナーを使用することで，圧迫療法において良い結果が得られる．過度にきついライナーを装着すると問題が発生するおそれがある．特に，断端が骨ばっている場合，過度の圧迫とそれによる傷口の開きにより治療を遅滞させることがある

(d)〜(f) Iceross のロール・オン装着
アルコールスプレーをライナーの外側に塗布すると，ライナーを裏返すことができる．ライナーを完全に裏返すことで，ライナー内側の材質にストレッチがかけられる．ライナーを断端に少しかぶせ，握り手の力をゆるめると，ライナーを簡単に装着することができる

図2-4 術後断端に対するシリコーンライナーによる圧迫療法（Össur Japan G. K.提供）

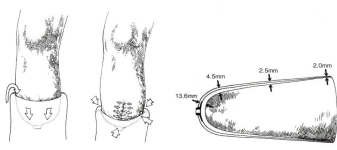

(g), (h) Iceross ロール・オン装着の効果
ロール・オン装着により，ストレッチされたシリコーンの戻りの力（トラクション）が断端表面にかかり，軟部組織を遠位方向に伸ばす働きが得られる．矢状面切開の場合では，縫合線に沿った創部表面の保護効果が得られやすい．ライナーの厚さは近位方向に薄くなるため，圧も近位方向に向かって軽減する．断端末のサイズごとに大きさの異なる遠位アタッチメントにより創部が保護される．ロール・オン装着法により得られる圧迫は，装着する人（本人，医療スタッフ，介助者）に関係なく，常に同じ圧迫が得られる

Icerossを用いた圧迫療法の管理
Icerossの装着時間は段階的に延長していく．装着初日は，午前1時間，午後1時間の着用とする．2日目は，午前2時間，午後2時間着用する．このようにして装着時間を日ごとに増やしていくが，午前4時間，午後4時間，合計8時間を最大とする．Icerossを装着していないときは，ソフトドレッシングを行うが，スウェーデンでは，圧迫療法の結果を維持するために，ストッキネットがIcerossのアプリケーションの合間に使用されている

図2-4 つづき

表2-1 切断術直後の断端のケアの方針

断端部の血行 (皮膚弁からの出血)	精神状態 (荷重のコントロール)	合併症	熟練スタッフ (チームアプローチ)	術直後の断端のケアの方針
良好	正常	(−)	(+)	術直後義肢装着法 (IPPF)
不良	正常	(−)	(+)	ギプスソケット (rigid dressing) →シリコンライナー →仮義足
良好	不良	(−)	(+)	
不良		両下肢障害 重度心疾患 視力障害	(±)	ギプスソケット
	精神障害			
		感染例 (骨髄炎 軟部組織 の炎症)	(±)	ソフトドレッシング (ギプスソケットは禁忌)

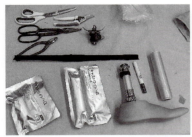
①必要とする材料・工具・パーツを用意する

②ライナーの底部を断端末に接触させてロールオーバーして装着する

③ライナーを装着する

④断端長を計測する

⑤断端を考慮し，足部のチューブ，クランプ，アダプタ，ライナー，ロックアダプタを組み立てる

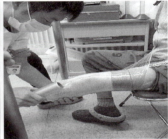
⑥ラップをきつく巻き付ける

⑦ラップを巻いた状態

⑧骨突起などにマーキングを行う

⑨ギプスソケットを作成する

⑩膝蓋靱帯部を軽く押さえる

⑪脛骨内側顆部を沿わせる手技で，ソケット前面の形状を出す

⑫ソケットのトリミングラインを決定する

図2-5　シリコーンライナーを用いた早期義肢装着法
〔写真提供：兵庫県立総合リハビリテーションセンター／澤村義肢，佐野太一氏（義肢装具士）指導〕

⑬トリミングラインでカットしたギプスソケットを断端に装着する

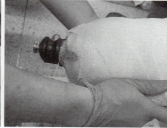
⑭ライナーロック，アダプタを固定する

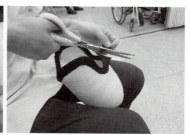
⑮トリミングラインに，保護用の皮革などを張り付ける

⑯⑤で組み立てたパーツにギプスソケットを装着しベンチアライメントを確認する

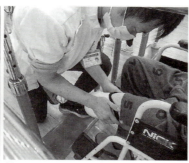
⑰ギプスソケットを用いた義足を装着する

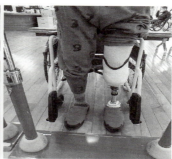
⑱平行棒内歩行訓練を開始する

図2-5　つづき

5 義肢装着開始の時期

切断術後の義肢装着開始時期は，図2-6に示したとおり次の3つの型に分けられる．

—1▶在来式義肢装着法（delayed prosthetic fitting）

これは従来より一般的に行われている方法で，切断創に弾性包帯（soft dressing）を用い，創の治癒後も弾性包帯を継続して装着させ，断端の浮腫の消退と容積の安定性を得たあとソケットを採型し，製作後に義足を装着する方法である．この方法の欠点としては次のものがある．
① リハビリテーションに必要な期間がかなり長い．
② 高齢者の場合には，関節拘縮，全身性の合併症を起こしやすい．
③ この間の入院期間を含めて経済的な問題も少なくない．

—2▶術直後義肢装着法（immediate postoperative prosthetic fitting）

これは，切断術直後，手術台上で装着させたギプスソケットに仮義肢（図2-7）を取り付ける方法である．

(1) 歴史的背景

切断術後に弾性包帯によるソフトドレッシング（p93参照）を実施する場合には，実際的にかなりの経験と技術を必要とし，また，上述したようなさまざまな欠点が多い．特に，成熟断端の早期獲得が困難であり，義肢を装着し社会復帰するまでの期間は長く，多くは4カ月以上を必要と

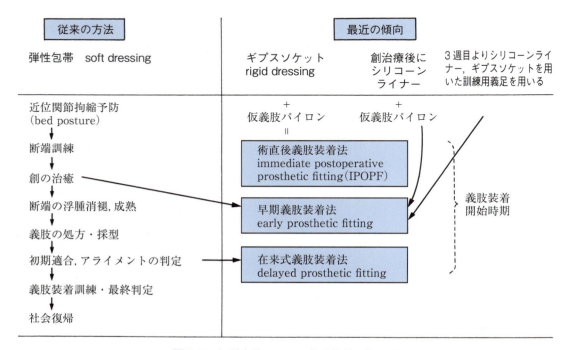

図2-6 切断直後のケアと義肢装着開始時期

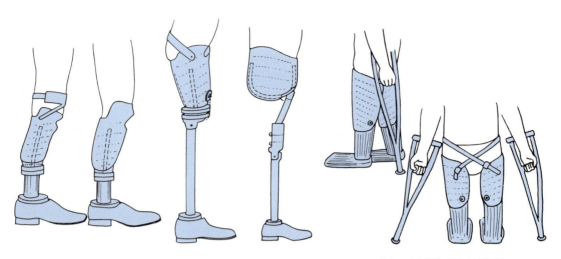

図2-7 仮義足
(a) 下腿仮義足 PTB PTS
(b) 大腿仮義足：吸着式ソケットにシレジアバンドを取り付ける（シリコーンライナー（図2-5参照））
(c) カナダ式仮股義足
(d) 両大腿切断用仮義足

する．

　そこで，このような切断者のリハビリテーション過程を短縮し，もっと早期に義肢を装着させようとして，切断術直後に早期に仮義足を装着させて歩行させ，成熟断端を得ようとする着想はすでに19世紀から報告されている．これを具体的に実行したのがBerlemont（1957）[26]である．彼は，切断後にギプスソケットを装着する時期をだんだんと早め，1958年に，手術台上での義足の装着に成功している．これが**術直後義肢装着法**（immediate postoperative prosthetic fitting）である（図2-8）．

　この場合の切断手技として筋肉形成術を行っているが，この断端筋肉の処理について特に注目し，この切断した筋肉をできるだけ生理的な緊張を保つよう骨端部に縫合する方法（physiologic amputation）を重要視したのがWeiss[310,311]である．この筋肉処理法の優秀性については，第1章（p43～44）で述べたとおりである．Weissは，この筋肉縫合法と切断術直後の義肢装着法，および**早期の歩行訓練**（early ambulation）が切断者のリハビリテーションのゴールであるとしている．この切断術直後の義肢装着法は，1963年にコペンハーゲンで開かれた第6回国際義肢装具学会で発表され，画期的な方法として世界各国の注目を浴びる結果となり，内外で多く追試された．

　切断術直後の義肢装着法を実際に行っている現場で重要なことは，切断者によく本法の説明を行うことと，医師，看護師，理学療法士，作業療法士，義肢装具士および医療ソーシャルワーカー間のチームワークである．このチームワークという言葉が絵に描いた餅にならないようにするためには，いうまでもなく各職種間の理解と努力の積み重ねが不可欠の条件である．これまで筆者は，本法の優秀性に注目し，適応を下肢高位切断や上肢切断に広げて，積極的に行ってきた．本法の実際的な手技とその問題点について述べてみたい．

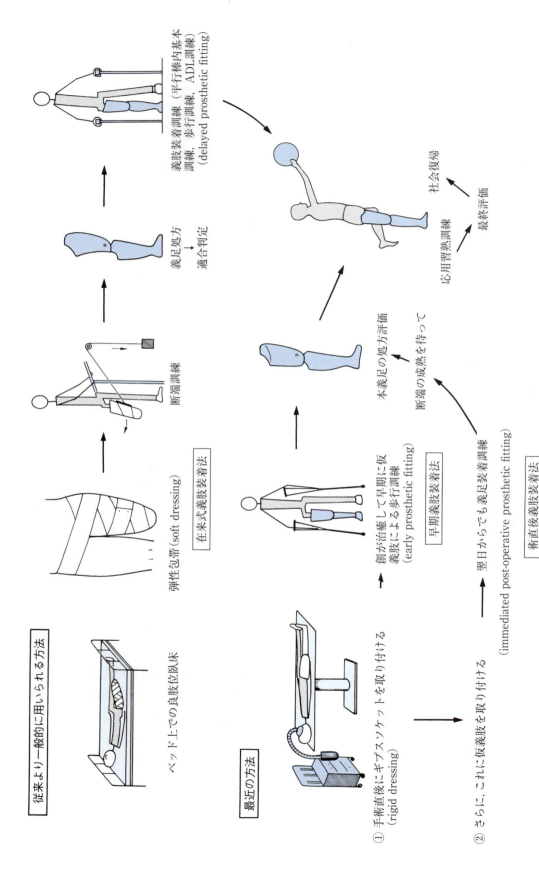

図2-8 切断術後の治療過程

(2) 施行の実際―下肢切断

① 股離断，片側骨盤切断術

股離断の場合には，術後，断端創全体に滅菌ガーゼを重ね（図2-9(b)），創に軟らかい均一性の圧がかかるようにする．その上に厚手の滅菌メリヤス製ストッキネットをかぶせ，カナダ式股義足の採型と同様の理論に従い，弾性ギプス包帯でギプスソケットを巻く（同(c)）．特に，両側腸骨稜上部での懸垂と断端の外下部での負荷を最も重要視する．この適合が不良だとまず成功はありえないといってよい．あらかじめ用意したカナダ式股義足と同様のアライメントをもつ仮義足を取り付け，股屈曲制限と膝伸展補助のためのバンドを取り付ける（同(d)）．各継手は可動性があるため，早期離床に有利であるとともに，カナダ式股義足パターンの早期獲得に有利である．術後第1日目は全身の状態が不良なことが多く，疼痛は少ないがギプスソケットによる窮屈感があることが多い．全身症状の回復を待って，両側松葉杖，平行棒内歩行訓練をさせる（同(e)）．特に，骨盤の運動による股バンパーの圧迫と，これによる膝屈曲，遊脚相への移行訓練を重要視する．疼痛はきわめて軽微で，7～10日で全負荷可能となる．術後14日目にギプスを除去し抜糸する（同(f)）．ただちに義足の陰性モデルの採型を行い，1週間後の義足の適合まで再びギプスソケットを装着させる．

片側骨盤切断の場合には，負荷面で坐骨結節がないため，断端の下外側に広い面で反対側の肩の方向に負荷面を設けることが必要である．そのために図2-10(a)のようにギプスソケットを巻く．また，負荷面の不足を補いピストン運動を少なくする目的から，患側肋骨弓にも負荷させるようソケットを深くする．術後の経過は，股離断の場合よりも手術の侵襲が大きくて全身状態の回復が遅いこと，腹直筋，腹斜筋の再縫合がなされていることなどからいくぶん遅れる傾向にある．通常3～4日目で座位が可能，5～6日目で立位から歩行可能（同(b)）となり，14日目にギプス除去，抜糸を行い，股離断と同様のプログラムを行う．

② 大腿切断

大腿切断では，大腿筋肉の内側部を，骨端部にあけたドリル孔を通じて縫合し，筋肉外側部で骨端部を覆うように縫合する（p60 図1-62）．切断術直後にあらかじめ用意した滅菌メリヤス製ストッキネットをかぶせ，体重負荷部となる坐骨結節部にフェルトを置き，弾性ギプス包帯でギプスソケットを巻く．その場合，四辺形ソケットを作ることを目的とし，前後左右より押さえ，特に坐骨支持部に丸い輪郭をもつ負荷部を作る．ギプスソケットを断端に保持するための懸垂が非常に重要で，そのために腰ベルトと懸垂用のケーブルが好んで用いられる（図2-11(a)）．

大腿切断の場合に用いるパイロンは，膝継手の固定と遊動の変換ができることと，遊脚相でのコントロールが可能であることが望ましい．また，若干のアライメントの調節が必要となる．術後は，2～3日より立位歩行を開始させ，3日目にギプス開窓によりドレーンを抜去，14日目にギプスを切除して抜糸する．なお，ギプスソケットがゆるくなれば必ず巻き替えることが必要である．抜糸後，ギプスによる四辺形全面接触ソケットを再び装着させ，断端周径の安定化を待って義足のための陰性モデルの採型を行う．

大腿短断端の場合には，十分な懸垂を得ることがなかなか困難である．その場合，創の治癒を重要視してギプスソケットを骨盤まで巻き込む方法を行っている（同(d)）．また両大腿切断では，術後早期に短義足（stubbie）を取り付け，両松葉杖歩行によるADLの自立と，平衡訓練を積極的に行うことが重要である（同(e)）．

(a) 術直後

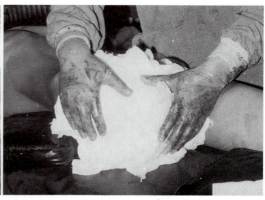
(b) 創に滅菌ガーゼを多量に当てる

(c) ギプスソケットを巻いて両腸骨稜上部を押さえ，同時に負荷面に留意する

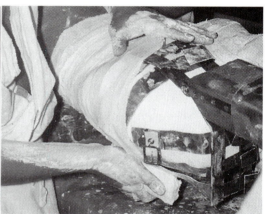
(d) ギプスソケットと仮義足を取り付け，早期から歩行訓練を行う

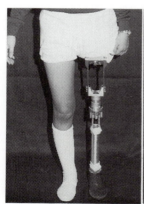
(e) ギプスソケットに仮義足を装着

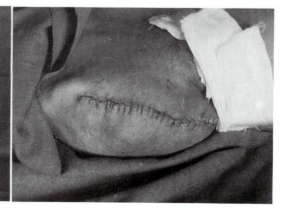
(f) 術後14日目．ギプス除去時，創の完全治癒を認める

図2-9 股離断直後の義肢装着法

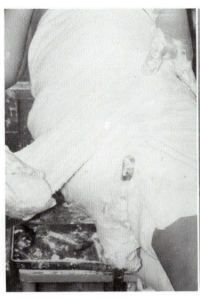 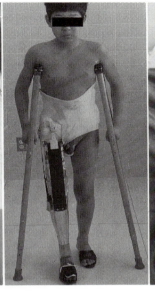 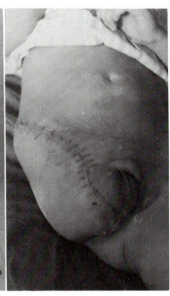

(a) 断端の下外側に広い負荷面を作る　(b) 術後6日目．疼痛なく歩行　(c) 術後14日目．ギプス切除時，創は完治する

図2-10　片側骨盤切断直後の場合

③ 下腿切断

　下腿切断では通常，筋肉を骨端部に縫合するかまたは筋肉間の縫合を行う．皮膚弁は前後同長とするが，循環障害の場合には後方皮膚弁の長いものを用いる．必ずドレーンを挿入し，これを持続吸引バッグに継ぐ（図2-12(a)）．切断創にサージロン膜を当て（同(b)），その上に厚手の滅菌メリヤス製ストッキネットを2枚かぶせる（同(c)）．

　次いで，骨隆起部に圧迫がかからないように，フェルトを膝蓋骨，脛骨稜の両側および脛骨端部に当てる（同(d)）．弾性ギプス包帯にわずかな緊張を与えてギプスを巻き，PTB下義足の陰性モデルの採型と同様の方法で負荷面を特に脛骨の内顆に置く．同時に，大腿骨の内外顆上部および膝蓋骨上部での解剖学的適合を重要視し，懸垂を行わせる（同(e)）．次いで，パイロンを取り付ける（同(f)）．パイロンを取り付けたときの断面図を示すと図2-13のようになる．

　術後は，翌日より両松葉杖による起立歩行を許可し，体重の負荷は切断者の訴えにより調節する．3日目にドレーンを抜去し，必要に応じてギプスソケットの交換を行うが，通常14日目にギプスソケットを除去し，抜糸する．そのあと再び，PTB下義足の採型時と同様の方法でギプスソケットを装着させ（図2-12(g)），断端の安定を待って義足の採型に移る．

　ただし，下腿切断に対する早期義肢装着法については，近年のTSB吸着ソケットとシリコーンライナーの開発により，図2-5(p98～99)に示したような早期義肢装着法が主流となっている．

④ 膝離断およびサイム切断

　この両者は，それぞれ大腿切断および下腿切断の場合と類似しているが，ともに断端の末梢部が膨隆しているという解剖学的特性があって，ギプスソケットを装着する場合は懸垂に関してきわめて有利である．しかし，断端負荷の利点を初めから求めるということは困難であり，負荷は，サイム切断の場合には脛骨顆と膝蓋靱帯部（図2-14）で，膝離断の場合には坐骨結節で主として行われるようにする．

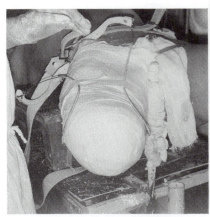

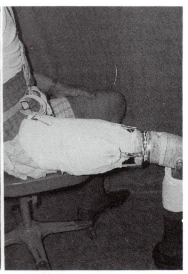

(a) 大腿切断直後．四辺形ギプスソケットを巻き，これにサスペンションケーブルおよびハウジングを取り付ける

(b) カップリングを取り付けた仮義足を取り付ける

(c) 仮義足での座位

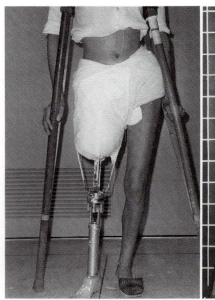
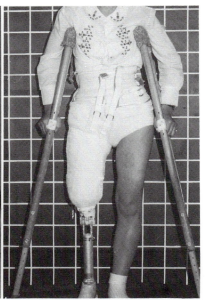

(d) 短断端の場合には骨盤まで巻き込む

(e) 幅広いキャンバスコルセットによる懸垂

図2-11 大腿切断直後の義肢装着法

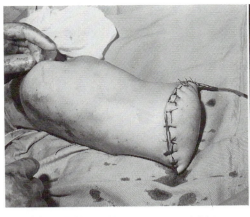

(a) 術直後,持続吸引ドレーンを挿入

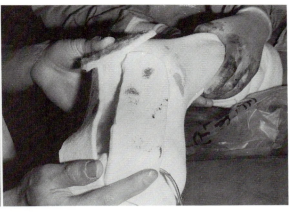

(d) 骨隆起部に圧迫がかからないようにフェルトを当てる

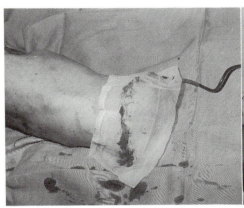

(b) サージロン膜をかぶせる

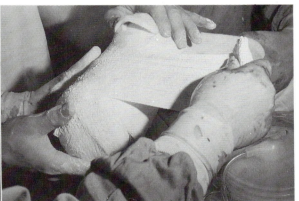

(e) 弾性ギプス包帯を巻く

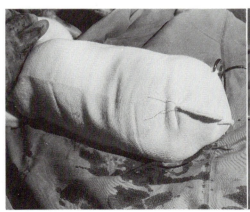

(c) 厚手のメリヤス製ストッキネットをかぶせる

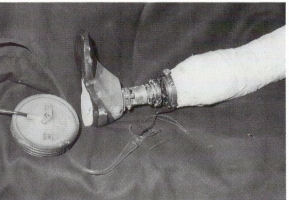

(f) パイロンを取り付ける

図2-12　下腿切断直後の義肢装着法

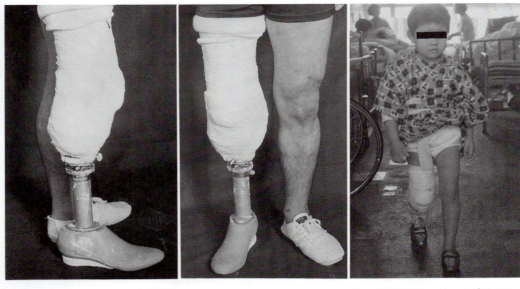

(g) 下腿パイロン　　(h) 術後6日目で杖なし歩行が可能である

図2-12　つづき

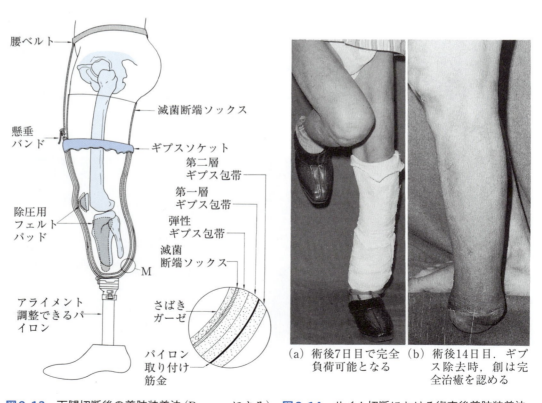

図2-13　下腿切断後の義肢装着法（Burgessによる）　　図2-14　サイム切断における術直後義肢装着法

(a) 術後7日目で完全負荷可能となる　(b) 術後14日目．ギプス除去時，創は完全治癒を認める

(3) 施行の実際―上肢切断

① 前腕切断

前腕切断では，上腕骨顆上部の輪郭が得やすい場合には，ミュンスター型前腕ソケットを装着させ，これにフックとコントロールケーブルおよびハーネスを取り付け，早期に義手のコントロール訓練を行う（図2-15）．術後14日目で抜糸し，再びギプスソケットを装着させ，断端の容積が安定したときには義手の陰性モデルの採型を行う．

② 上腕切断

上腕切断では，術直後に全身麻酔継続下で断端に滅菌メリヤス製ストッキネットをかぶせ（図2-16(a)），その上から弾性ギプスを用いてギプスソケットを解剖学的に適合させる．その上に，あらかじめ用意した仮義手を，アライメントに留意しながら取り付ける．リテーナープレート，懸垂バンドをギプスで固定する（同(b)）．

術後1～2日目にハーネスを装着させ（同(c)），手先の開閉および肘継手のコントロール訓練を疼痛を指標にして行う．術後7日目で肘継手のコントロール，フックの開閉運動が可能となっている（同(d)）．最近では，図2-17のような上肢切断術後用のシステムパイロンを作り，作業療法士，義肢装具士，看護師が協働で装着している．

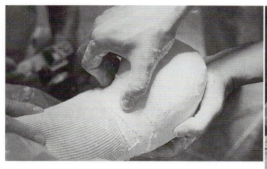

(a) 術直後に顆上支持式ソケットを装着させる

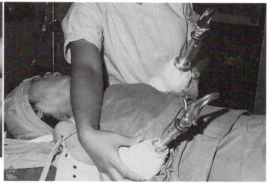

(b) パイロン，フック，コントロールケーブル，ハーネスなどを取り付ける

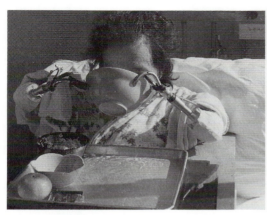

(c) 手術翌日には茶碗を抱えて食事をする

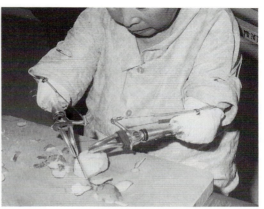

(d) 術後2～3日目から作業療法，ADL訓練を開始する

図2-15　両側前腕切断で術直後義肢装着法を行った症例
リウマチ性閉塞血管炎後の両側前腕部からの壊死により両側前腕切断を施行

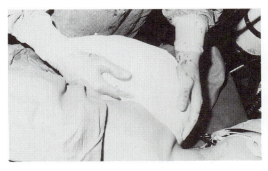
(a) 切断直後，全身麻酔継続下で断端に滅菌ストッキネットをかぶせる

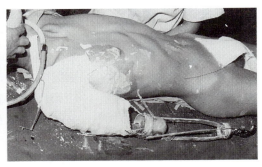
(b) 仮義手，リテーナープレート，懸垂バンドをギプスで固定する

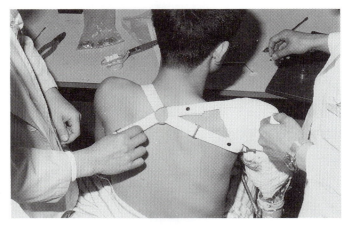
(c) 術後2日目でハーネスを取り付ける

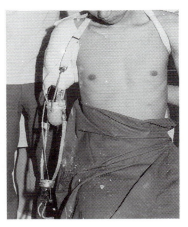
(d) 義手のコントロール訓練を開始する

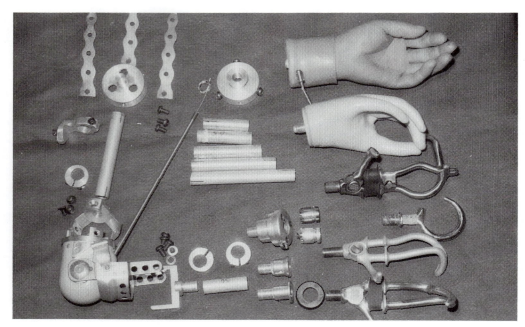
(e) 上腕切断術直後義肢装着法に必要な義手のパーツ

図2-16　上腕切断直後の義肢装着法

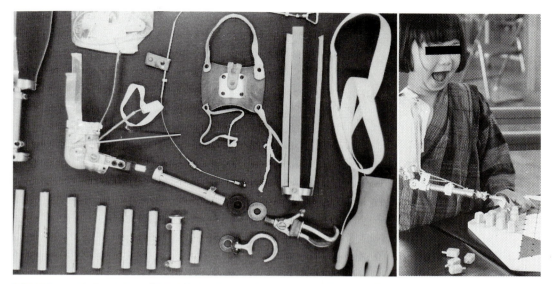

図2-17 上肢切断術直後義肢装着法に用いるモジュール義手と作業療法（兵庫県立総合リハビリテーションセンター）

(4) 施行上注意しなければならない点

前述のように，本法の実施にあたっては，医師，看護師，理学療法士，作業療法士，義肢装具士，医療ソーシャルワーカーなどの間のチームワークが基礎となる．そこで，どの点に留意しているか本法の施行順序を追ってあげてみたい．

① 術前の指導

入院と同時に医師の診断を受け，**理学療法士，作業療法士**に対する処方が出される．具体的には，手術前において筋力およびその他の身体能力のチェックと訓練が指導される．体幹筋，四肢の筋力，上肢の体重を支える能力と，さらに拘縮の有無などが検査される．医師は同時に，**義肢装具士**に対してパイロンの用意を指導し，滅菌ストッキネットやその他フェルトなどの消毒を，あらかじめ中央材料部へ依頼する．また**医療ソーシャルワーカー**には，身体障害者手帳の交付と義肢の交付に関する手続きを依頼する．

② 切断術施行時の指導

切断術を終了し本法を施行するときには，必ず担当理学療法士，作業療法士，義肢装具士，および担当看護師も参加し，義肢装着の状態を的確につかむことが重要である．その理由は，断端の状態は個々により非常に異なり，これにより負荷の可能性，歩行開始の時期なども変わってくるからであり，直接本法を行う義肢装具士，医師より指導がなされる．回復室においては，看護師により，吸引バッグに貯留する血液量が経時的に記載される．医療ソーシャルワーカーは身体障害者診断書の作成を急ぎ，家族に福祉事務所への申請をさせると同時に，福祉事務所と更生相談所に直接連絡をとり，手続きの迅速化を図る．なお，術後の仮義手・仮義足は医療行為であるので医療保険の中で製作されている．

③ 術後の指導

術後1～2日間は，全身および局所の状態を観察し，ベッド上の座位，できれば介助による起立姿勢，歩行器利用によるトイレへの移動を行わせる．この間特に重要なことは，**切断者の訴えを十分細心に観察し分析する**ことである．

前述したように，本法の利点は疼痛がきわめて少ない点にある．したがって，もし，激痛を訴えた場合には必ずギプスソケットを除去し，創の状態を観察しなければならない．その場合の創の疼痛の程度の判断が，医師にとっても看護師にとっても重要であり，かなりの経験を要する．回診は，医師のみならず義肢装具士によっても必ず行われなければならない．したがって，義肢装具士は理想的には病院に常勤し，義肢の適合について細心の注意を払うことが必要である．

術後3日目（72時間後）に開窓し，ドレーンを抜去する．義肢のアライメントの設定を行い，徐々に訓練室での平行棒内バランス訓練へと移行する．

以後，毎週2回，確実に義肢の適合をチェックし，ソケットの適合が不十分ならばギプスソケットの巻き替えを指導する．ギプスソケットを取り換える判定基準として，ⓐ断端痛が増したとき，ⓑギプスソケットがゆるくなりピストン運動を認めたとき，ⓒ発熱その他全身状態が悪化したとき，があげられる．

(5) 本法の利点と問題点

現在における本法の利点と問題点をまとめると次のとおりである．

① 利　点

a．**リジッドドレッシング自体による利点**：これについてはすでに述べたとおりである（p93～94参照）．

b．**下肢切断でパイロンを取り付けたことによる利点**：

・下肢切断者の場合，早期歩行が可能である．したがってADLの自立はきわめて早い．特に切断術直後に義肢が装着されている点は心理的に大きな利点で，外傷，腫瘍などが原因の場合に明らかである．

・断端の不良肢位拘縮および筋力低下をきたすことはほとんどない．早期離床による利点といえる．

・早期に義肢を装着させて社会復帰させることが可能で，入院期間の短縮ができ，経済的な効果が大きい．

c．**上肢切断で仮義手を取り付ける利点**：

・装着された義手が終日1～2週間連続して装着されると，**義手が身体の一部として心理的に受けとめられやすい**．特に筋電電動義手の場合に著明である．

・その間に，義手が生活パターンの中で活き，**義手の重要性を切断者自身が認識する**（**図2-15**）．

・断端の浮腫消退を経時的に測定しながらその安定性を待ち，本義手の装着へ円滑に移行させることができる．

・本法の導入により**義手の実用性が明らかに上昇する**．

② 留意すべきこと

本法が脚光を浴びた当初と比較して，現在では次のような欠点や問題点を認めている．

a．**負荷を義足に早期からかけること**：当初，負荷を義足に早期からかけることが，断端とギプスソケットとの間のインターフェースを通じて断端に圧が加わり，創の治癒を促進するとの利点が強調された．確かに外傷や腫瘍などが原因の場合には良好な成績を得ることができた．しかし，血行障害が原因である場合には，早期負荷による断端創の悪化をみることは内外の一致した意見であり，現在では禁忌とされている．したがって仮義足装着の必要性は否定されているのが現状である．血行障害例ではまず創の良好な治癒を得ることが第一で，次いで次に述べる**早期義**

肢装着法を行うことが現在の一般的な傾向であろう．

b. **本法を成功に導く諸因子**：
- 外科医が細心の手術手技をもって切断術を施行することが重要で，特に筋肉，皮膚の処理においてきわめて**愛護的**に手術を行う必要がある．
- リジッドドレッシングの適応にはかなりの経験と技術が必要である．特に手術当日には患者は多少ともギプスによる圧迫感，緊張感を訴えるのが常であり，その訴えに的確な判断を下し，そのまま経過をみるか，ギプスソケットを少し開いてゆるめるかまたは除去して創をみるか，対応する必要がある．そのため，スタッフは手術当夜は当直するぐらいの心構えがなければ本法の成功はおぼつかない．
- 本法は，それぞれ十分な経験と技術をもつ人たちの切断義肢クリニック（図2-2）におけるチームアプローチにより行わねばならない．表2-2に，本法を行う際の医師をはじめとする各職種それぞれの役割を示した．本法はチームアプローチの存在しない場所では行ってはならない．もし，個々の専門職が興味本位で行えば，かえって切断者に苦痛を与える結果になりかねない．

─3▶ 早期義肢装着法（early prosthetic fitting）

切断創の治癒後ただちにシリコーンライナー装着による圧迫療法を開始することが望ましい．上記の術直後義肢装着法での術直後の荷重により，創の治癒が遅延した経験から，現在では，まず早く創の治癒をはかり，断端の浮腫を軽減し周径を固定すること，次いで，できるだけ早期に義肢を装着する方法——早期義肢装着法（p97 表2-1）——が最も一般的に用いられている．この場合用いるのが仮義肢（図2-7）である．仮義肢のソケットの材料としては，ギプスのみならず，シリコーンライナー（図2-5）が用いられ，これにパイロンが取り付けられる．上肢・下肢切断における早期義肢装着法の利点を表2-3に示す．

表 2-2　下肢切断術直後義肢装着法における各職種の役割

〔医師の役割〕
A）術前よりリハビリテーション終了までの全過程における管理責任
B）術前評価
　1）一般的身体・精神状態，ROM，MMT，心肺その他の内臓機能，四肢血行状態
　2）合併症の予防，移動用具の確保，ベッドの調整，カンファレンスの実施と指示
　　①PT，OT⇨処方（プログラムを明示）
　　②義肢装具士⇨切断部位，原因によるパーツの準備
　　③看護師⇨原因疾患，合併症の説明
　　④医療ソーシャルワーカー⇨インテークの指示
　　⑤患者⇨本法を施行する意味の説明
C）術後
　1）患者の主訴と客観状態の変化に対する他のメンバーへの経時的指示（ソケット交換，負荷の程度など）
　2）本義足の処方と採型時期の決定
　3）長期フォローアップ

〔看護師の役割〕
A）術前
　1）切断というショックに対する精神的看護
　2）医師より切断原因疾患，合併症との関連を把握
B）術後
　1）患者の訴えの観察とその分析（他のメンバーへの情報提供）
　2）出血量の観察
　3）移動動作のためにベッドの高さを調整，車いすの選択と調整
　4）ベッド上の肢位，腹這い訓練（関節拘縮の予防）　⎫
　5）呼吸訓練，全身状態の改善　　　　　　　　　　　⎬PTと協力
　6）負荷訓練・歩行訓練の観察　　　　　　　　　　　⎭
　7）断端および義肢のケアに対する指導

〔理学療法士の役割〕
A）術前での役割
　1）医師より処方を受ける
　2）患者と面接し術後の訓練プログラムの説明
　　ベッド上での肢位　　　⎫
　　　　　　　　　　　　　⎬の重要性を強調
　　上肢筋力増強訓練　　　⎭
　3）身体的，精神的評価（大体のゴールの設定）因子
　　①残存肢の筋力，血行
　　②衰弱の状態
　　③精神状態，意欲
　　④関節拘縮の程度
　　⑤座位，立位のバランス
　4）患肢の等尺性筋収縮運動（大腿四頭筋，ハムストリング）
　5）車いす（L型のシート付き）　⎫
　　　　　　　　　　　　　　　　⎬を用意
　　松葉杖　　　　　　　　　　　⎭
B）術中；術後での役割
　術中；術中の軟部組織の血行状態の観察
　術後第1日；義肢装具士と一緒にベッドサイドに患者を立たせる
　　アライメント　⎫
　　　　　　　　　⎬の検査
　　懸垂バンド　　⎭
　呼吸訓練を開始
　第2～3日；車いすで理学療法室へ
　　　　　↓　　ベッドからの移動動作を看護師とともに
　　　　　　　　負荷の程度はきわめて慎重に
　　　　　　　　夜間はパイロンを除去
　　14日　　　ギプスソケット切除，抜糸には断端の状態把握のために立ち合う
　　　　　　　2回目のギプスソケット装着後，平行棒内での基本訓練を継続
　　　　　　　ROM訓練も開始

〔義肢装具士の役割〕
A）術前での役割
　1）医師よりの指示を受ける
　2）患者と面接（義肢装具士の仕事を説明）
　3）患者の状態；特に，全身，健肢の状態，拘縮などを検査，測定
　4）ギプスソケット装着用の材料
　　　パイロン，足部　　　⎫
　　　　　　　　　　　　　⎬を準備
　　　肩ベルト，腰ベルト　⎭
　　　靴を預かり足部を合わせる
　5）断端ソックス，パッドなどを消毒
　6）必要な道具の整理と用意
B）術後での役割
　1）術直後；
　　①手術台上で，ギプスソケットを装着させる（原因疾患，断端長に応じて）
　　②これに着脱可能なパイロンおよび懸垂ベルトを取り付ける
　　③義肢の構造と機能を患者によく説明する
　2）術後；
　　①翌日より必ずソケットの適合，懸垂を検査
　　②最初に立位をとるときは，PTと看護師の協力下で立ち合い，アライメントを調整
　　③ギプスソケットの適合と交換にすべて責任をもつ
　　④本義足採型時期，ソケット・継手の選択など処方の決定に積極的に関与

表2-2 つづき

〔医療ソーシャルワーカーの役割〕
A) 術前での役割
　入院申し込み時に，インテークによる本人，家族，職業などの相談を行う．更生（育成）医療などの手続き，義肢の支給を受けるための手段を説明しておく．
B) 術後での役割
1) 身体障害者手帳の交付手続きをする．
2) 仮義肢のための療養費払いの手続きを行う．特に，労働災害法による場合に注意を必要とする．
3) 本義肢の交付手続きを行う．仮義肢より本義肢への移行によるスペアとなる義肢を確保する．
4) 自宅家屋および職場環境の改造を行う．
5) 自動車運転免許上の改造条件，運転訓練を行う．
6) 就業，復職への援助を行う．必要に応じて職業訓練を行う．

表2-3 早期義肢装着法の利点

下肢切断	上肢切断
①早期に成熟した断端を作ることができる． ②ベッド上で臥床する機会が少なく，拘縮を予防でき，全身症状の保持と改善が可能である． ③本義足を採型し作製するまでに，この仮義足（図2-8）の装着により，平行棒内平衡訓練のみならず実用的な歩行訓練を行うことができる． ④この仮義足装着により退院可能となり，早く社会復帰ができる．特に下腿切断，サイム切断では，この仮義足で歩行の実用性と自信の獲得ができる．	①成熟した断端を早期に得やすく，本義手の装着へ円滑に移行させることができる． ②切断術直後にまたは早期に装着された義手が終日1〜2週間連続して装着されていると義手が身体の一部として心理的に受けとめられやすい．特に筋電電動義手の場合に著明である． ③この間に，義手が生活パターンの中で生き，義手の重要性を切断者自身が認識する． ④本法の導入により義手の使用率が高くなる可能性がある．

6 義肢の処方

　義肢の処方（prescription）は，最終的にその義肢がよく使用され，切断者が必要を感じることが目的である．

　医師は，他のメンバー，特に義肢装具士からの意見をよく聞き，的確なものは取り入れるようにすることが重要である．義足の処方を例に，関係する因子を図2-18に示した．詳細については各項で述べているためここでは省略したい．また表6-2, 3（p530, 531）に，日本整形外科学会・日本リハビリテーション医学会で作成した統一義肢処方箋を示した．義肢の進歩に伴い，兵庫県立身体障害者更生相談所では，その都度変更・改善を行っている．この処方箋は，すでに身体障害者福祉法および労働災害補償法による義肢交付のために用いられており，広く用いていただきたい．

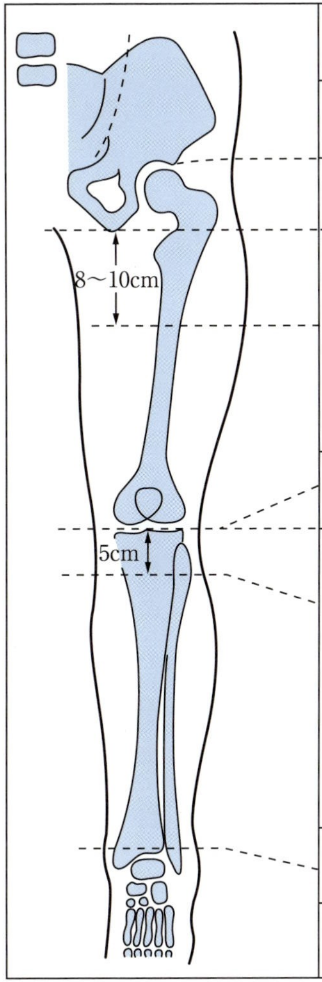

切断の種類		懸垂法 (suspension)	ソケット (total contact socket)	膝継手およびアライメントによる安定性	足継手
片側骨盤切断		腸骨稜上部に相当するところで懸垂する	負荷部は主として断端の外下部	義足ユーザーの活動性、日常生活動作、価格などを考慮する	義足ユーザーの活動性、職業、体重、年齢、価格などを考慮する
股関節離断		シレジアバンドおよび後方バンド（骨盤帯、肩吊り帯）	負荷部は主として坐骨支持部		エネルギー蓄積型足部を選択する場合が多い
大腿切断	短断端		カナダ式	不安定要素があれば、安定位にアライメントの変更が可能な多軸膝継手を選択	
	中断端	吸着式	IRCソケット、または四辺形ソケット（シリコンライナー）	安定している場合、活動性を考慮しイールディングが付きの単軸膝継手を選択	
	長断端				
膝関節離断		軟ソケット付き全面接触ソケット	軟ソケット付き全面接触ソケット	4節リンク膝継手（遊脚相制御）	中等度硬度の後方バンパー
下腿切断	短断端	TSB、大腿コルセット付きPTBまたはPTS、KBM		ヒンジ型膝継手処方適応例 1) 不安定感の強い例 2) 重労働者 3) 在来式義足愛好例 4) 動揺膝関節例 5) 膝筋力低下例	義足ユーザーの活動性、余暇の過ごし方、断端長、職業、筋力、日常生活動作などを考慮する
	中・長断端	一般的に、TSB、PTB 断端過敏・有痛時、膝不安定症例、女性 弾力性インターフェイス	PTS、KBM		
サイム切断		軟ソケット付き全面接触ソケット（両踝上部の適合と筋緊張） PEライトやライナーなど、ソフトインサートを選択		不要	サイム切断用後方バンパー・足部 蓄積型
足部切断		足指義足、足根義足（足袋式、スリッパ式）			

図2-18 義足の処方方針

7 断端の異常と合併症

1 断端痛

断端の疼痛（stump pain）はいろいろな要因が重なり合って起こるが，だいたい次のような原因に大別される．

(1) 神経断端部の刺激による疼痛

これは断端の神経腫形成による疼痛であり，幻肢痛の一因になっていることも多い．臨床経験および病理組織学的所見からすれば，神経腫では圧痛や幻肢への伝達痛を訴えるが，これが軟部組織内に遊離し移動性を認める場合には義肢の装着上大きな支障とならない．しかし，逆に小さい神経腫でも周囲組織と癒着し，瘢痕内にある場合には著明な疼痛の原因となることが少なくない．

(2) 断端の循環障害による疼痛

Erikson[61,62]は，断端の血管造影を行って皮膚温を測定した結果，疼痛を訴える切断者と無痛性の切断者との間に明らかな差を認めている．すなわち，有痛性の断端では皮膚温の変動があり，血管分布が少なく，屈曲，蛇行が著明に認められる．これに対して無痛性のものでは，皮膚温が一定し，血管分布も正常で，血管の屈曲や蛇行が認められないことを指摘している．

(3) 断端筋肉の異常緊張による疼痛

これは断端筋肉の異常な収縮と痙攣によるもので，Dederich[52]は手術手技において明らかにしている．

(4) 中枢神経性の疼痛

これは，次に述べる幻肢痛と関連した疼痛である．

2 幻肢および幻肢痛

四肢を切断または離断した者は，すでに失われた手足が断端部か空間部にまだ残存しているような幻覚にとらわれる．これを幻肢（phantom limb）とよび，この部分に疼痛を訴えるものを幻肢痛（phantom limb pain）とよんでいる．

(1) 幻肢の特徴

一般に幻肢は次のような特徴をもっている．

① 切断者は，患部痛が軽快してくる術後数日間に幻肢の出現を意識しはじめる．

② 幻肢の持続時間は平均6カ月から2年であるが，強い例では数十年継続するものもある．

③ 幻肢の現れ方については，大塚は，実大型，遊離型，断端密着型，痕跡型，断端嵌入型の5つに分類しているが，実際には，これらの型の間に移行があることはしばしば経験することで，特にLSD-25の投与により明らかにされる．しかし通常，幻肢は初め健側肢とほぼ同一部位にあり，これが時間とともに中枢側に移行し断端の中に入り込む．

④ 幻肢の大きさは健側肢とほぼ同様であり，変化することは少ない．
⑤ 幻肢の形態は，一般に下肢より上肢に強く認められる．上肢の場合には母指，示指，小指を中心に明確に投影することができる．下肢では主として足底，踵，足指部を感じ，足背，足関節，下腿部を感ずることは少ない．
⑥ 幻肢は，6歳以下の小児切断例では出現しない．
⑦ 幻肢は断端の運動につれて移動する．この運動を反復し速度を増すと，一時的に幻肢が消失する場合が多い．
⑧ 幻肢の形態は外界の温度，湿度などにより左右されることが多く，気候が良好であれば幻肢は弛緩した状態にある．これに対して気候が不良の場合には幻肢痛を伴うことが多く，各関節は屈曲位を強制された形をとる．足指は槌指様変形をとり，上肢では中手指節関節は過伸展位，指節間関節は屈曲位をとり，場合により母指と示指の間が引っついて離れない場合がある．
⑨ 幻肢，幻肢痛の存在は性格に反映し，放置すれば切断者の性格を暗くまた消極的にする．
⑩ 幻肢，幻肢痛は，断端の状態，すなわち神経腫，癒着などと関連をもつ場合がある．
⑪ 幻肢痛が著明な場合に，同側半身の知覚過敏 (hyperpathie)，発汗異常，自律神経機能異常を認めることがある．そのため，排尿時，性交時などに幻肢痛が増強することがある．
⑫ 幻肢痛の状態は，切断者によりいろいろ表現される．"かゆい"，"針で刺す"，"やけ火箸を突っ込まれた感じ"，"氷が手足の上に置かれた感じ"，"蟻がはうような感じ"などである．

(2) 幻肢および幻肢痛の成因

　従来からこの幻肢の発生については，心理学的，生理学的に，また精神科的に各方面から多くの仮説が立てられている．特に論点となったのは，幻肢の発生が末梢性なのか中枢性なのかの問題である．
　Pitre, Sougues および Poisot は，末梢神経における瘢痕，炎症，または神経腫からの刺激が問題であるとし，局所麻酔剤の投与による幻肢の消失から幻肢の原因が末梢性のものであるとしている．しかし，一方，これに対して Livingston[141] は末梢神経腫が幻肢の発現機序に関係しているという証拠はないとしており，Pick, Schilder, 黒丸[129,130]，大橋は，身体図式 (body image) に原因を求めるのが妥当であるとしている．
　現在の大方の意見としては，幻肢は運動知覚，視覚，触覚などすべての神経系統の部分を含んだ心理学的・生理学的な統一現象とされている．末梢に供給された知覚と運動の統一体系にて，末梢からのすべての供給が一部突然なくなることから，機能的に分離された部分の幻想として現れたものと解釈される．
　この幻肢における疼痛の発現についてもいろいろと論議されてきているが，一つの説明として Gill[78] は，末梢神経からのインパルスにより生じた大脳皮質におけるパターンが健常者では両側に平衡が保たれているものの，切断者ではこの平衡が破れ，疼痛の原因となっていると述べている．Bonica[35] もやはり，末梢からのインパルスの数の増減にその原因があるとしている．
　筆者が幻肢痛を訴える断端に局所神経麻酔剤を注射し効果を得た経験からしても，末梢からのインパルスの影響が幻肢痛の一因となっていると思われる．最近，このような疼痛の臨床に精神神経科領域で具体的な方向が示され，黒丸や藤田らの報告にみられるように，疼痛は単に痛覚という知覚だけが問題でなく，痛みの特徴は不快な感情でかつ局在性を有する感情であることが主張されている．また，この痛みに伴う情動反応が，視床と直接連絡をもつ中脳網様体や視床皮質投射系，辺縁系と密接な関係をもつと述べている．

(3) 幻肢痛に対する治療
① 理学療法
　断端における神経腫，癒着，瘢痕などが幻肢痛の一因となることはすでに述べたとおりである．したがって，まず保存的に物理療法として超音波療法，低周波療法，マッサージ，水治療法などを行う．
② ギプスソケットの装着
　切断術直後の義肢装着法が幻肢痛を軽減させる効果があることは明らかで，早期にギプスソケットを装着し，運動療法を繰り返し，新しい末梢からのインパルスを送ることが必要で，これにより幻肢痛の軽減をしばしば経験する．
③ 手術的療法
　上記の治療で効果がない場合，積極的に手術療法を行う．特に，神経腫および瘢痕癒着を切除することにより幻肢痛の軽減をみることが多い．
④ 中枢性鎮痛剤の投与
　上述のように，幻肢痛は疼痛の中枢神経系の反応機序が最も端的に現れたものである．したがって，一般鎮痛剤による治療効果は一時的かまたは認めないものが多い．最近，Iminodibenzyl誘導体であるイミプラミンが中脳網様体の覚醒閾値を上昇させてその働きを抑制し，辺縁系に対して活動を高める働きをもつことから，中枢性鎮痛剤として幻肢痛に投与されている．投与により疼痛と睡眠障害が軽減し，気分が良好となる傾向を認めている[227]．
⑤ 心理治療
　大塚は，条件反射を利用した心理治療の効果を強調している．すなわち，説得療法あるいは暗示療法などを繰り返し行い，むしろ幻肢の利用方向にもっていくことが必要であるとしている．

3 断端における皮膚疾患

(1) 接触性皮膚炎
　ソケットに包まれている断端の皮膚は，正常の皮膚と異なり，常にソケット内面との接触面に圧迫や摩擦があり，そのうえ高い湿温度の環境の中におかれている．特に，義足歩行時に断端の体重負荷がかかる場所，大切断であると坐骨結節や会陰部，下腿切断であると膝蓋靱帯，脛骨端などに接触性皮膚炎が起こりやすい．さらに，骨の突出部や瘢痕癒着がある場所では，発赤，皮膚剥離，水疱などを起こしやすい．

(2) 細菌感染症
　ソケット内で感染が加わると，毛包性膿皮症（単一毛包に限局した感染），さらに，慢性膿皮症（毛包や汗孔の閉塞，炎症による囊腫などに細菌感染が加わってできる）を起こすことが少なくない．このような場合には，抗生物質の投与だけでは治癒することが困難で，切開，膿疱の切除など外科的処置が必要である．

(3) 皮膚真菌症
　ソケット内の高湿度の中で白癬症を起こしやすい環境にある．

(4) アレルギー性皮膚炎
　シリコーンなど義肢ソケットに用いる材料や接着剤などによるアレルギー性の皮膚炎を起こすことがある．その診断には，用いている材料によるパッチテストを行い，原因を探し出すことが

大切である．

これらの断端における皮膚疾患に対する断端，断端袋や義肢ソケットの自己管理の指導には看護師の役割が欠かせない．

4 断端の拘縮と発生の予防

切断後，ベッド上での肢位に十分注意しないと，わずかな期間でも拘縮が起こる可能性がある．特に大腿切断で短断端の場合には，股関節屈曲，外転および外旋の筋力がそれぞれの拮抗筋に比較して強力なため，股関節の屈曲，外転および外旋拘縮がしばしばみられる．しかもいったん発生した場合には，完全な矯正がむずかしく，結果的には義足のアライメントの設定に不利となる．

このような拘縮の発生の予防には次のような注意が必要である（図2-19）．

① 断端の下に枕または下肢架台を置くことを禁ずる．
② 頻回に腹臥位をとらせる．大腿切断例では，大腿前面とベッドとの間に枕を挿入して股関節を伸展位に保つ．側臥位では健側を下にし，断端を内転かつ伸展位になるように注意する．
③ 股関節外転拘縮を防ぐ目的で，常に切断者の骨盤が水平になっているように注意する．
④ 長期間にわたって座位をとることや車いすを使用することを禁ずる．

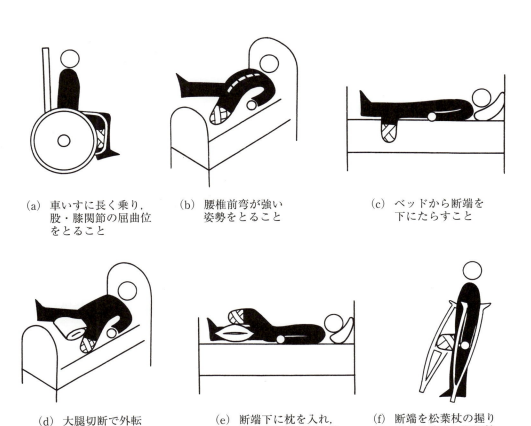

(a) 車いすに長く乗り，股・膝関節の屈曲位をとること
(b) 腰椎前弯が強い姿勢をとること
(c) ベッドから断端を下にたらすこと
(d) 大腿切断で外転位をとること
(e) 断端下に枕を入れ，股・膝関節の屈曲位をとること
(f) 断端を松葉杖の握りの上に乗せ，股関節屈曲位をとること

図2-19 切断術後にとってはいけない肢位

⑤ 切断後，早期に断端の自動運動を始めるようにする．
⑥ もし拘縮が起こった場合には，抵抗訓練，徒手矯正を行う．
⑦ 上肢切断例では，義手を装着していない症例にしばしば拘縮を認める．

しかし切断後の経過が短い場合は，訓練の開始により拘縮の発生は十分避けうる．また，もし拘縮を生じた場合でも，関節に対する温熱療法とともに抵抗訓練を行えば効果をあげることが多い．しかし筆者の経験では，拘縮を完全に矯正することが困難であっても何ら義手の使用に支障のない場合がほとんどで，このため，拘縮の矯正に長時間かけるよりはむしろ義手を装着させたほうが，リハビリテーション過程の短縮に良い結果を得る．

5 断端の浮腫と予防

断端の浮腫（stump edema）は，毛細血管での循環障害により起こってくる．末梢の動脈圧が上昇し，これに対して静脈への還流が障害されるとバランスがくずれ，その結果，組織液が増し，浮腫の原因となる．

正常な筋肉では収縮によって静脈還流が起こり，浮腫を起こさないが，切断後で筋肉の縫合が不十分な場合には，このポンプ作用が不十分なために浮腫を起こす結果となる．この意味から，筋肉を切断前と同様の緊張下に骨端部に縫合することは浮腫の発生を少なくする．

断端の浮腫の特徴は，次のとおりである．

① 断端の浮腫は早朝に最も少なく，だんだん増大する．したがって，理想的な採型は朝方行うのがよい（図2-20（a））．

② 断端の浮腫は高温時ほど起こりやすい（同（b））．水治療法後に義肢の装着が困難なのはこのためである．

③ 義足装着後1～2時間で断端の浮腫は少なくなる．この傾向は特に大腿および下腿の切断で経験することで，ソケットとの適合を維持するために断端袋を追加することが必要な場合が少なくない．

④ 浮腫には時期によりいろいろな形のものが認められる．初期では，指先の圧迫により数秒間陥凹を示す軟らかいものである（同（c））が，これが続くと硬くて陥凹しない硬結となり，健側に比較して厚く硬くなる（同（d））．

⑤ 浮腫は，ソケット内面と断端表面との間に空間がある場合に，陰圧による浮腫を起こしやすい（同（e）～（g））．断端とソケットの全接触により浮腫を防ぎ，治療することができる．また，義足の適合・装着方法により起こることがある（図2-21）．

⑥ 浮腫を放置すると二次的に，出血とその後の変色，水疱形成，潰瘍，さらに胼胝形成を起こすことが多い．

【切断創治癒後に用いる弾性包帯の使用】

切断後，早期に断端の浮腫および過度の脂肪組織を少なくし，断端の安定を図り成熟を促進させることが，義肢の適合上まず第一に重要である．これには弾性包帯をいかに適切に用いるかが大きな鍵を握っている．それだけに使用方法に注意を要し，はじめはセラピストの指導を受けるべきである．いくつかの重要な点を列挙しておく．

① 弾性包帯（elastic bandage）は，下肢および上肢の切断では10cm，大切断では12.5～15cmの幅のものを2～4m使用する．

7 断端の異常と合併症　123

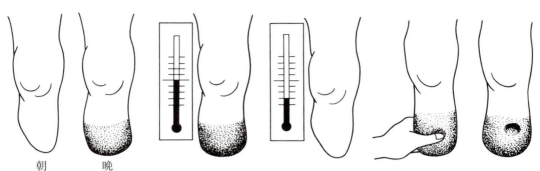

(a) 断端の浮腫は，朝よりも夕方に強くなる

(b) 断端浮腫と気温差（高温時ほど浮腫を起こしやすい）

(c) 早期にみられる軟らかい浮腫（指先で圧迫を加えると数秒間陥凹を示す）

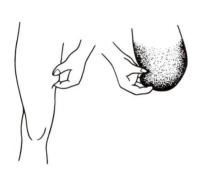 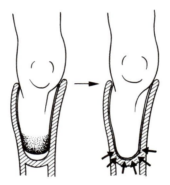 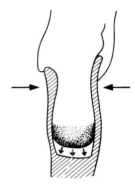

(d) 浮腫が続くと硬結を示す（母指と示指で皮膚をつまむと健側に比較して厚く，硬くなる）

(e) 下腿ソケットと断端との間に隙間があれば断端浮腫の原因となるので，全面接触するようにする

(f) 断端とソケットとの間に隙間があるオープンエンドソケットにみられる浮腫

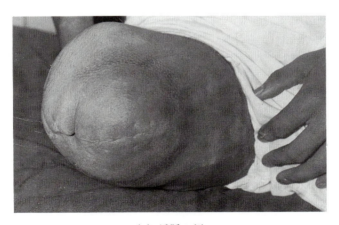

(g) 浮腫の例

図2-20　断端の浮腫

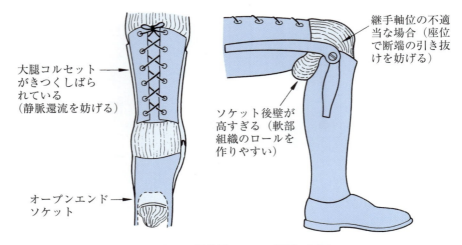

図2-21　下腿義足における浮腫の原因

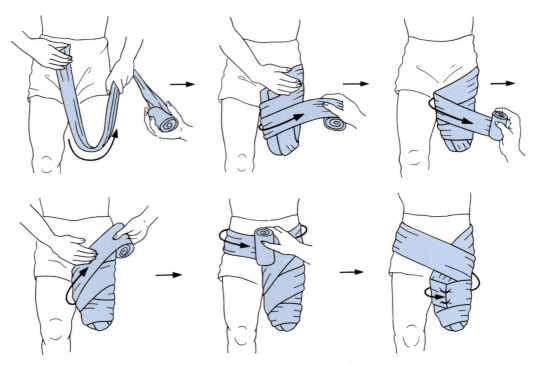

図2-22　弾性包帯の巻き方（その1）大腿切断例

② 巻く順序は，図2-22〜24に示すとおりである．必ず断端の長軸に沿って2〜3回巻き，あとはできるだけ斜めに巻きつける．なお，大腿切断では必ず骨盤まで，下腿切断の中断端および短断端では大腿部まで，上腕切断では胸郭まで，前腕短断端では上腕まで巻くことが必要である．

③ 一日中装着させ，4〜5回巻き替える．夜間にも装着することが重要である．

④ 弾性包帯の圧迫程度は，図2-25に示すように，断端の末梢部にいくほど強く巻くことを

強調したい．

　下肢切断では，弾性包帯の代わりに，近年シリコーンライナーの適応が増している．

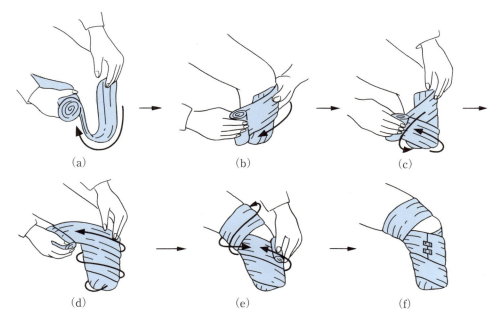

図2-23　弾性包帯の巻き方（その2）下腿切断例

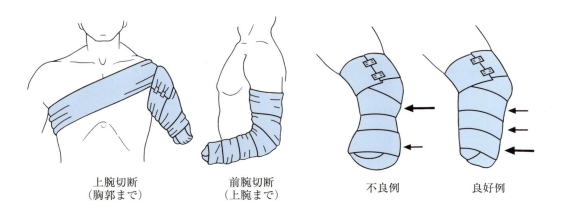

上腕切断　　　前腕切断　　　　　不良例　　　良好例
（胸郭まで）　（上腕まで）

図2-24　弾性包帯の巻き方（その3）上肢切断例　　図2-25　弾性包帯の締め具合

8 断端の衛生保持

　ソケット内に包まれた断端の皮膚は，正常な皮膚の状態と異なり，常に圧と摩擦，さらに温湿度の変化が加わってくる．特に，断端の負荷を必要とする場所，坐骨結節部や膝蓋靱帯，また内転筋腱部の皮膚には異常が起こりやすい．この傾向は，適合不良の場合にはっきりと現れ，たとえば大腿コルセット付きのソケットの場合には，適合不良のため脛骨端，腓骨頭部に皮膚の肥厚，毛包炎，膿瘍などを起こしやすい．

　断端の状態は個人差による影響も多く，発汗過多の人ほど問題を起こしやすい．したがって，義肢装着訓練中，特にリハビリテーション看護の立場から，次に述べるような点について切断者の教育を行うことが大切である．

(1) 断端の清拭
　① 断端は，毎日，義肢を脱いだ後，もしくは就寝前に温水と弱酸性の石けんで洗い，最後に完全に石けん水を洗い流す．石けんを残すと皮膚刺激の原因となる（図2-26 (a)(b)）．
　② 乾いたタオルで皮膚を完全に乾かす（同(c)）．断端の清拭，入浴は通常就寝前に行っている．朝方にこれを行うと，皮膚が湿気を帯びると同時に腫脹し，ソケットとの摩擦が大きくなるので避けたい．

(2) 義肢ソケットの取り扱い
　① ソケットの内面を石けん水を含ませた布でふく（同(d)）．
　② タオルで石けん水をふきとる．朝方にはソケットが完全に乾いていることが装着するための条件であり，断端の場合と同様，夕方や就寝前に行ったほうがよい．

(3) 断端袋の取り扱い
　① 断端袋は毎日交換して使用するが，発汗が多い場合は1日2〜3回交換したほうがよい．
　② 断端袋は，義足を除去したときにできるだけ早く温水と石けんで洗い，皺が寄らないように干す．

(4) シリコーンライナーの取り扱い
　① 弱酸性の石けんでやさしく洗う（同(e)）．
　② 乾いた清潔な布かティッシュで軽く水分をふきとり，裏返しにしないで乾かす（同(f)）．
　③ 臭いなどが気になる場合は，表も同様に弱酸性の石けんで洗浄した後，タオルを押し付けて水分を取り，陰干しにする．

(5) 弾性包帯の取り扱い
　① 温水と石けんで洗ってから温水のみですすぐ（同(g)(h)）．
　② 日陰で床面に並べて乾かす．物干にかけると弾性を失う恐れがある．

(6) 皮膚に異常を認めたときの処置
　傷のできた場所を観察し，原因を考え，処置を行う．
　(a) 骨の突出部位などの圧迫や摩擦による表皮剝離（図2-27）
　①創周囲を弱酸性の石けんの泡で洗浄する．
　②薄く小さめにカットしたガーゼにラップを当て，保護する（ラップはガーゼより小さくカッ

8 断端の衛生保持　127

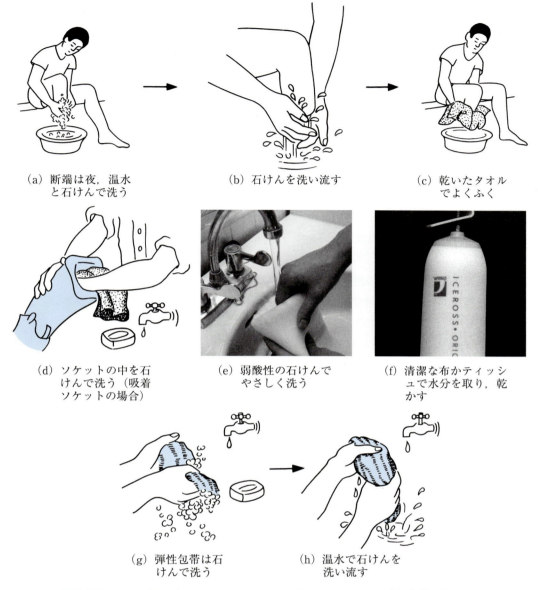

図2-26　断端の衛生看護と，ソケット，シリコーンライナー，弾性包帯の取り扱い

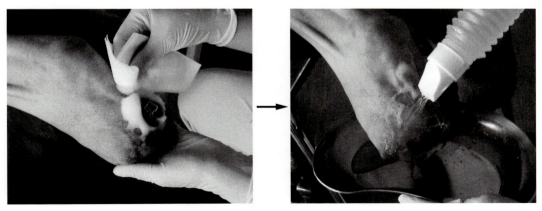

図2-27　骨突出部位などで圧迫や摩擦による表皮剝離に対するケア

トする).
　③義肢装着後に傷を観察し，悪化しているようであれば義肢装着を中止する.
　④圧迫が原因で創傷を繰り返す場合は義肢の調整を行う.
(b) 縫合部の痂皮の剥離
①縫合部が離開している場合はただちに義肢装着を中止して医師の診察を受ける.
②薄皮がめくれている場合は**同(a)**を参照.
(c) 毛嚢炎
　義肢を装着していると汗をかきやすく，放置していると，毛穴から化膿し毛嚢炎を起こす可能性がある．毎日，義肢を脱いだときは，断端，義肢ともに清潔にしておく必要がある.
(d) 水疱
　義肢やシリコーンライナーと皮膚の摩擦によって水疱を形成することがある．水疱が破れると化膿する可能性があるため，吸収するのを待つ必要がある．フィルムドレッシングなどで保護して摩擦を緩和する方法がある.

(7) 末梢血管障害がある場合の足部に対する治療および予防

　末梢血管障害で切断した症例では，反対側の下肢にも同様の障害が起こることが多い．したがって，日頃から次のような注意が必要である.
　① 弱酸性石けんを用いて温水で毎日洗う．乾燥している場合はワセリンなど保湿剤を塗布する.
　② 暖かい毛糸のソックスなどを履き，局所の保温と外傷の予防をする．その場合，ガーターやゴム紐入りの靴下などで足部の周囲を巻きつけないようにする．湯たんぽ，コタツなどによる火傷を避ける.
　③ 循環障害がある部位への外傷を避ける．体位交換時などに足部，特に踵部がベッドなどでこすれることを防ぎ，また下肢外旋時に外踝部の褥瘡形成を避けねばならない．そのために軟らかい装具を足部に装着させる.
　④ 禁煙を守らせる.
　⑤ 関節可動域，筋力の保持および増強訓練，ベッド上の肢位に留意し，膝関節屈曲拘縮などの発生を防がなければならない．特に年齢的には高齢者が多いため，長期臥床による筋力低下を避けなければならない.
　⑥ 他動的血管運動療法(Bürger's exercises)は，四肢に循環障害がある場合に，手足の肢位を変えるごとに他動的に血管運動を行い，循環状態を改善しようとする方法である(**図2-28**).
　⑦ 皮膚に異常があれば，早期に皮膚科を受診する.

(8) 断端自己管理に向けての看護師サイドからの取り組み—スキンケアパンフレットの作成 (兵庫県立総合リハビリテーションセンター看護部)

　最近では，下肢切断者の80％近くの方が，糖尿病などの合併症を有する血行障害を抱えた高齢者である．そのため，切断創の治癒過程に時間を要し，なおかつ，断端の自己管理が十分に行えていないために，義足装着によって創を形成する患者が多くみられる．そこで，兵庫県立総合リハビリテーションセンター下肢切断プロジェクトの看護師グループ(池原由布子，他)は，患者自身が創傷予防や処置といった断端ケアができることを目的として「スキンケアパンフレット」を作成し，入院時に患者に配布している．このパンフレットには，①皮膚トラブル発生時の創傷部の写真撮影の必要性，この写真を用いた創傷の分類別の発生原因とその対処方法の指導，②断

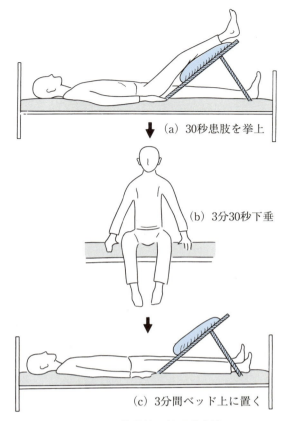

図2-28　他動的血管運動療法

端管理の基礎知識としての創傷形成予防方法の指導，③ライナーの取り扱いや装着方法，などが記載されている[374]．

　従来，24時間患者と接している看護師がチームメンバーとして切断者の術後断端管理に積極的にかかわることは，国内外でもきわめて少なかったと思われる．しかし，断端ケアにおいて看護師が果たす役割はきわめて大きい．特に，最近，切断端ケアにライナーを利用する機会が増えており，医師と連携し，保清や装着方法などを含めライナーの取り扱いについての指導が大切になってきている．したがって，この断端の自己管理パンフレットが広く内外に用いられるようにお勧めしたい．

　スキンケアパンフレットの入手を希望される方は，兵庫県立総合リハビリテーションセンター看護部（〒651-2181　神戸市西区曙町1070　Tel.078-927-2727（代））にお問い合わせください．

第3章

義肢に関する基本的な事項

basic knowledge in prosthesis

1 義肢とは

　義肢（prosthesis）とは，上肢または下肢の全部または一部に欠損のある者に装着して，その欠陥を補填し，またはその欠損により失われた機能を代替するための器具器械をいう（義肢装具士法，1988（昭和63）年）．

　義肢の歴史は古く，紀元前からの記録があり，14世紀頃には木製の義足が主流であったが，その後，金属製へと変化している．義肢の発展に多くの影響を与えたのは，多くの切断者を生み出した戦争である．近代戦争を初めとして，第一次，第二次世界大戦という全世界を巻き込み長期にわたった戦争が多くの戦傷者を生み出し，米国の退役軍人庁義肢センター（Veterans Administration Prosthetic Center：VAPC）のように切断者に供給する義肢の研究開発が積極的に行われてきた．また，ベトナム，カンボジアをはじめ，ウクライナ，ロシアなど多くの国における内戦で使用された対人地雷やドローンなどによる切断者が激増している．ISPO（国際義肢装具協会），WHO（世界保健機構）などが協力して，適切な義肢支給システム（地域リハビリテーション）の開発や義肢装具士の教育制度が検討されている．

2 義肢の分類

　義肢は，構造，機能，装着する時期などにより次のように分類されている．

─1▶義肢の構造による分類

　義肢はその構造により殻構造義肢と骨格構造義に分けられる．

（1）殻構造義肢（exo-skeletal prosthesis）

　殻構造義肢は甲殻類の肢体の構造と同様に義肢に働く外力を殻で負担し支持すると同時に，この殻の形が元の手足の外観を復元する構造の義肢で，現在までアルミニウム，セルロイドなどを用いて広く製作されてきたものである（p369図5-76）．現在でも，下腿切断長断端（p35図1-34）や長年にわたって農作業に従事している高位切断者（p359図5-62）に用いられている．この殻構造義肢は外骨格構造義肢とも名づけられている．

（2）骨格構造義肢（endo-skeletal prosthesis）

　骨格構造義肢は，人体の手足の構造と同様に，中心軸に沿ってパイプなどの骨格が通り，これで外力を支持し，外観の復元にはプラスチック，フォームなどの軟材料の成形品をかぶせた構造をもつ義肢である．この骨格構造義肢の歴史は古く，Ambroise Pare（1510），Parmelee（1863）らの義肢が古典的にみられる．骨格構造義肢の実用化が急速に進んだのは，1960年頃より世界的に広がった術直後義肢装着法の適用であり，ギプスソケットに取り付けるパイロンの開発が必要となったためである．その後，このパイロンを術直後の仮義足だけでなく，徐々に永久義肢として用いられるようにしようとの動きが起こり，必然的にこの骨格構造義肢にモジュール化された部品が選択され，総合して組み立てられるようになった．これがモジュラー義肢（modular prosthesis）であり，現在，システム義肢（system prosthesis）として製品化されている．

　骨格構造モジュラー義肢の利点は，①各切断者にいろいろな部品の組み合わせを試みて最適の状態を探しうること，②アライメントの調整が完成後でも可能であること，さらに希望的には，

③軽量化，④安価，を目的としている．世界各国で商品化されている代表的なものをあげてみると，オットーボック社（MOBISシステム図3-1，ドイツ），VESSA社（ULTRALORITE），IPOS社などがある．そしてわが国では，今仙技術研究所（LAPOC，図3-2），高崎義肢，啓愛義肢などで軽量化を目指して開発された．その後，軽量化，耐久性の向上を図るため炭素繊維素材を使用した骨格構造義肢が注目され，ブラッチフォード（Blatchford）社（ENDOLITE，英国），徳林義肢（GRAPH-LITE，台湾）などにより市販されている．

大腿モジュール義足の適応としては，当初，①軽量化の利点から，股離断，大腿高位切断例，および高齢例，反対肢障害例に，②外観改善の利点から女性切断者に，③術直後義肢装着法，早期義肢装着法におけるパイロンとしての利用，などがあげられた．現在，ほとんどのケースに処方されつつある．

─2▶義肢の機能面からみた分類

義肢を機能面から分類したもので，装飾用義肢，作業用義肢，能動義肢などがある．通常，身体障害者福祉法ではこの名称で呼ばれており，特に義手の分類にはこの名称が用いられる．

(1) 装飾用義肢
外観の復元を第一義に考え，軽量化と手ざわりの良さを目的とした義手で，機能は第二義的に考えたものである．

(2) 作業用義肢
作業用義手は，農耕，林業，機械工業などの重作業に向くように作業用手先具を差し換えて使用する．頑丈に作った義手で，外観は第二義的に考えたものである（p154図4-14（左），p184図4-60，p185図4-61）．最近，オットーボック社の作業用グライファー（p269図4-170），Steeper社のPower Gripperのような作業用電動義手が用いられている．

作業用義足は，主として農耕作業その他の重作業に適するように作った義足で，外観の復元は第二義的に考えたものである．

(3) 能動義肢
① 体内力源義肢（自力義肢）（internally powered prosthesis）：義肢をコントロールするエネルギー源を切断者自身に依存するものである．

② 体外力源義肢（動力義肢）（externally powered prosthesis）：義肢をコントロールするエネルギー源を外部（電気，油圧，空気圧など）に依存するものである．電動義手がその代表的なものである．

─3▶切断術後の装着する時期による義肢の分類

切断術後に装着する義肢は，その時期により，術直後装着義肢，訓練用仮義肢，そして本義肢と呼ばれる．

(1) 術直後装着義肢 (immediate postoperative fitting prosthesis)
切断術直後に手術台の上で装着する義肢である．詳細は第2章p100を参照．

(2) 訓練用仮義肢 (temporary prosthesis)
訓練用仮義肢は，切断直後に，または訓練の目的で，ギプス包帯などによって作った訓練用仮ソケットを装着して動作を行うために，アライメントを検討することができる力の伝達部材を組み合わせた義肢である．ソケット以外の構造部品は，本義足を使用するものを用いたり，一時的

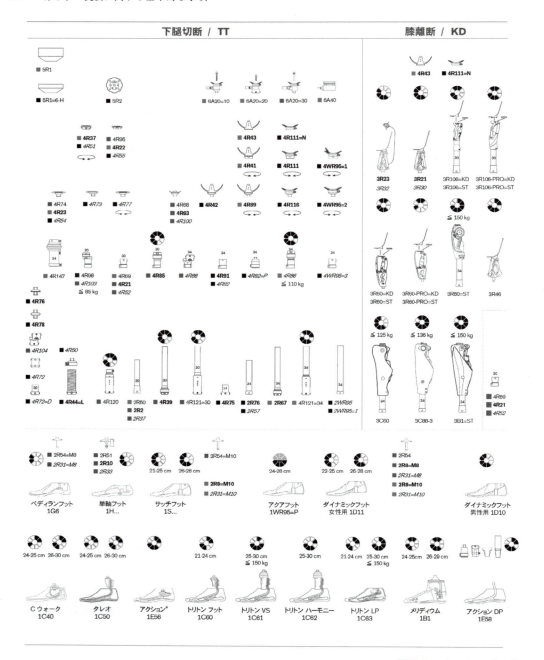

図3-1 オットーボック

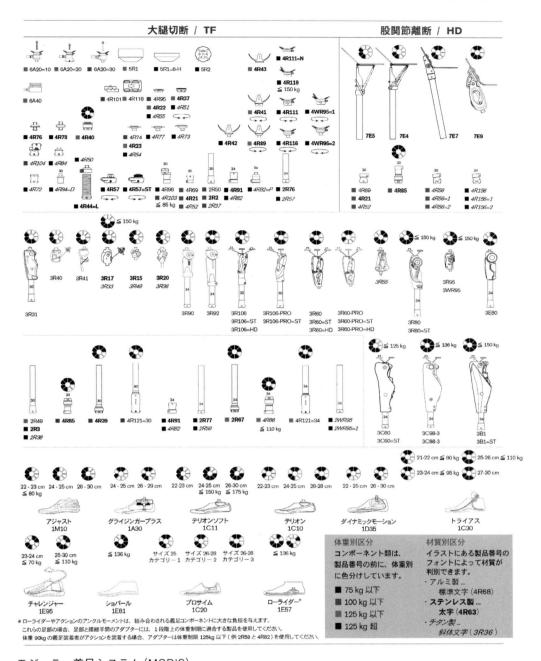

モジュラー義足システム（MOBIS）

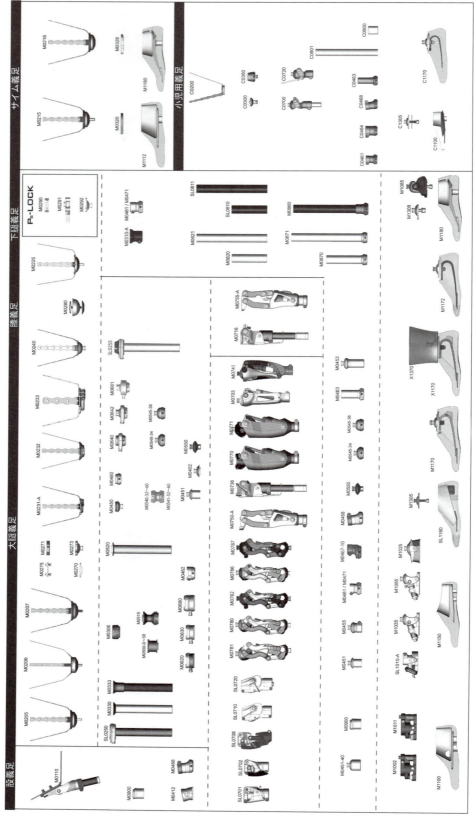

図3-2　LAPOCモジュラーシステム（今仙技術研究所）

使用を見込んで簡素化したものを用いることもある（p101 図2-7）．

(3) 本義肢 (permanent prosthesis)

本義肢は，ソケット，力の伝達系，外装など義肢のすべての部分が長期間の使用に耐えるように製作した義肢である．訓練用仮義肢に対応する用語として用いられる．

3 義肢の装着・適合・アライメントなど基本的な事項

切断者が義肢を最も理想的な状態で自分のものとするには，
① 断端の残存している機能解剖的な機能を最大限に引き出すことができる義肢ソケットの適合技術，
② 人体の関節に代わる継手の開発と，一人ひとりの職業・生活に適した義肢の選択，
③ ソケットと継手の位置関係を表すアライメントの決定，
④ 適合手技・継手などの製作材料の開発・選択，
⑤ 適切な義肢装着訓練，
など多くの因子が関係している．

これは，当然個々の切断端の状態によって，すべてのプロセスは変わってくる．そこで，まず，義肢全体にかかわるソケットの適合と材料・アライメントに関する基本的に必要な事項を取りあげたい．

―1▶ ソケットの適合

(1) ソケットの適合とは

ソケット (socket) は，断端をその内部に気持ちよく収め，かつ，義肢の遠位部に力を効果的に伝える機能を果たす人間-機械系の接触面となる部分である．したがって，ソケットの適合 (fitting) とは，ソケットと断端との間のはめ合い状態を表すもので，機能解剖学的，生理学的，および生体力学的に適切なはめ合いにあることを「良い適合」といい，良い適合のソケットを作り出すことを「ソケットを適合する」という．

(2) ソケットの適合方法の種類

ソケットと断端との適合には次のような種類がある．

① 差し込みソケット (plug fit socket)

差し込みソケットは，断端とソケットの内面との間に，ある程度大きいすきまを予定して適合したソケットである．すきまは，断端袋の枚数，厚さによって切断者自身で調節する．したがって，ソケットに断端を挿入することが容易であるが，逆にソケットへの断端の落ち着きが悪く，立脚相と遊脚相の間でソケットが脱出するピストン運動が起こり，義足が重く感ずる欠点がある．そのため，断端の太さの変動が激しい場合や，ソケットと断端との間のあまりにも密着した束縛感を極端にきらう場合などに用いる．

② 全面接触ソケット (total contact socket)

全面接触ソケットはソケット内面と断端との間の余裕をなくし，断端表面全体がソケット内壁と緊密に接触して懸垂性をもつようにしたソケットをいう．構造からみて吸着式ソケットと非吸着式ソケットがある．非吸着式ソケットは，内ソケット（軟ソケット）の有無によって分かれるが，通常は断端袋を使用する．

③ 吸着式ソケット (suction socket)

吸着式ソケットは，ソケット内壁で断端の軟部組織を適度に圧迫することにより，ソケット内面と断端との間に接着作用を生じさせ，かつ，断端末とソケットとの間に設けた死腔を外気と遮断したソケットである．ソケットが脱落しようとすると，死腔圧が負圧になることによって自己懸垂性をもつようにしたため吸着式という．

(3) ソケットの製作材料の種類と機能

① ハードソケット (hard socket)

ハードソケットは，木材や強化プラスチックやカーボンファイバーなどで作ったもので，体重などの外力を支持する．

② ソフトインサート (soft insert, soft liner)，インターフェイス (interface component：IFC)

断端を保護し義足の適合状態を改善するためにハードソケットと断端皮膚の間に，ソフトインサートと呼ばれる皮革ややわらかいシリコンやウレタンのような材料を用いたライナーソケット (liner socket) がよく用いられるようになっている．この場合に用いられているソフトライナーは，狭義には内ソケットに限局されて用いられ，これをインターフェイスとよんでいる．

—2▶ 義肢のアライメント (alignment)

義肢のアライメントとは，義肢が所期の機能を発揮できるように，ソケットに対する継手，足部などの部品の相対的至適位置（角度も含めて）を決めること，また，そのような位置を意味することもある．

義手のアライメントについては第4章で詳述する．肩義手はp193，上腕義手はp206，前腕義手はp215～217を参照のこと．

義足のアライメントには，ベンチ (bench) アライメント，静的 (static) アライメント，動的 (dynamic) アライメントの3種類がある．

継手のアライメントは継手間の芯合わせのことをいう．

4 義肢素材，特に合成樹脂材料について

ソフトインサート，ソケットに適合した材料と特徴を表3-1に示した．インサートには，支持性を受けもつハードなソケット材料に対して，断端への必要以上にかかる衝撃負荷を緩和するために，柔軟性の高い材料が主として用いられてきた．しかし，最近では走行などの連続的な負荷や切断端のボリュームの変化にも対応するために，高密度の材料や伸縮性のある材料の特性を利用して，ケイ素樹脂（シリコーン）やポリウレタン（ウレタンゴム）などを利用する研究開発が行われるようになった．

特に，シリコーンライナーを用いたTSB吸着下腿義足の発展は，画期的で注目に値するため，詳細をTSB吸着下腿義足の項でまとめているので，参考にしてほしい (p469参照)．

義肢素材の中には木材，皮革，金属，ゴムなどが用いられるが，最近では合成樹脂材料が義肢製作の素材としてよく用いられるようになった．合成樹脂は，熱に対する挙動により**熱可塑性** (thermoplastics) と**熱硬化性** (thermosetting plastics) とに分けられる．

熱可塑性樹脂では，PVCが，最近，パイロンチューブ (pylon tube) の内ソケット (cordo) として用いられ，またポリエチレン樹脂のうち**軟質ピーライト** (PE lite) が義肢の内ソケットとして

表3-1 ソケットおよびソフトインサートに適した材料（2021）

種類			特徴
ソフトインサート	皮革		天然皮革は，生皮を，タンニン，クロム塩などのなめし剤で処理する．牛，豚，馬などさまざまな皮革が使用されている．合成皮革は発泡ポリウレタンと織布，不織布の3層構造で作られているものが多い．さまざまな特徴をもった合成皮革が販売されており，使用されている．
	軟性発泡樹脂		低温で可塑性が良く，反発弾性および低吸水性に優れるソフトインサート．PEライトやスーパープラストなど装具材料としても使用されている．
	皮革＋軟性発泡樹脂		ゴム系材料を発泡させたスポンジを，天然皮革や合成皮革に張り着けて製作するソフトインサート．ゴム系材料はヘタリが少なく，長期間適切な硬度を保つ．
	ライナー		シリコーン，ポリウレタン，サーモプラスチックエラストマーの3種類の材料から作られたライナーが販売されている．それぞれの特徴などは，『各ライナーの材質と特徴』(p475)に記す．
ソケット	樹脂	アクリル樹脂	ソケットを製作するときに，最も一般的に使用される．どの繊維にも使用可能である．また，硬化後ヒートガンなどの熱源により，少しの形状変更が可能である．
		エポキシ樹脂	炭素繊維やガラス繊維を用いてソケットを製作する場合に用いられることが多い．アクリル樹脂よりも含浸性が高く，高品質な製品を製作することができる．アクリル樹脂と違い，硬化後にヒートガンなどの熱源を利用した形状変更は不可能である．
	繊維	ナイロンストッキネット	ソケットを製作する場合に，最も一般的に使用される繊維である．
		炭素繊維（カーボンファイバー）	PAN系，ピッチ系など種類は多い．エポキシ樹脂との相性が良く，ガラス繊維よりも高強度，高弾性，軽量である．
		ガラス繊維	ナイロンストッキネットよりも強度に優れる．炭素繊維よりも粘り強く，破断しにくいが，比重が高い．
	プラスチックシート	ポリスチレン	主に透明チェックソケットに使用される．コポリエステル系材料よりも透明度は低いが，剛性に優れ，衝撃に強い．また，亀裂に対しても強いため，訓練用仮義足などで長期間使用（3カ月程度まで）する場合に用いることが多い．商品名，テルモリンリジッドなど．
		コポリエステル	主に透明チェックソケットに使用される．ポリスチレン系材料よりも透明度が高く，断端の観察を行いやすい．しかし，亀裂に対して弱く，破損の危険性が伴うため，長期間の使用には適さない． 吸引式装置を使用したソケットを製作する場合，コポリエステル系材料であるPETGをソケットの内側に使用することで，気密性の高いソケットを製作することができる．
		EVA	主に2重ソケットの内側の軟性ソケットを製作するために使用される．さまざまな硬度が各メーカーから販売されている．軟らかいものは，断端へのフィット感に優れるが，長期間の使用により伸びてしまい，不適合を及ぼす場合がある．切断者に適した硬度を選択する必要がある．

〔提供：澤村義肢，佐野太一氏（義肢装具士）〕

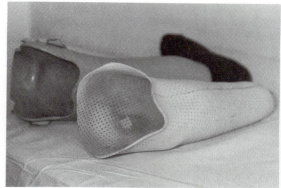

図3-3 ピーライトによる下腿義足の内ソケット

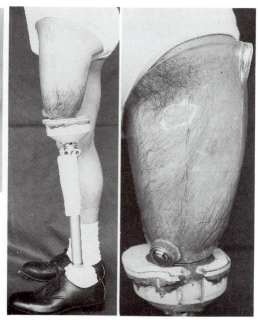

図3-4 大腿透明ソケット(アイオノマー樹脂)

よく用いられている(図3-3).

一方,義肢ソケットの適合をその透明度を利用して観察しようとしてポリカーボネート,アイオノマー樹脂などがチェック・ソケットの材料として用いられた(図3-4).これらは適合感,透明度ともに良好であるが,高価で,加工性,他の材料との接着性に問題があり,一般的に利用されるところまではいっていない.これに代わってこの透明ソケットの材料として,最近はポリメチル・メタクリレートが注目されている.アレルギー毒性がなく接着性に優れ,成形後の熱加工ができることから,繊維強化プラスチック(fiber reinforced plastic:FRP)母材として一般によく用いられるようになっている.FRPは強度,剛性に劣るが,軽量,耐候性,耐薬品性などに優れた樹脂を含浸させ硬化成形した複合材の一つである.このFRPの強化繊維としてはビニロンがよく用いられており,義肢の初期適合にはポリメチル・メタクリル樹脂とビニロンを用いた透明ソケットを用いて,適合判定をより具体的に観察することが可能である.

このポリメチル・メタクリレートを母材とし,内ソケットと外ソケットの間を空洞化し,合成樹脂製膝継手(オットーボック)とサッチ足を用いることにより耐水性義足が製作されている(図3-5).最近の小中学校におけるプールの普及とともに,小児切断者にとってこのような義足の積極的な開発により,プールへの参加の機会を増やしてやりたいものである.図3-6は,下腿切断者の潜水用の足ひれを取り付けるために,防水と尖足位への角度変更を目的とした足部である.このような個人のQOL向上のための対応が広がるものと思われる.

発泡樹脂は骨格構造義肢の開発にとって大きな課題であり,現在ポリウレタン発泡材が主として用いられている.正常肢と同様の外観,強力性,質感,耐摩耗性,耐水性,変色しないことなどが望まれている.

4 義肢素材，特に合成樹脂材料について 141

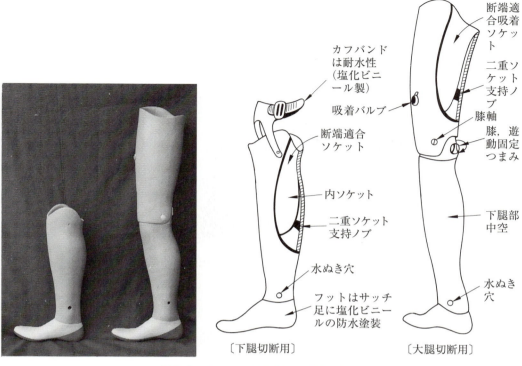

図 3-5 耐水性大腿義足および下腿義足

図 3-6 底屈角度の大きい潜水用プラスチック製足継手
（兵庫県立総合リハビリテーションセンターエンジニア，雨森邦夫）
右下腿切断者で，潜水するために尖足位に固定できるよう開発された足継手を用いている

第4章

義　手

Upper limb prosthesis

1 義手に関する基本的な事項

1 上肢切断の部位・測定方法と義手の名称

―1▶切断の部位と断端長（stump length）

上肢切断の部位とこれに相当する義手の名称は図4-1に示すとおりである．

切断部位の記載については，過去においていろいろな分類方法が用いられていたが，国際的に共通に使用されている名称や測定方法はなかった．

そこで，切断の名称および測定方法についてISO（国際標準規格）TC168のWGIにて長期にわたり検討され，その結果，1992年に上肢切断の名称を図4-1，下肢切断の名称を図5-1（p294），

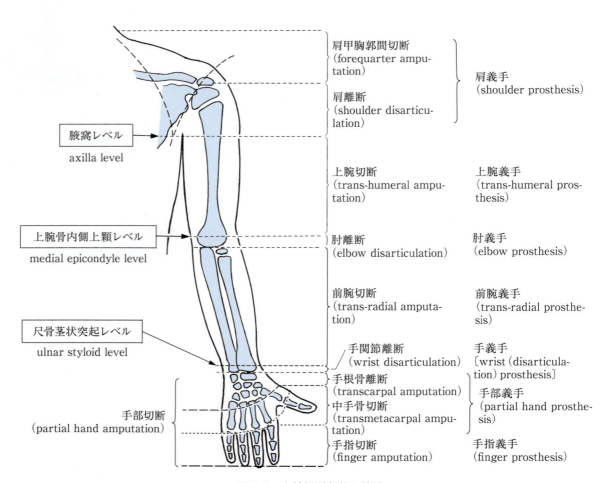

図4-1 上肢切断部位と義手

1 義手に関する基本的な事項　　145

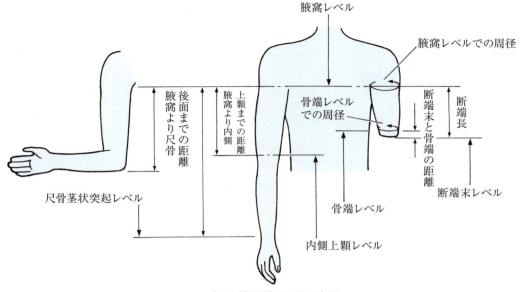

a) 上腕切断における計測

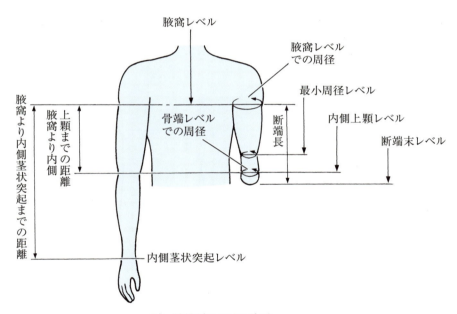

b) 肘離断における計測

図4-2　上肢切断における計測

そして上肢切断における計測部位は図4-2とすることが決定された（下肢切断についてはp295図5-2参照）．

現在も，上肢長や断端長の測定を行うにあたり，ランドマークとなる部位は目的に応じて異なるため，注意が必要である．また，断端の周径の計測表は，表4-1, 2（上腕・前腕切断計測表）のような評価表を用いて計測すると便利であろう．断端の成熟度を知ることは実際的には難しく，注意深い観察が必要である．断端の成熟が得られたら義肢の処方に移る．

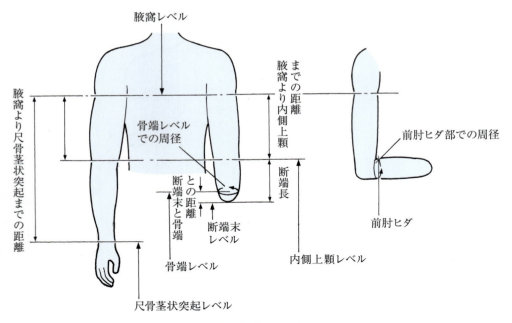

c) 前腕切断における計測

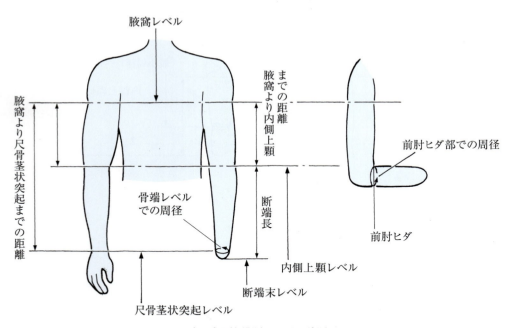

d) 手関節離断における計測

図4-2 つづき

1 義手に関する基本的な事項　147

表4-1　上腕切断計測表

上 腕 切 断 計 測 表

氏　名　　　　　　　♂♀AGE　　Y・O・　　第1回測定　　　・　　・

切断側　　　　　　　　　　　　　　　　　検者名

身　長　　　　　cm　体　重　　　　　kg　断端の状態その他

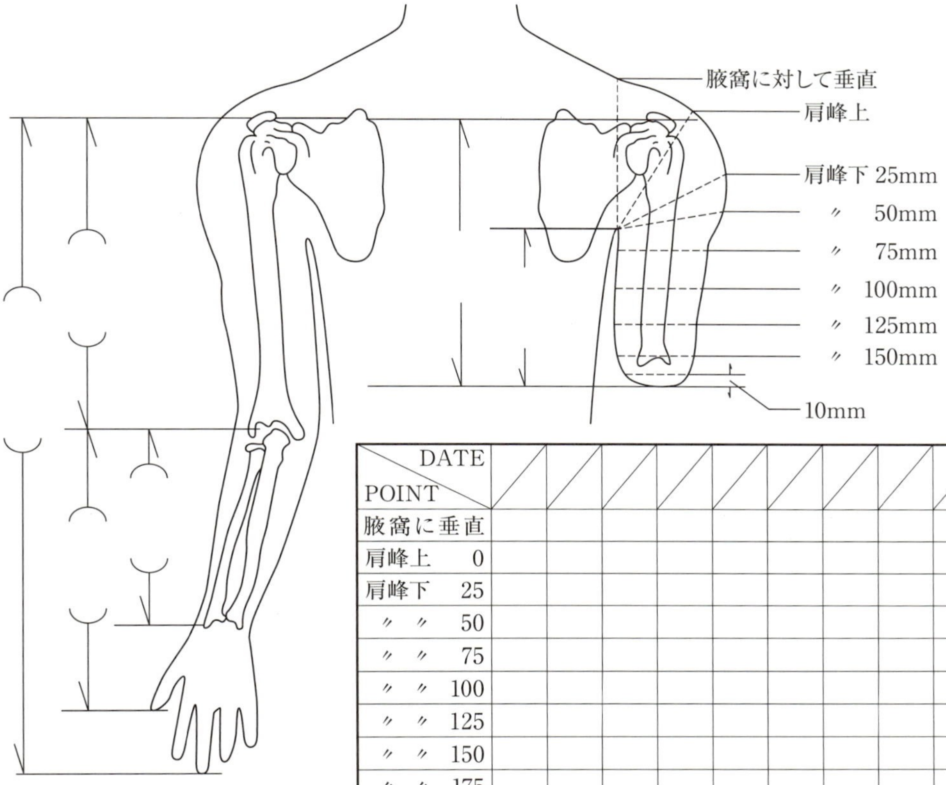

腋窩に対して垂直
肩峰上
肩峰下 25mm
〃 50mm
〃 75mm
〃 100mm
〃 125mm
〃 150mm
10mm

DATE＼POINT										
腋窩に垂直										
肩峰上　0										
肩峰下　25										
〃 〃　50										
〃 〃　75										
〃 〃　100										
〃 〃　125										
〃 〃　150										
〃 〃　175										
〃 〃　200										
〃 〃　225										
〃 〃　250										
〃 〃　275										
〃 〃　300										
（−10）	0	0	0	0	0	0	0	0	0	0

148 第4章 義　手

表4-2　前腕切断計測表

前 腕 切 断 計 測 表

氏　名　　　　　　　♂♀AGE　　Y・O・　　第1回測定　　　・　　・

切断側　　　　　　　　　　　　　　　　　　検　者　名

身　長　　　　cm　体　重　　　　kg　　　断端の状態その他

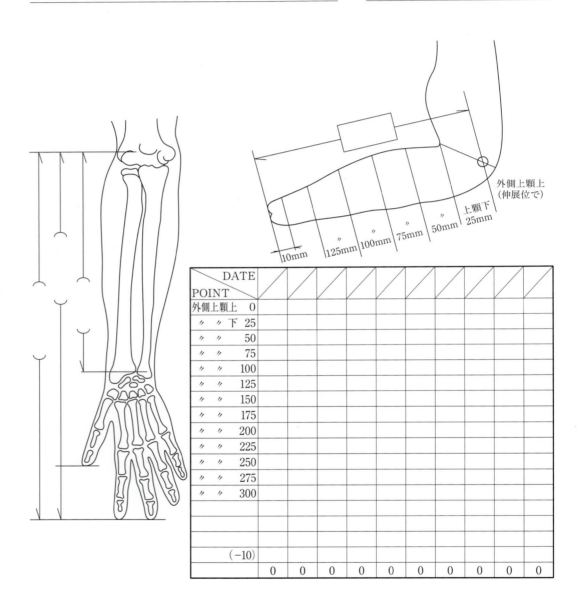

─2▶関節可動域の測定

　上肢切断における関節可動域の保持は義手を操作するために重要である．**図4-3**はその関節可動域の方向と正常値を示したもので，これらの可動域を定期的に測定することが必要である．特

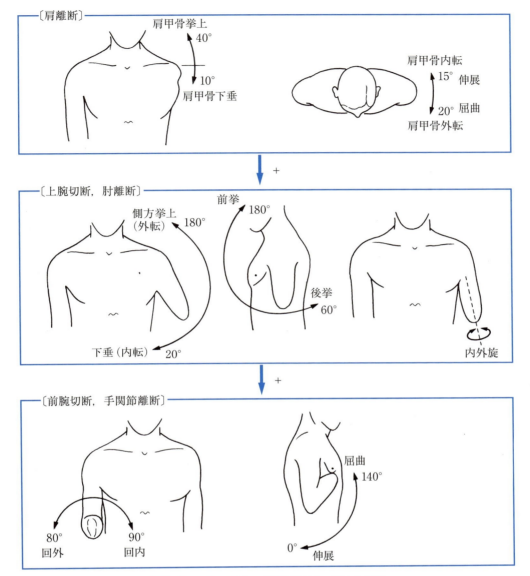

図4-3　上肢切断者の関節可動域の保持と増強

に上肢切断の場合には肩甲骨や肩関節の運動と前腕の回内回外運動，肘関節の伸展運動に制限が起こりやすく，注意を必要とする．

─3▶義手の長さの決定

　一側上肢切断者の義手の長さは図4-4のように決められ製作されている．上腕部の長さは，上腕骨外側上顆の位置と肘継手の中心軸とが一致するように同長とする．しかし義手の前腕部からフックまでの長さは通常非切断側より短く，母指先端までの長さに相当するようにしている．

　なお，手先の互換性（interchangeable plan）を目的とした手継手を処方した場合は，手先を取り換えるための装置の取り付けが必要で，このため，上記の標準プランより前腕部を短くするのが普通であるが，特別な手継手や，APRLフックなどのような特別なサイズの手先具を用いない

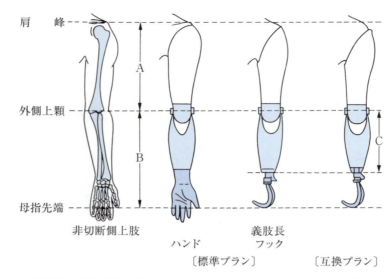

図4-4 義手の長さ（Carlyle, Orthopaedic Appliances Atlas より）
A＝0.19×切断者の身長　　B＝0.21×切断者の身長　　C＝0.14×切断者の身長

限り，互換プランも標準プランのサイズで十分である．ただし，農耕用や書字用などの特別の作業に使用する場合は，前腕部を短くし，アダプターを用いて調節することもある．

両側上肢切断の場合には非切断と比較することができない．義手の長さの決定に対して，米国では通常，カーライルインデックス（Carlyle index）が用いられている．これは，図4-4にもあるように，身長を基準として，

　上腕長　　　　　　　　　　A＝0.19×切断者の身長
　前腕長（手先具前腕長）　　B＝0.21×切断者の身長
　前腕長（義手前腕長）　　　C＝0.14×切断者の身長

で計算され，この値が利用されている．

2 義手の機能

上肢は，手指の機能を効率良く発揮するために，肩関節を起点とし，上肢長を半径とした円弧を形成する可動範囲をもっている．この上肢の有効長を調節するのが肘関節であり，位置と方向の大まかな調節を行うのが肩関節であり，そして，細かい正確な調節が手関節と前腕の回旋によって行われる．したがって，切断によって失われた上肢機能を再建するために義手には次のような機能が要求される（図4-5）．

- 肩継手：外転，屈曲伸展，回旋の3自由度と任意の位置での固定とその解除，歩行時に自然な手の振りができることなどの機能が必要である．
- 肘継手：屈曲伸展，回旋（肩継手の回旋と同じことになる）の2自由度と，任意の位置での固定と解除，および屈曲範囲140〜150°の十分な可動性が必要である．
- 手継手：掌屈背屈，回旋の2自由度，前腕の回旋をここで行う．任意の位置で固定性が確保される必要がある．さらに，手先の多機能化を目的とした手先具の交換機構が必要である．
- 手部（手先具）：手指の動きと働きはきわめて多彩なパターンを示すものであるが，その機

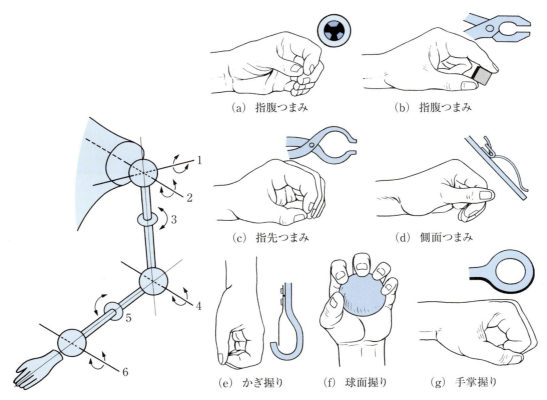

図4-5　義手に必要な自由度　　図4-6　手指把握のパターン（Klopsteg, P. E. and Wilson, P. D.：Human Limbs and Their Substitutes より）

能をどこまで再現するかが最も重要な問題である．図4-6はSchlesingerらによって分析された手の7つの基本的な把握機能パターンであり，これに基づく合目的的な機能が個々の手先具に必要となる．

・感覚機能：手先具にセンサーを付加することにより，手先具の作業に伴う種々の情報を生体記号としてフィードバックし手先具の機能を拡大しようとするもので現在実現はしていないが，将来は必須の機能の一つであろう．

3 機能面からみた義手の分類

義手は，使用目的，形状，機能によっておのおの異なった名称区分があり，切断部位によっても構造，機能が大きく異なり，名称が区別されている．

わが国では，身体障害者福祉法や障害者総合支援法の補装具費の支給基準に定められた名称区分がすべての補装具の基準になっており，義手の分類もその基準に基づいて行われるのが普通である．

―1 ▶ 装飾用義手（cosmetic upper-limb prosthesis）

外観を手に似せることを目的としたもので，一応各継手の動きは遊動式か手動式の継手を用いて確保されているが積極的な機能はもたない．

図4-7 木製皮革仕上げのハンド

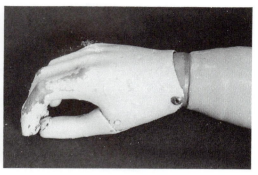

図4-8 アルミ製ハンド

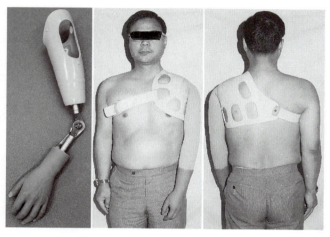

図4-9 骨格構造装飾用義手
左：フォームカバーをとった状態

　義手の歴史をひもといてみると，初めに作られた義手は手の格好を真似した人形の手と同じものであった．わが国でも，江戸時代末期に人形師によって作られた木製皮革仕上げの精巧な硬性装飾ハンドの義手の記録が残っているが，巧妙な指関節機構と手首の屈曲機構をもっており，浄瑠璃人形の手と同じ構造になっていたといわれる（図4-7）．最近まで，軽くて丈夫な硬性装飾ハンドが使われていた．

　また，図4-8はアルミ製ハンドであるが，堅牢で手先の把握力も強く，一部作業に好んで用いられていたが合成樹脂製ハンドの出現と，職人芸を要するこの仕事に従事する人の減少によって作られなくなったのは残念である．

　このように人の手と同じ形態をもつ5指形の手先具の総称をハンドと呼び，これには，アルミ，木，合成樹脂などを用いた硬性装飾ハンドと，ゴム，半硬質プラスチックフォームなどを用いた軟性装飾ハンドがある．なお，このハンドにかぶせて用いる，人の手に似せて作ったゴム状弾性をもつプラスチック手袋を装飾用手袋（cosmetic glove）（図4-9）と呼んでいる．これは他動的に指の屈曲角度が調整できるものがあり，内部に針金やステンレスワイヤーの芯を入れ自由に曲げることができる指芯（図4-10）や，綿やウレタンフォーム，スポンジなどの軟性発砲樹脂を充填し，押さえたり引っかけたりする機能をもたせる工夫が行われている．

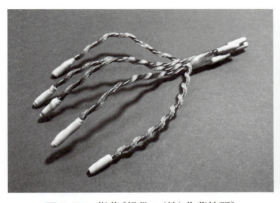

図4-10　指芯〔提供：(株)佐藤技研〕

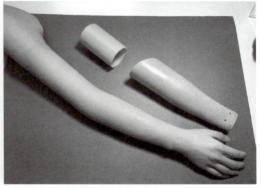

図4-11　殻構造義手〔提供：(株)佐藤技研〕

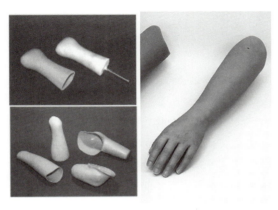

図4-12　ハードソケット〔提供：(株)佐藤技研〕

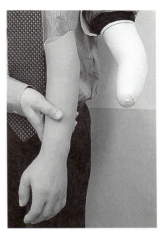

図4-13　ソフトソケット
〔提供：(株)佐藤技研〕

　最近では，軽金属パイプを支持部とし，スポンジで外形を整え，能動義手などに比べソケットや懸垂装置を簡略化したいわゆる骨格構造義手（図4-9）や，内部にポリエチレン支持部を内蔵し軟性発砲樹脂により肘の屈曲伸展が可能な殻構造義手（図4-11）が装飾用として実用化され，外観，軽量を目的とした切断者には好評である．

　また，ソケットは，一般的なハードソケットを内蔵する装飾義手（図4-12）やハードソケットを使わずシリコーンインナーソケットを用いて吸着と摩擦による自己懸垂が可能なソフトソケット（図4-13）がある．ソフトソケットは，一体シリコーンが上腕部まであり，半袖を着ていても目立ちにくい利点がある．

―2▶作業用義手（work arm, Arbeitsarm）

　外観のことは考慮せず，種々の作業に適するように工夫された義手である．19世紀末に，ドイツを中心としていろいろなタイプのものが開発された．わが国では，SchlesingerのTannenberg型義手を手本にして1940年に作られた十五年陸軍制式義手（図4-14左上，p163図4-21）がよく用いられた．

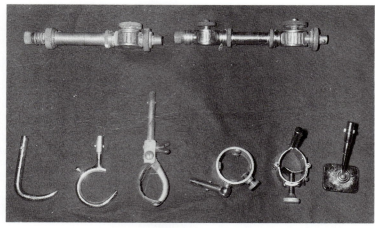

図4-14　作業用義手
左：十五年陸軍制式義手および各種の曲鉤，双嘴鉤，鎌持ち金具
右：マット用の手先具，シュルームタンブラー

　機構は，肘継手と手継手の屈伸角がネジでロック固定できるように工夫され（新型幹部では手継手の屈伸機能は除かれた），幹部はパイプを用いた骨格構造である．手先具は，バヨネット構造をもった手継手によって，曲鉤，双嘴鉤，鍬持ち金具，鎌持ち金具，物押さえ金具などの作業用手先具（図4-14左下）を，簡単にしかも確実に交換して使用するようになっている．本来，十五年陸軍制式義手は，そのほかに装飾用手掌も使用するようになっていたが，現在では作業用手先具のみが使用され，装飾用義手とは区別されている．

　なお，Schlesingerが記述したTannenberg型義手も作られており，わずかではあるが一部の切断者によって作業用義手として使用されている．恩賜の義手として第二次世界大戦の戦傷者の方々を中心に交付され，主として農業や山林木工作業において，作業用義手の名のもとによく使用されていた義手である．近年はスポーツ専用の手先具など多様化している（図4-14右）．

─3▶ 能動義手（functional upper-limb prosthesis）

　主として，上肢帯および体幹の運動を義手の制御のための力源に利用し，ケーブルを介して専用の継手や手先具を操作する構造の義手の総称である．このうち，切断者の身体の動きを利用し，ハーネスとコントロールケーブルシステムを介して義手を動かすのが体内力源義手である．これに対して，電力や，空気，炭酸ガスなどのガス圧力あるいは油圧力などを利用して義手を動かそうとするのが体外力源義手である．

(1) 体内力源義手（internally powered upper-limb prosthesis）

　第二次世界大戦前にすでにDorranceが開発し，その後米国を中心として普及した義手で，身体の動きを利用して能動フックの開閉操作を行う義手が，現在の能動義手の初めである．

　能動義手（正確には体内力源能動義手）は，非切断側上肢帯や切断側の残存上肢帯あるいは体幹の動きをハーネスによって取り出し，コントロールケーブルを介して手先の能動フックの開閉，肘継手の屈伸運動とロック機構での手先具の開閉が随意に操作できる構造になっている（図4-15）．

　その後，手掌の形をして指のつまみ動作をコントロールケーブルで操作できるように工夫され

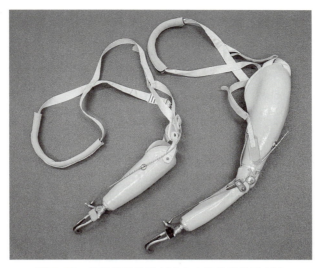

図4-15 前腕能動義手(左)と上腕能動義手(右)

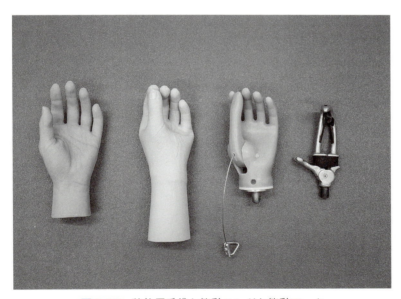

図4-16 装飾用手袋と能動ハンドと能動フック

た能動ハンドが開発され,現在では多種多様の能動フック(utility hook)と能動ハンド(functional hand)が市販されており,**図4-16**のようにニーズに応じて選択して使用することができる.

体内力源義手については,切断部位別とその適応となる能動義手についてp191～219(3.肩離断と義手 4.上腕切断と義手 5.前腕切断と義手)にて詳細を述べる.

(2) 体外力源義手 (externally powered upper-limb prosthesis)

① 圧縮炭酸ガスを用いたpneumatische Prothese

1952年,独・ハイデルベルグ大学(Lindemann, Marquardt)で開発された.これは,液体炭酸ガスを詰めたボンベから,低圧にされた炭酸ガスが断端でコントロールされる制御弁に細いプラスチック管で送り込まれるようになっている(**図4-17**).これにより手先,前腕,肘の運動がで

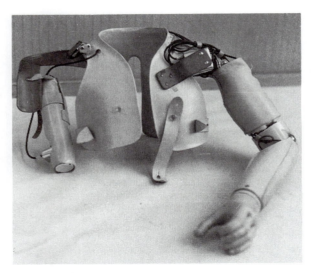

図4-17 圧縮炭酸ガスを用いたpneumatische Prothese
（ハイデルベルグ大学）

きる．サリドマイド児のような両上肢高位欠損児に装着されていた．このガスを用いた弁の制御に筋の活動電流を用いる義手も開発されていたが現在は使用されていない．

② **電動義手（筋電電動義手）**

電動義手（electric upper limb prosthesis）は義手の継手・手先具の操作・力源にモーターを用いているものである．操作するための入力信号として，筋電制御やプルスイッチなどがある．筋電電動義手（myoelectric upper limb prosthesis）は，残存肢の筋肉から信号源を得てこれを中継し，最終的には手の開閉のように機能に生かす義手である．筋電電動義手については，p262〜285（9.筋電電動義手）で述べる．

2 義手の構成と部品

　義手は，構成要素から考えると，ソケット，支持部，ハーネス，コントロールケーブルシステム，継手，手先具の6つに分けることができる（図4-18）.

1 ソケット

　義手のソケットは義足のソケットに比べて機能的には負荷の必要性はない．しかしながら逆に的確な懸垂と支持が要求される．義足ソケットの場合と同様に，ソケットの適合感が良好で断端に不快感を与えないこと，断端に残っている機能がソケットにより最大限に利用されること，ソケットにかかるトルク，屈曲力，負荷に対して抵抗力があること，などが必要な条件とされている．

　義手のソケットは，断端長によりその形状や特性が異なるため，詳細は，部位別の義手の項目で述べる．（p191 肩義手のソケット，p202 上腕義手のソケット，p211 前腕義手のソケット）．

　基本的なソケット製作の例として，前腕能動義手ソケットの製作の手順とその過程を図4-19に示す.

(1) 陰性モデルの採型

　義手ソケットの良好な機能解剖学的適合を得るためには，ソケットの採型技術が最も重要で，これにより義手の機能が左右されるといっても過言ではない．材料として通常ギプス包帯を用いるが，最近は，熱加工可能な材料（thermoplastic materiel）が使用されつつあり，今後の大きな課題とされている．採型の方法については切断部位により大きく異なるが，一般的な方法を簡単に紹介したい．

　①断端の採型を行う．断端長，周径，回旋角度，関節可動域，筋力などの測定を行いカルテに記入する．
　②骨突起部，たとえば肩峰，上腕骨上顆，肘頭部などにマークをつける．
　③断端をコットン製ストッキネットで覆うかラップを巻き，陰性モデルを採型する．

　一般的にはギプス包帯を用いて採型する．その方法にはいろいろあり，ⓐ断端の周囲をギプス包帯で巻いて採型する方法，ⓑ上の方法では陰性モデル内にしわを作る恐れがあるため内外側の2つに分けて採型する方法，ⓒギプス泥をストッキネットの上に塗り付けて採型する方法，などが用いられる．

(2) 第1陽性モデルの製作

　ギプス泥を陰性モデルの内部に流し込み，骨突起部，周径測定部位などのマークを陽性モデルに移す．陽性モデルについて周径をチェックし，サーフォーム，金網，ナイフなどを用いて表面を円滑になるよう修正する．同時に骨突起部にギプスを添加する必要がある．

(3) チェックソケットの製作

　一般的に，透明あるいは半透明の熱可塑性樹脂を用いてチェックソケットを作る方法を行っている．全体の適合チェックができ，ヒートガンで容易に調整が出来るので良い方法といえる．

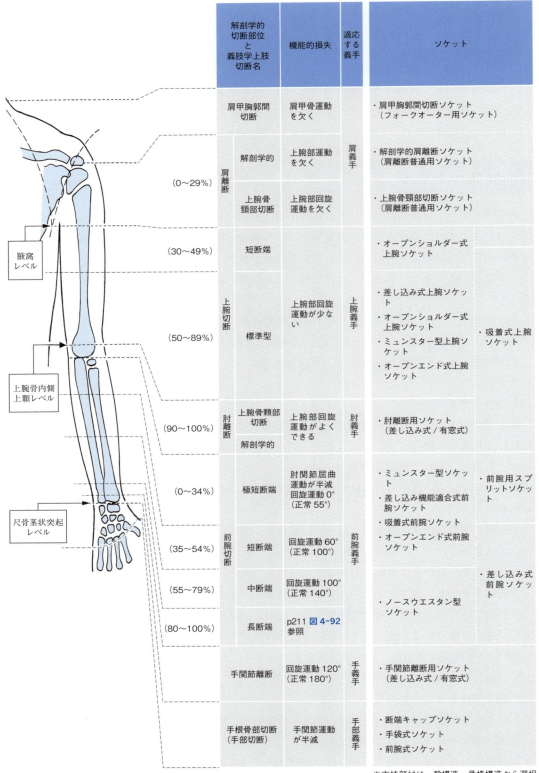

図4-18 上肢切断による機能の損失と

支持部	ハーネス	コントロールケーブルシステム	肩継手と肘継手	手継手と手先具	
殻構造や骨格構造・上腕幹部や前腕幹部（作業用義手）	・胸郭バンド式ハーネス ・女性用肩義手ハーネス （・弾性懸垂バンド・腰バンド ・肩スリング・肘プーリーユニット ・9字ハーネスやリテーナーを増やす）	・複式コントロールケーブルシステム ・コントロールケーブル操作効率倍増装置 ・ヌッジコントロール	・隔板式肩継手 ・屈曲・外転式肩継手 ・ユニバーサル式肩継手 ・スィング肩継手 ・歯止め式肩継手	手継手	・面摩擦式手継手 ・軸摩擦式手継手 ・迅速交換式手継手 ・屈曲式手継手 ・手部コネクタ ・電動式手継手
	・8字ハーネス（上腕切断用） （・腋窩ループ・前方支持バンド・外側懸垂バンド） ・コントロールケーブル取り付けバンド ・上腕義手胸郭バンド式肩当てハーネス（効率は悪い）	・複式コントロールケーブルシステム ・上腕義手3本制御ケーブルシステム	・能動単軸ブロック肘継手（回転盤） ・手動単軸ブロック肘継手 ・単軸ブロック肘継手 ・ラチェット式ヒンジ肘継手 ・手動単軸ヒンジ肘継手 ・電動ブロック式肘継手	手先具	【装飾用】 ・装飾用ハンド ・装飾手袋式 ・部分ハンド式 【作業用】 ・曲鉤 ・双嘴鉤 ・鎌持金具 ・鍬持金具 ・物おさえ ・マット用 ・鉄棒用 【能動式】 ・能動フック ・能動ハンド 【電動式】 ・電動ハンド ・電動フック
			・能動単軸ヒンジ肘継手 ・ラチェット式ヒンジ肘継手 ・手動単軸ヒンジ肘継手		
			・断端操作式能動単軸ヒンジ肘継手（ロビンエイド） ・倍動ヒンジ肘継手		
	・8字ハーネス（前腕切断用） ・9字ハーネス（前腕切断用） ・前腕義手胸郭バンド式肩当てハーネス（効率は悪い） ・上腕カフ ・上腕半カフ ・三頭筋パッド	・単式コントロールケーブルシステム	・単軸ヒンジ肘継手 ・多軸ヒンジ肘継手 ・硬性たわみ肘継手 ・軟性たわみ肘継手		
			・軟性たわみ肘継手	肘継手との連結部品	・上腕カフ ・上腕半カフ ・三頭筋パッド

※電動義手の操作は，筋電電極またはスイッチを用い，モーターにより手先具や継手を制御する．

義手の処方方針

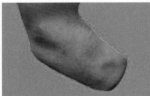

(1) 陰性モデルの採型

①断端
・関節可動域・状態・痛みが無いか等を確認する.

②マーキング
・汚れないようにラップを巻く.
・骨突起部(肘頭・内外側上顆・骨端部等)と電極の位置をマーキングする.

③採型
・採型する.
・ギプス包帯を巻く.
・必要なら,顆上部と肘頭部上縁の押さえの手技を入れる.
・上腕二頭筋のチャンネルを作るために,圧迫しないように注意する.
・肘関節の屈曲可動域のための開口部の目安をつける.

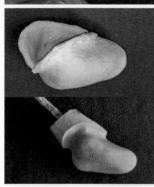

(2) 第1陽性モデルの製作
・採型した陰性モデルを必要な大きさでカットし,石膏を流し込み,陽性モデルを製作する.
・硬化後,陰性モデルを取り除く.
・マーキングした印を確認し,陽性モデルに写す.
・陽性モデルを修正する.
・周径を調整し,骨突起部は当たらないように盛り修正する.

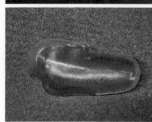

(3) チェックソケットの製作
・修正した陽性モデルに,ストッキネットやストッキングをかぶせる.
・その上から加熱した熱可塑性樹脂を沿わし,真空成型する.
・冷えたら,陽性モデルを割り出し,トリミングラインまで削る.

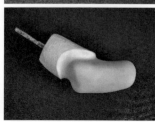

(4) 第2陽性モデルの製作
・チェックソケットで適合検査を行い,修正箇所があれば修正する.
・石膏を流し込み,第2陽性モデルを製作する.
・硬化後,チェックソケットを取り外す.
・陽性モデルの表面を滑らかに整える.

図4-19 筋電電動義手ソケットの製作工程

(5) 合成樹脂製ソケットの製作

・修正した陽性モデルに，樹脂注型し，硬化するまで待つ．

(6) 支持部製作のための発泡樹脂を立てる

・硬化したソケットに発砲樹脂を立てる．
・発泡樹脂の先端に，製作する長さを合わせて，手継手を取り付ける．
・形状を整える．

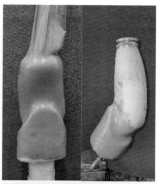

(7) 合成樹脂製支持部の製作

・形状を整えたら樹脂注型し，硬化するまで待つ．
・硬化後，ソケットと支持部を取り外す．
・ソケットの中に残っている石膏を割り出す．
・ソケットに取り付けた発泡樹脂を削り落とす．

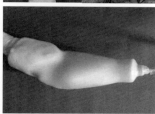

・ソケットと支持部をトリミングする．

(8) 上腕カフ・上腕半カフ・三頭筋パッドの取り付け

・Yストラップとたわみ継手を取り付ける．
・クロスバーカバー・プレートを取り付ける．

(9) コントロールケーブルの取り付け

・ベースプレートの位置に注意する．
・クロスバーカバーにクロスバーを取り付け，ベースプレートにリテーナーを取り付ける．
・ケーブルハウジングを，たるみ具合を調整しながら取り付ける．

(10) 仕上げ

・ハーネスを取り付ける．
・腋窩ループに腋窩パッドを取り付ける．

図4-19　つづき

その他に，修正された陽性モデルに離型剤を塗布して，その上にストッキネットをかぶせる．その上から135℃に加熱して溶かした蜜蝋を注ぎ，ストッキネット内にしみ込ませる．これを冷やし，陽性モデルから離したものがチェックソケット（check socket）であり，このように蝋を用いるワックスメソッド（wax method）という方法がある．

チェックソケットは次いで断端に装着され，ソケットの適合検査が行われる．その際，特に次の点に留意する．

① ソケットの適合が良好かどうかを，断端をいろいろな方向に運動させて検査する．切断者が疼痛や不快感をソケット内部に感じたときには必ずチェックソケットを修正する．
② ソケットの大きさが適当であるかどうかみる．
③ ソケットの上辺の深さ（トリミング）を決定する．
④ 継手の位置を決定する．たとえば，前腕切断の場合には内外顆部の中心に印をつけて，肘継手の軸の中心位を決める．
⑤ 上腕切断，肩離断では，肩峰を通る垂線がアライメント決定の基礎となるためチェックする．

(4) 第2陽性モデルの製作
チェックソケット内にギプスまたはワックスを流し込み，陽性モデルを製作する．

(5) 合成樹脂製ソケットの製作
陽性モデルに離型剤を塗るかPVA膜で覆い，ストッキネットをかぶせ，必要に応じて継手金具などの取り付けを行った後に，再度PVA膜で覆い，樹脂の注入を行い，ソケットを製作する．従来，義手ソケットは一重ソケット（open end socket）と二重ソケットに分けられていたが，機能的な義手としての適合性を重視すれば，特殊な場合を除き一重ソケットは処方されるべきではない．

注型には，ソケットの注型に工夫を加え，ソケットの開口部周辺縁をやわらかく仕上げる方法，また，外殻（shell）とソケットを分離して作り，組み合わせて用いる方法などが試みられており，装着感や重量の改善が行われている．また，合成樹脂製ソケットの最も大きな欠点である通気性不良によるソケット内での発汗を防ぐために，多孔性樹脂を用いた多孔性ソケットも開発されつつある．

2 支持部

ソケットと継手や継手同士の間を統合する部分のことで，部品の固定や支え・伝達を受け持つ．種類として，殻構造や骨格構造，また，作業用義手に使用する継手と一体になったものに対しては，上腕幹部や前腕幹部などの呼び名で用いられている継手構造のものがある．

ー1▶殻構造，骨格構造

合成樹脂で外殻を成形し，外力を殻で負担させると同時に，外観も整えようとする殻構造（exo-skeletal type）と，中心に軽合金のパイプや支柱を用いて外力を負担させ，スポンジなどの軟材料によって外観を整えようとする骨格構造（endo-skeletal type）がある（図4-20）．

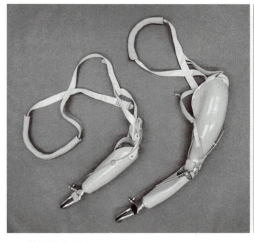
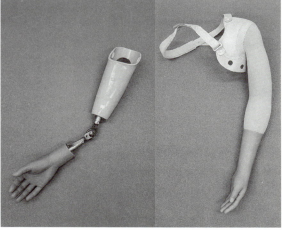

殻構造義手
（左：前腕能動義手，右：上腕能動義手）

骨格構造義手
（上腕装飾用義手，肩装飾用義手）

図4-20 殻構造義手と骨格構造義手

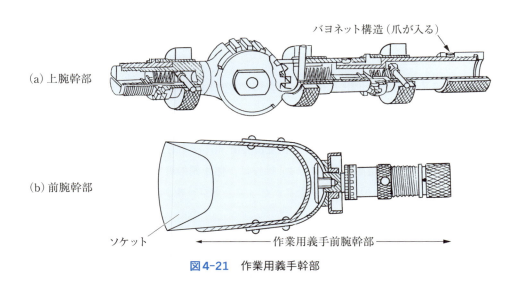

図4-21 作業用義手幹部

─2▶ 上腕支持部，前腕支持部

上腕部と前腕部に分けられ，作業用義手の場合，次のような幹部からなる（図4-21）．

① **作業用上腕幹部**

作業用のソケットより遠位部の組み立て部品で，上腕継手（回旋），肘継手，手継手などからなっている．ソケットの取り付けは幹部コネクタ付き鋼製筋金により行う．

② **作業用前腕幹部**

作業用のソケットより遠位部の組み立て部品で，前腕継手（回旋），手継手などからなっている．ソケットの取り付けは幹部コネクタ付き鋼製筋金により行う．この作業用義手は幹部と継手が一体構造を形成している．この中で，初期の肘，手首2カ所に屈曲角の調節が可能な継手が付

いたものを旧型と呼び，肘だけに屈曲角調節の機構をもたせたものを新型と呼んでいる．いずれも，手先具の取り付けはバヨネット構造の手継手で行うようになっており，作業用手先具にはそのための爪が付いている．

3 ハーネス

　ハーネス（harness）とは，束縛感または不快感をできるだけ少ない状態で義手を懸垂し，また上肢帯および体幹の運動をケーブルの牽引力に変換するために肩や胸郭などに付ける装置である．また，手先具の開き幅や義手の動きなどの感覚を身体に伝達することができる．
　ハーネスを製作・調整するポイントは次の3点に要約される．
　①義手を懸垂，支持し断端に固定する．
　②義手を操作する力を体内の力源から最大限に取り出し，しかも切断者の負担を最小限にとどめる．
　③義手の着脱が容易に行える．
　ハーネスのパターンは，切断レベル（すなわち残存機能）に対応して種々の型が考案されている．現在，一般的に用いられているものは米国で開発されたものが主流で，欧州（ドイツを中心とした）では少し異なったパターンが用いられている．
　ここでは，個々のハーネスの具体的な構造はそれぞれの義手の項に譲り，基本的なパターンについて述べる．

(1) 8字ハーネス (figure eight harness, 8-förmige Kraftzugbandage)

　背部中央でベルトが交差し，非切断腋窩にかけたループと義手を支えるベルトで8の字を構成するところからこの名がある．能動義手では，両側肩甲帯の動きを腋窩ループ（axilla loop）で取り上げ，交差した一方のベルト（control attachment strap）に伝達している．上腕義手における肘継手の固定（ロック）・遊動（アンロック）操作は，切断側の肩や肩甲帯や首の動きを前方支持ベルト（front support strap）から肘継手ロック・コントロールケーブルでとらえてケーブルを引いている．
　前腕義手（図4-22），上腕義手（図4-23）から工夫次第で肩義手にも適用することができる．

(2) 9字ハーネス (figure nine harness, 9-förmige Kraftzugbandage für Unterarmstumpf)

　ミュンスター型ソケット（Kuhn）の開発に伴って前腕義手ソケットの良好な支持性を利用して前方支持ベルト（front support strap）をなくし，腋窩ループから直接ベルトをつなぎコントロールケーブルへの伝達だけ行おうとするものである（図4-24）．

(3) リュックサックハーネス (double axillar loop harness)

　手関節離断や手根部切断での能動義手に対して，コントロールケーブルの走行を効率良くするために考案されたものである（図4-25）．

(4) 胸郭バンド式ハーネス (chest strap harness)

　これは非切断側の胸郭を一周するバンドで構成され，作業用など，重量をかけ，大きな外力の負担に耐えるために頑丈で，確実な懸垂，支持を必要とする義手に使用される．
　これには，肩義手に主として用いる肩ハーネス（図4-26），上腕義手に用いる上腕ハーネス（図4-27），および前腕義手に用いる前腕ハーネス（図4-28）がある．上腕および前腕の能動義手では肩甲帯の動きが十分に利用できず効率は悪いが，肩義手あるいは肩甲胸郭間切断用義手では，

2　義手の構成と部品　　165

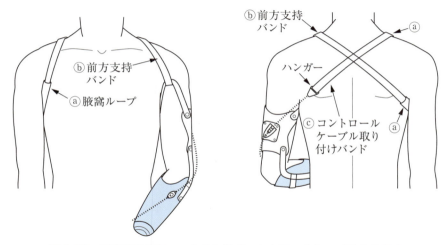

図4-22　前腕義手8字ハーネスと単式コントロールケーブルシステム

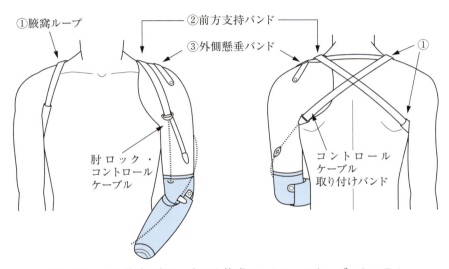

図4-23　上腕義手8字ハーネスと複式コントロールケーブルシステム

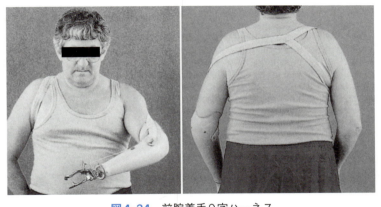

図4-24　前腕義手9字ハーネス

図4-25　リュックサックハーネス

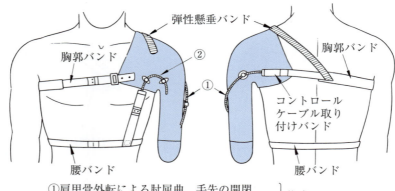

図4-26 肩義手における基本的なハーネス

①肩甲骨外転による肘屈曲，手先の開閉
②肩挙上による肘継手ロック・コントロール　　複式コントロール

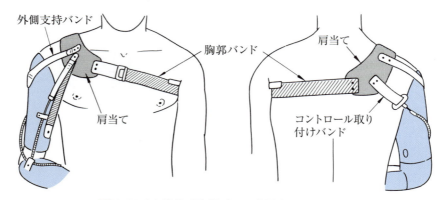

図4-27 上腕義手胸郭バンド式肩当てハーネス
効率は悪い

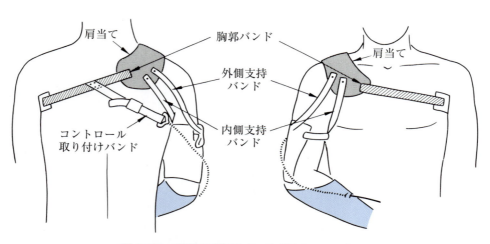

図4-28 前腕義手胸郭バンド式肩当てハーネス
効率は悪い

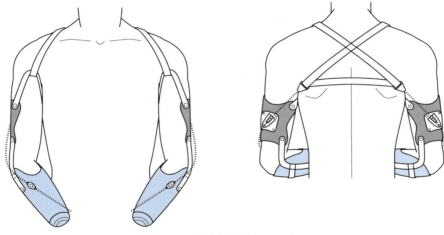

図4-29　両前腕義手のハーネス

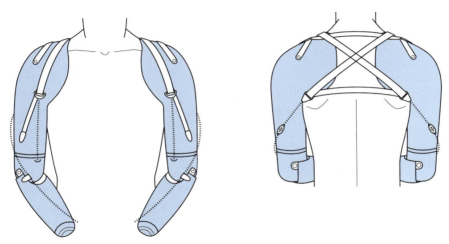

図4-30　両上腕義手のハーネス

ソケットの支持が確実で安定性が良いために使用されることがある．

(5) 両前腕義手のハーネス

前腕義手の8字ハーネスが両側に用いられ，両側の腋窩ループの代わりにこれが互いのアンカーとなって，反対側の義手に取り付けられることになる（図4-29）．単式コントロールケーブルシステムが両側に用いられる．後方ハーネスが交差する点は第7頸椎棘突起の下にある．ときには，この2つのコントロールケーブル取り付けバンドの間にクロスバック・ストラップが，ハーネスが上のほうに移動しないように取り付けられることがある．

(6) 両上腕義手のハーネス

両前腕義手の場合と同様，両上腕義手にも一側上腕義手のハーネスが両側に用いられる（図4-30）．つまり，一側のコントロールケーブル取り付けバンドが反対側の肩を通り，前に下り，弾性懸垂バンドに取り付けられる．この8字ハーネスの後方で上下にクロスバック・ストラップと両肩を結ぶバンドが取り付けられる．

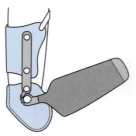
(a) 極端断端
断端操作式能動単軸ヒンジ肘
継手（ロビンエイド式）
スプリットソケット
上腕カフ

(b) 極短断端
倍動ヒンジ肘継手（リンク式）
スプリットソケット
上腕カフ

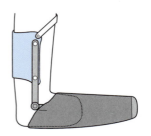
(c) 短断端
単軸ヒンジ肘継手
差し込みソケット
上腕半カフ

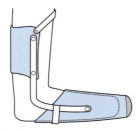
(d) 長断端
軟性たわみ肘継手
差し込みソケット
上腕半カフ

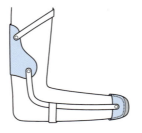
(e) 手部切断
軟性たわみ肘継手
断端キャップ式ソケット
三頭筋パッド

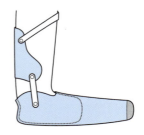
(f) 極短断端⇔長断端
軟性たわみ肘継手
顆上支持式ソケット
三頭筋パッド

図4-31 前腕切断における断端長とソケット，肘継手，上腕カフとの関係

(7) 上腕カフ (arm cuff) や三頭筋パッド (triceps pad)

いわゆる上腕カフとは，主として前腕義手に用いられる懸垂装置の一種である．ソケットの懸垂や支持，能動義手でのコントロールケーブルの支点の置き場所という役割をもっており，皮革製や布製で製作し肘継手と連結して機能する（p177参照）もので，上腕カフ（The Full Cuff），上腕半カフ（The Half Cuff），三頭筋パッド（The Triceps Pad）の3つに大別できる．

① 上腕カフ（The Full Cuff）

カフとは，上腕の全周を覆うものである．上腕カフは，肘ヒンジ継手（金属支柱）と組み合わせて使用し，上腕部を一周して締め付けて固定する方法の装置である[403]（図4-31(a)(b)，p217図4-103）．上腕部をベルト状に締め付けることで強固に固定できるため，支持性と懸垂機能が得られ，ハーネスを必要としない装飾用義手や作業用義手に用いられる．

② 上腕半カフ（The Half Cuff）

上腕半カフは，上腕部の後半周を覆う大きさで，三頭筋パッドと同様に，肘ヒンジ継手（金属支柱）やたわみ肘継手を取り付けるため，三頭筋パッドよりも周径が大きい（図4-31(c)(d)）．半側カフ，半カフ，ハーフ・カフとも呼ばれ，適応は前腕能動義手（主に短断端）である．

③ 三頭筋パッド（The Triceps Pad）

三頭筋パッドは，上腕の後半周までの範囲を覆うもので，上腕部伸展側に位置するパッドで，上方はハーネスの一端と連結し，下方（前腕部）は，2本のたわみ肘継手と連結して義手の支持を行うと同時に，コントロールケーブルの支点となるクロスバーアッセンブリー（クロスハンガー）が縫い付けられ，ベースプレート（リテーナープレート）の基盤となる[403]（図4-31(e)(f)，p170

図4-33).前腕能動義手(主に,長断端・手関節離断・手部切断が適応)に用いられる.

4 コントロールケーブルシステム (control cable system, Kraftzugsystem)

能動義手の手先具または肘継手とハーネスを連絡し,上肢帯や体幹の運動を有効に伝達するシステム全体をコントロールケーブルシステムと呼んでいる.これは,ケーブルハンガー,ケーブルハウジング,リテーナー,ベースプレート,浮動アンカー(クロスバーアッセンフリー),クロスバー,ケーブル,前腕リフトレバー(レバーループ),回り端子,ケーブルハウジングカバーなどから成り立っている(図4-32).このコントロールケーブルシステムは,基本的に次のようなシステムに分けて考えられる.

(1) 単式コントロールケーブルシステム (single control cable system, Einzugkabel)

これは1本のケーブルで単一のコントロール機能を果たすシステムで,前腕義手能動式の手先操作ケーブルシステムはその例である(図4-33).

(2) 複式コントロールケーブルシステム (dual control cable system, Zweizugkabel)

これは1本のケーブルで2つのコントロール機能を果たすようにしたケーブルシステムである.一般に能動肩義手(p166 図4-26),能動上腕義手(図4-34)に用いられ,手先具の開閉操作と肘

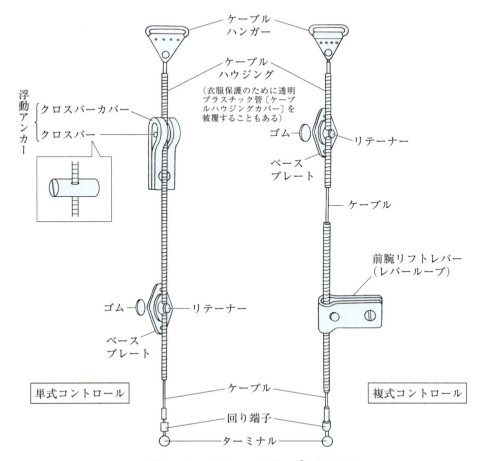

図4-32 コントロールケーブルシステム

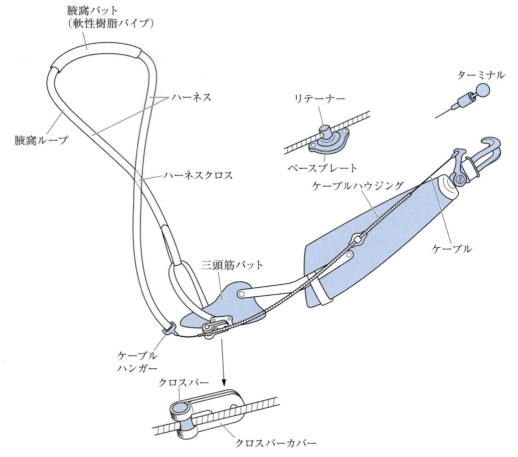

図4-33　前腕義手のハーネスと単式コントロールケーブルシステム

継手の屈伸運動の2つの機能を1本のケーブルで行うように工夫されている．

　ケーブルハウジング（cable hausing）が2つに分かれており，前腕幹部の肘軸より最も効果的な点に屈伸運動を動作させる前腕リフトレバー（レバーループ　forearm lever loop）が設けられている．肘継手を任意の角度で固定（ロック）すると，ケーブルの動きは手先具に作用し，肘継手を遊動（アンロック・ロックを解除）にすれば，前腕部を屈曲させる力として作動することになる（p207参照）．

(3) 3本制御ケーブルシステム (triple control cable system, Dreizugkabel)

　これは，単式コントロールケーブルを3組使って義手コントロールを行うシステム（図4-35）である．手先具の操作にボーデンコントロール（Bowden control）を使用し，肘の屈伸運動には別のシステムを併用するもので，Heppの考案になるものである．

(4) 肘ロック・コントロール (elbow lock control)

　上腕能動義手において，肘継手ロック・コントロール用ケーブルを引いて屈曲角度の固定（ロック）と遊動（アンロック・ロック解除）を行う（p208参照）．

　上腕切断では切断側の肩や肩甲帯や首の動きを前方支持ベルト（front support strap）でとらえ，これに連結したケーブルを操作する．メカニズムの動きを介助し，より効果的に伝達するた

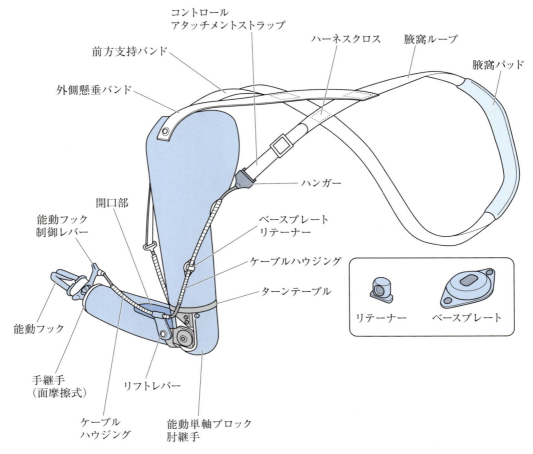

図4-34 上腕義手のハーネスと複式コントロールケーブルシステム

めに弾性支持帯(elastic suspensor)が加えられている．

　肩義手などでは切断肢の肩甲帯の動きが期待できないため，腰バンド(waist band)にかけたベルトによって体幹の側屈や捻りなどをとらえ操作するようになっている(図4-26)．

(5) ケーブルハウジングライナー（ライナー入りケーブルハウジング・，プラスチックライナー）

　コントロールケーブルシステムの伝達効率を上げる方法の一つで，摺動性に優れたプラスチック製のライナーを内包したケーブルハウジングで，テフロンライナーやインナーライナーともいわれている．

　ケーブルハウジングの中に通っているケーブルが引っ張られて移動したときに，擦れることで摩擦がおき，伝達効率が下がる．それを解消するために，ケーブルハウジングとケーブルの間にライナーを使用する（図4-36）．ケーブルハウジング内に設置し，滑りやすさを向上しケーブルとハウジングの間に生じる摩擦抵抗を減らすことで伝達効率や耐久性の向上が期待できる．

172　第4章　義　手

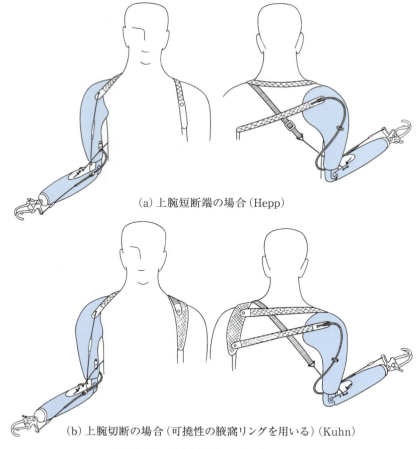

(a) 上腕短断端の場合 (Hepp)

(b) 上腕切断の場合 (可撓性の腋窩リングを用いる) (Kuhn)

図4-35　3本制御ケーブルシステム

図4-36　ケーブルとケーブルハウジングライナーとケーブルハウジング

5 継手 (joint)

　関節運動を代償するために使用される部分で，関節運動（屈曲・伸展や外転・内転および回旋）と固定する機能などがある．上肢の機能を回復するために，肩，肘，手の各関節について自由度と機能を再現する試みは古くから行われ，さまざまな継手が考案されている．しかし，いずれに

図4-37　UCLA隔板式肩継手
（UCLA passive friction shoulder jointを応用して製作）

図4-38　屈曲外転肩継手

図4-39　ユニバーサル肩継手
（オットーボックsystem）

しても一長一短があり，完全な上肢機能の再現は不可能であることを理解し，最適の機能を選択することが重要である．

─1▶肩継手

　肩の屈曲，外転機能をもたせるように，次のような多くの肩継手（shoulder joint）が製作されている．

(1) 隔板式肩継手 (sectional plate shoulder joint)

　肩甲胸郭間切断義手の場合に，2枚の板を重ねた構造によって義手の上腕部の屈曲伸展を行わせる継手である（図4-37）．

(2) 屈曲・外転式肩継手 (flexion-abduction shoulder joint)

　義手上腕部の屈曲伸展，外転内転の2方向に運動ができるようにした二軸性肩継手で，屈曲伸展は遊動（フリー）で外転方向は面摩擦の構造となっている（図4-38）．

(3) ユニバーサル式肩継手 (universal ball shoulder joint, Kugelschultergelenk)

　主として球形の継手（ボールジョイント）に摩擦を加えて義手上腕部の可動域を自由にした構造の肩継手である（図4-39）．

(4) スィング式肩継手

　ユニバーサル式の一つで，殻構造義手に使用する．肩継手を振ることができる遊動（フリー）と屈曲位での固定（ロック）の切り替えが可能で，その切り替えは肩継手を外転させネジの位置

 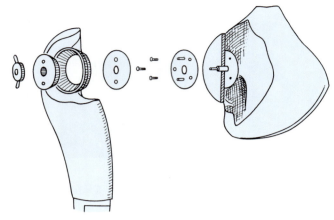

図4-40　スィング式肩継手　　　図4-41　歯止め式肩継手

を変えることで行う．遊動では屈曲28°から伸展12°の間で動かすことができ，屈曲30°で固定できる（図4-40）．

(5) 歯止め式肩継手 (Schulterbremsgelenk)

矢状面で肩継手が他動的に動かされるものである（図4-41）．

　隔板式肩継手や屈曲・外転式肩継手の場合は，取り付け場所をあまりとらないため，上腕骨骨頭が残存している場合でも使用できる．しかし，遊動のため肩義手を装着し机などに肘をつくと，上腕部が前方に屈曲してしまう．
　肩継手は現在，他動的にその位置を変更し固定しうる機能が主流であり，それが実用性を制限する一因ともなっている．今後は，上肢の機能パターンの一員として，他の継手との協同運動という見地から考えて開発する必要があろう．

―2▶肘継手

　肘継手（elbow hinge, prosthetic elbow）は，前腕部と上腕部を連結する継手の総称で，上腕切断・肘離断・前腕切断に用いられる．構造的には，ブロック式・ヒンジ式・たわみ式がある．

(1) ブロック式肘継手

　ブロック式（ブロック型）肘継手は上腕切断標準断端より高位の切断に用いられる継手で，能動式，手動式，遊動式や固定式，電動式に分けられる．また，ブロックの上部に回旋機能のターンテーブル（回転盤）が備わっている．

　① 能動単軸ブロック肘継手 (functional elbow unit)

　上腕長断端切断や肘離断を除く上腕義手，肩義手に用いる．ケーブルを一定量引っ張るごとに，継手軸の回転が固定（ロック）と遊動（アンロック・ロック解除・フリー）を交互に繰り返す機構を内蔵する継手である．ロック操作を1本のワイヤーで行い，屈伸はコントロールケーブルによって前腕のリフトレバーを介して操作するようになっている．米国Hosmer社において開発された肘継手が代表的である（図4-42）．

　② 手動単軸ブロック肘継手 (manual locking elbow unit)

　主として装飾用義手に使われており，肘屈曲位の固定と解除を簡単な構造で手動的に行えるよ

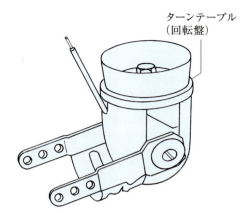

図4-42　能動単軸ブロック肘継手

うにしたものである．従来，「パチパチ式」などと俗称された継手がこれである．前腕部の押しボタンやレバーによって操作するものが多い．

③ **単軸ブロック肘継手**(single axis elbow unit)

装飾用の肩義手や上腕義手に使用され，構造が最も単純な肘継手で，ブロック内に一本の回転軸(蝶番構造)を納め，この回転軸によって木製の前腕部と結合し屈曲運動を可能とし，遊動式(肘屈曲角の固定はできない)や固定式がある．また，継手の上面に回旋機構(ターンテーブル)を付加したものもある．

④ **電動ブロック肘継手**：筋電電動義手の項(p282参照)で述べる．

(2) ヒンジ式

肘ヒンジ継手(elbow hinge)は上腕切断長断端から遠位の切断に用いられる継手で，その機構として，単軸ヒンジ式，多軸ヒンジ式，倍動ヒンジ式がある．

① **単軸ヒンジ式**

単軸ヒンジ肘継手(single pivot axis elbow hinge joint)：遊動式で，前腕義手に使用され，2本の筋金を単軸で結合して屈曲伸展を可能にしたもので，ソケットの内外両側に取り付けている．

ラチェット式ヒンジ肘継手(automatically ratchet-locking elbow hinge)：手動式で上腕切断者に用いる．残存上肢や大腿部を用いて継手を屈曲すると，屈曲した角度でロックされる．最後まで屈曲(約85°)すると，ロックが解除され伸展する．ハーネスを簡素化でき全体にシンプルな構造の義手となるが現在は販売されていない(図4-43)．

能動単軸ヒンジ肘継手(outside locking elbow hinge)：能動式で上腕義手や肘義手に用いられる．ケーブルを一定量引っ張るごとに肘の固定と解除を繰り返す機構の肘ヒンジ継手で，ブロック継手を取り付けられないような上腕長断端切断，肘離断が適応となる．一般にソケット内側にこの継手を置き，外側には単軸ヒンジ継手を用い，いわゆるoutside locking elbow hingeと呼ばれている(図4-44)．機能はワイヤーで屈曲角を6段階に分けて随意に固定と解除ができるようになっている(図4-45)．Hosmer社では，特に外力の負担がかかる場合のことを考慮して，同じ構造ながら，全体を頑丈に仕上げた重作業用のものまで用意されている．

断端操作式能動単軸ヒンジ肘継手(stump activated elbow hinge)：前腕極短断端切断に用いる能動単軸肘ヒンジ継手の一つである．断端に残存するわずかな屈曲伸展運動を積極的に活用

176　第4章　義　手

図4-43　ラチェット式ヒンジ肘継手

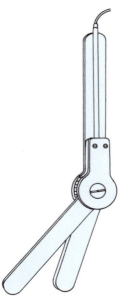

図4-44　能動単軸ヒンジ肘継手

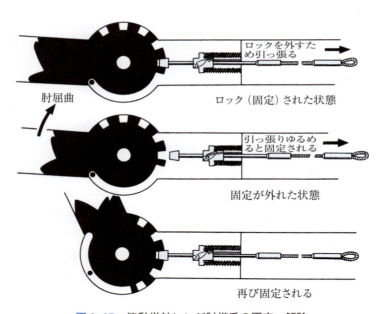

図4-45　能動単軸ヒンジ肘継手の固定・解除

し，レバーを操作し，肘継手の固定および解除を行うもので，ロビン・エイド式肘ヒンジ継手（Robin-aids）が代表的である（図4-31(a)）．これは，断端に残存するわずかな屈曲伸展運動を活用しレバーを操作することで肘継手の固定・解除を行うもので，分割ソケット（スプリットソケット）を用いて二重制御方式（複式コントロールケーブルシステム）とする．肘関節伸展で肘継手のアンロック・屈曲でロックし，肘継手がフリーの状態で肩甲骨外転・肩関節屈曲を行うことで肘継手は屈曲する．ロックした状態では，手先具が開く．倍動肘継手では，断端部に大きな負担がかかるが，Robin-Aids式肘ヒンジ継手では肘関節動作はロック・アンロックにしか使用し

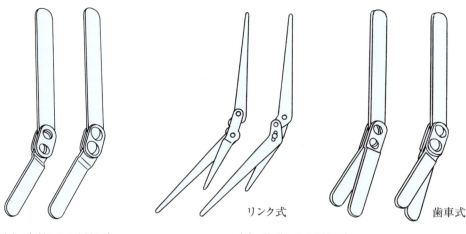

(a) 多軸ヒンジ肘継手　　(b) 倍動ヒンジ肘継手
リンク式　　歯車式

図4-46　遊動式ヒンジ肘継手

ないために負担が少なくなる．最近，短断端に対しては顆上支持型（顆上懸垂型）ソケットが好んで用いられるため，その必要性は減少している．

② 多軸ヒンジ式

多軸ヒンジ肘継手（polycentric elbow hinge）：遊動式で二軸性の支柱式肘継手で，解剖学的な肘屈曲軸のずれを補い屈曲が容易なこと，および屈曲角が大きいことが特徴である．

この単軸および多軸ヒンジ肘継手は，差し込み式ソケットと上腕カフを連結し，肘の動きを保ちつつ頑丈な懸垂を行う．作業用前腕義手に多く用いられている（図4-46(a)）．

③ 倍動ヒンジ式

倍動ヒンジ肘継手（step-up elbow hinge）：遊動式で肘関節屈曲が不十分な前腕短断端切断に用いる肘ヒンジ継手である．前腕部とソケットが別々になっているスプリットソケットとなっており，3本の筋金を歯車機構またはリンク機構によって結合し，断端の屈曲運動を約2倍の角度に増幅して義手前腕部を動かす構造の肘ヒンジ継手である（図4-46(b)，4-47）．

(3) たわみ式

たわみ式肘継手（flexible elbow joint）は，主として前腕義手において，前腕ソケットと上腕カフや三頭筋パッドとを連結し，位置を定めソケットの懸垂を行うもので，これには硬性と軟性がある．

① 硬性たわみ式肘継手（図4-48）：鋼製ケーブルをコイルばね製のケーブル鞘で保護したものを用いた肘継手である．回内回外が残存する前腕長断端切断の義手に用いる．わが国で硬性たわみ式継手が使われることは少ない．

② 軟性たわみ式肘継手：伸びの少ない布テープなどで裏打ちした革紐（革製バンド）またはナイロンモノフィラメントを用いた，たわみやすい肘継手である（図4-49，p220図4-105）．

(4) 肘継手と連結して機能する部品

① 上腕カフ（The Full Cuff）：上腕の全周を覆うもので，前腕切断の装飾用義手や作業用義手に肘ヒンジ継手（金属支柱）と組み合わせて用いる．

② 上腕半カフ（The Half Cuff）：上腕の後半周を覆うが，三頭筋パッドよりも周径が大きいも

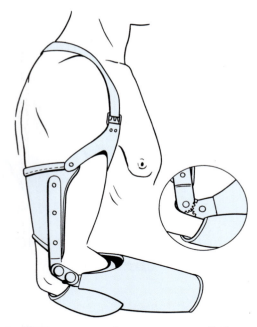

図4-47　前腕切断短断端に対するスプリットソケットと倍動ヒンジ肘継手（歯車式）
（Hosmer MA-100, Orthopaedic Appliances Atlas より）

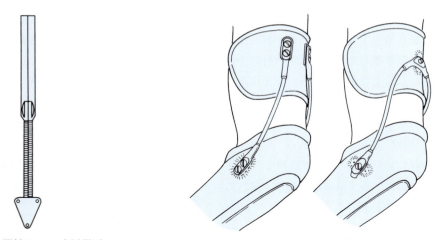

図4-48　硬性たわみ式肘継手　　　　図4-49　軟性たわみ式肘継手（Kuhn）

ので，前腕能動義手の肘ヒンジ継手（金属支柱）やたわみ肘継手と組み合わせて用いる．

③ **三頭筋パッド**（The Triceps Pad）：上腕の後半周の範囲を覆うもので，前腕能動義手のたわみ肘継手と組み合わせて用いる．

　これらの肘継手と関連して機能する部品の特徴は，1．単体またはハーネスと共に義手を懸垂する，2．義手本体と断端とを連結し安定性・支持性を確保する，3．能動式では，クロスバーアッセンブリーのリアクションポイント，つまり，単式コントロールケーブルシステムの上腕部固定点（作用点）となっている．

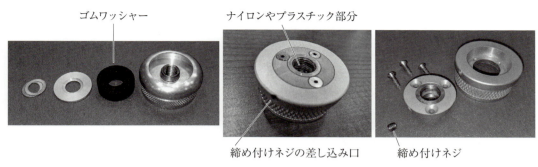

図4-50　摩擦式手継手

―3▶ 手継手

手継手(wrist unit)は，手先具と義手本体を結合する継手で，次のような機能が必要である．
・手先具を固定する．
・手先具の交換，脱着が行える．
・手先具の回旋が可能で，任意の位置で固定できる．
・手先具の角度調節ができる．

以上のことを一つの部品で処理することができないために，種々の型が作られており，必要に応じて選択して使用する．

摩擦式手継手(friction type wrist unit)は手先具をねじ込むことによって手先具の回転を束縛し，締め付け固定力を得るとともに適度に手先具を回旋させて位置を変えることも可能であるようにした手継手で，手継手の固定・調節方法として最も一般的に使用されている（図4-50）．この手先具を固定する摩擦式の仕組みには，面摩擦式(plate friction type)と軸摩擦式(axial friction type)などがある．

① 面摩擦式手継手（図4-50(a)）：ゴムワッシャーを挟み込んで手先具をねじ込むことにより，これを圧縮して摩擦力を増し，ナイロンなどのプラスチックスリーブでコネクタを締め付け，手先具がたやすくは回転しないように抵抗を与える機構をもったものである．

② 軸摩擦式手継手（図4-50(b)）：手先具をねじ込んで結合する構造の手継ぎ手で，ねじ部分のスリーブにナイロンやプラスチックなどを用い，締め付けネジをねじ込むことによる摩擦を利用して手先具の回旋を許容し，必要な角度に手先具を保持できる手継手である．

③ 迅速交換式手継手(quick disconnect wrist unit)：手先具の交換を迅速に行えるようにした手継手である（図4-51）．手先具を軸摩擦式で固定するねじ込みコネクタを取り付け，手継手のバヨネット機構やスプリングカム機構などに押し込むことによってワンアクションで装着し，リングやレバーの操作でロックを解放し手先具を取り外すことができるようにした手継手である．装着操作は2段階になっており，1段目では抜けない状態で手先具を回旋させることができ，さらにもう1段押し込めばその位置で固定される．たいへん便利なもので，手先具の交換が簡単に行えるようになるのであるが，やや重くなることと，人によっては片手では上手に扱えないことも少なくないなど，適応は限られてくる．

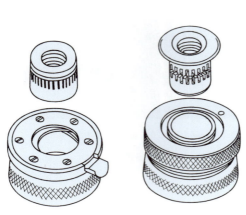

図4-51 迅速交換式手継手

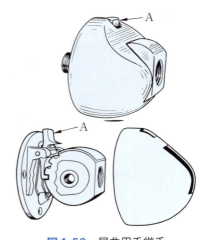

図4-52 屈曲用手継手
(Sierra Model 1800, Orthopaedic Appliances Atlas より)

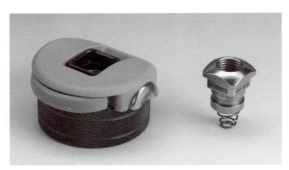

図4-53 オットーボックの屈曲用手継手
左はオットーボック10V39屈曲手継手，右は10A30アダプター

④ **屈曲式(用)手継手**(wrist flexion unit)：手先具を軸摩擦式でねじ込み，手先具を屈曲，また，屈曲位での固定を可能とする継手である．肘関節の屈曲角の不足を補い，食事動作や排泄動作などを容易にする利点があり両側上肢切断によく用いられる．図4-52に示すSierra Model 1800はその代表的なもので，Aのレバーで固定角度が調整され，前腕部と手先軸との間の角度が0°，25°，50°の屈曲位をとるように設計されている．このような利点の反面，手先に重量がかかって重く感じると同時に，複雑となってコントロールの効率が減ずる欠点がある．これに代わり，最近，屈曲と回旋・迅速交換式を兼ね備えているオットーボック社製の屈曲手継手"10V39"と"10A30アダプター"(図4-53, 54)がよく用いられている．

⑤ **手部コネクタ**(図4-55)：装飾用義手の手先具と手継手とを持続する部品で，機構により，ねじ式(screw type)，差し込み式(plug-in type)，バヨネット式(bayonet type)などがある．

⑥ **電動式手継手**：電動の手継手については，筋電電動義手の項(p262)で述べる．

図4-54　オットーボックの屈曲用手継手の使用の様子
オットーボック社の10V39・10A30を使用している．ボタン操作により，5段階の掌背屈，18°ごとの回旋と強固な固定が可能であり，手先具をさまざまな位置で固定することができる

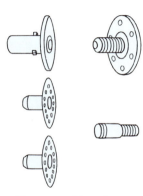

図4-55　手部コネクタ

6 手先具 (terminal device)

　義手として最も重要な部分で，複雑多彩な手指機能の再現を担当するところである．このため世界各国で数多くの手先具が開発され用いられている．手先具は，装飾用，作業用（特殊手先具），能動フック，能動ハンド，に分けることができる．

　また，電動式として，筋電ハンドや筋電フックなどがあるが，電動式については，筋電電動義手の項で述べる．

─1▶装飾用手先具

　装飾ハンド（インナーハンド：passive hand）と装飾手袋（コスメチッククラブ：cosmetic glove）がある．装飾ハンドは外観や形態を補うことを目的とする手先具の総称である．5本指の骨格部分を構成する機構部に，人の手の外観を整える目的である装飾手袋をかぶせて使用する．

　機構部は，指芯や関節を内蔵し他動的に各関節で曲げることができるパッシブハンド（図4-56）がある．また，他動的に拇指を開き，バネの力でピンチ動作が可能なもの（図4-57）もある．

　装飾手袋は，能動ハンドや装飾ハンドあるいは電動ハンドにかぶせて人間の手として外観をできるだけ復元するために用いる軟性合成樹脂製の手袋のことである．

　装飾手袋の材料として，従来，塩化ビニールが用いられてきた．しかし，最近，シリコーン製の装飾ハンドの優秀性が注目されている．シリコーンは，総合エネルギーが大きく，安定しており，弾性に富み，耐寒性にも優れ，撥水性，消泡性，離型性などの特性をもっている．このことが，装飾ハンドの材料として注目されるようになった（図4-58）．利点として，柔軟性，耐候性，耐薬品性，耐汚染性などに強いことがあげられる反面，成型した製品の可塑性のないこと，接着加工の困難性，引き裂き強度などで塩化ビニールより劣る性質をもっている．表4-3にシリコーンと塩化ビニールとの特徴の比較を示したが，装飾性の理想を求めて国際的にも注目されるようになっている．

182　第4章　義　手

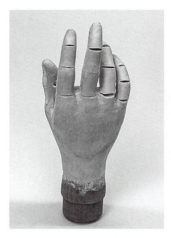

図4-56　パッシブハンド
〔提供：(株)佐藤技研〕

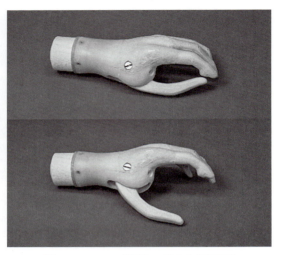

図4-57　DoLi〔提供：(株)佐藤技研〕

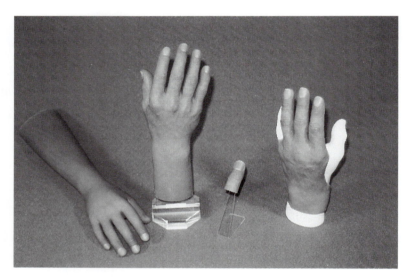

図4-58　シリコーン製装飾ハンド〔提供：(株)佐藤技研〕

　最近は，既製品だけではなく，専用型を製作しフルオーダーメイドで製作したものなどリアルな外観を再現しているものもある．

─2▶作業用手先具

　作業用義手のシステムの一環として開発され，作業用幹部のバヨネット式手継手に差し込んで使用する手先具のことで，作業内容に合わせて種々の形状のものがある（図4-14）．代表的なものとして曲鉤，双嘴鉤，鎌持ち金具，鍬持ち金具，物押さえなどがある．

(1) 曲鉤（C-hook）

　C字形をした手先具であり，農業その他に最もよく用いられている作業用手先具である（図4-60）．

表4-3 シリコーンと塩化ビニールとの特徴の比較

特徴	シリコーン	塩化ビニール
可塑性の有無	なし（熱硬化性樹脂）	あり（熱可塑性樹脂）
熱変形温度	やや強い（300℃）	弱い（75℃）
自然変形性	ほとんどなし	経年により変形
引張強さ	やや弱い（110kg/cm^2）	強い（580kg/cm^2）
比重	やや重い（1.21）	重い（1.45）
加工性	難しい	容易
製品後修正可能度	ほとんど不可能	可能
着色性	良い	良い
リアリティ	非常に良い	良い
接着性（接着剤による）	悪い	良い
変色性	変色しにくい	経年により変色
耐薬品性	良い	やや良い
耐汚染性	非常に良い	悪い
洗浄可能性	可能（汚れが落ちる）	可能（インク等は落ちない）
柔軟性	良い	良い
密着性	やや良い	普通
経済性	高価	安価
製作難易度	難しい	技術の一般化
熟練度	多年が必要	数年程度
開発年度	近年の技術	数十年来の技術
普及度	小さい	大きい

〔（株）佐藤技研による比較〕

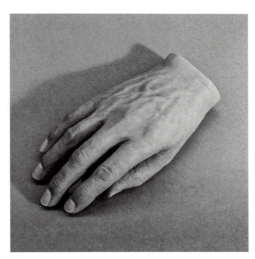

図4-59 シリコーン製プレミアムオーダーシルグローブ
〔提供：（株）佐藤技研〕

(2) 双嘴鈎 (mechanical claw, Arbeitsklaue)

示指と中指に相当する2本の弯曲した固定鈎に向き合った，母指に相当する可動鈎が，ウォームギア装置で他動的に開閉することで握り機能を行う手先具である（図4-61）.

(3) 鎌持ち金具

鎌の柄を固定して把握し，草刈りなどの作業を行うための手先具である.

(a) 曲鉤　　(b) 左前腕切断．曲鉤にカーブをつけ，自転車に乗りやすくする　　(c) 右前腕切断．曲鉤を鍬の中の穴に入れ農耕作業をする

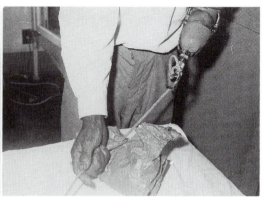

(d) ふだんは曲鉤を用いているが，鎌手先が必要なときは，鎌を改造し，直接義手に取り付けて使用する　　(e) 左前腕切断．曲鉤の突出部を用いて紐結びをする

図4-60　曲　鉤

(4) 鍬持ち金具

鍬，鋤作業のため，鎌持ち金具に球継手を付加した形状の農耕用手先具である(図4-62)．

(5) 物押さえ (holder)

対象物を動かないように押さえつける机上作業用の手先具である．

(6) 作業用手先具の工夫

既製品ばかりにとどまらず，図4-60(d)に示すように作業用手先具として使いやすく工夫し，開発することも重要である．たとえば，作業用手先具のバヨネット取り付け部をネジに改造し能動義手の交換用手先具として使用し，能動義手の実用性を拡大することもある．

人間の手の機能として再現することではなく，作業を行う道具として義手を考えれば，作業用手先具の価値は決して小さいものではない．最近はさまざまな運動に特化した専用の手先具も発売されている (p154 図4-14右)．

─3▶能動フック (utility hook, Greiger-hook)

これは手鉤形に弯曲した金属製の指で，手指の挟む機能を代償する手先具である．中指に相当する鉤は固定（固定指鉤）し，示指に相当する鉤がその根元にある回転軸を中心に開閉する（可動

(a)　　(b) 左前腕切断．双嘴鉤を用いて左官の仕事をしている

図4-61 双嘴鉤

図4-62 鍬持ち金具

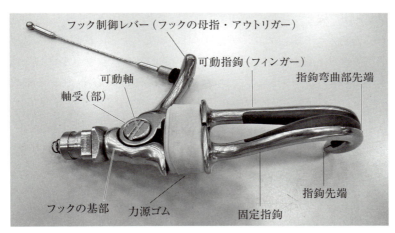

図4-63 能動フックの各部位の名称

指鉤・フィンガー）ようになっている（図4-63）．

　機能からその特徴をあげれば，ⓐ力源はゴムかスプリングにより，ⓑ開閉操作は，母指と呼ばれる突起にかけたワイヤーを引くことによって行い，ⓒ随意開き式（voluntary opening type, VO type）と，随意閉じ式（voluntary closing type, VC type）がある（図4-64）．

　随意開き式とはケーブルを引っ張ることにより，指またはフックが開く方式のことをいう．ケーブルをゆるめると，ゴムまたはばねの力で指，フックが閉じるようになっており，ゴムバンドの数を変えることによりその強さを変更しうる．代表的なものはDorrance No.5で，最もよく用いられている．

　随意閉じ式とはケーブルを引っ張ることにより，指またはフックが閉じる方式のことをいう．さらに，ケーブルをゆるめるとその位置で指，フックが固定され，もう一度ケーブルを引っ張ると開いて元の位置に戻る機構のものを随意ロック式といい，ロック機構のないものは遊動式といっている．代表的なものにAPRL，Sierraフックなどがあげられる．

　図4-65 (e) の横にとび出しているセレクタスイッチにより，固定する場所を完全開大か半開

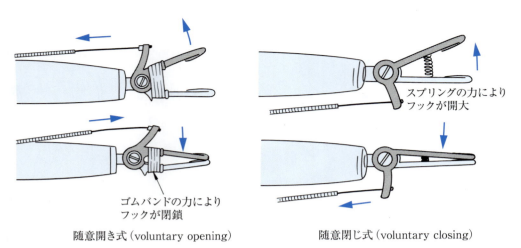

ゴムバンドの力によりフックが閉鎖
スプリングの力によりフックが開大

随意開き式（voluntary opening）　　随意閉じ式（voluntary closing）

図4-64　能動手先具の作動パターン

大かに選択することができる．

標準型を中心にして，サイズ，フィンガーの形状，頑丈さなどに次のような種々の型がある．

①カンテッドタイプ（canted type）：能動フックの鉤の軸受け部を水平にし，フックを正面からみたとき，2本のフックの先端の合わせ面が水平面に対して傾いている形式のものを指す（同(a)）．

②ストレートタイプ（straight type）：能動フックの鉤の軸受け部を水平にし，フックを正面からみたとき，2本のフックの先端の合わせ面が水平面に対して垂直に立っている形のものを指す（同(b)）．

③竪琴型（lyre type）：能動フックの軸受け部を水平にし，上方からみたとき，2本のフックの形状が古代ギリシャの竪琴の形に似ている形式のものを指す（同(c)）．

④重作業用能動フック（utility hook for heavy duty）：重作業に適するよう，頑丈に作った能動フックである（同(d)）．

─4▶市販されている能動フックの種類

(1) ホスマーフック

以前は，Hosmer-Dorrance（ホスマード-ランス）社が販売しており，現在は，フィラワー（Fillauer社）社が販売する一連の能動フックのことを指す．力源としてゴムが使われ，本数を増すことにより強さを変えることができる．フィンガーの形状により，標準型（Model 5X(A)，8X，88X，99X，10X(P，AW)），重作業用（Model3，7(LO)，6(LO)），竪琴型をした555などがあり，そのおのおのに材質を変えた（アルミ合金かステンレススチール）型がある（図4-66）．Dorranceフックの特徴は精密な仕上げと耐久性にあるが，その他，フィンガーの内面にネオプレンゴムが内張りされ，滑りにくく仕上げられていることなどである．欧米では5X(A)が一般的に使用されている．日本人の場合には，体格に応じて5X(A)，88X，99Xなどを選んで使用する必要がある（なおDorranceフックの取り付けネジのピッチは1/2-20UNFである）．

(2) APRL-Sierra フック

ホスマーフックと異なり，フィンガー開閉のメカニズムが複雑で，代わりに随意閉じ式（vol-

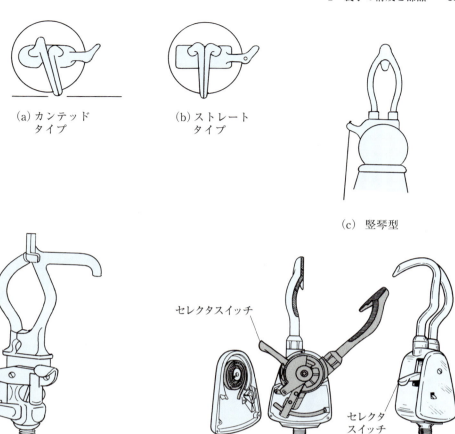

図4-65 能動フックの形

untary closing）と随意開き式（voluntary opening）がある（図4-67）．いずれもゼンマイバネを力源とし，随意閉じ式は物を把持した位置でフィンガーをロックすることができる．随意開き式はロックすることはできないが，フィンガーの把持力を2段階に切り換えられる．フィンガーの形状はDorranceフックの竪琴型（555）と同じで，ネオプレンゴムが内張りされている．欧米（主として米国）ではよく使われているが，わが国では，大きすぎることと重いことが原因で（価格は別にして）使われることは少ない（現在はフィラワー社より販売されており，取り付けネジは1/2-20UNFのピッチである）．

(3) 国産能動フック

すべてDorrance型で，力源にはゴムを使っている．アルミ製とステンレス製がある．いつ頃からか国産フックにはフィンガーにゴム鞘をかぶせて使用するようになり，せっかくのフックの精巧さが失われているところもあり，全体的に精度は劣っている（取り付けネジのピッチはM12-1.75とM12-1.5である．したがって2社間の互換性はない）．

─5 ▶ 能動ハンド（utility hand, Kraftzug-Hand）

これは，コントロールリードを操作することによって手指の開閉操作を制御できる構造のハン

 12P
カンテッドタイプ
プラスチックコーティング
小児用

 10P
カンテッドタイプ
プラスチックコーティング
小児用

 10X
カンテッドタイプ
小児用

 99P
カンテッドタイプ
プラスチックコーティング
小サイズ

 99X
カンテッドタイプ
小サイズ

 5X
カンテッドタイプ
ステンレス
ゴム無
大サイズ

 5XTi
カンテッドタイプ
チタン
ゴム有
大サイズ

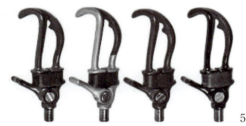 5XA
カンテッドタイプ
ゴム有
大サイズ

 8
カンテッドタイプ
ステンレス
ゴム無
中サイズ

 8X
カンテッドタイプ
ステンレス
ゴム無
中サイズ

 88X
カンテッドタイプ
ゴム有
中サイズ

 555
ストレートタイプ
ゴム有
大サイズ

 7LO
カンテッドタイプ
ステンレス
作業用

 7
カンテッドタイプ
ステンレス
作業用

 APRL
カンテッドタイプ
ステンレス&アルミ
随意閉じ式

 SIERRA2-Load
カンテッドタイプ
ステンレス&アルミ
随意開き式

図4-66　Fillauer能動フック

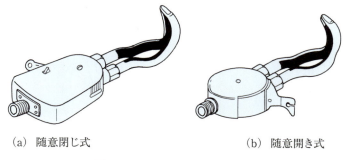

(a) 随意閉じ式　　　　　　　(b) 随意開き式

図4-67　APRL-Sierra フック

ドの総称である（図4-68）．5本指のうち母指と，それに対立した示指，中指の3指が機能する形式と，5本指全部が機能する形式とがある．現在，能動フックの存在を陵駕するような，機能的に実用性，強度，耐久性をもったものはまだないというのが実状である．硬いハンドに軽い装飾手袋をかぶせて実用に供される．

(1) オットーボックシステムハンド
単純な3本指のメカニカルハンドに弾性のあるインナーハンドをかぶせ，手としての形を整えたものである．随意閉じ式と随意開き式があり，ほとんど同じメカニズムとサイズであるために選択しやすい（同(a)）．

(2) 国産能動ハンド
ピッカーハンド（啓愛義肢）（同(b)）とハンド型能動手掌（佐藤技研）（同(c)）がある．ピッカーハンドはオットーボックシステムハンド（VO）とほとんど同じ構造である．サイズは1種のみである．

(3) APRLハンド（同(d)）
フックと同様に随意閉じ式と随意開き式がある．いずれも示指と中指が母指と対立して動く3点つまみ機構で，随意閉じ式は物を把持した位置で指をロックできるため，作業によって適応を選べば実用性は高い．

(4) ホスマーハンド
随意開き式のみで，構造も簡単で，サイズも3種用意されており，比較的使いやすく，実用的な能動ハンドである．

(5) その他
Robin-aids functional ハンド（同(e)）およびmechanical ハンド，Becker imperial ハンドおよびlock grip ハンドなど種々のメカニズムとサイズがある．

─6▶電動ハンド

電動ハンドは，筋電電動義手の項（p262）で述べる．

190　第4章　義　手

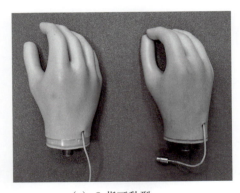

(a) 3指可動型

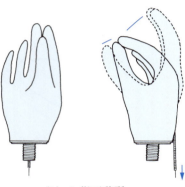

(b) 3指可動型
（インナーグラブを用いている）

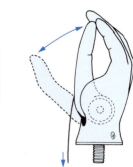

(c) 母指のみ可動型

(d) APRL-Sierra ハンド
（3指可動型）

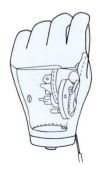 

(e) Robin-aid ハンド
（3指可動型）

図4-68　いろいろな能動ハンド
〔中島咲哉：義肢装具のチェックポイント．第6版，医学書院，2003，p.91を参考に作成〕

3 肩離断と義手

1 切断部位と機能的特徴

肩離断は，義手の機能よりみて次の5つの型に分けることができる．
①肩甲胸郭間切断（forequarter amputation）
②部分的な肩甲骨切断
③解剖学的肩離断
④上腕切断で上腕骨頭，頸部が残っているもの
⑤上腕切断短断端か，または筋力低下が著明のため上腕義手操作ができないもの

2 肩義手ソケットの適合

肩ソケット（shoulder socket）は，肩甲胸郭間切断，肩離断，上腕短断端切断などに用いるソケットの総称である．ちょうど肩部に帽子をかぶるような形となるため，しばしば"shoulder cap"とも呼ばれる．ソケットは全面接触を原則とし，通常，上腕部と別々に製作される（図4-69）．

─1▶ ソケットの種類

(1) 肩甲胸郭間切断ソケット

ソケットと上腕部の2つの部分に分けて製作されるが，ソケットはさらに反対側の肩の鎖骨の上下まで広げる場合もある．

(2) 解剖学的肩離断ソケット

肩甲骨の外転内転を障害しない程度に深く製作する．ソケットの採型にあたっては，肩峰，烏

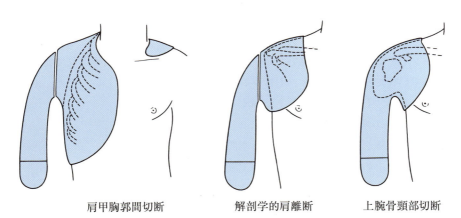

　　肩甲胸郭間切断　　　　解剖学的肩離断　　　上腕骨頸部切断

図4-69 肩離断における断端長とソケットの形状

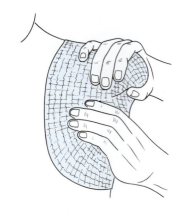

図4-70 肩離断に対するギプスモデルの採型

口突起，鎖骨などの骨隆起部に圧力がかからないように図4-70のようにして採型する．
(3) 上腕骨頸部切断ソケット
　上腕骨頸部切断の場合は，前二者と異なり，隔板肩継手を取り付ける空間がなく，肩と上腕部はくっついた形となっている．ソケットのトリミングを浅くし，義手の運動を障害しないようにする．

─2▶ ソケットの採型と適合（図4-70）
(1) 解剖学的肩離断の場合
　ソケットは肩甲骨の外転内転を障害しない程度に深く製作される．肩継手として他動的に外転屈伸運動が可能な屈曲外転肩継手，または，他動的に屈曲伸展のみが可能な隔板継手（UCLA passive friction sectional plate）が用いられる．
　ソケットの採型にあたっては，肩峰，烏口突起，鎖骨などの骨突起部に圧がかからないようにするために，肩峰の近位部，胸郭の前後と外側を押さえて支持面を作る．肩峰の近位部と胸郭の外側の支持は義手の懸垂にも大事な役割がある．また，胸郭の前後は操作性に関わってくるので，ゆるくならないように注意する．
(2) 肩甲胸郭間切断の場合
　ソケットと上腕部の2つの部分に分けて製作されるが，ソケットはさらに非切断側のほうの鎖骨の上部まで広げる．また，肩継手の取り付けのためにソケットに非切断側の肩の形状をできるだけ復元して積み上げることが必要である．
　ソケットの採型にあたっては，体幹全体を採型する．まず，製作の基準となるため脊椎のラインをマーキングしておくことが重要である．義手の懸垂を非切断側の鎖骨上部で行うため，首に少しかかるくらいまで採型し，ソケットはフレアを付けることが望ましい．また，胸郭の外側でも義手を支えるため，しっかりと押さえておく．
(3) 上腕骨頸部切断の場合
　前二者と異なり，隔板肩継手を取り付ける空間がなく，肩と上腕部がくっついた形のモノリス構造となる．ソケットのトリミングを浅くし，義手の運動を障害しないようにする．
　ソケットの採型にあたっては，肩離断の場合の採型も同様である．異なる点は，残存している上腕骨骨頸部の前後をしっかりと押さえ込む必要があるということである．そうすることで，断端の動きをソケットに伝えやすくなり操作性も良くなる．そのため，ハーネスは通常の複式コン

トロールシステムと8字ハーネスを使用できる．

―3▶肩義手のアライメント

(1) 肩甲胸郭間切断の場合

肩峰がないため，あくまで反対側の肩峰の位置と同じレベルになるように設定する．また肩継手の取り付けのためにソケットに積み上げることが必要である（図4-71）．

(2) 解剖学的肩離断の場合

隔板式肩継手を取り付ける場合，側面からみると，肩峰からの垂線に対して肩継手が5～10°屈曲位をとるようにする．また前面からみた場合には，肩峰からの垂線に対して肩継手が5～10°内側に傾斜するように取り付ける（図4-72）．肩継手として他動的に外転・屈伸運動が可能な屈曲・外転式肩継手（図4-38, 73），または，他動的に屈曲伸展のみが可能な隔板式肩継手（UCLA passive friction sectional plate, 図4-37）が用いられる．

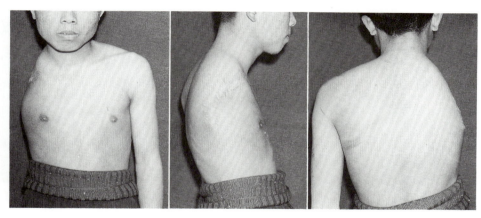

(a) 右肩甲胸郭間切断例

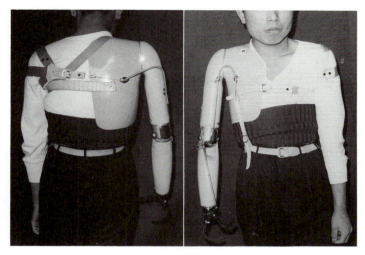

(b) 義手を装着したところ

図4-71 肩甲胸郭間切断例
非切断側の肩甲骨外転によりフックの全開大可能

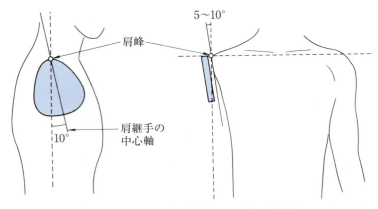

図4-72 肩離断における隔板式肩継手の取り付け位置とアライメント

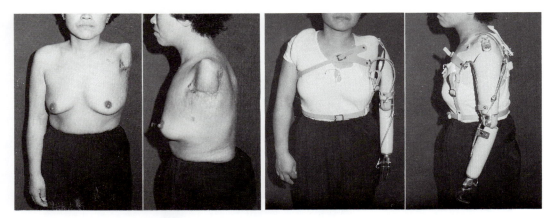

(a) 左肩離断例（解剖学的）　　　　(b) 義手を装着したところ

図4-73 解剖学的肩離断例
屈曲外転肩継手，複式コントロールケーブルシステムを用いている．他動的に外転・屈伸運動が可能である

─4▶ハーネスとコントロールケーブルシステム

　肩義手の場合，力源に利用しうる身体の運動はきわめて制限される．そのため，義手の製作や適合，操作練習での義手の習熟が生活や仕事での活用を左右する．

　肩甲胸郭間切断では，かなり力源が少なく，非切断側の肩甲骨の動きを活用する．基本的な肩義手のハーネスおよびコントロールケーブルシステムは，上腕切断と同様に，複式コントロールケーブルシステム（肘継手の屈曲・伸展および手先の開閉コントロールと肘継手ロック・アンロックのコントロールを行う）で処方される（図4-71）．

　解剖学的肩離断の場合には，肩甲骨の外内転，肩の挙上および下垂，非切断側の肩甲骨外転，胸郭の拡大運動が利用されるが，上腕骨頸部切断の場合には一部の肩関節の屈曲伸展運動が利用できる．

　一般的な肩継手は自動的にコントロールすることは難しく，他動的に屈曲や伸展，場合により

外転運動を行うことができる．

(1) 肩離断における基本的なハーネスとコントロールケーブルシステム

基本的な肩義手のハーネスとコントロールケーブルシステムはp166 図4-26のとおりである．

① 胸郭バンド（chest strap）

前方の肩ソケットより腋窩部，肩甲骨中央部を通り，コントロールケーブルのハンガーに取り付ける．

② 弾性懸垂バンド（elastic suspensor）

肩ソケットの前部で三角筋大胸筋間溝に相当するところから肩上部を通り，斉めに反対側の胸郭バンドに取り付ける．

③ 腰バンド（waist band）

肘継手ロック・コントロールケーブルを固定し，切断側の肩挙上によりロック機構が働くようになっている．

④ 肩義手の操作に必要な身体の運動

肩義手は，複式コントロールケーブルシステム（肘継手の屈曲・伸展および手先の開閉コントロールと肘継手ロック・アンロックのコントロールを行う）を用いること多く，義手操作としては，ⓐ肘継手の屈曲・伸展および手先の開閉コントロールと，ⓑ肘継手ロック・アンロックのコントロールのための身体の運動が必要となる．

ⓐ肘継手の屈曲・伸展および手先の開閉コントロール：肩離断の場合，切断側の肩関節が残存していないため，非切断側の肩関節や両側の肩甲骨（外転・内転や挙上・下制運動）や胸郭帯や体幹の動きなど，残存機能を十分に活用する必要がある．これらは，受傷後は可動性が低下していることが多いが，機能的なリハビリテーションで改善しうる可能性や，また，新しい身体運動を学習する．

ⓑ肘継手ロック・アンロックのコントロール：基本的な肩義手は，切断側の肩甲骨の挙上・下制運動や軽度の体幹の側屈で行う．

以上が基本的な肩義手のハーネスおよびコントロールケーブルシステムであるが，ほかにいくつかの異なる方法が用いられている．

(2) その他の肩義手のハーネスとコントロールケーブルシステム

① 女性用肩義手ハーネス

女性の場合，胸郭バンドが乳房に当たり，不快感を与え，傷を作ることが多い．この場合，図4-74，73（b）のように乳房にかからないようにソケットとハーネスを製作する必要がある．コントロールケーブルシステムは同様に行う．

② 上腕義手とよく似た複式コントロールケーブルシステム

これは，上部のベースプレートとリテーナーの位置が上腕義手の場合とは異なる．すなわち，コントロールケーブル（図4-26の①）が肩甲骨中央部を通るように，リテーナーの位置を正確に上腕ソケット後方に取り付けなければならない．また，肘継手ロック・コントロールケーブル（同②）は，肩ソケットの前部で逆U字形をとるよう2カ所のリテーナーで固定される．

③ 上腕義手と同様の複式コントロールケーブルシステム

肩離断であるが，肩義手の肘継手ロック・アンロックのコントロールを，上腕義手と同様に操作する（図4-75）．

196　第4章　義　手

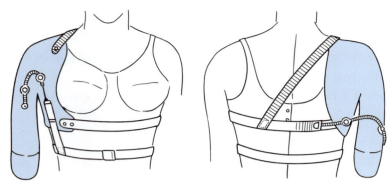

図4-74　女性用肩義手ハーネス
乳房にかからないように製作することがポイントとなる

図4-75　上腕義手と同様の複式コントロールケーブルシステム

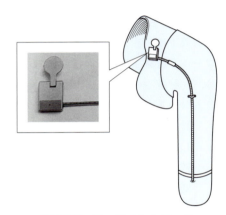

図4-76　ヌッジコントロール

④　ヌッジコントロール

　肩義手に，図4-76のように顎の下にペダルのような押さえを付けることで，これを顎または非切断側の手で押さえることによって肘継手のロックのコントロールができる．これをヌッジコントロール（nudge control）という．しかし，このような顎で押さえる動作は不格好であるため，顎以外の部位で押さえを押すこともある．手で押さえることを前提にしているなら，押さえを前腕支持部に設置し，肘の屈曲の際に手で持ち上げる動作と一緒に押さえるようにしてもよい．非切断側手で押さえると両手動作に支障があることなので，使用場面を十分に検討し使用する．

─5▶操作性向上のための工夫

(1) 肩スリングを用いたハーネス

　先に述べた基本型は，肩甲骨の外転運動のある肩離断でもコントロールの効率はあまりあがらない．特に，肩甲骨外転運動を欠く肩甲胸郭間切断では十分な成績をあげることができない．このため，図4-77のように腋窩ループと肩スリング（shoulder sling）を取り付ける．肩スリングの位置が，肩甲後部のベースプレートの位置と直線上にあるようにしている．このようにすると，腋窩ループのみよりもスリングにかかる力が大きくなって効率を増すとともに，腋窩にかか

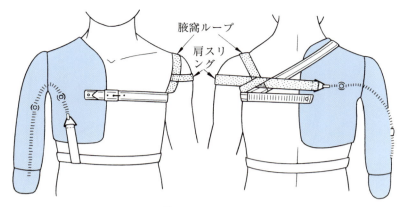

図4-77　肩義手に対するハーネスの変法

る不快感を少なくすることができる．図4-71の症例もこのハーネスを用いている．

　また，腋窩ループの代わりに，軟性の熱可塑性樹脂で前面は大胸筋，後面は肩甲骨にかかる大きさでパッドを製作することで，義手の懸垂に対する圧迫や操作時にかかる圧迫の軽減に繋がり不快感を少なくすることができる．肩甲骨にかけているため，肩甲骨外転運動を取り出しやすくなり効率を増すことになる．このパッドを大胸筋パッドと呼んでいる．

(2) ケーブルハウジングライナーやコーティングケーブル

　ケーブルハウジングライナーは，摺動性に優れたプラスチック製のライナーを内包したケーブルハウジングで，テフロンライナーやインナーライナーともいわれている．ケーブルハウジング内に設置し，滑りやすさを向上しケーブルとハウジングの間に生じる摩擦抵抗を減らすことで伝達効率や耐久性の向上が期待できる．

　コーティングケーブルは，ステンレスなどの金属製のケーブルを，ナイロンやテフロンなどの樹脂でコーティング被膜したケーブルの総称である．テフロン（フッ素樹脂）コーティングでは，非粘着性・撥水性・すべり性に優れている．

(3) 肘プーリーユニットによる複式コントロールケーブルシステム（HRC：兵庫県立総合リハビリテーションセンターの略．以下同）

　現在のコントロールケーブルシステムの方式では，肩義手や短断端用上腕義手などにおいて，力源における制約とケーブルの走行経路の欠陥が原因となって，肘を屈曲するにつれてケーブルに無駄なたるみが生じ，

　ⓐ肘を屈曲するのに必要な力が有効に伝達されなくなる，
　ⓑ肘の屈曲角度が大きくなると手先具の操作ができなくなる，

などの現象が生じる．このため，能動義手の制御効率が極端に悪くなり，能動義手の有効性にまで影響を及ぼしているといえる．

　この問題に対して，肘プーリーユニットによるシステムが開発された（図4-78）．

　これは，従来リフトレバーで屈曲させ，ケーブルシステムを支持していたものを，肘継手軸に付けた直径35mmのプーリーによって行うこととし，リフトレバーが肘軸から離れていることによって生じるケーブルのたるみをなくして，屈曲位でも効率よく操作できる方法である（図4-79）．この方式によって能動肩義手は，最大屈曲位でも手先具の操作が可能となり，実用性は格段に改善され，使用者も増加している．

198　第4章　義手

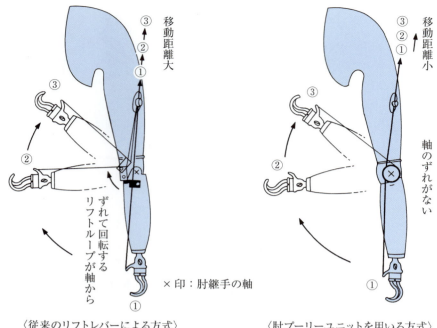

図4-78　肘プーリーユニット方式
〔中島咲哉：義肢装具のチェックポイント．第6版，医学書院，2003，p.98より〕

(4) 9字ハーネスやリテーナーを増やす方法

　肘プーリーユニットによる複式コントロールケーブルシステムと同時に，肩義手ではソケット後面のリテーナーを増やしてケーブルシステムのぶれを少なくすることを行っているが，これだけで効果があることも多い（**図4-80**）．

(5) コントロールケーブル操作効率倍増装置 (excursion amplifier)

　これは，コントロールケーブルを引っ張る場合，強い力で距離を引っ張る能力を，力が多少弱くなっても長い距離を引っ張れるように変え，操作の効率を増す装置である．肩離断の場合は，コントロールシステムに用いる力はかなりあっても，引っ張ることのできる距離が短い欠点があり，この装置の適応となる．**図4-81**は滑車の原理を利用したものである．

3 肩離断と義手　199

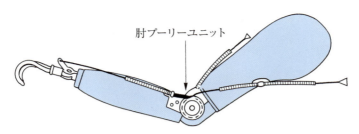

(a) 肘プーリーユニットを装着した上腕義手

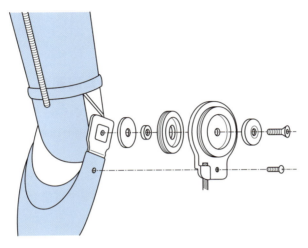

(b) プーリーユニットの構造

図4-79 肘プーリーユニットの構造
〔中島咲哉：義肢装具のチェックポイント，第6版，医学書院，2003, p.98より〕

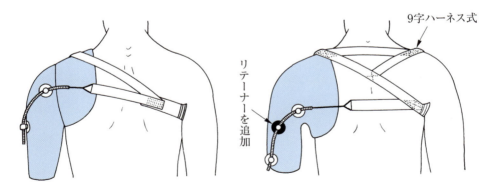

(a) 従来の胸郭バンド式

(b) HRC方式
リテーナーを増やす. 9字ハーネス式として肩甲帯の動きを大きくし，ケーブルの操作を容易にする

図4-80 肩義手用コントロールケーブルシステムの工夫
〔中島咲哉：義肢装具のチェックポイント，第6版，医学書院，2003, p.98より〕

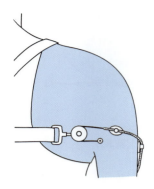

図4-81 コントロールケーブル操作効率倍増装置

─6▶ 肩継手に能動単軸肘ブロック継手を用いた肩義手

　遊動式肩継手は，固定の強さをネジで任意の固さに設定できる．しかし，動作によっては固定力が不足する，また，強すぎることがある．たとえば，料理での両手鍋の移動や歩行時の手の振りなどが挙げられる．

　肩継手に，能動単軸ブロック肘継手（ホスマー社製E-50Elbow）を用いた，HRC式肩継手は，肩屈曲0〜30°の範囲の固定が体幹の側屈により任意の位置で可能で，屈曲・伸展の遊動性，他動的な内外旋の動きが可能である[408]．

4 上腕切断と義手

1 切断部位と機能的特徴

上腕切断は，断端長により次の3つの切断部位に分類される（図4-82）．

(1) 上腕短断端

非切断側上腕長の30〜50％の長さを有するものである．断端の可動域は非切断側の約1/2で，短断端のためにソケットの適合は断端を挟み込むような形をとらなければならない．このため標準型と異なり，ソケットの上縁は高くなり，また，コントロールケーブルの取り付け位置などが変わってくる．しかし，他の肘継手やハーネスなどは標準型の場合とほぼ同様である（図4-83）．

(2) 上腕標準型断端

非切断側上腕長の50〜90％の長さを有するものを含んでいる．回旋可動域は非切断側のおおむね1/2で，標準型の上腕義手が処方される．

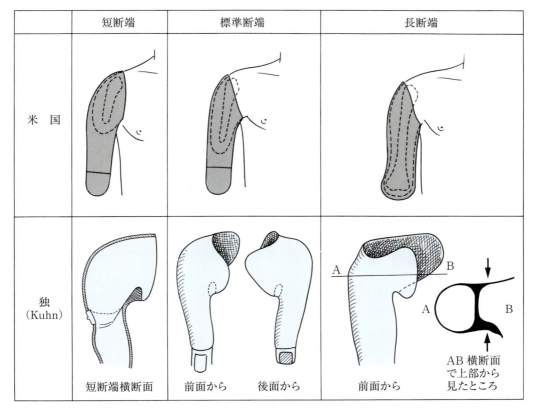

図4-82　上腕義手ソケットの断端長の差による形状

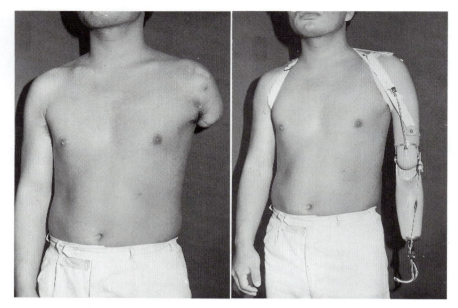

(a) 上腕短断端　　　(b) 差し込み機能適合式上腕ソケット,
　　　　　　　　　　　能動単軸ブロック肘継手

図4-83　左上腕切断短断端例

(3) 肘離断

　解剖学的な肘離断と，上腕骨の長断端で非切断側上腕長の90％以上の長さを有するものを含んでいる．肘離断では，肩関節回旋運動は120°以上の正常に近い可動域をもっている．
　義手の点からみた特徴は，断端長が長いために能動肘ブロック継手が取り付けられず，継手のロック機構がソケットの外側に取り付けられている能動単軸肘ヒンジ継手が処方されるのが普通である（図4-84）．

2 上腕義手ソケットの適合

　上腕義手は，残存機能をできるだけ生かすように，断端長に応じたソケットの適合と，肘継手の選定が考えられて処方される．上腕切断に用いる義手のソケットとしては次のようなものがある．

―1▶ソケットの種類

(1) 差し込み式上腕ソケット

　ソケットと断端との間のすきまの調節を切断者が断端袋の枚数などで行う上腕ソケットで，適合があまり厳密でないので勧められない．
　オープンエンド式上腕ソケットの一つで円筒状の形状で底を解放した形式も差し込み式上腕ソケットに含まれる．

(2) 差し込み機能適合式上腕ソケット（差し込み式全面接触上腕ソケット）

　断端袋を用いて装置する差し込み適合の上腕ソケットであるが，チェックソケットを用いて厳

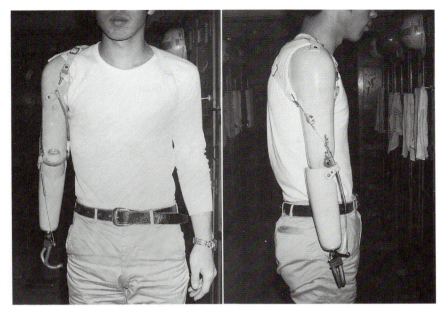

図4-84 右肘離断（上腕切断長断端）例（吸着式上腕ソケット，能動単軸ヒンジ肘継手）

密に適合を行ったソケットで自己懸垂性はない．

(3) 吸着式上腕ソケット

差し込み機能適合式上腕ソケット（差し込み式全面接触上腕ソケット）にコンプレッション値を与えて吸着バルブを取り付け，吸着式とした上腕ソケットである．装着には，引き布を使用し，断端の軟部組織を適切にソケット内に引き込み，適度に圧迫することにより，ソケットの内側面と断端との間に接着作用を生じさせる．さらに，断端とソケットとの間に設けた死腔を外気と遮断し，また，ソケットが脱落しようとすることで死腔圧が負圧になることにより自己懸垂性をもつことができる．

(4) オープンショルダー式上腕ソケット

全面接触式上腕ソケットの一つの型で，ソケット前壁上部は上腕骨骨頭，烏口突起を納め，後壁上部も深く肩甲棘下の背面を覆っている．ソケット外側壁上部は断端長に応じて切り取ってあり，全面接触タイプのソケットである．

(5) ミュンスター式上腕ソケット

ソケット前壁上部は上腕骨骨頭，烏口突起を納め，後壁は肩甲骨棘下背面を深く押さえており，外側壁上部は肩峰を露出する，自己懸垂性のソケットである．バルブを取り付けて吸着式とすることもある．

(6) 肘離断用ソケット

上腕切断長断端や肘離断に用いるソケットで，肘離断では断端を挿入するときに上顆骨隆起部が問題になりやすいため適合を特に配慮したソケットである．着脱を考慮し有窓式にする場合もある．

(7) シリコーンライナーを用いたソケット

上肢切断においても，圧分散や吸着効果の高いシリコーンライナーを用いることがある．断端

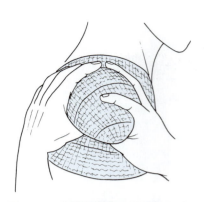

図4-85 上腕短断端に対するギプスモデルの採型

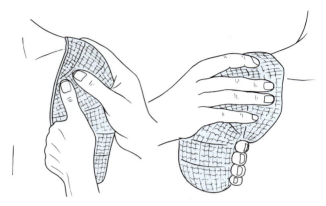

図4-86 上腕切断に対するギプスモデルの採型（Kuhn）

周径によりサイズを選定する．

　上肢切断用は，オズール社製とオットーボック社製があり，適応は，ピンアタッチメントがあるため断端長が長い場合は適応となりにくい．

　装着方法は，シリコーンライナーを断端の先端部に空気が入らないようしっかり当て，巻き上げるように装着する．シリコーンライナーの底部に取り付けられているキャッチピンをソケット内に取り付けられているアタッチメントに挿入し，しっかり合着（ピン懸垂）するまで押し込む．

─2▶ソケットの採型と適合

(1) 短断端の場合

　短断端例では，図4-85のように両側母指で腋窩部の凹みを押し込み，断端の機能的な長さを増すようにする．一方，右示指で断端の外転を防ぎ，他の両手指および手掌部で，肩の上，前後から押さえて解剖学的な適合を得るようにする．

(2) 標準型断端の場合

　標準型断端では腋窩部は短断端のように押さえ込まなくともよいが，断端が左なら術者の左手の2〜4指および手掌部を腋窩部に置き，示指を腋窩に押しあて，前後壁とも上にあげるようにする．（図4-86）．

　この操作により，腋窩から肩峰までの距離を短くすることができるため，断端がソケットからずれにくくなる．前壁では，左手の母指と示指との間に大胸筋腱を挟み込むようにして，大胸筋に対する圧迫を避けると同時に，左手母指を前壁にあて押さえ込むことで，鎖骨下に空間ができないようにする．この間，右手の母指，示指で鎖骨を挟みながら上部を押さえる．残りの指で肩甲骨部の肩甲棘の下部を押さえる．それらの結果，肩甲棘に対する圧迫を除くことになる．

　また，義手の操作性を上げるために，ソケットの前外側壁，後外側壁の上腕骨骨幹部を押さえ込み支持面を作る．これによって，肩関節の屈曲・伸展・外転の運動をソケットに伝え易くなる．また，上腕骨の骨端部がソケットに接触し疼痛が起きないようにする役割も果している．

　ソケットの開口部は前下方に大胸筋，後下方に広背筋のチャネルをもつ三角形の形となる（図4-87）．

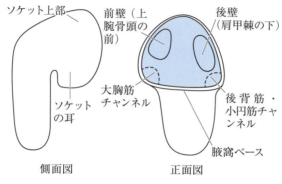

図4-87 上腕ソケットの開口部の形状
〔柴田, 1999〕[407]

(3) 長断端の場合

長断端の場合の陰性モデルの採型技術は，短断端，標準断端の場合に比較して問題が少ない．しかしながら，ほとんどの症例が吸着ソケット（図4-84）の適応となるので，そのコンプレッション値のとり方は，断端の軟部組織，筋肉発達度などを十分考慮したうえで採型を行う必要がある．

(4) ソケットの適合

上腕義手のソケットは，前腕義手の場合と同様，原則として二重ソケットを用い，ソケット全周が断端の全面と接触するタイプのソケットが用いられる．これに，上腕肩部の機能解剖学的な適合が採型手技の中に織り込まれ製作される．上腕義手ソケットの適合に関する重要な点を列挙する．

①上腕切断においては，長軸における回旋機能は重要な問題とは考えられていない．その理由は，ⓐハーネスやコントロールケーブルシステムがソケットの回旋運動を制限せざるをえない，ⓑ解剖学的に肘離断を除いて上腕骨の周囲に厚い横断面で円形を示す軟部組織に覆われ上腕骨の回旋運動がソケットに生かされない，ためである．しかし，上腕の回旋機能を少しでも生かすことはADL上重要で，この意味でも吸着式ソケットなどによる適合方法が望まれる．

②上腕義手ソケットの適合において手先具で物をつかむ動作が主となる．このため，上腕骨の前下端部とソケットとの圧迫を避けることが必要であり，その部位でのソケットのレリーフが必要である．

③上腕切断の横断面では上腕骨の前後に二頭筋，三頭筋が位置するため，当然ソケットの前後径が内外径より広くなるべきである．また，ソケット内壁を矢状面で平坦とすることにより肩関節の内転を容易とし，回旋方向の安定性を増すことが重要である．

④断端長に応じてソケット上辺の深さ（トリミング）が変わり，一般に短断端であるほどソケットの上縁は高く，長断端になるほど低くなっている．図4-82の上段は，米国で通常用いられている上腕義手ソケットの深さと断端長との関係を示したものである．短断端の場合には，ソケットに安定性をもたせるために，肩峰を少なくとも2.5〜4cm包み込んだ形をとらせる．また腋窩部では，切断者に苦痛を与えない限りソケット壁をできるだけ高くするようにしている．標準型断端では，ソケット外壁は肩関節を外転したときに肩峰にかからぬよう

な程度に低くし，三角筋をかかえ込んだ形にする．前壁は，肩関節屈曲運動で移動によるギャップを少なくする．これに対して下段は，主にドイツで用いられているソケットの形を示したものである．より機能解剖学的な適合を重要視した形をとっているのが特徴といえよう．このため，特に採型時の適合技術が重要とされる．

3 上腕義手のアライメント

上腕義手のアライメントを決めるうえで重要なのは，肘継手の回転盤（ターンテーブル，Hosmer肘継手の場合）の取り付け位置とその角度である．

①肩峰からターンテーブルの遠位端までの長さは，肩峰から外側上顆までの長さから3.7cm引いた長さとなる．

②矢状面からみたターンテーブルの位置は，**図4-88**のように肩峰を通る中心線がターンテーブルの中心を通過し，ターンテーブルの角度は直角に取り付けられる．

③前額面からみたターンテーブルの位置は，肩峰からの垂線がターンテーブルの中心を通過し，ターンテーブルの角度は直角に取り付けられる．体幹の大きさにより手先具との隙間が少ない場合は，ターンテーブルの位置を外側方向へ平行移動させるようにすると良い．

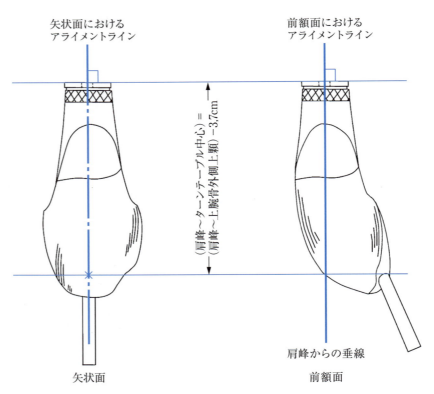

図4-88 上腕義手・肩義手における肘継手ターンテーブルの位置とアライメント

4 ハーネスとコントロールケーブルシステム

—1▶ 上腕義手における基本的なハーネスとコントロールケーブルシステム

　上腕切断の場合は，前腕切断と異なり肘関節の屈伸機能をもたないため，義手に肘継手の固定，遊動をコントロールする機構をもたせる必要がある．

　一つの方法は1本のケーブルで肘継手の屈曲と手先の開閉動作の2つのコントロールを行う複式コントロールケーブルシステム AE dual control cable system（図4-89）である．もう一つのコントロールは肘継手ロック・コントロールケーブルによるもので，肘継手のロック機構（lock and unlock）のコントロールに用いられる．

(1) 肘継手屈曲および手先コントロールケーブルシステム

　このコントロールケーブルは，ハーネスのハンガーからフックまで前腕義手と同じように連なっているが，ケーブルハウジングの形が異なり，上下2つの部分に分かれている．ハウジング

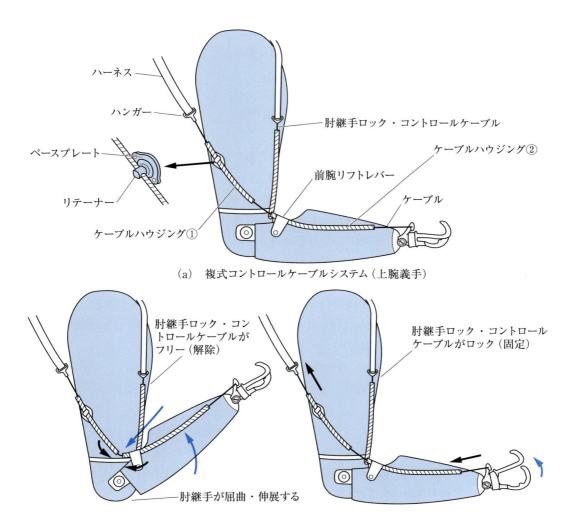

図4-89　上腕義手の複式コントロールケーブルシステム

の上の部分(図4-89(a)の①)は，義手の上腕部の外側にベースプレート，リテーナーで取り付けられている．下の部分(同②)は，前腕部のレバーループ(elbow flexion attachment, リフトレバー)に取り付けられている．

このように，ケーブルハウジングが二分されていることと，ケーブルが肘継手の前を通っているために，ケーブルに緊張が加わると，肘継手が固定されていない場合(同(b))には肘継手が屈曲する結果となる．これに対して肘継手が固定された場合(同(c))では，ケーブルの緊張により手先の開閉に働く結果となる．

(2) 肘継手ロック・コントロールケーブルシステム

肘継手の前部より上方に出ているケーブルを上方に引っ張ったりゆるめたりする動作を繰り返すことにより，肘継手が固定されたり固定が外れたりする．この場合に重要なことは肘継手の機構をよく知っておくことで，ケーブルを一度引っ張った動作のあとで完全にゆるめてからもう一度引っ張らないと，肘継手ロックのコントロールはできない．この両者のコントロールシステムの関係をまとめると次のようになる．

①肘屈曲手先コントロールケーブルの緊張により肘継手が屈曲する．
②肘継手ロック・コントロールケーブルを引っ張ると，肘継手が固定される．
③再び肘屈曲手先コントロールケーブルを引っ張ると，手先の開閉運動が起こる．
④再び肘継手ロック・コントロールケーブルを引っ張ると，肘継手の固定が外れ遊動となる．

(3) 上腕義手の8字ハーネス

上腕義手のハーネスは通常，前腕義手と同様，8字ハーネス(AE figure 8 harness)が用いられる(p165 図4-23)．ハーネスは次の4つの部分より成り立っている．

① 腋窩ループ(axilla loop)

腋窩ループは腋窩部の下を通るループで，身体の運動を義手に伝えるアンカー的役割と，断端へのソケットの懸垂の役割をもっている(図4-90の①)．

8字ハーネスの一部であり腋窩部の下を通り非切断側を1周しているループである．役割は，義手の懸垂と力源である肩甲骨外転運動と肩関節の屈曲運動を取り出し，コントロールケーブルシステムに伝える働きがある．腋窩には負荷がかかるため，それを軽減させるために腋窩パッドを取り付けることが多い．腋窩パッドは軟性樹脂パイプやクッション性のある材質を使用する．

② 前方支持バンド(front support, anterior suspension strap)

これは，腋窩ループから切断側の肩の上部を経て三角筋大胸筋間溝に相当するところを通り，義手上腕ソケットの前内側部に取り付けられる．下2/3は弾性ゴムよりなり，これが肘継手ロックのコントロール機構に役立つ(同②)．

③ 外側懸垂バンド(lateral suspension strap)

腋窩ループより肩峰突起の前を通り，ソケットの上部に取り付けられる．これはソケットの懸垂に役立つ(同③)．

④ コントロールケーブル取り付けバンド(control cable attachment strap)

8字ハーネスの中央部より肩甲骨の中央部の下を通り，ハンガーまでのバンドである．このバンドには，コントロールケーブルの緊張度を調節できるバックルが取り付けられる(同④)．

(4) 義手の操作に必要な身体の運動(図4-90)

①肩関節の屈曲運動が，肘継手の屈曲と手先の開閉コントロールに用いられる．
②さらに肩甲骨の外転運動が追加されることがあるが，その場合には屈曲ほど十分な効果が得

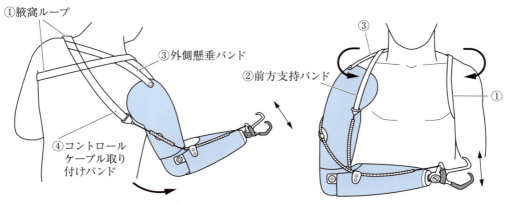

図4-90 上腕義手（8字ハーネス）のフックの開大に必要な身体の運動

られない．むしろ，前腕義手の場合と同様に体幹部に近い動作に必要である．

③肘継手ロック・コントロールのためには，肩甲骨の下垂と，肩関節の外転および軽度伸展が必要である．この動作により前方支持バンドの弾性部分を伸展でき，ケーブルの緊張を増す結果となる．

─2▶ その他の上腕義手のハーネスとコントロールケーブルシステム

(1) 上腕義手ハーネス胸郭バンド式 (AE chest strap harness)

上腕義手の場合，通常，上述した8字ハーネスが用いられるが，重労働で手先に重い負荷を必要とする場合には一部のハーネスに無理な力がかかり，これが身体にくい込んで疼痛の原因となることがある．

このような場合には，この幅の広い胸郭バンドを用いると広い範囲に負荷を分散させることができ，疼痛を避けうる．

しかし反面欠点も多く，着脱に不便であること，胸郭バンドの固定性が不良であること，女性では乳房の関係で不向きであることなどがあげられる．したがって，この胸郭バンドの適応は，主に，重労働者で重い物をかつぐ仕事の場合と，腋窩ループが不適応であった場合である．

この胸郭バンドには，図4-27（p166）のように，革製の肩当て（leather shoulder saddle）を用いる場合と，ダクロンベルトを縫い合わせたもの（webbing shoulder saddle）があるが，後者のほうが洗濯に便利であり，よく汗をかく人に用いられる．

(2) 上腕義手3本制御ケーブルシステム (AE tripple control system)

胸郭バンドを図4-91のように背中で2つに分ける．ケーブルはハーネスの2つの点でリテーナーで固定（①）され，ハウジングの中を通って引っ張られ，手先開閉運動に働くようになっている．これは，ⓐ肩甲骨外転による手先の開閉コントロール，ⓑ肩関節屈曲による肘継手の屈曲，ⓒ肩関節伸展による肘継手ロックのコントロールという，3つの異なるコントロールシステム（tripple control system）をもっている．

この3本制御ケーブルシステムは，背中が広く肩関節の可動域が広い場合に用いるが，コントロール機構が複雑なことが欠点である．3本制御ケーブルシステムはほかにもいろいろな形で用いられている．図4-35（p172）はその一例で，Hepp，Kuhnによりドイツで用いられているものである．

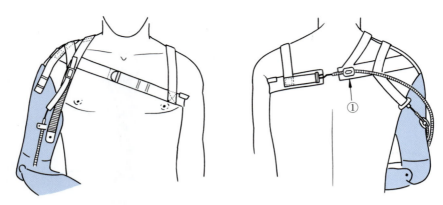

図4-91　上腕義手3本制御ケーブルシステム

(3) 両上腕義手のハーネス

　両前腕義手の場合と同様，両上腕義手にも一側上腕義手のハーネスが両側に用いられる（p167 図4-30）．つまり，一側のコントロールケーブル取り付けバンドが反対側の肩を通り，前に下り，弾性懸垂バンドに取り付けられる．この8字ハーネスの後方で上下にクロスバック・ストラップと両肩を結ぶバンドが取り付けられる．

5 前腕切断と義手

1 切断部位と機能的特徴

前腕切断は，図4-92に示したように，断端の長さによって5つの型に分類される．
①前腕極短断端：これは非切断側前腕長の35％以下のもので，正常回旋運動を認めない．
②前腕短断端：これは非切断側前腕長の35～55％のものを指し，回旋範囲は60°以下である．
③前腕中断端：これは非切断側前腕長の55～80％の長さのものを指し，回旋範囲は非切断側100°に比較して少なくとも60°以上残存している．
④前腕長断端：これは非切断側前腕長の80～100％の長さのものを指し，回旋範囲は非切断側140°に対して少なくとも100°以上残存している．
⑤手関節離断：これは解剖学的な手関節離断と尺骨の遠位端の一部が欠如したものが含まれる．前腕の回旋範囲は，正常180°に対して120°以上残存している．

2 前腕義手ソケットの適合

　前腕義手は，残存機能をできるだけ生かすように，断端長に応じたソケットの適合と，肘継手および上腕カフが考えられて処方される．前腕切断に用いる義手のソケットとしては次のようなものがある．

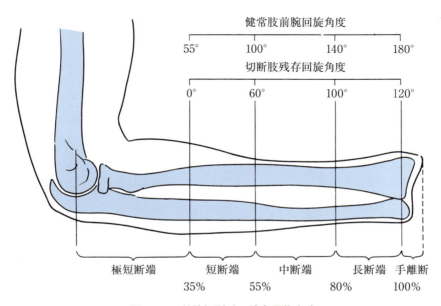

図4-92　前腕切断時の残存回旋角度

─1 ソケットの種類

前腕義手ソケットには，形状や機能面などさまざまな次のようなものがある．

(1) 前腕用スプリットソケット (trans-radial split socket)

倍動肘ヒンジ継手，断端操作式能動単軸ヒンジ継手を用いる前腕義手用のソケットで，前腕部の殻がソケットと別個に動くようになっている（p178 図4-47，p168 図4-31 (a)(b)）．

(2) ミュンスター式前腕ソケット (Münster type trans-radial socket)

顆上部まで深くソケットに断端を納める自己懸垂性前腕ソケットである．顆上部挿入のためのリリーフがないので，ストッキネットを引き出して装着する．

原則として，ソケットの全周が断端に全面接触するように全面接触ソケットが製作されるが，断端長に応じてソケットの上辺の深さ（トリミング）が変わってくる．

(3) 差し込み式前腕ソケット

これは在来式の差し込み適合による前腕ソケットであまり厳密に適合を行わないもので，ゆるい適合を望むケース以外には勧められない．また，オープンエンド式前腕ソケット（差し込み式前腕ソケットの一つで円筒状の形状で底を解放した形式）もここに含まれる．

(4) 差し込み式機能適合前腕ソケット（差し込み式全面接触前腕ソケット）

チェックソケットを用いて適合を厳密に行った差し込み式の前腕ソケットである（p168 図4-31 (c)）．

(5) 吸着式前腕ソケット (trans-radial suction socket)

差し込み機能適合式の前腕ソケットに適度のコンプレッション値を与え，吸着バルブを用いて懸垂性を与えたものである．

(6) ノースウェスタン式前腕ソケット (Northwestern type trans-radial socket)

上部まで深くソケットに断端を納める自己懸垂性前腕ソケットで，断端を挿入しやすいように顆部にリリーフを付けてある．

(7) 有窓式ソケット

手関節離断用ソケットの一つで，茎状突起部が残存している断端（断端末は太いが骨間部は細い場合）に，断端末を通りやすく装着を容易にすることや，ソケットの適合を良くするため，ソケットの中ほどにくり抜き部分とその部分を塞ぐ蓋がある差し込み式のソケットである．

─2 ソケットの採型と適合

p168 図4-31，図4-93はソケットの深さと断端長との関係を示したものであるが，一般的に短断端であるほどソケットの上縁は高く，長断端ほどソケットの上縁は低くなっている．

ここでは，現在特によく用いているミュンスター型とノースウェスタン型の前腕義手と手義手を中心に述べてみたい．

(1) ミュンスター型前腕義手

短断端例では，肘屈伸能力を改善するために，従来，多軸肘ヒンジ継手，倍増肘ヒンジ継手，スプリットソケットなどが用いられたが，前腕部を持ち上げる力，パーツの耐久力などに欠点が認められている．このため，1950年頃よりミュンスター大学のHepp, Kuhnにより，上腕骨顆部までをかかえ込んだ深いソケットが開発され，現在，前腕短断端に主として用いられている．

この義手は，機能と形状からすれば "supracondylar fitting trans-radial socket" とでも呼べ

ものであるが，米国ではミュンスター型前腕ソケットと呼ばれている．
　ミュンスター型前腕義手ソケットの特徴は次のとおりである．
①ソケットの側面上縁は深くなっており，上腕骨内外両顆部の中枢部まで覆う．
②ソケットの伸展側上縁は肘頭部まで覆い，断端長が短いほどかぶりを高くする（図4-93～95）．
③ソケットの屈曲側上縁は前腕の中枢端まで覆い，屈曲したときに上腕二頭筋腱部を圧迫しな

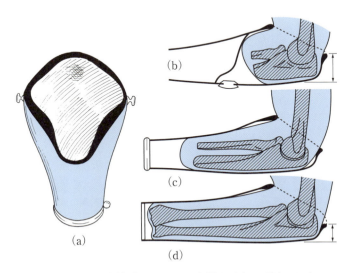

図4-93　前腕義手ソケットの上縁トリミング（Kuhn）
（a）ソケット開口部の形状，（b）側面から見た短断端で，肘頭部のかぶりを少し高くする，（c）側面から見た上縁の高さ（中断端），（d）側面より見た長断端で，肘頭部のかぶりを少し低くする

図4-94　右前腕切断
ミュンスター型前腕義手を装着

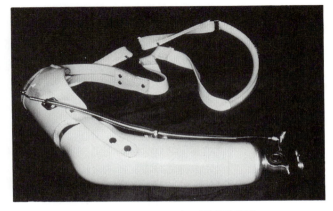

図4-95　ミュンスター型前腕義手

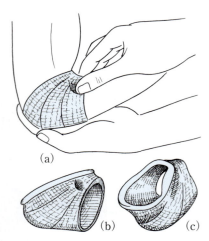

図4-96　前腕切断に対するギプスモデルの採型（Kuhn）
(a) 採型，(b) モデルの側面，(c) モデルの内側

表4-4　ミュンスター型前腕義手の長所と短所

長　　　　所	短　　　　所
①短断端あるいは極短断端に適応する ②作動時，負荷時に抜けない ③軸負荷，牽引力が大きい ④自己懸垂性があり，ハーネスが不要な場合がある．またハーネスの簡略化が可能になる ⑤適合性が良いために義手のコントロールが容易になる	①肘関節および前腕の運動が制限される ②長断端の適応に問題がある ③採型，製作に慎重な態度が必要である ④義手を装着したとき，肘関節が最大伸展約145°に制限される

いように溝が取り付けられている（p168 図4-31(a)）．
　④ソケットは約35°の初期屈曲角度（initial flexion）をもつため，義手装着時に肘関節が最大伸展約145°に制限される．
　したがって本義手は，ソケットの解剖学的な適合が従来の義手に比較してきわめて厳密でなければならないため，ソケットの適合の鍵を握る陰性モデルの採型手技が重要である．
　このため，図4-96のように，ギプスモデル採型のときに屈曲側で上腕二頭筋腱部を母指と示指の間で押さえて，腱に圧迫が加わらないようにする．
　これと同時に，他側の指先で肘頭上部を押さえて肘頭部をかかえ込み，これに圧迫が加わらないようにすることが重要である．このミュンスター型前腕義手の装着経験から，その長所と短所をあげると表4-4のようになる．特に軸負荷，牽引力に対する安定性が高いため，図4-97, 98のように農耕作業や運搬作業で十分にその利点を発揮しうる．

(2) ノースウェスタン型前腕義手

　前述のミュンスター型ソケットは，ソケットの開口部の比較的高い前縁が狭い前後径を保ち，これにより自己懸垂性を得ていると考えられる．しかし，この高いソケット前縁が一方では肘屈曲を制限する欠点をもっている．このためノースウェスタン大学（Childress, Billock）では，ソケットの前縁を低くして屈曲可動域を得る反面，これにより減少するソケットの安定性を補うため上腕骨顆上部の適合範囲を高くしたソケットを開発した．

図4-97　左前腕切断　　　　　　　　　　図4-98　左前腕切断
ミュンスター型義手で耕耘機を運転　　　　ビール箱2個を運搬している

　陰性モデルの採型，陽性モデルの修正の基本的な事項を図4-99に示した．これにより内外性の安定性が増加し，これによりソケットの自己懸垂性を得ることを目的とした．ソケットの材質についても考慮を加え，硬性60％に軟性40％のアクリルレジン樹脂を混合することで若干のたわみを生じることによるソケットの装着を容易にすることと，懸垂効果を得るようにしている．ミュンスター型に比較して屈曲角度の制限が少ないのが利点で，今後とも広く用いられるソケットであろう．

(3) 手義手

　主として，手関節離断に用いる義手である．図4-100は，手関節離断における断端末より2.5cm近位部での横断面である．ソケットの適合は，この図に示すように橈骨側面の約50％を覆うようにし，肘関節の屈曲制限を起こさぬようにする．また，ソケットの尺骨側は肘頭まで覆うことが必要である．これにより，手先具にかかる挙上，下垂力など曲げモーメントに耐えるソケットの適合を得ることができる．

　手関節離断および長断端の場合には，橈尺骨間の前腕回旋力をそのまま義手ソケットの回旋力に生かすように，図4-101のように，そのまま母指および他の指との間で挟み込み，ちょうどソケットの遠位部がネジ回しの先のようになるように採型する．また，肘継手が通常回旋能力を損なわないように革製のものが用いられる．

3　前腕義手のアライメント

　前腕義手のリスト（wrist）金具の取り付け位置とその角度は，義手の全体の機能に大きな影響をもっている．

　①側面からみると，リストの位置は断端の中心線がリストの後方端を通るように設定し，水平面に対しては5〜10°屈曲位をとるように傾斜させて取り付ける．

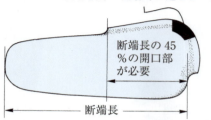

(a) ソケットの外側とトリムライン（断端長が12.5cm以上のとき）

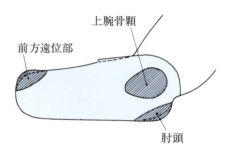

(b) 陽性モデルの盛り修正（肘頭，上腕骨顆部，前方遠位部（荷重に対して））

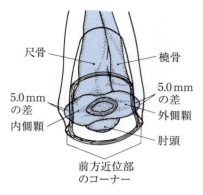

(c) ソケットトリムラインと上腕骨との関係（肘90°屈曲位での前上部より見た形）．両側に上腕骨上顆とソケット間に5.0mmの差があることが懸垂機能のために重要

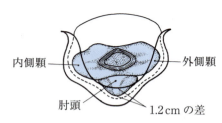

(d) 上腕骨顆部の直上で見た形．肘頭，上腕顆部とソケットの後上部のトリムラインを示す．肘完全伸長を可能とする

図4-99　ノースウェスタン型前腕義手の採型と修正（J. N. Billock）

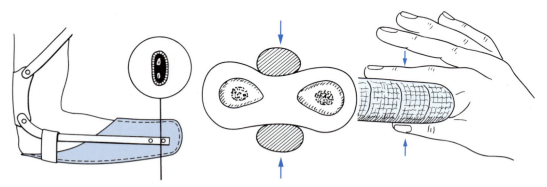

図4-100　手関節離断用ソケット（右上図は断端末から2.5cmの横断面）（Taylorによる）

図4-101　手関節離断長断端に対するギプスモデルの採型

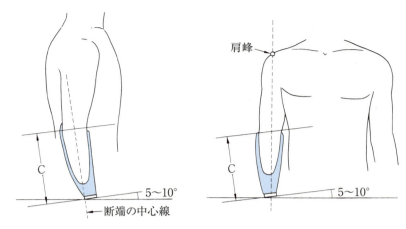

図4-102 前腕義手におけるリストの位置とアライメント

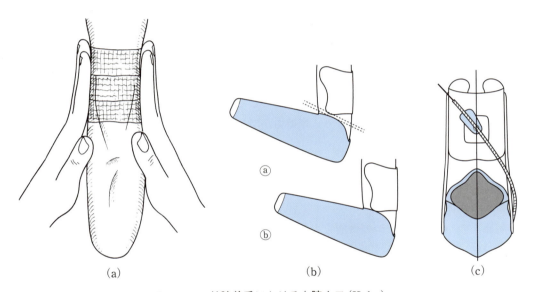

図4-103 前腕義手における上腕カフ(Kuhn)
(a)上腕カフのモデル採型に対する手指の置き方，(b)上腕カフの形は⒜のようにソケットの上縁に平行になるようにする(ⓑは誤りである)，(c)上腕カフにおけるベースプレートの取り付け位置

②前面からみると，肩峰からの垂線がリストの中央部を通るようにし，リストの傾斜角度は水平面に対して5～10°内側のほうに，傾斜したように取り付ける(**図4-102**)．

上腕カフの形状は，p168**図4-31**に示したように断端長に応じて異なっている．短断端の場合では半側カフ(half cuff)が処方されるが，長断端ではより簡単な三頭筋カフ(triceps cuff)が用いられている．

なお，ミュンスター型義手の場合はソケットの上縁が高いために半側カフは**図4-103(b)**のように，下方がソケットに当たらないよう形に留意する必要があり，カフモデルの採型に細心の注意をする(**同(a)**)．

4 ハーネスとコントロールケーブルシステム

―1▶前腕義手における基本的なハーネスとコントロールケーブルシステム

　前腕切断では，肘関節の機能が残っているために手先具を目的とする場所に動かすことができる．したがって義手には通常，手先具の開閉の単一動作のみをコントロール目的とする単式コントロールケーブルシステム（single control cable system, Einzugkabel）（p170 図4-33）が用いられる．

(1) 手先コントロールケーブルシステム

　この手先の開閉動作を行うコントロールケーブルは，p170 図4-33のようにハーネス（harness）のハンガー（hanger）から始まり，ハウジング（hausing）の中を通り，肘継手軸の中心軸近くを通過して，前腕部のリテーナー（retainer）から手先のターミナルまで続いている．途中，ケーブルハウジングの中を通るが，このハウジングは，上腕カフのクロスバー（cross bar），前腕部のベースプレート（base plate）とリテーナーにより固定されている．だから，手先の開閉動作のためにコントロールケーブルに力が加わったときでも，クロスバーとリテーナーの間でケーブルがたるまない．もしこのケーブルハウジングがなかったら，次のような問題が起こってくる．

①ケーブルにかかる力が肘関節を屈曲する力として働くようになる．
②ケーブルが鋭角に折れやすくなり，摩擦力が増して手先動作により大きな力を必要とする．
③衣服の破損が起こりやすい．

　このように，ハウジングがあることによって肘関節の角度いかんにかかわらず手先の開閉動作が容易となる．

(2) 前腕義手のハーネス

　前腕義手のハーネスは2つの機能をもっている．一つは手先を作動させるための力源として，もう一つは，義手ソケットが断端から抜けないように保持する役目である．前腕切断では通常，p165 図4-22のような8字ハーネスが用いられ，材料として通常2.5cm幅のダクロン帯が使用される．

　p165 図4-24はドイツで使用されている9字ハーネスである．

　ハーネスの背中の中央部には通常，円形のリングが用いられる．その位置は第7頸椎突起の下で，中央よりやや非切断側に寄った位置にある．ハーネスは次の3つの部分がある．

① 腋窩ループ（axilla loop）：非切断側の腋窩部の下を通り，ハーネスのアンカー的役割をもっている（p165 図4-22のⓐ）．

② 前方支持バンド（front support strap）：後方のリングから患側の肩の上部を経て，三角筋，大胸筋間溝に相当するところを通り，上腕カフの上部から出ている2本の皮革帯に固定される．このバンドは下方への下垂力に対する支持として働く（同ⓑ）．

③ コントロールケーブル取り付けバンド（control cable attachment strap）：これはリングから肩甲骨中央部の下を通り，ハンガーでコントロールケーブルが取り付けられる．このバンドは，コントロールケーブルの緊張度を調節できるバックルが取り付けられる（同ⓒ）．

　前腕義手のハーネスは，8字ハーネス以外に，p166 図4-28のような肩当てハーネス（shoulder saddle harness）（胸郭バンド式）が主として重労働者を対象として処方されることがある．また，

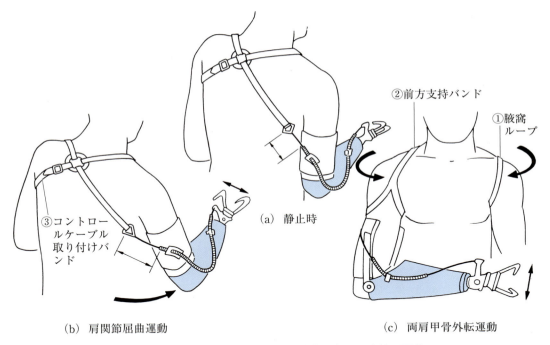

図4-104　前腕義手手先具を開く動作に必要な身体の運動

ミュンスター型義手の場合，上腕カフが省略化され，p165図4-24のように9字ハーネスが用いられることがある．

(3) 義手の操作に必要な身体の運動

能動随意開き式フックを例にとってみると，フックを開くために必要な基本的な運動は肩関節の屈曲（図4-104(b)）である．これによりハーネスのリングと上腕カフのクロスバーとの間の距離が増加し，これに従ってケーブルの緊張度が強くなりフックが開大する．

この肩関節の運動をやめるとケーブルの緊張がなくなり，フックはゴムバンドの力によって閉じることとなる．場合により，両側の肩を前にすぼめる運動（同(c)）をすることがある．この運動によって肩甲骨が外転（biscapular abduction）し，コントロールケーブルに緊張が加わりフックが開大する．

―2▶両前腕義手のハーネスとコントロールケーブルシステム

前腕義手の8字ハーネスが両側に用いられ，両側の腋窩ループの代わりにこれが互いのアンカーとなって，反対側の義手に取り付けられることになる（p167図4-29）．単式コントロールケーブルシステムが両側に用いられる．後方ハーネスが交差する点は第7頸椎棘突起の下にある．ときには，この2つのコントロールケーブル取り付けバンドの間にクロスバック・ストラップが，ハーネスが上のほうに移動しないように取り付けられることがある．

6 手部切断（手根骨離断・中手骨切断・手指切断）と義手

1 切断部位と機能的特徴

①手根骨離断：手根骨の一部もしくはすべてが切断された場合，手関節運動の一部は残存する．

②中手骨切断：中手骨の一部もしくはすべてが切断された場合，手関節と手掌の一部の運動は残存する．

③手指切断：基節骨から以遠が切断された場合，握り動作（grasp），引っかける動作（hook），つまみ動作（pinch）などの基本的な動きや，対象物を探索・識別する機能が障害される．

2 手部切断（手根骨離断・中手骨切断・手指切断）の義手

　手根中手骨切断（手根骨離断・中手骨切断）や指切断に対する義指は，その切断された部位と切断者の職業，性別などにより，いろいろと工夫されたものが用いられている．

　主な目的は外観と機能の2つに大別されるが，日本人の性格から前者の外観のために用いられていることが多く，塩化ビニール製かシリコーン製のグローブを利用されることが多い．

　物を押さえたり自転車のハンドルを握ったりする場合には，このグローブの中にワイヤー，綿などを詰める，パッシブハンドで使用されるジョイント付きの骨組みを入れるなどの工夫がなされ，他動的に指の位置を調整できる．切断部位の相違により次のような義手が用いられている．

―1▶ 手根中手骨切断の場合

　手根部，中手部の切断および指を含めた手根中手部の切断に用いる義手の総称である．

　手関節の屈伸運動が残存しているので，リテーナーは茎状突起に一致する位置に取り付けられる．手関節離断の場合と同様に，リスト金具は円形でなく楕円形のものが用いられ，軟性たわみ式肘継手の固定のために肘頭バンドが取り付けられる（図4-105）．ソケットとしては，手関節より遠位部の断端に帽子をかぶせた形の断端キャップソケットが用いられる．

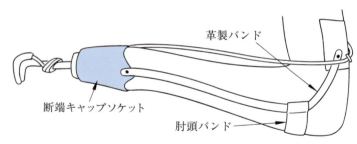

図4-105　手根中手義手（軟性たわみ式肘継手）

 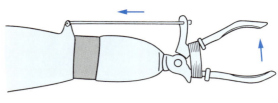

(a) 全指切断に対してプレートとフックを用いた義手

(b) 手関節運動によるフックの開閉を用いた義手

図4-106　全指切断に対する義手

図4-107　全指切断に対する義手の例

─2▶ 全指切断の場合

　全指切断に対しては，やはり合成樹脂製の装飾用手袋を装着しているのが大半である．図4-106（a）は手掌部に軽量のプレートを用い，これにフックを取り付けたものであり，また同（b）は，手関節の運動によりフックの開閉をコントロールできる義手である．

　これらは機能的には優れているものの，感覚のフィードバックに欠ける点，また外観上の理由から，限られた特殊な職業のために必要とされる切断者のみに用いられている（図4-107）．

─3▶ 母指切断の場合

　母指切断例においては，他指，特に示指，中指と適切な対立位にあるように母指を製作し，把握面のカーブ，材質に留意することが重要である．図4-108（a）は合成樹脂製の母指であり，また同（b）は，小指残存例に対して手関節の運動により母指の開閉運動を行うことを目的とした義手である．また，母指末節骨近位の切断では，図4-109（c）のようにキャップ式の義指の中をポリウレタンフォームで補強し，つまみ動作の強度を高める工夫も可能である．

(a) 合成樹脂製

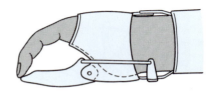
(b) 小指残存例に対して手関節運動を利用し把握を行う義手（Robin-aids）

図4-108 母指切断に対する義指

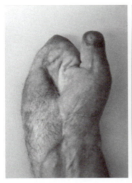
(a) 断端の状態

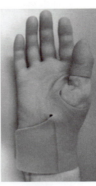
(b) 機能的装飾用義手

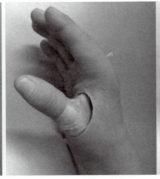
(c) 対立位
義指の中をポリウレタンフォームで補強

図4-109 手指切断に対する機能的装飾用義手

〔小林ほか，2021〕[409)]

─ 4 ▶ 母指以外の手指切断の場合

　母指を用いて対象物を把握するための対立指を作るようにする．装飾用手袋（cosmetic glove）の中に，ワイヤーや他動的に指関節を動かせるパッシブフィンガーを使用することで，指関節の角度を調節できる．これにより対象物の大きさや目的とする動作に応じた手の構えが可能となり，装飾用義手に機能性が加わる，機能的装飾用義手がある．

　この機能的装飾用義手は，示指・中指の角度調節が特に重要で，紐結びや裁縫，爪切り，その他の巧緻作業を可能とする．

　母指末節骨近位切断と示指から小指の機能をほぼ失った断端では，母指にキャップ式，示指から小指にはパッシブフィンガーを使用した機能的装飾用義手を装着することで，残存した母指のCM関節，MP関節の動きを利用して巧緻的なつまみ動作などが可能となる（図4-109）．

　示指基節骨近位部切断では，半手部式義手を外れない程度の固定性にしておくことで，残存した示指MP関節の自動運動を利用できるよう工夫している（図4-110）．

　環・小指の切断では，ある程度の大きさの対象物を把持した際の安定性が悪く，利き手であれば書字が不安定になる．義指は環・小指角度を他動的に調節できるようにしておくことでこれらの不便さを解消し，義指が引っかかって邪魔にならないように曲げておく対策もとれる（図4-111）．

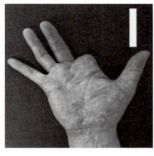 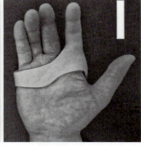 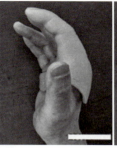 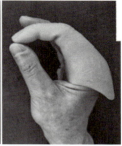

(a) 断端の状態　　　(b) 機能的装飾用義手　　　(c) 対立位

図4-110 示指基節骨近位部切断に対する機能的装飾用義手

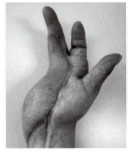 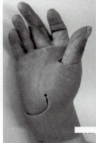  

(a) 断端の状態　　　　　　　(b) 機能的装飾用義手

図4-111 環・小指の切断に対する機能的装飾用義手

〔小林ほか，2021〕[409]

　2018年に本邦で認可されたX-Finger®（Didrick Medical社，アメリカ）は，基節骨が残存した手指に装着可能な可動式の義指であり，MP関節と連動した義指IP関節の運動が可能となる（図4-112）．X-Finger®のメカニズムは，装着したMP関節を屈曲することにより，基節骨に装着する義指の2本のバーに前後差を生じさせることにより，義指IP関節の屈曲力に変換するというものである．これにより，装着指のMP関節の運動をタイムラグなしに即座に義指の運動が達成される．

　また，重労働に対しては，耐久性，把握力ともに優れた図4-113のようなアルミ製ハンドを用いた義指が用いられることがある．他にも，作業内容に応じて図4-114のような義手が作られ，把握面にそれぞれの特徴を生かした材料が使用されることが多い．図4-115は，外観と機能の両者を生かそうとしたロビン・エイド（Robin-aids）の義指であり，肩部からのハーネスにより指の作動ができるようになっている．

3 手指切断におけるリハビリテーション

　残存指の関節可動域制限に対して温熱療法や徒手療法，スプリント療法を行う．
　図4-116は右母指伸展・外転可動域改善を目的とした静的スプリントであり，図4-117は右示指から小指MP関節伸展可動域改善を目的とした動的スプリントである．母指のみが残存した

図4-112　X-Finger®

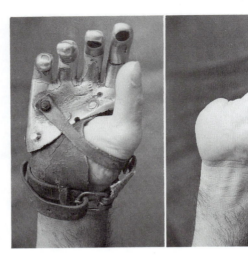

図4-113　母指以外の全指切断に対するアルミ製ハンド

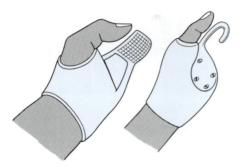

図4-114　母指以外の全指切断に対する作業用義指

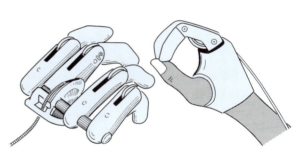

図4-115　部分的な指切断に対する義指
(Robin-aids partial hand prosthesis)

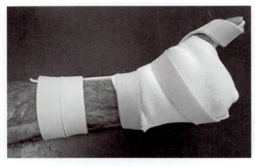

図4-116　静的スプリント

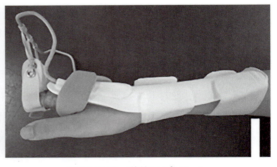

図4-117　動的スプリント

場合，母指を屈曲・内転させて断端との間での把持を活用するため，伸展・外転方向の可動域制限が生じやすい．基節部での切断でMP関節屈曲拘縮が生じた場合，指間が狭くなり清潔に保てないことや断端をぶつけて怪我をしやすいことなどが懸念される．

また，図4-118はペンを三点固定できるように工夫した自助具を装着して書字練習をしている場面であり，図4-119は介助箸を使用して食事動作練習をしている場面である．断端の残存

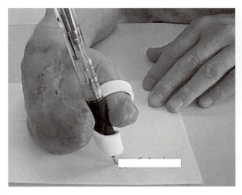

図4-118 自助具装着での書字練習　　図4-119 介助箸での食事動作練習

機能を補助できる自助具を利用することで動作が安定する．

　中手骨切断・手指切断では，残存した繊細な知覚や断端部を早期から活用し，日常生活の中で使用していくことが重要である．できるだけ，早期義肢装着法を実施し，義手にある機能性を体験させ，義手によって獲得できることを評価したうえで本義手製作に進むことが望ましい．

7 能動義手の適合検査

　義手が完成したとき，切断者に装着させ，義肢装具士や作業療法士により検査表に沿って適合検査（check out）が行われる．でき上がった義手が，「処方」どおりに製作され，期待した役目を十分に果たすことができるものかどうかを点検する適合検査は，処方・製作・適応訓練する者の責務である．特に能動義手では，切断者に対して十分な機能を発揮できるか，また基本的な操作が可能であるかを確認するために適合検査を行い，必要に応じて調整する必要がある．

　日本義肢装具学会では，『能動義手適合検査表 日本版』を作成した．この検査表では，義手の仮合わせ時までに「1．身体機能検査表」および「2．義手検査表」を用いて切断者の身体機能の評価と義手本体の機能検査を行う．そして完成時に「3．義手装着検査表」および「4．義手操作適合検査表」を用いて一連の適合検査を実施することを想定している（図4-120）．また，3および4の検査表の検査において基準を満たさなかった場合，原因を明らかにするために検査表1または2を用いて検証することもできる．

　なお，『能動義手適合検査表 日本版』は検査表2に示す前腕および上腕能動義手を標準的な義手として想定し作成したものであり，すべての能動義手に対してこの基準を適用できるものではない．切断者の身体状況や使用する部品が異なる場合は，各検査の基準を満たさない場合や検査自体が実施不可能な場合がある．各専門職の知識と判断において，その点を十分考慮して適合検査を実施していただきたい．

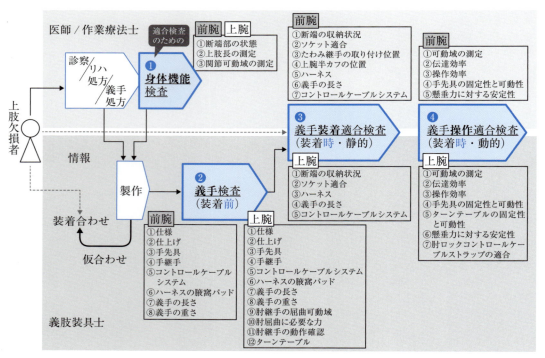

図4-120　工程に合わせた4つの適合検査

1 身体機能検査

身体機能検査(図4-121, 122)の目的は，前腕能動義手を操作するために必要な身体機能を把握することである．身体機能を把握するためにはさまざまな検査を実施する必要があるが，検査項目が増えるほど切断者，検査者の負担は増加するため，以下の3項目は必ず確認することとした．

(1) 断端部の状態

「1．断端創の状態」「2．断端部感染兆候」「3．その他」の下位項目からなる．外傷を原因とする切断において，骨・関節・筋肉・靱帯などが著しく損傷していることが多く，その影響を評価する必要がある．また，疾患を原因とする場合も，原疾患が断端に影響を及ぼしていないかを確認することは重要である．能動義手の装着や操作を行うにあたっては，断端部の創の治癒状態を確認し，また，感染兆候が無いことを確認する．主治医の指示の下，完全に治癒していない状態で装着・操作練習を開始する場合は，十分連携をしながら実施する．また，感覚障害，断端痛，幻肢・幻肢痛，浮腫，筋収縮など必要事項を適宜記載する．

(2) 上肢長の測定

義手の製作や適合の確認のために，切断側の断端長や非切断肢を測定し，長さの差から切断レベルを算出しておく．

(3) 関節可動域の測定

上肢切断において関節可動域の保持は能動義手の操作や義手を使用した動作に大きく影響する．自動運動と他動運動の両方を測定し，他動運動だけでなく自動運動の測定により，運動障害の有無を確認する．

測定する関節は，義手の操作やソケットの適合に大きく影響を与える関節とし，日本リハビリテーション医学会，日本整形外科学会らによる「関節可動域表示法ならびに測定法」[1]に従って測定する．その中で，切断側の前腕回外・回内運動は移動軸となる手指を伸展した手掌面が，また肩関節外旋・内旋運動は移動軸となる尺骨が，欠損しているため，以下の方法で測定する．

① 前腕回外・回内

肩関節中間位として上腕を体側に接し，肘関節90°屈曲位，前腕を中間位で手掌を体側に向けて手指伸展位にした姿勢をイメージして前腕部を保持し，断端末の遠位より測定する．基本軸は上腕骨を通る床に垂直な線とし，断端末端面の橈骨遠位端と尺骨遠位端を結ぶ線（補助線）を移動軸とみなして測定する(図4-123)．回内・回外運動の中心は尺骨遠位端であるため，交点は前腕軸(上腕骨を通る床に垂直な線と橈骨遠位端と尺骨遠位端を結ぶ線)とする．

② 肩外旋・内旋

肩関節中間位(内転位，屈曲伸展中間位)とし，断端末の遠位より測定する．基本軸は肩峰を通る前額面への垂直線とする．断端末端部に引いた補助線(前額面から肩峰を通る床への垂直線)を引き，これを移動軸とみなして測定する(図4-124)．交点は上方から投影した断端末先端とする．

身体機能検査表（前腕義手）

氏　名：　　　　　　　　　　（　　才）　　　　実施日：

切断側：　□ 右　□ 左　　　　　　　　　　　　検査者名：

性　別：　□ 男　□ 女　　　　　　　　　　　　身　長：　　　　　cm　体重：　　　　kg

1	断端部の状態	1．断端創の状態	□断端創あり □断端創なし	□治癒している □治癒していない	□植皮なし □植皮あり	備考：
		2．断端部感染兆候	皮膚発赤・腫脹・熱感・疼痛などの確認 □あり　　　□なし		備考：	
		3．その他（参考事項）	感覚障害、断端痛、幻肢・幻肢痛、浮腫、筋収縮など必要事項を適宜記載する			

2	上肢長の測定	1．切断肢	①断端長：上腕骨外側上顆～断端末端部	cm
		2．非切断肢	②前腕長：上腕骨外側上顆～橈骨茎状突起	cm
			③義手長参考値：上腕骨外側上顆～母指先端	cm
		3．切断レベル算出値	切断レベルの算出方法（％）＝①／②×100	％

切断レベル	□前腕切断 極短断端 35％未満	□前腕切断 短断端 35％以上55％未満	□前腕切断 中断端（標準断端） 55％以上80％未満	□前腕切断 長断端 80％以上	□手関節離断

3	関節可動域の測定	部位	運動方向	自動運動				他動運動			
				右		左		右		左	
				□切断側　□非切断側		□切断側　□非切断側		□切断側　□非切断側		□切断側　□非切断側	
		1．肩	屈　曲	°		°		°		°	
			伸　展	°		°		°		°	
			外　転	°		°		°		°	
			内　転	°		°		°		°	
			外　旋	°		°		°		°	
			内　旋	°		°		°		°	
			水平屈曲	°		°		°		°	
			水平伸展	°		°		°		°	
		2．肘	屈　曲	°		°		°		°	
			伸　展	°		°		°		°	
		3．前腕	回　内	°		°		°		°	
			回　外	°		°		°		°	

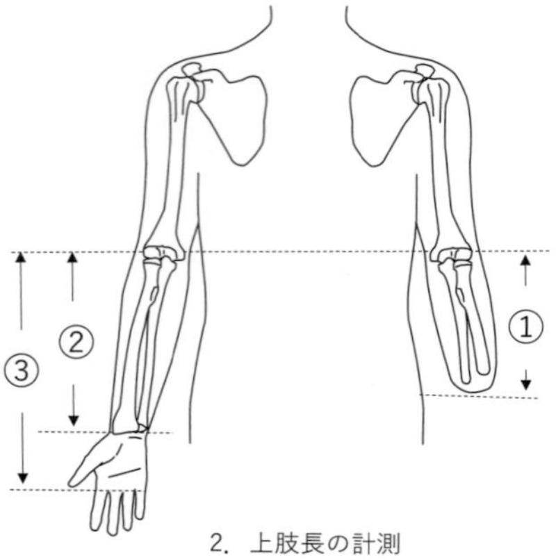

2．上肢長の計測

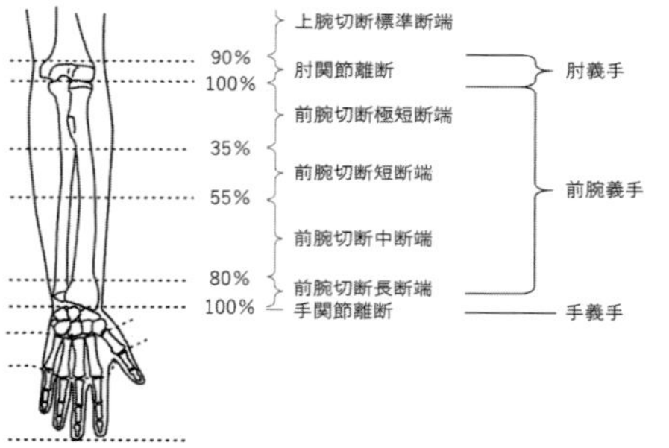

切断レベルによる分類（前腕切断）

<両上肢切断の上肢長（想定値）>
② ＝ 0.14 × 切断者の身長
③ ＝ 0.21 × 切断者の身長

Checkout Chart of Body-powered Upper Limb Prosthesis -Japanese version- Checkout Chart for Physical Function (Transradial Amputee) © 2024 by The Japanese Society of Prosthetics and Orthotics is licensed under CC BY-ND 4.0

図4-121　身体機能検査表（前腕義手）

身体機能検査表（上腕義手）

氏名：　　　　　　（　　才）　　実施日：

切断側：□ 右　□ 左　　検査者名：

性別：□ 男　□ 女　　身長：　　cm　体重：　　kg

1	断端部の状態	1. 断端創の状態	□断端創あり　□断端創なし	□治癒している　□治癒していない	□植皮なし　□植皮あり	備考：
		2. 断端部感染兆候	皮膚発赤・腫脹・熱感・疼痛などの確認　□あり　□なし		備考：	
		3. その他（参考事項）	感覚障害、断端痛、幻肢・幻肢痛、浮腫、筋収縮など必要事項を適宜記載する			

2	上肢長の測定	1. 切断肢	①肩峰～断端末端部：断端長	cm
		2. 非切断肢	②肩峰～上腕骨外側上顆：上腕肘継手長	cm
			③上腕骨外側上顆～母指先端：前腕手先具長	cm
			④肩峰～母指先端：上腕義手の義手長（全長）	cm
		3. 切断レベル算出値	切断レベルの算出方法（％）＝①／②×100	％

切断レベル	□肩甲胸郭間切断（フォークオーター切断）	□肩関節離断（上腕骨頭部切断）	□上腕切断 短断端	□上腕切断 標準断端	□肘関節離断（上腕切断長断端）
		0％以上30％未満	30％以上50％未満	50％以上90％未満	90％以上

3	関節可動域の測定	部位	運動方向	自動運動				他動運動			
				右		左		右		左	
				□切断側 □非切断側		□切断側 □非切断側		□切断側 □非切断側		□切断側 □非切断側	
		肩	屈曲	°		°		°		°	
			伸展	°		°		°		°	
			外転	°		°		°		°	
			内転	°		°		°		°	
			外旋	°		°		°		°	
			内旋	°		°		°		°	
			水平屈曲	°		°		°		°	
			水平伸展	°		°		°		°	

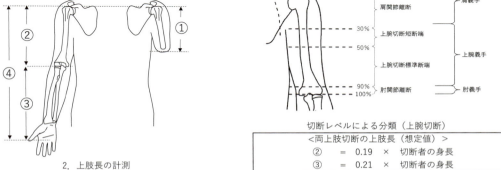

切断レベルによる分類（上腕切断）
<両上肢切断の上肢長（想定値）>
② ＝ 0.19 × 切断者の身長
③ ＝ 0.21 × 切断者の身長

Checkout Chart of Body-powered Upper Limb Prosthesis -Japanese version- Checkout Chart for Physical Function (Transhumeral Amputee) © 2024 by The Japanese Society of Prosthetics and Orthotics is licensed under CC BY-ND 4.0

図4-122　身体機能検査表（上腕義手）

230　第4章　義　手

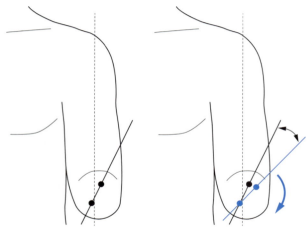

図4-123　前腕切断の前腕回外の測定
橈骨遠位端と尺骨遠位端を結ぶ線を移動軸とみなす

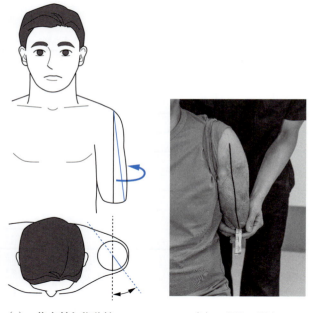

（a）基本軸と移動軸　　　（b）実際の測定

図4-124　上腕切断の肩外旋の測定

2 義手検査

義手検査(図4-125～127)は,義手が製品として適切に製作されているか,切断者が義手を装着する前に義肢装具士が評価する.切断者が義手を装着して行う,義手装着適合検査・義手操作適合検査を実施するうえで,義手が製品として適切に製作され,使用できるものであることは必須条件である.そこで,製作された段階で装着・操作可能な義手であるかを確認するための指標として実施する.

想定した義手は,前腕中断端の前腕義手(p170図4-33),上腕標準断端の上腕義手(p171図4-34)の一般的な義手としている.

(1) 仕様
製作された義手が処方箋と合致しているか.

(2) 仕上げ
基本となるトリミング・縫製・かしめを確認し,安全に装着できるか.

(3) 手先具
部品として正常な可動性を有するか.

(4) 手継手
操作時に手先具が固定されつつ任意の向きに変えられるかを確認し,操作することができる仕様になっているか.

(5) コントロールケーブルシステム（前腕義手追加項目あり）
ハーネスで取り出した力源の効率を過剰に落とすことなく手先具（能動フック）に伝えることができる設定であるか,適切に操作できる状態であるか.

(6) ハーネスの腋窩パッド
ハーネスに力が加わったときに痛みが出ない設定であるか.

(7) 義手の長さ
非切断側の上肢長と合っているか.

(8) 義手の重さ
重たくなりすぎていないか.

(9) 肘継手の屈曲可動域（上腕義手のみ）
義手操作時には肘継手のターンテーブルが動かない適切な固定性を有し,かつ手動で任意の向きに変えられる可動性を有するか.

(10) 肘屈曲に必要な力（上腕義手のみ）
ハーネスに力が加わったときに痛みが出ない設定であるか.

(11) 肘継手の動作確認（上腕義手のみ）
部品として正常な動作が可能であるか.

(12) ターンテーブル（上腕義手のみ）
義手操作時には肘継手のターンテーブルが動かない適切な固定性を有し,かつ手動で任意の向きに変えられる可動性を有するか.

以上のことを確認したうえで,次の段階で行われる義手操作適合検査に進む.

義手検査表　A　（□前腕義手　□上腕義手）

氏名：　　　　　　　　　　　　（　　才）　　　　実地日：

切断側：　□右　□左　　　　　　　　　　　　　検査者名：

性別：　□男　□女　　　　　　　　　　　身長：　　　cm　体重：　　　kg

		項目	確認項目		基準・標準	check
共通	1	仕様	□処方箋		・処方箋の仕様通りになっている	⊗
			□ソケット①　□手先具②　□手継手③ □肘継手④　□ハーネス⑤ □コントロールケーブル部品⑥			⊗
	2	仕上げ	□ソケット①		・滑らかな仕上げである	⊗
			□縫製⑦		・しっかり縫えていて解けない	⊗
			□リベット⑧		・突出や引っ掛かりがない	⊗
	3	手先具	□可動性②		・滑らかに全開大して戻る	⊗
	4	手継手	□固定性③		・ケーブルを牽引し全開しても手先具が回らない	⊗
			□可動性③		・手動で回旋できる	⊗
	5	コントロールケーブルシステム	□ケーブルの取付け	□ボールターミナル⑨	・遠位部に取付けられており、制御レバーに接続されている	⊗
				□ハンガー⑩	・近位部に取付けられており、ハーネスと接続されている	⊗
			□ケーブルハウジングの長さと位置	□近位部⑪	・ハンガーとハウジングが接触しない ・クリアランスは5〜10mm確保してある	⊗
				□遠位部⑫	・ボールターミナルとハウジングが干渉しない ・クリアランスは5〜10mm確保してある	⊗
			□ベースプレートの固定性⑬		・ガタついたり、外れたりしない	⊗
	6	ハーネスの腋窩パッド	□腋窩パッドの取付け⑭		・腋窩ループに取付けられていて、幅は腋窩を覆う大きさである	⊗
	7	義手の長さ	□義手長	cm	・設定通りである	⊗
	8	義手の重さ	□重さ	g	・標準値を参考にする	⊗
前腕	9	コントロールケーブルシステム	□クロスバーカバーの可動性⑮		・ケーブルの走行に合わせて、スムーズに可動する	⊗
上腕	10	コントロールケーブルシステム	□ケーブルハウジングの長さと位置	□肘継手部⑯	・上腕部の遠位端と前腕部の近位端が接触しない ・クリアランスは5〜10mm確保してある	⊗
	11		□リフトレバー⑰	□位置	・適切な位置にあるか	⊗
				□可動性	・コントロールケーブルの走行に合わせて、スムーズに可動する	⊗
	12	肘継手の屈曲可動域	□屈曲角度④	度	・135度以上の可動域がある	⊗
	13	肘屈曲に必要な力	□要する力④	kg	・4.5kg以内である	⊗
	14	肘継手の動作確認	□ロック・アンロックの切替え動作の操作性⑱		・滑らかな切替えができる	⊗
	15	ターンテーブル	□固定性⑲	kg	・ケーブルを牽引したときに回旋しない	⊗
			□可動性⑲		・手動で回旋できる	⊗

図4-125　義手検査表A

前腕義手

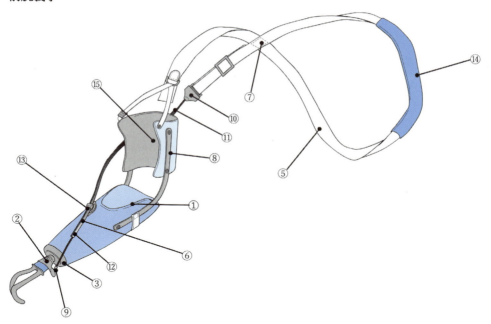

上腕義手

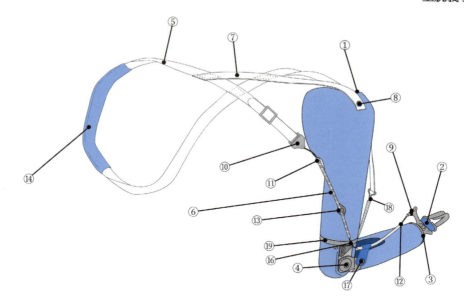

Checkout Chart of Body-powered Upper Limb Prosthesis -Japanese version- Checkout Chart for Upper Limb Prosthesis (Transradial Prosthesis/Transhumeral Prosthesis) © 2024 by The Japanese Society of Prosthetics and Orthotics is licensed under CC BY-ND 4.0

図4-125 つづき

義手検査表　B　（□前腕義手　□上腕義手）

氏名： _____（　才） 実地日： _____
切断側： □右　□左 _____ 検査者名： _____
性別： □男　□女 _____ 身長： ____ cm　体重： ____ kg

		項目	確認項目		基準・標準	check
共通	1	仕様	□処方箋		・処方箋の仕様通りになっている	⊗
			□ソケット①　□手先具②　□手継手③ □肘継手④　□ハーネス⑤ □コントロールケーブル部品⑥			⊗
	2	仕上げ	□ソケット①		・滑らかな仕上げである	⊗
			□縫製⑦		・しっかり縫えていて解けない	⊗
			□リベット⑧		・突出や引っ掛かりがない	⊗
	3	手先具	□可動性②		・滑らかに全開大して戻る	⊗
	4	手継手	□固定性③		・ケーブルを牽引し全開しても手先具が回らない	⊗
			□可動性③		・手動で回旋できる	⊗
	5	コントロールケーブルシステム	□ケーブルの取付け	□ボールターミナル⑨	・遠位部に取付けられており、制御レバーに接続されている	⊗
				□ハンガー⑩	・近位部に取付けられており、ハーネスと接続されている	⊗
			□ケーブルハウジングの長さと位置	□近位部⑪	・ハンガーとハウジングが接触しない ・クリアランスは5〜10mm確保してある	⊗
				□遠位部⑫	・ボールターミナルとハウジングが干渉しない ・クリアランスは5〜10mm確保してある	⊗
			□ベースプレートの固定性⑬		・ガタついたり、外れたりしない	⊗
	6	ハーネスの腋窩パッド	□腋窩パッドの取付け⑭		・腋窩ループに取付けられていて、幅は腋窩を覆う大きさである	⊗
	7	義手の長さ	□義手長	cm	・設定通りである	⊗
	8	義手の重さ	□重さ	g	・標準値を参考にする	⊗

図4-126　義手検査表B

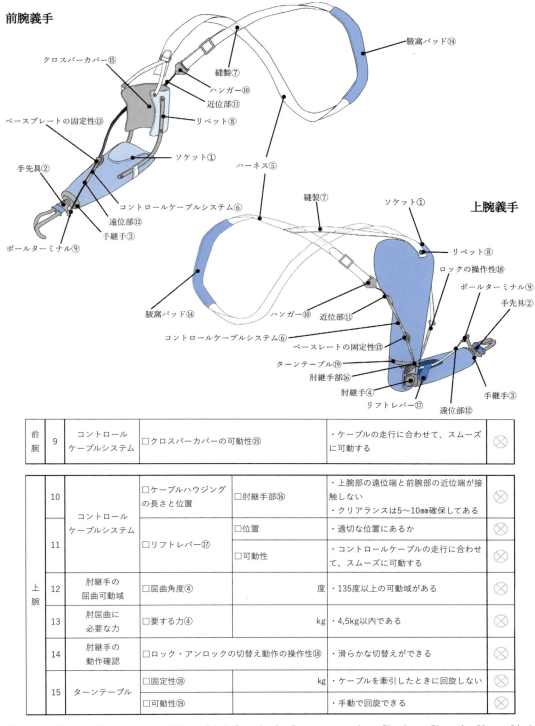

前腕	9	コントロールケーブルシステム	☐クロスバーカバーの可動性⑮		・ケーブルの走行に合わせて、スムーズに可動する	⊗
上腕	10	コントロールケーブルシステム	☐ケーブルハウジングの長さと位置	☐肘継手部⑯	・上腕部の遠位端と前腕部の近位端が接触しない ・クリアランスは5〜10mm確保してある	⊗
	11		☐リフトレバー⑰	☐位置	・適切な位置にあるか	⊗
				☐可動性	・コントロールケーブルの走行に合わせて、スムーズに可動する	⊗
	12	肘継手の屈曲可動域	☐屈曲角度④	度	・135度以上の可動域がある	⊗
	13	肘屈曲に必要な力	☐要する力④	kg	・4,5kg以内である	⊗
	14	肘継手の動作確認	☐ロック・アンロックの切替え動作の操作性⑱		・滑らかな切替えができる	⊗
	15	ターンテーブル	☐固定性⑲	kg	・ケーブルを牽引したときに回旋しない	⊗
			☐可動性⑲		・手動で回旋できる	⊗

Checkout Chart of Body-powered Upper Limb Prosthesis -Japanese version- Checkout Chart for Upper Limb Prosthesis (Transradial Prosthesis /Transhumeral Prosthesis) © 2024 by The Japanese Society of Prosthetics and Orthotics is licensed under CC BY-ND 4.0

図4-126　つづき

236　第4章　義　手

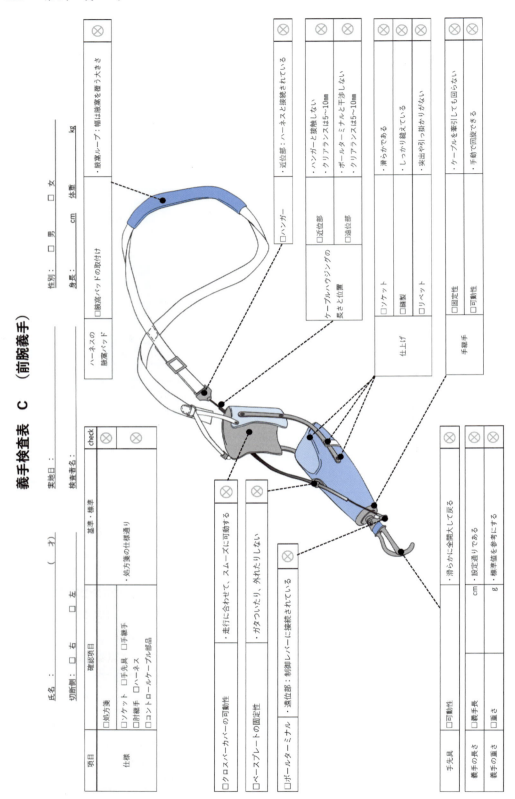

図4-127　義手検査表C

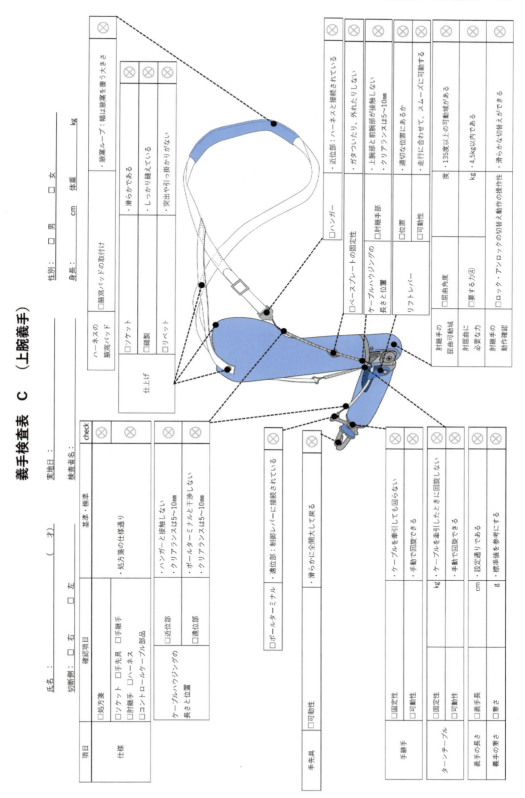

図4-127 つづき

3 義手装着検査

義手装着適合検査(図4-128，129)の目的は，切断者が義手を装着した際の，断端とソケットの適合状態を評価すること，および身体と義手構成部品との相対的位置関係を評価し，切断者が適切に操作できる義手であるか確認することである．

(1) 断端の収納状況
義手を装着して適合検査を実施できるソケット適合状態であるか．

(2) ソケットの適合
義手操作時を想定した力を加え，断端とソケットのずれや断端の痛みがないか．

(3) たわみ継手の取り付け位置(前腕義手のみ)
前腕支持部および上腕半カフの中心線上にたわみ継手が取り付けられているか．

(4) 上腕半カフの位置(前腕義手のみ)
上腕半カフは上腕部の中間の位置(高さ)に設定されているか．

(5) ハーネス
ハーネスクロス位置やストラップ走路は適切であるか．義手を適切に懸垂できているか．

(6) 義手の長さ
非切断側と比較し，設定通りの義手長であるか．

(7) コントロールケーブルシステム
ケーブル走路は局所的な弯曲などがなく，自然な走行になっているか．ケーブルハウジングが手先具の開閉を阻害しないか．

4 義手操作適合検査

操作適合検査(図4-130，131)の目的は，これまでの適合検査をクリアしてきた義手が「切断者が適切に操作できる義手」となっているかを評価することである．最終的に，この適合検査によって適合と判定された義手は，今後のリハビリテーションや日常生活場面での使用において，切断者にとって欠かすことができないものとなっていく．

(1) 可動域の測定
身体機能検査と同様に，肩関節，肘関節と前腕回内・回外の可動域を測定する．

(2) 伝達効率(コントロールケーブルシステム)
伝達効率は，検査者がバネばかりを引っ張ることで「手先具単体で開くときの力」と「ケーブルシステムを介して開くときの力」から算出する．よって，前腕切断者自身が能動的に義手を操作するという定義には反するが，前腕切断者が義手を装着したときのコントロールケーブルの走行に沿ってバネばかりを引っ張ることが重要であるため，操作適合検査の項目に含めることとした．

(3) 操作効率
操作効率は，前腕切断者が能動的に手先具を開いたときの開き幅から求めると定義し，手先具の開き幅の測定を，①肘関節90°屈曲位，②口の前，③会陰部の前，の3カ所とした．操作効率は，①〜③をそれぞれ「受動的な手先具単体の最大開き幅」で除して算出する．

(4) 手先具の固定性と可動性

　面摩擦式手継手は，ゴムワッシャーによる摩擦によって任意の位置まで手先具を回旋して固定できる．固定性は手先具の開閉時に，可動性は手先具の向きを変えるときに必要である．この可動性と固定性を「操作効率検査時の手先具の固定性」と「前腕切断者が手先具を回旋できる可動性」として検査する．

(5) ターンテーブルの固定性と可動性（上腕義手のみ）

　能動単軸肘ブロック継手には肩関節回旋を代償するターンテーブルがあり，その固定性および上腕切断者が義手前腕部の向きを変える操作（可動性）ができるかを検査する．

(6) 懸垂力に対する安定性

　これまでの検査基準における荷重は約23kg[410]であったが，我々の経験から23kgという荷重量は通常想定される義手の使用状況から乖離していることから，労働基準法，および通達における重量物取り扱い業務の基準に基づいて，「10kgの重量物」を手先具でけん引したときの安定性として検査する．

(7) 肘ロックコントロールケーブルストラップの適合（上腕義手のみ）

　歩行時や肩関節外転60°までで不随意的な肘継手のロック・アンロックが起こらないかを検査する．また，肘継手のロック・アンロックを上腕切断者が操作できる状態にあるかを検査する．

　能動義手の適合判定は，完成した義手が処方どおりに製作されており，義手の操作がスムーズに行われるか最終的にチェックする．理想的には義手の処方に携わった医師，作業療法士，義肢装具士らがチームを組み判定することが望ましい．さらに切断者の要望を十分尊重し，その人にいちばん合った義手，訓練方法を決定する．

義手装着適合検査表（前腕義手）

氏　名：＿＿＿＿＿＿＿＿＿＿（　　才）　　実施日：＿＿＿＿＿＿＿＿＿＿
切断側：□右　□左　　　　　　　　　　検査者名：＿＿＿＿＿＿＿＿＿
性　別：□男　□女　　　　　　　　　　身長：＿＿＿＿cm　体重：＿＿＿kg

	確認項目			基準・標準	check
1	断端の収納状況			・きつさ、ゆるさ、痛みがない	⊗
2	ソケットの適合			・ソケットのずれや痛みがない ・断端に発赤等がない	⊗
3	たわみ継手の取り付け位置（図参照）			・たわみ継手の走行が上腕および前腕支持部の中心を通る ・たわみの位置が上腕骨外側上顆付近である	⊗
4	上腕半カフの位置（図参照）			・上腕部中間（上腕二頭筋の筋腹）の位置である	⊗
5	ハーネス	①ハーネスクロスの位置（図参照）		・第7頚椎棘突起より70－100mm下方、10－15mm非切断側寄りである	⊗
		②コントロールアタッチメントストラップの走路（図参照）		・肩甲骨の下方1/2～1/3の間を走行する	⊗
		③Yストラップの懸垂状況		・断端がソケットに適切に収納され義手を懸垂できている ・上腕半カフが上腕長軸に対して傾いていない ・前方支持バンドへの取付け部が鎖骨の下部である	⊗
		④ハーネスのゆとり（図参照）		・身体とハーネスの間に指1本が入る程度のゆとりがある	⊗
6	義手の長さ（図参照）			・母指先端とフックの指こうわん曲部先端が同じ位置である	⊗
7	コントロールケーブルシステム	①ベースプレートの位置		・開口部の遠位外側に位置している	⊗
		②クロスバーの位置		・上腕部の後面中央に位置している	⊗
		③ハウジングの長さ	たるみ（図参照）	・ハウジングと切断側上肢の間に指1本程度の隙間がある	⊗
			遠位	・ボールターミナルとハウジングが接触しない ・クリアランスが5-10mm程度である	⊗
			近位	・ハンガーとハウジングが接触しない ・クリアランスが5-10mm程度である	⊗
		④ハンガーの位置		・腋窩付近に位置している	⊗
		⑤コントロールケーブルシステムの走路（図参照）		・ハーネスから手先具まで局所的に過度なわん曲がない	⊗

Checkout Chart of Body-powered Upper Limb Prosthesis -Japanese version- Checkout Chart for Static Fitting of Upper Limb Prosthesis（Transradial Prosthesis）© 2024 by The Japanese Society of Prosthetics and Orthotics is licensed under CC BY-ND 4.0

図4-128　義手装着適合検査表（前腕義手）

7 能動義手の適合検査　241

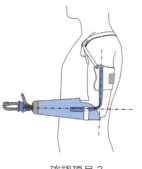

確認項目3

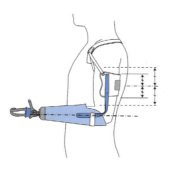

確認項目4

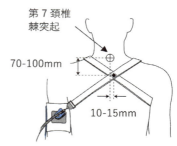

確認項目5-①

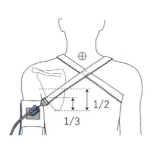

確認項目5-②

確認項目5-④

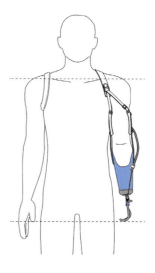

確認項目6

確認項目7-③

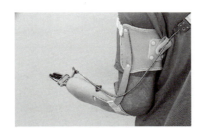

確認項目7-⑤

図4-128 つづき

義手装着適合検査表（上腕義手）

氏　名：　　　　　　　　　　（　　才）　　　実施日：
切断側：　□ 右　　□ 左　　　　　　　　　検査者名：
性　別：　□ 男　　□ 女　　　　　　　　　身長：　　　　　cm　　体重：　　　　kg

	確認項目			基準・標準	check
1	断端の収納状況			・きつさ、ゆるさ、痛みがない ・ソケット外側上縁に隙間がない ・ソケットが過度に回旋しない	⊗
2	ソケットの適合			・ソケットのずれや痛みがない ・断端に発赤等がない	⊗
3	ハーネス	① ハーネスクロスの位置（図参照）		・第７頚椎棘突起より70－100mm下方、10－15mm非切断側寄りである	⊗
		② コントロールアタッチメントストラップの走路（図参照）		・肩甲骨の下方1/2～1/3の間を走行する	⊗
		③ 外側懸垂バンドの懸垂状況（図参照）		・断端がソケットに適切に収納され義手を懸垂できている	⊗
		④ 肘ロックコントロールストラップの長さ		・ロック機構が正しく切り替わり操作できる	⊗
		⑤ ハーネスのゆとり（図参照）		・身体とハーネスの間に指１本が入る程度のゆとりがある	⊗
4	義手の長さ（図参照）			・母指先端とフック指こうわん曲部先端が同じ位置である ・上腕骨外側上顆と肘継手軸が同じ位置である	⊗
5	コントロールケーブルシステム	① ベースプレートの位置（図参照）		・肩峰－肘継手軸の中間付近の高さで後外側面に位置している	⊗
		② ハウジングの長さ	前腕ハウジング遠位	・ボールターミナルとハウジングが接触しない ・クリアランスが5-10mm程度である	⊗
			上腕ハウジング近位	・ハンガーとハウジングが接触しない ・クリアランスが5-10mm程度である	⊗
		③ ハンガーの位置		・腋窩付近に位置している	⊗
		④ コントロールケーブルシステムの走路（図参照）		・ハーネスから手先具まで局所的に過度なわん曲がない	⊗

Checkout Chart of Body-powered Upper Limb Prosthesis -Japanese version- Checkout Chart for Static Fitting of Upper Limb Prosthesis（3）Transhumeral Prosthesis）© 2024 by The Japanese Society of Prosthetics and Orthotics is licensed under CC BY-ND 4.0

図4-129　義手装着適合検査表（上腕義手）

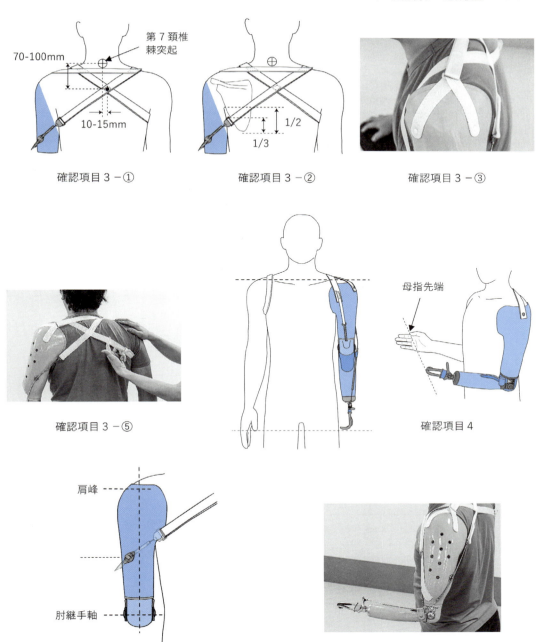

図4-129 つづき

義手操作適合検査表（前腕義手）

氏　名：＿＿＿＿＿＿＿＿＿＿＿（　　才）　　　実施日：＿＿＿＿＿＿＿＿＿＿
切断側：□ 右　□ 左　　　　　　　　　　　　　検査者名：＿＿＿＿＿＿＿＿＿
性　別：□ 男　□ 女　　　　　　身長：＿＿＿＿ｃｍ　体重：＿＿＿＿ｋｇ

		部位	運動方向	□右 自動運動（義手非装着）	□左 自動運動（義手装着）
1	可動域の測定	肩関節	屈　曲	°	°
			伸　展	°	°
			外　転	°	°
			内　転	°	°
			外　旋	°	°
			内　旋	°	°
			水平屈曲	°	°
			水平伸展	°	°
		肘関節	屈　曲	°	°
			伸　展	°	°
		前　腕	回　外	°	°
			回　内	°	°

2	伝達効率（コントロールケーブルシステム）	手先具単体で開くときの力（①）	1回目	kg	①平均：＿＿kg	●伝達効率 ①／②×100＝ ＿＿％
			2回目	kg		
			3回目	kg		
		ケーブルシステムを介して開くときの力（②）	1回目	kg	②平均：＿＿kg	
			2回目	kg		
			3回目	kg		（80％以上）

3	操作効率	手先具単体の最大開き幅（③）	＿＿cm	手先具の種類・品番：
		肘関節90°屈曲位での手先具の開き幅（④）	＿＿cm	●操作効率（肘関節90°屈曲位） ④／③×100＝ ＿＿％（100％）
		口の前での手先具の開き幅（⑤）	＿＿cm	●操作効率（口の前） ⑤／③×100＝ ＿＿％（100％）
		会陰部の前での手先具の開き幅（⑥）	＿＿cm	●操作効率（会陰部の前） ⑥／③×100＝ ＿＿％（100％）

4	手先具の固定性と可動性	操作効率検査時の手先具の固定性	□回旋しない	□回旋する（調整必要）
		切断者が手先具を回旋できる可動性	□回旋できる	□回旋できない（調整必要）
5	懸垂力に対する安定性	10kgの重量物を手先具で懸垂した時の安定性	ソケット上縁のずれ　　＿＿cm（1.0cm以内）	

Checkout Chart of Body-powered Upper Limb Prosthesis -Japanese version- Checkout Chart for Dynamic Fitting of Upper LimbProsthesis（Transracial Prosthesis）© 2024 by The Japanese Society of Prosthetics and Orthotics is licensed under CC BY-ND 4.0

図4-130　義手操作適合検査表（前腕義手）

義手操作適合検査表（上腕義手）

氏　名：　　　　　　　　　　（　　　才）　　　　実施日：
切断側：□右　□左　　　　　　　　　　　　　　　検査者名：
性　別：□男　□女　　　　　　　　　　身長：　　　　cm　体重：　　　　kg

		部位	運動方向	□右 自動運動（義手非装着）		□左 自動運動（義手装着）	
1	可動域の測定	肩関節	屈　曲		°		°
			伸　展		°		°
			外　転		°		°
			内　転		°		°
			外　旋		°		°
			内　旋		°		°
			水平屈曲		°		°
			水平伸展		°		°
		肘継手	屈　曲			（135°以上）	
		肘継手の最大屈曲に要する肩関節の屈曲角度				（45°以内）	
2	伝達効率（コントロールケーブルシステム）	手先具単体で開くときの力（①）	1回目		kg	①平均： kg	●伝達効率 ①／②×100= % (70%以上)
			2回目		kg		
			3回目		kg		
		ケーブルシステムを介して開くときの力（②）	1回目		kg	②平均： kg	
			2回目		kg		
			3回目		kg		
3	操作効率	手先具単体の最大開き幅（③）		cm	手先具の種類・品番：		
		肘継手90°屈曲位での手先具の開き幅（④）		cm	●操作効率（肘継手90°屈曲位） ④／③×100=　　　％（100%）		
		口の前での手先具の開き幅（⑤）		cm	●操作効率（口の前） ⑤／③×100=　　　％（50%以上）		
		会陰部の前での手先具の開き幅（⑥）		cm	●操作効率（会陰部の前） ⑥／③×100=　　　％（50%以上）		
4	手先具の固定性と可動性	操作効率検査時の手先具の固定性		□回旋しない　□回旋する（調整必要）			
		切断者が手先具を回旋できる可動性		□回旋できる　□回旋できない（調整必要）			
5	ターンテーブルの固定性と可動性	操作効率検査時のターンテーブルの固定性		□回旋しない　□回旋する（調整必要）			
		切断者がターンテーブルを回旋できる可動性		□回旋できる　□回旋できない（調整必要）			
6	懸垂力に対する安定性	10kgの重量物を手先具で懸垂した時の安定性		ソケット上縁のずれ　　　　cm（1.0cm以内）			
7	肘ロックコントロールストラップの適合	歩行時の不随意な肘継手の固定		□固定しない　□固定する（調整必要）			
		肩関節外転60°での肘継手の不随意な固定		□固定しない　□固定する（調整必要）			
		検査者の誘導操作による肘継手の固定と解除		□固定・解除できる　□固定・解除できない（調整必要）			

Checkout Chart of Body-powered Upper Limb Prosthesis -Japanese version- Checkout Chart for Static Fitting of Upper LimbProsthesis (Transhumeral Prosthesis) © 2024 by The Japanese Society of Prosthetics and Orthotics is licensed under CC BY-ND 4.0

図4-131　義手操作適合検査表（上腕義手）

8 義手装着訓練

　これには，義手を装着する前の理学療法を主とした**装着前訓練**（preprosthetic physical therapy），義手を動かすために必要な基本的な**コントロール訓練**（control training），実際にその**義手を使う訓練**（use training），さらに，将来の就業への可能性を訓練を通じて評価する**職業前評価**（prevocational evaluation）などが含まれる．義手の装着はできるだけ早期に行うことが大切である．特に，切断後30日以内に装着することにより，義手が切断者に受け入れやすくなることから"Golden period（最適期）"といわれている（Malone）．

1 装着前訓練

─1▶創の良好な治癒と成熟断端の早期獲得

（1）弾性包帯の施行
　断端の浮腫を除去し，成熟を促進させ，安定した断端を得るために，通常，弾性包帯が用いられる．断端の包帯は，初めの2〜3回は長軸方向に繰り返して巻き，遠位端を押さえ，次いでなるべく螺旋形に巻く．横に周径に沿って強く巻くと，遠位端に容易に浮腫を作る原因となる．この弾性包帯を巻く範囲は，上腕切断の長断端の場合は腋窩までで十分であるが，標準断端以上の短い場合には，弾性包帯の固定のために胸郭までかける必要がある（p125 **図2-24**）．前腕切断の場合も同様で，短断端の場合には肘関節より上部まで巻かねばならない．

（2）ギプスソケットの施行
　弾性包帯の装着では，義手ソケットの装着後1〜3カ月に断端の萎縮が起こり，ソケットの交換が必要とされることが多い．その場合，ギプスソケットを採型手技と同様の方法で断端に巻き，適合がゆるくなれば，3〜7日目ごとにソケットを交換するようにすれば比較的安定した断端を得やすい利点がある．しかし反面，その手技にかなり修練が必要なことと，ハーネスなどを用意しなければならないことが欠点でもある．**図4-132**に，上腕切断用の仮義手のシステムを示す．このギプスソケットを装着するには，**義肢装具士と作業療法士が参加するチームアプローチ**によることが理想的である（**図4-133**）．

─2▶関節可動域の確保

　上肢切断の特に上腕切断の場合には，訓練の指示をしないと容易に肩関節の部分拘縮を起こしやすい．したがって，切断後早期より関節運動を開始することが必要である．もし拘縮を起こしたら，ホットパック，超短波療法などの温熱療法のあと運動療法を併用し，早く義手を装着させ，義手の操作に身体を動かさなくてはならない状態にすることが賢明な方法である．関節の可動域獲得には，特に肩甲骨の運動，上腕，前腕の回旋運動などに留意して行う必要がある．

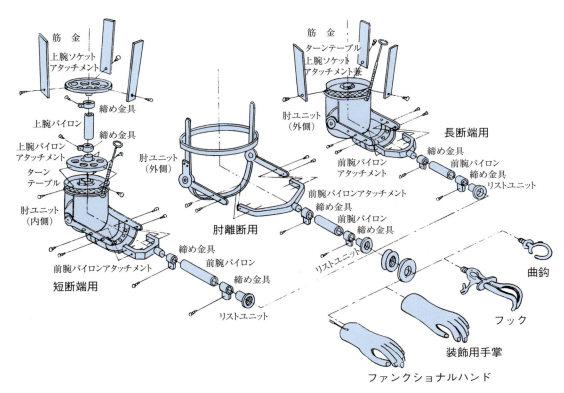

図4-132　上腕切断用仮義手（兵庫県立総合リハビリテーションセンター上肢切断プロジェクト）

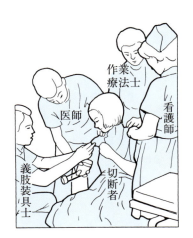

図4-133　チームアプローチによる右上腕切断者に対する術直後義肢装着法

―3▶ 良好な姿勢の確保

上肢切断者は，早期に義手を装着しないと側弯症を起こすことがある．その意味で体幹筋訓練と姿勢の矯正訓練を行う．

―4▶ 筋力増強訓練

残存筋肉に対して漸増的筋力増強訓練が行われる．断端の伸展筋，屈曲筋の等尺性運動は重要であり，そのため，第1章の「切断手技の最近の傾向」の項で述べたような，筋肉を骨へ固定する方法が推奨される．この筋肉の等尺性運動を行うことにより，断端筋の肥大による断端の周径の増大が起こり，筋収縮によるソケットの懸垂が容易となる．また，将来の筋電図による電動義手の発達を考えた場合には必要な訓練であろう．

―5▶ 断端訓練

必要な筋力および関節可動性などは，切断の部位はもちろんであるが，コントロールおよびハーネスの種類により変わってくる．図4-90 (p209) と図4-104 (p219) は，それぞれの義手の動作とこれに必要な身体の運動を示したもので，訓練では常に，将来予想される義手の動作を念頭に置いて行うことが重要である．また一方，義手の適合面から考えると，断端の動筋 (agonist) と拮抗筋 (antagonist) とを同時に収縮させる訓練が必要で，この訓練により断端の周径が増加し，義肢の適合が良好になる．特に吸着ソケットの装着では大切な訓練である．図4-134 に基本的な断端訓練の方法を示す．

2 義手コントロール訓練

処方された義手が製作され，義肢装具クリニックで作業療法士により適合検査が行われ，良好な結果であれば切断者に装着される．まず，作業療法士が義手について説明し，義手を動かすために必要なコントロール訓練が行われる．これらの動作は，作業療法士自身がまず切断者にデモンストレーションし，切断者に同様のことを繰り返し行わせる方向で訓練を行う．カリフォルニア大学で行われている方法に従って説明をする．

―1▶ 前腕義手

① 義手の着脱訓練：義手を机の上に置くか，またはぶらさげ，ハーネスをまっすぐにしておく．断端をソケットの中に挿入し，ソケットを上にあげてハーネスを背中の側で下に垂らし，健側の手を腋窩ループのところに差し入れて装着する．
② 手先をソケットリストから取り外し，また取り付ける訓練をする．
③ コントロールケーブルを手先のフックから着脱する．
④ 手先をリストのところで回旋させる．
⑤ 手先のフックの遊動側を他方の手で開大させる．
⑥ 肘関節を90°に屈曲させ，コントロールケーブルがゆるんでいるのに注意させてから，前腕部を前にゆっくりと押し出す．これによりケーブルが緊張しはじめ，それにつれてフックが開大しはじめるのを確認させる．その際，肩をあまり動かさないように注意し，図4-135のよう

  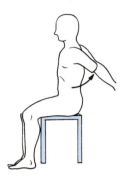 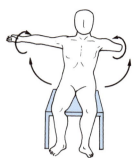

①いす座位をとる．両手を体側へつけた位置から横に振り上げ，できるだけ上へ上げる

②両手を体側へつけた位置から前へ振り上げ，できるだけ上へ上げる

③両手を体側へつけた位置から後方へ振り上げ，できるだけ上へ上げる

④両手を体側へつけた位置から，肩の高さまで横に上げ，両手を外旋する

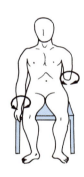  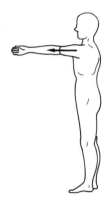 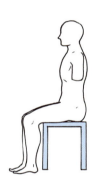

⑤両手を体側へつけ，できるだけ内外旋する

⑥両手を肩の高さまで持ち上げ，できるだけ後方へ引き，両肩甲骨を同時に内転する

⑦立位をとり，両手を肩の高さまで前方へ持ち上げ，前方へ突き出し，両肩甲骨をできるだけ外転する

⑧できるだけ胸を大きく広げて深呼吸する

図 4-134 上肢切断者に対する断端訓練（服部ら[373]）

注：前腕切断の場合は，以上のものに加えて，上肢側方挙上をして肘屈伸と，肘屈曲位で前腕回内外を行う

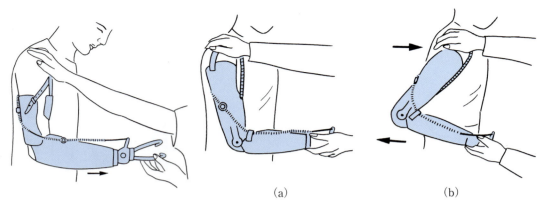

図4-135 前腕義手における手先の開閉訓練　**図4-136** 上腕義手における肘継手のロック・コントロール

に，作業療法士は一方の手を肩に乗せ，他方の手でフックを持って指導する．

⑦ 手先の開閉動作が十分できるようになれば，今度は顔，股，足部などいろいろな場所で開閉させ，さらに手先の開閉が部分的にコントロールできるかどうかを訓練する．

─2▶ 上腕義手

① 前腕義手の①～⑤と同様に行う．

② 切断者に肘継手のロック・コントロールがどのように行われるかを示す．すなわち，肘継手のロック・コントロールケーブルはハーネスと肘継手の間にあり，この間の距離を長くすれば，ケーブルが引っ張られ，最初に肘継手を固定し，次の引っ張りで肘継手が遊動になることを示す．そのため，ⓐ図4-136(a)のように，作業療法士は切断側の肩に手を置いて固定し，肘継手を遊動にしておく．ⓑ同(b)のように，義手手先をゆっくりと後方に押し，コントロールケーブルが緊張し肘継手が固定されるのを確認する．ⓒこの動作を繰り返し，今度は切断者自身にやらせてみる．ⓓよくできるようになれば，この断端を後方に動かす動作と同時に，肩を前に突き出すような動作を加え，全体としての動作を小さくする．

③ 肘継手の屈曲訓練を行う：肘継手が遊動の際にハーネスのハンガーより手先までのケーブルの距離を短くする動作によって肘の屈曲が起こるが，この動作は前腕義手の場合と同様に行う．その際，注意しないと，切断者には初めコントロールする力の強弱がわからないため，力を入れすぎると強く急に肘継手が屈曲し，そのためフックで切断者の顔を打つことがある．作業療法士は十分注意し，手で顔をカバーしてやることが必要である．この訓練は，ⓐまず，肘継手を遊動とする．ⓑ作業療法士は一方の手を肩に置き，他方の手で手先を持つ．ⓒ肘継手を90°屈曲位に置き，コントロールケーブルがゆるんでいることを切断者に確認させる．ⓓ次いで前腕部を前に動かし，この動作によりケーブルに緊張が加わることを認めさせる．ⓔこの位置を切断者に保たせることを指示し，保持した手を放す．ⓕ次いでゆっくりと前腕部を後ろに動かし，元の位置に戻すと前腕部が下垂することを確認させる．ⓖこの動作を繰り返し，屈曲の角度および速度を変えて訓練させる．

④ 次いで，肘継手を屈曲させた状態で肘継手のロック・コントロールを行う訓練をする．ⓐ肘継手を屈曲させるために断端を前に出す．ⓑその位置で今度は，肩を前に出し断端を下でやや

後方に押す．この動作により肘継手がロックされるが，この動作は初めからすべて成功するとは限らない．何回も繰り返し訓練しコントロールできるようになる．ⓒ肘継手を遊動とし，義手を下垂した位置に戻す．

⑤ 手先の開閉動作訓練を行う：前腕義手の場合と同様に，肩関節を屈曲し前腕部を前に押し出すことによりコントロールケーブルに緊張が加わり，手先の開大を行う．

⑥ 最後に，以上のすべての動作をいろいろと混ぜ，操作する動作や場所を変えて訓練する．

その間，特に義手のコントロールに無駄な身体の動きがないかどうかを確かめておき，あれば矯正をする．

─3▶肩義手

① 前腕義手の①〜⑤の場合と同様に行う．

② 肘継手の屈曲と手先の開閉訓練を行う：切断者に，背中を丸め，肩をすぼめるように指示する．これにより，肘継手が固定されているときは手先の開閉が起こり，遊動のときには肘継手の屈曲が起こることを認める．

③ 肘継手のロック・コントロールは，患側の肩部を上にあげることによりロック・コントロールケーブルに緊張が加わり，コントロールしうる．なおヌッジコントロールを用いたときは，任意の肘屈曲の角度で顎で押さえることにより行われる．

3 義手使用訓練─基本訓練

─1▶義手手先の位置の設定（prepositioning of terminal device）

基本訓練は，まず手先を把握しようとする対象物に対して一番都合の良い位置に設定することから始まる．そのためにはまず，フックの2本の指のうちどちらが固定側か遊動側かを切断者に確認させ，固定側を対象物に近づけ，その把握面が平行となるようにすることが必要である（図4-137）．そのためには，前腕義手では，あらかじめリストユニットの回旋による位置の設定が必要である．

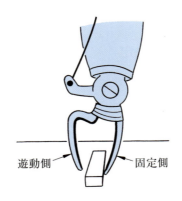

図4-137 フック手先での対象物の把持

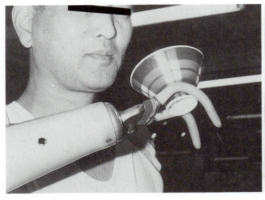

(a) 茶碗で水を飲む　　　(b) 右フックで万年筆をつかみ書字をする

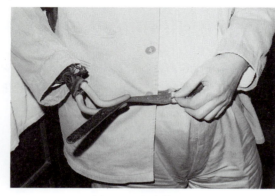

(c) バンドを締める　　　(d) データを記載する

図4-138　右前腕切断（職場長）

　さらに上腕義手，肩義手では，肘継手の固定角度の選定，ターンテーブルの回旋角度の調整，肩継手の固定角度の選定などが必要となる．この肘継手の角度の選定を例にあげると，90°肘継手固定位は，万年筆のキャップをとる，釘を金づちで打つ，財布から紙幣を取り出すなどの動作に用いられ，軽度屈曲位は，主婦の炊事動作，靴紐結びなどの動作に用いられる．これに対して，ネクタイを締める，シャツのボタンをかける，髪をとくなどの動作では，肘継手が90°以上の屈曲位をとっていなければならない．

─2▶ "どちら側が利き手か" の決定

　訓練を行う場合，どちら側が利き手かを決定することは重要である．しかし現実的にはかなりむずかしいことが多い．**図4-138**の右前腕切断例（職場長）は，利き手を切断したため，利き手交換訓練として反対側の非切断肢で書字訓練を行った．しかし現実的には，書字を初めとして右側義手の動作が役立つようになった．最初から反対側を利き手にしようと決めてかかった試みが誤った例である．

　一般的に上腕義手では，反対側上肢の残存機能いかんにより，利き手にするか補助手にするかが決定される．すなわち，反対側が健常か前腕切断の場合は，両手動作においては，上腕義手側はあくまで補助手として働く．しかし，もし反対側の機能がより悪い場合は，上腕義手側が利き

手となるよう訓練せざるをえない．訓練の経過を通じて，いずれを利き手にするか補助手にするかを，医師および作業療法士により決定し，将来の職業の選定に際しての重要な資料とする．

― 3 ▶ 訓練は，単純なものから複雑なものに

　基本訓練は，まず対象物に義手を近づけてつかみ，放す動作（approach grasp and release）の反復訓練を行う．初めは木片を利用して行うのが一番良く，図4-154(a)（p259）のようなダイヤモンドゲーム，また将棋などのゲームを利用して，作業療法士の指導のもとに行われる．

　訓練によって上達するにつれて対象物を変えていく．たとえば，紙コップのように軟らかいものをこわさないで持つ訓練，複雑な形をしたもの（びん，ペン，財布，定期入れ，電話機など）を把握する訓練を行う．次いで，徐々に義手の回旋角度を変えながら日常生活動作（ADL）を含む両手動作に移行していく．

4　義手使用訓練―日常生活動作

― 1 ▶ 衣服着脱動作

(1) ズボンをはく

　① 前腕切断の場合：フックを約45°回内位に回し，ズボンの上端をつかんで上に引き上げる．その間に健側手でシャツをズボンの中にたぐり，ズボンのフックを留め，ボタンを留める．バンドを締めるときは，図4-138(c)のように，フックでバンドを持って引っ張り締める．

　② 上腕切断の場合：肘継手を約90°に屈曲し固定する．次いでターンテーブルを内旋し，フックによってズボンの上端を上げている間に，前腕切断と同じように行う．

　③ 両側上肢切断の場合：利き手側（前腕義手側）でズボンの上端を持ち上げ，補助手側（上腕義手側）を肘90°屈曲位に固定し，フックでズボンの上端部を持ち，利き手側でシャツを内側にたぐり入れる（図4-139）．

　ズボンにはボタンやフックよりもファスナーを用い，その先にフックをひっかけやすいように輪を作る細工をしたほうが実用的である．

(2) シャツのボタン留め（袖口および前ボタン）

　① 前腕切断の場合：フックを中間位に置き，図4-140のように健側指の第四，五指でシャツの袖口を握り，フックの端で袖口をつかみ，ボタン穴の長軸に対して身体のほうに引っ張る．それと同時に健側前腕部の回旋と肘関節の伸展を行うと，ボタンを外すことができる．その場合，コントロールケーブルに緊張がないこと，袖口が長く広いこと，ボタンがボタン穴の真ん中にあることが条件となる．ボタンをはめる動作は，フックの端でボタン穴の近くの袖口をつかみ，ボタン穴の長軸と反対方向の引っ張り穴を広げる．手関節の背屈運動によりボタンを穴のほうに近づけ，穴の中を半分ほど通ったときに健側指で袖口を固定し，今度はフックでボタンをつかみボタンをかける．

　② 上腕切断，肩離断の場合：肘継手を90°に固定したあとで，前腕切断者と同様の方法で行う．肩離断の場合には，図4-141のようなボタンフックを用いる場合がある．しかし，熟練までにはかなり時間を要するため実用性に乏しく，袖口を広くしてボタンを常時かけていることが多い．

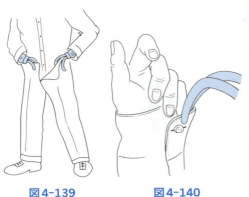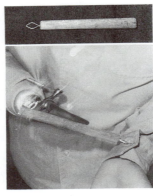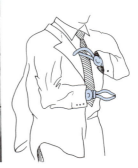

図4-139
ズボンをあげる（左前腕・右上腕義手）

図4-140
ボタンを外す

図4-141
ボタンフックを利用してシャツ袖口のボタンを留める（右肩甲胸郭間切断）

図4-142
上着を着る（両側前腕切断）

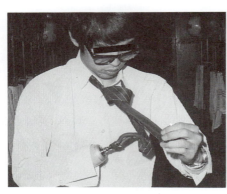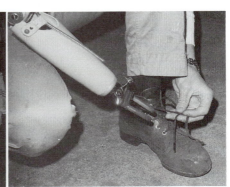

(a) ネクタイを締める　　　(b) 作業靴にはきかえる

図4-143　右上腕切断（工具）

③ 両側上肢切断の場合：袖口のボタンは通常，義手を装着する前にかけておき，補助手（上腕切断）のほうを先に通し，90°に肘継手を屈曲固定し，図4-142のように，利き手（前腕切断）のフックで肩までシャツを引っ張って義手を袖に通す．シャツの前ボタンは，両側前腕切断および一部の一側上腕・一側前腕切断者では操作可能であるが，両側上腕切断以上の高位の切断者では実用性に乏しく，シャツの前の重なるところにマジックベルトを使用し，ボタンは形のみにとどめるほうが実用性がある．

(3) ネクタイ

① 前腕切断の場合：ネクタイをカラーの下に挟み込み，切断側に短いほうを置いておく．フックの回旋角度を調整してから，このネクタイの端をつかむ．その場合，ネクタイを結んでいくと義手がだんだん下がってきて，最後に結ぶときに端が長すぎることがしばしば起こる．そのため，できるだけネクタイを短くしてフックでつかむようにすればよい．

② 上腕切断の場合：肘継手を最大屈曲位で固定し，ターンテーブルを内旋位とし，ネクタイの短い端をつかみ（図4-143(a)），前腕切断と同様に行う．

③ 両側上肢切断の場合：利き手（前腕切断）側でネクタイをカラーの下に挟む．補助手（上腕切断）でネクタイの短いほうをつかみ，利き手でネクタイを結ぶ．最近では，すでに結んである

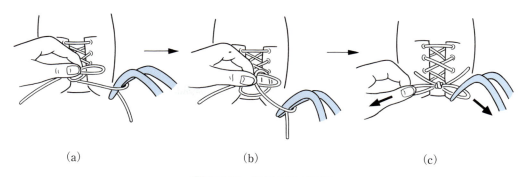

図4-144　靴紐を結ぶ手順

ネクタイが市販されているので，これを利用するほうが実用性がある．

(4) 靴紐を結ぶ

① 前腕切断の場合：前腕義手では，手を下に伸ばすとどうしてもケーブルに緊張が加わる．したがって，足部をフックのほうに近づけるような姿勢をとる（図4-143(b)）．図4-144のようにフックを内旋位とし，その先に非切断側手で同(a)のように紐をつかませる．非切断側の手で小さい紐の円を作り，同(b)のようにフックで紐を回し，フックを持ちかえ，同(c)のように，できた輪をつかみ，非切断側手と同時に反対側へ引っ張る．

② 上腕切断の場合：肘継手を屈曲位で固定し，あとは前腕切断と同様に行う．

③ 両上肢切断の場合：両側前腕切断では，通常，靴紐を結ぶことができる．しかし両側高位切断では困難なことが多い．最近，靴紐がすでに結んであり伸縮自在な靴が市販されているので，これを勧めるほうが実用的かもしれない．

(5) 上着，シャツの着脱

① 前腕切断の場合：上着の袖口を通すときにフックを袖口にひっかけ破ることが多い．そのため，フックを通す前にハンカチの中央部を握らせ，袖口を通させるとよい．

② 上腕切断の場合：義手と肘継手を伸展位とし，上着の袖を通す．フックが袖口から出てきたときに肘継手を90°に屈曲させ，滑り落ちないようにする．上腕切断の場合は，肩離断に比較して肩の外転が可能であることが大きな利点である．

③ 両側上肢切断の場合：補助手（上腕義手）のほうが袖の中に通りやすいように利き手（前腕義手）のほうで上着を持ち，袖口からフックが出たらすぐ上着がずり落ちることがないよう，肘継手を90°屈曲位に固定する．そして，前腕義手で肩まで上着を引っ張りあげて袖に通す．

─2▶ 食事動作

食事動作は，欧米とはまったく異なる習慣がある．特に箸を持つ習慣，汁を飲む習慣などは，切断後も捨て切れないものである．たとえば前腕切断を例にとると，フックで割り箸を持ち，非切断側手でこれを割り，フックの背面（図4-138(a)）または能動ハンド（図4-145(a)）で茶碗の底を挟んで持ち，非切断側手で箸を持って食事する動作は日本人独特のものであろう．

一側上腕切断の場合には，あくまで皿，茶碗を押さえる補助手として使用され，非切断側手で箸またはスプーンが用いられることが多い．これは，ナイフやフォークを日常持たない生活様式と，公衆の面前でフックで食事することのむずかしさの現れと思われる．両側上肢切断では箸を持つ機能が失われる．その場合には，図4-146のようにして行うと最も安定性が良い．

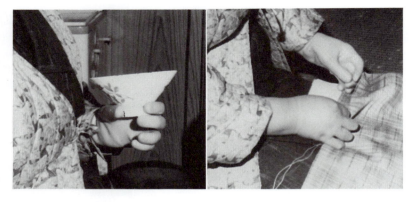

(a) 茶碗を持つ　　　　　　　(b) 裁縫動作

図4-145　能動手先の使用（左上腕切断，主婦）

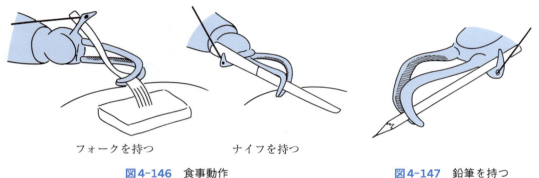

フォークを持つ　　　ナイフを持つ

図4-146　食事動作　　　　　　　　図4-147　鉛筆を持つ

　フォークの場合には，フックでフォークの平らな面を握り，フォークの根元はフックの母指の背面に置く．ナイフの場合は，ナイフの先が下を向くように持つ．バターをパンに塗るときには，補助手を肘継手と固定し，フックを90°回内位にして皿上のパンを押さえ，利き手側を45°回内位にしてナイフを持ち，動かすことによりバターを塗る．

― 3 ▶ 事務動作

　① 書字動作：一側切断の場合には，利き手交換訓練のあとで非切断側手で書くことが多く，義手は補助手として役立つ．その場合，フックを約45°内旋し，前腕部とフックを紙の上に置いて固定する．しかし利き手を切断した場合は，図4-138(b)のように切断側義手で万年筆などを持って書字することが少なくない．また長い鉛筆のようなものの場合は，ナイフを持つ要領と同じである（図4-147）．

　② その他，はさみで紙を切る，電話をかける，タイプを打つ，データを閉じ込むなどの両手動作による訓練は重要である（図4-148）が，比較的単純であるので省略する．

― 4 ▶ 整容動作

　① 入浴動作：タオルに石けんをつけて身体を洗う場合，特に背中を洗う動作，タオルをしぼる動作が困難なことがある．一側切断の場合にはタオルの一端に，両側切断の場合には両端に断端を入り込ませることのできる袋を作り，これで背中にタオルを回して洗うことが多い．タオル

(a) 義手の手先はほとんど押さえるのに使用　　(b) カルテの整理

図4-148　装飾用義手装着例（右肩離断，病院事務員）

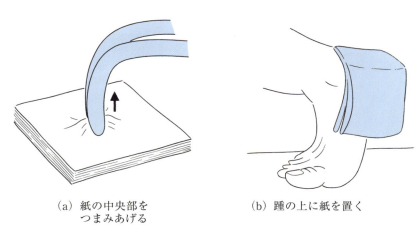

(a) 紙の中央部を　　　　(b) 踵の上に紙を置く
　つまみあげる

図4-149　用便後，紙でふく動作

をしぼる動作は，前腕切断の場合には肘の屈側または腋窩部にタオルを挟み込み非切断側手でしぼることが多い．

②　歯みがき：通常，ねり歯みがき粉を用いる．一側切断では問題はないが，両側切断の場合には歯ブラシを利き手（前腕切断）側に持たせ，45°回内位をとらせて歯をみがく．

③　ひげそり：両前腕切断では，断端でクリームの塗布，かみそり刃の入れ換えなどを行うことができる．最近の電気かみそりの発達により，この問題はほとんどなくなってきているといってよい．市販のかみそりの選択では，フックで握りやすいもの，表面が滑りにくいもの（滑りやすければ表にゴム帯をかぶせる）を選ぶ．また，ひげそり中に電気かみそりを落としても破損しないよう，下に必ず厚手のタオルを置くように注意をする．

④　櫛で髪をとく：両上肢切断の場合に問題となる．利き手側（前腕切断）のフックを45〜90°回外位にして櫛を持たせて髪をとく．

⑤　用便動作：両上肢切断では，ズボン，下着の着脱が義手でできるかどうかが用便動作にとって大きな鍵となる．したがって，前述した衣服着脱動作ができればほとんど問題はなくなる．大便後，肛門部を紙でふく動作が両上肢切断で問題になることがある．通常，一側が前腕切断の場合はリストを45〜90°回外し，図4-149（a）のように，数枚重ねた紙の中央部をフックで

258　第4章　義　手

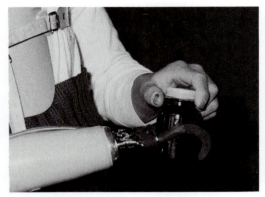

（a）フックで押さえてじゃがいもの皮をむく　　（b）鍋をフックで押さえて洗う

図4-150　炊事動作（右上腕切断，主婦．能動義手を装着）

図4-151　びんのふたをあける（右肩甲胸郭間切断，印刷工）　　図4-152　アイロンかけ（左前腕切断，洋服仕立業）

　つまみ，フックを包むような感じで身体を後方に曲げ，後方から肛門部にもっていく．前方から肛門部にもっていく方法もあるが，その場合にはコントロールケーブルに緊張が加わり，フックが開大して紙を落とす欠点がある．
　両側の高位切断でフックを肛門部にもっていくことができない場合は，足部の踵を利用することがある．同(b)のように，前かがみの姿勢をとってフックで数枚の紙を踵の上に重ねて置き，その上に肛門がくるように座り，腰を前後に動かすことによりふくことができる．洋式トイレの場合には，トイレのシートに紙を置き，この上にまたがって肛門部に当て，やはり腰を移動することによりふくことができる．

─5▶家事動作

　これにはいろいろな動作が含まれ，この中にもきわめて日本式の動作が認められる．紙数の都合で精細に述べられないため，すでに社会復帰をした切断者の例を写真で示すことにする．食物を切り皮をむく（図4-150(a)），鍋をフックで押さえて洗う（同(b)），びんのふたをあける（図4-151），フックでミシンの作業をする（図4-153(a)），針に糸を通す（同(b)），縫うときに義

8 義手装着訓練　259

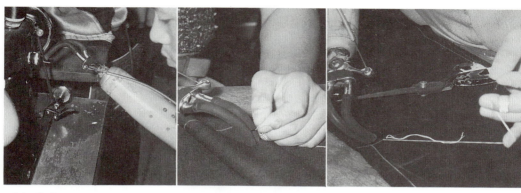

(a) 義手のフックでミシンを　(b) フックで針をつかみ，　(c) 布地に糸を通す
　　コントロールする　　　　　糸を通す

図4-153 洋服仕立の仕事（右上腕切断）

(a) 義手使用の基本訓練．ダイヤモンドゲームによって目的物に近づき，把握し，放す動作を繰り返し行う

(b) 重量物運搬訓練　　　　　　　　　(c) カンナ削り

図4-154 イラストレーターとして社会復帰するための訓練（左上腕骨頸部切断）

(d) イラストレーション

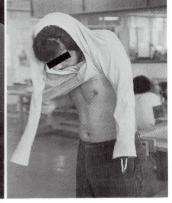

(e) 衣服着脱訓練

図4-154 つづき

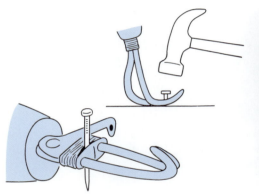

図4-155 釘を金づちで打つ

図4-156 能動義手で自転車を運転(左肩離断)

手で押さえる(図4-145(b)),アイロンをかける(図4-152),バケツを持つ(図4-154(b)),カンナをかける(同(c)),釘を金づちで打つ(図4-155),自転車運転(図4-156)などがある.すべて,義手を用いた両手動作,義手を用いない片手動作など,その内容の優れている点,便利な点を示しており,その意味で義手の装着訓練の重要性を改めて強調しておきたい.

─6▶自動車運転

　自動車の免許の基準は,各都道府県により若干の差異が認められるが,いずれにしても公安委員会の検定を受けねばならない.障害の程度により条件の差はいろいろである.普通,ハンドル操作には円形のもの(ring)または棒状のものが取り付けられ,ノークラッチ型が用いられる.図4-157は左上腕・右前腕・右膝離断の三肢切断例である.右前腕に電動義手を装着させ,同(c)(d)(e)のような,スイッチ,ハンドル,方向指示器など18カ所にわたる自動車の改修により社会復帰に成功した例である.

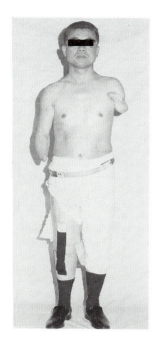

(a) 三肢切断

(b) (a)の症例に義肢を装着したところ

(c) ハンドルに棒状のものを取り付け，利き手の右前腕義手側でハンドル操作を行う

(d) スイッチ操作が不十分なため，押す操作に変更

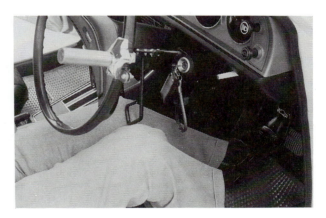

(e) 方向指示器は両側大腿内側部で操作する

図4-157 左上腕切断・右前腕切断・右膝離断例（電気技師）

9 筋電電動義手

1 筋電電動義手の特徴と背景

　筋電電動義手（以下，筋電義手）は電動義手の一つで，電極ユニット内の増幅装置が皮膚上から得られる微電圧の筋電を増幅しリレースイッチに伝える．リレースイッチは，電極ユニットからの筋電シグナルに反応し，モーターにバッテリーの電流を流し電動で動く仕組みとなっている（図4-158）．

　電動義手はこれまで，ロシア，英国，オーストリア（Viennatone），日本（加藤一郎WIME Hand，図4-159），米国（Fedility，図4-160），カナダ（McLaurin，図4-161(a)），イタリア（INAIL，同(b)），そして中国（上海），台湾（徳林）など多くの国で開発がなされてきた．

　この二十数年間において，筋電電動義手の適合技術は確実に進歩している．福祉先進国では公

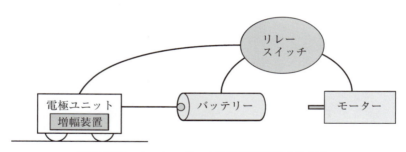

図4-158　オットーボック筋電電動義手の仕組み

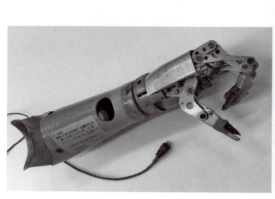
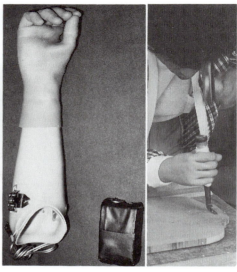

図4-159　右前腕切断用　WIME Hand

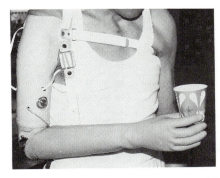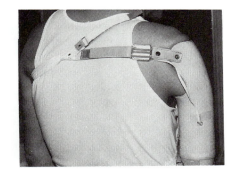

図4-160　上腕切断用Fedility電動義手

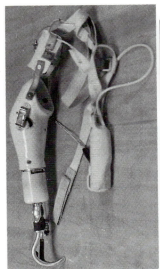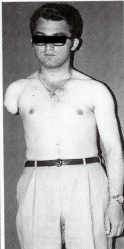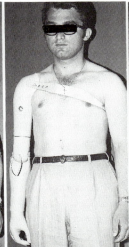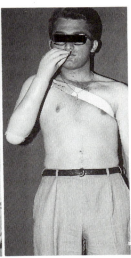

(a) 前腕回内外を行える筋電電動義手（McLaurin, Ontario's Crippled Children's Hospital, Canada）
(b) 右上腕短断端に対するINAIL筋電電動義手（Bologna, Dr. Schmidl）

図4-161　カナダ，イタリアの筋電義手

的給付が常識となっており，切断者自身に選択の権利が保障されている．

　その適応が広がった基盤には，①完成度の高いデザインの進歩，②筋電電動義手の作動装置，材料，制御技術の進歩，③臨床場面における適合成功例の増加，④筋電電動義手の公的給付への法的整備，⑤義肢装具士，リハビリテーションエンジニア，セラピスト，デザイナー，医師など多職種のチームによる筋電電動義手の活用に対する前向きな姿勢，⑥筋電電動義手の修理などメインテナンスシステムの整備，などがあげられる．

　現在，欧米を中心として世界で最も普及（市販され実用化）している筋電電動義手は，強い把持力で機能的に優れているドイツのOttobock社製マイオボック（MYOBOCK®）の前腕用筋電義手（図4-162）で，日本でも主流である．

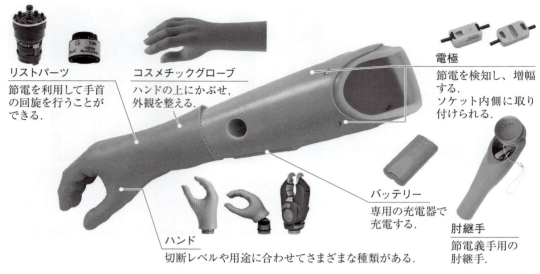

図4-162 マイオボック（MYOBOCK®）の基本構成

2 筋電電動義手の構成と部品

―1▶筋電電動義手の基本的構造

　筋電義手は，手先具（電動ハンド），装飾用手袋（インナーグローブ，アウターグローブ），継手（リストユニット，電動リスト，電動肘等），電極，バッテリーおよび充電器，支持部（外ソケット），ソケット（内ソケット）等の部品で構成されている（図4-162）．

　操作のながれは，皮膚の表面に取り付けた表面電極が，制御用信号源である微弱な筋電信号を検知し，電極に内蔵したアンプが検知した筋電信号を増幅させる．増幅された筋電信号は，手先具の開閉や手継手の回旋を司るシステムコントロール制御システムへ伝達され，手先具の開閉等が実現する．

　つまり，筋活動による筋電信号が，筋収縮⇒皮膚表面⇒①電極⇒②アンプ・フィルター⇒③コントローラー⇒④モーターの順で伝達され，ハンドの開閉を決定する（図4-162）．

　筋電電動義手の部品と構成について，最近までの開発の現状を，Michael Schuchの報告[333]を中心にまとめる．

―2▶制御用信号源

　最も一般的な筋電電動義手は前腕義手で，信号源は残存肢の背側にある手根伸筋群と屈側にある手根屈筋群から得る．上腕切断の場合の信号源は，上腕二頭筋と上腕三頭筋であり，肩離断の場合の信号源は前三角筋と後三角筋，また，大胸筋や広背筋から得る．

　筋電図用表面電極がこの筋収縮部に設置され，収縮により発生した電気的活動を微小電流として受信し，これを増幅し筋電システムのラインに送り込む．その筋電の増幅は，電極増幅器のボリュームの1〜7までの目盛りを調整して行う．

　筋電信号を適切に抽出するために，電極は筋の走行に平行に設置し圧着する．近年，外部ノイ

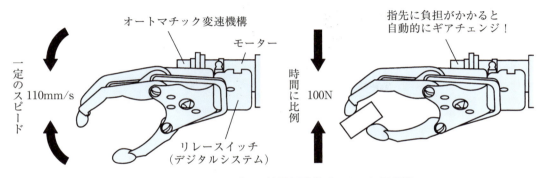

図4-163　オットーボック筋電電動義手による把持機構

ズの影響を受けにくく改良されたものや，吸着ソケット用の電極がある．

―3▶システムコントロール

　従来のシステム制御は，筋電信号を解読し，これを適切なモーターの駆動によるハンドの開閉やリストの回旋に用いるものであった．しかし最近の進歩は，オンボードマイクロコンピュータ制御システムの活用にみられる．これは，義手内部に小さくてすべての制御機能を選択できるマイクロコンピュータモジュールを取り付け，これによりバッテリーの充電と放電からハンドの開閉までコントロールする．2個のモーターによる制御ができるので，2種類の別々の機能，たとえばハンドの開閉およびリストの回内，回外，または肘の屈曲，伸展およびハンドの開閉を行うことができる利点が大きい．

―4▶制御方法

　制御方法は，電極数と筋電システムの「頭脳」固有の設定に応じてハンド，リスト，肘を制御する特定の方法である．初期の筋電システムは手先の開閉のみを制御するものであったが，その後，改良が加えられ，ハンドとリストの両方の制御ができる回路とともに，リストの回転モーターが加えられた．基本は1～2個の電極を用いて制御する．

　図4-163に示したように，ハンドにはリレースイッチが付いている．筒型のボディーの中には近位からモーター，逆転防止ユニット，これはモーター側からの動きを指先に伝えるが，指先側の動きはロックする．そして筒型ボディーの遠位端にはオートマチック変速機構が取り付けられている．これは，指先に負荷がかかっていない状態では車でいうトップのギア比にあり，指先が対象物をつかむと瞬時にローにシフトダウンする．リレースイッチにはさまざまな種類がある．

　代表的な筋電制御の仕組みを以下に記す．

(1) 2サイト2ファンクション

　2個の電極を利用して2つの動きを制御する．たとえば，前腕切断の場合，筋電ハンドを制御する主な筋は，ハンドを開く(open)ためには手関節背屈筋群，また，閉じる(close)には手関節掌屈筋群から選択する(図4-164)．

(2) 1サイト2ファンクション

　1個の電極で，2つの動き(ハンドの開閉)を制御するシステムで，Ottobock社では，ダブルチャンネルシステム(図4-165)やEVOシステムがある．ダブルチャンネルシステムは，1個の

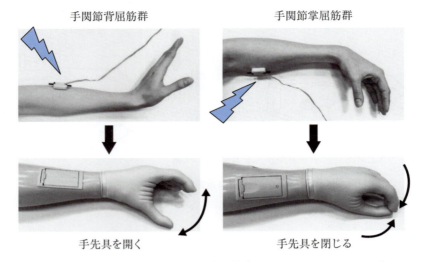

図4-164　前腕筋電義手の操作方法（2サイト2ファンクション）

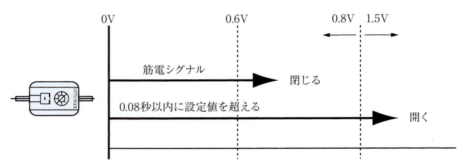

図4-165　前腕筋電義手の操作方法（1サイト2ファンクション）

電極で，2つの閾値を設定する．筋電シグナルの強さ（強・弱）に応じ筋電ハンドが作動（開・閉）するシステムである．また，EVOシステムは，1個の電極で，筋電シグナルが入力（筋肉が収縮）するとハンドが開き，筋電シグナルが無くなる（筋肉が弛緩する）と自動的に閉じる．先天性上肢欠損児など乳幼児から小児筋電義手を始める場合は，このシステムから開始する．

また，ケロイドや皮膚移植，その他の理由で筋電シグナルが1カ所しか得られない場合に使用する．

(3) 2サイト4ファンクション

1サイト2ファンクションを2個利用して4つの動きを行うもので，筋電ハンド（開・閉）とリストの回旋（回内・回外）の動きを制御する（図4-166）．

また，これらの制御方式として，ON-OFF制御システムと比例制御システム（図4-167）の2つの制御システムがある．

ON-OFF制御システムは，閾値を超えると一定の速度でハンドが作動する．制御が容易で筋電シグナルが小さくても操作が可能である利点があるが，開閉速度が一定なため，細やかな開閉の制御がしにくいといった欠点がある（図4-168）．

比例制御システムは，閾値を超える筋電シグナルの強さと速さに比例して速度や把持力が変化して作動する．速く強い力での把持や，ゆっくりとした弱い力での把持の調節が可能である利点

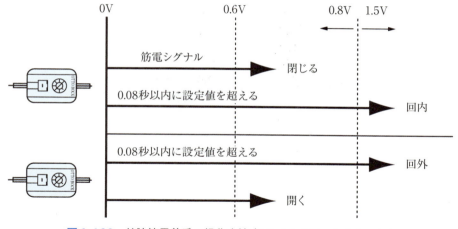

図4-166 前腕筋電義手の操作方法（2サイト4ファンクション）

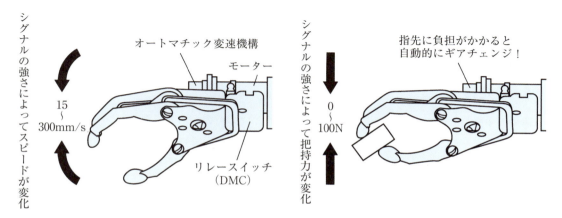

図4-167 DMC（比例制御）システム

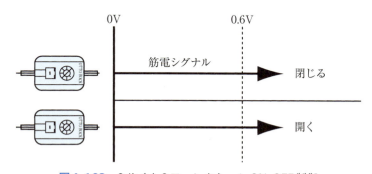

図4-168 2サイト2ファンクションON-OFF制御

があるが，筋電シグナルを制御するための習熟が不可欠である．

また最近では，筋電シグナルの認識技術として，多指駆動型義手を制御するためなどに使用できるマイオプラスなどの「筋電パターン認識」が開発されている（図4-169）．これは，複数の電極（8カ所）を断端の周囲の筋に装着し，動作に応じて計測された筋の収縮がレーダーチャートの形（パターン）を人工知能であるAI（Artificial Intelligence）が学習する際に用いられる技術で，

図4-169　マイオプラス

筋電シグナルのパターンの違いをAIが判別することで操作する．

─5▶バッテリー

従来，ニッケルカドミウム（12V，9V，6V，子どもは4.8V）が用いられてきたが，容量の減少が常に問題とされてきた．しかし，最近では，ニッケル水素バッテリーやリチウムイオンバッテリーの技術が開発され，容量減少がないこと，使用時間の延長，放電/再充電サイクル総数が増加したことから，現在，筋電電動義手の使用者にとって朗報となっている．

─6▶手先具

電動の手先具としては，ハンドタイプやフックタイプのものがある．電動ハンドは，前述したマイオボック（MYOBOCK®）が3指駆動型であり，主流となっている．近年，労災保険などの適応で，多指駆動型ハンド（5指駆動型ハンド・多関節電動ハンド）の使用も増加傾向となっている．

3 日本で取り扱われている筋電義手

─1▶MYOBOCK®ハンド成人用と小児用（Ottobock社）

世界で最も普及しているのは，Ottobock社により開発されたMYOBOCKシステム（MYOBOCK® Prosthetic system）（図4-162）であり，日本でも主流となっている．完成した筋電システムをもち，ソケットデザインやコンポーネントまで，すべてのシステムが筋電義手の標準となっている．

電動ハンドの種類や適応年齢とサイズを表4-5に示す．乳幼児（1歳）〜成人まで7サイズあり，さまざまな年代や断端長に対応可能となっている（図4-170）．

電極位置の決定や筋電トレーニングを行うためにパソコンに接続して使用する筋電シグナルを棒グラフとして表示する「Myoboy®」や，さまざまなMyoSoftwareも準備されており，これらを用いて，筋電位の検出や筋電シグナルの出力練習を行う（図4-171）．

小児用のMYOBOCKハンドも成人用と同様，システム化されている（図4-172）．小児用では，専用のマイオリノソフトを用いて，制御方式や筋電シグナルを確認・決定する．有線ではなく，ブルートゥースを介して無線で通信することができるため，子どもの義手の操作をより自然なかたちで行うことができる（図4-173）．

表4-5 Ottobock社製電動ハンドのサイズと適応年齢と機能

種類	適応年齢	サイズ	開き幅	把持力	重さ	断端長の適応
成人用ハンド	成人男性	7 3/4	100mm	9.2～10.2kgf (90N～100N)	457g	①標準断端用 ②手関節離断用 ③手部部分切断用（屈曲リスト可）
	成人女性 成人男性	7 1/4	100mm	9.2～10.2kgf (90N～100N)	457g	
	成人女性 ～13歳	7	79mm	9.2～10.2kgf (90N～100N)	355g	①標準断端用のみ（屈曲リスト可）
小児用ハンド	13～10歳	6 1/2	58mm	3.6 kgf (35N)	130g	①標準断端用のみ（マイオリノリスト可）
	10～6歳	6	32mm	3.6 kgf (35N)	125g	
	6～3歳	5 1/2	37mm	2.5 kgf (25N)	115g	
	3～1歳	5	28mm	0.8 kgf (8N)	86g	

	通常ハンド	屈曲リスト付	手部部分切断用	手関節離断用	作業用グライファー
製品番号	8E38	8E44＋10V38	8E44	8E39	8E33
ハンドの種類	センサーハンドスピード バリプラススピード DMCプラス デジタルツイン	DMCプラス	DMCプラス	センサーハンドスピード バリプラススピード DMCプラス デジタルツイン	バリプラススピード
サイズ	7 1/4, 7 3/4（DMCはサイズ7のみ）	7 1/4, 7 3/4	7 1/4, 7 3/4	7 1/4, 7 3/4（DMCはサイズ7のみ）	ワンサイズ

図4-170　各種のMYOBOCK成人用ハンド

図4-171　Myoboy®と訓練場面

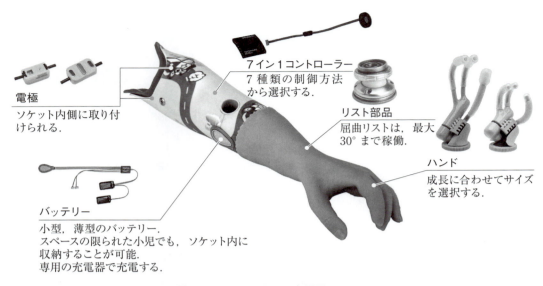

図4-172 MYOBOCK小児用システム

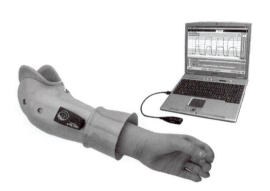

図4-173 MYOBOCK小児用マイオリノソフト

　また，上腕切断者用のハイブリッド電動義手のために配線コードやコネクタを内蔵した「ErgoArm®」やソケット側のシリコン素材が滑り止めの役割を果たす「ソフトハーネス」などがある（図4-174）．

─2▶bebionic Hand（Ottobock社）

　Ottobock社が製造販売している．5台のモーターが手掌部に内蔵され，母指とそれ以外の4指がそれぞれ駆動する5指駆動であり，他動的に母指の位置を対立位と外転位（ラテラル）を切替えて使用する（図4-175）．

　把持パターンの切り替えは，筋電シグナル，母指の位置の切り替え，手背部のスイッチによって行い，プログラムされた10パターンの把持形状から，対立位（Opposed）とラテラル位（Non-Opposed）でPrimaryとSecondaryの2パターンずつを選択でき，最大で8パターンの把持動作を選択できる．それらに加え，オープンパーム，指の間でのつかみ動作がある（図4-176）．

　サイズと色は，small（black）（white），medium（black）があり，手継手も断端や機能に応じElectric Quick Disconnect, Short Wrist, Multi-Flex Wrist, Flexion Wristから選択できる．

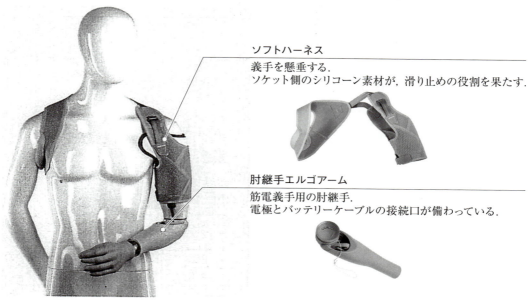

図4-174　上腕電動義手システム

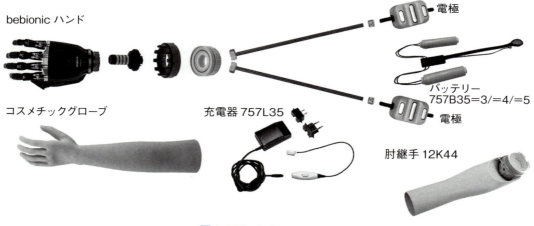

図4-175　bebionic Hand

　グリップは，Tripod Grip（3点つまみ），Pinch Grip（指先つまみ），Power Grip（パワーグリップ），Active Index（屈曲位からの示指が開閉），Precision Open（伸展位からの拇指と示指が開閉する指先つまみ），Precision Closed（屈曲位での拇指と示指が開閉する指先つまみ），Hook Grip（鉤つまみ），Key Grip（指腹つまみ），Finger Point（示指の指さし），Column Grip（カラムグリップ），Mouse Grip（マウスグリップ），Relaxed Grip（リラックス）など，14パターンがある．装飾性は高いが，把持力がやや弱く動くスピードも遅いことから軽作業に向いている．
　また，MYOBOCKシステムと組み合わせが可能なため，強い把持力が必要な場面では，作業用グライファーやMYOBOCKハンドと付け替えることができる（図4-177）．

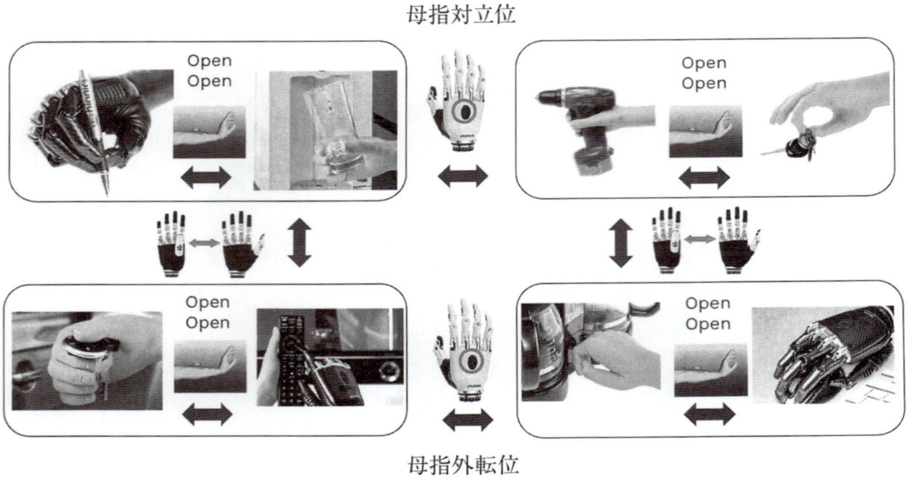

図4-176 bebionic Hand切り替え

図4-177 bebionic Hand手先付け替え

―3 ▶ Michelangelo hand® ミケランジェロハンド（Ottobock 社）

　筋電シグナルにより，ハンドの母指のCM関節が掌側と橈側とにポジションの切り替えを行い，母指と示指・中指が能動的に可動し，環指と小指は他の指の動きに追随して動く（図4-178，179）．

　専用のアクソンソフトとブルートゥース接続を用いて筋電やグリップパターンの調整を行い，検知された筋電位などすべての情報はアクソンマスター（コントローラー）に集約し保存される．アクソンAXONとは，Adaptive eXchange Of Neuroplacement dataの頭文字を取って出来た造語である．

　ハンドポジションは，Neutral Position（ニュートラルモード），Lateral Pinch（ラテラルピンチ），Tripod Pinch（3点つまみ），Lateral Power Grip（ラテラルグリップ），Opposition Power Grip（対立位での握り），Finger Abduction/Adduction（指間でのつまみ），Open Palm（オープンパーム：掌を開いた状態）の7つが可能である（図4-180）．

　手継手がロックボタンで，フレキシブルモードとロックモードを選択でき，掌屈・背屈・中間位をとることができる．母指の位置の切替え方法や，ニュートラルモードに戻る間隔など，ユー

9 筋電電動義手　273

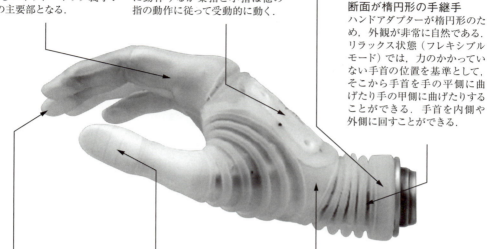

ミケランジェロハンド
ミケランジェロハンドは，軽量で，複雑な把持動作や自然で人体に似た解剖学的な外観を特徴とする．新しいオットーボック義手システムの主要部となる．

メイン駆動装置
メイン駆動装置は，グリップ動作や把持力に関与する．親指，人差し指，中指は意志により能動的に動作するが薬指と小指は他の指の動作に従って受動的に動く．

両側のリリースボタン
リリースボタンを同時に押すと，ソケットから義手ハンドを取り外すことができる．

断面が楕円形の手継手
ハンドアダプターが楕円形のため，外観が非常に自然である．リラックス状態（フレキシブルモード）では，力のかかっていない手首の位置を基準として，そこから手首を手の平側に曲げたり手の甲側に曲げたりすることができる．手首を内側や外側に回すことができる．

柔らかい指先
細部に至るまで自然さを追求し，指部分には軟質素材と硬質素材が組み合わされている．

独立して動く親指
母指駆動装置によりさまざまな位置での動作が可能である．親指を外転させて掌を平坦にし，手を開いた状態から別の動作を行うことができる．

柔軟な手継手
手継手のロックボタンで，フレキシブルモードまたはロックモードを選択できる．

図4-178　ミケランジェロハンド

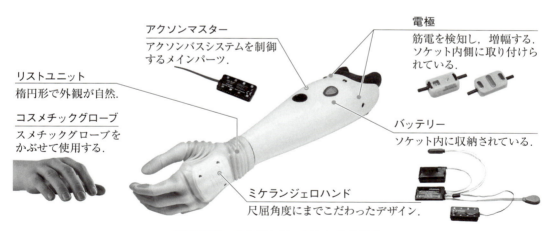

リストユニット
楕円形で外観が自然．

コスメチックグローブ
スメチックグローブをかぶせて使用する．

アクソンマスター
アクソンバスシステムを制御するメインパーツ．

電極
筋電を検知し，増幅する．ソケット内側に取り付けられている．

バッテリー
ソケット内に収納されている．

ミケランジェロハンド
尺屈角度にまでこだわったデザイン．

図4-179　ミケランジェロハンドの構成

ザー個々に合わせた調整することができる．

　多指駆動型の義手の中では，強い把持力が特徴で，対立位で最大7Kg，ラテラル位で最大6Kgである．また，ハンドの開閉スピードも，最大1秒間に約32cmのスピードをもっている．ハンドサイズは1種類のみでやや大きめなことから成人男性向きであるが，重作業以外のさまざまな作業に対応可能であり，作業時も休息時も自然な外観が特徴である．

　MYOBOCK®，bebionic Hand，Michelangelo hand®いずれもドイツのOttobock社製で，日本

1. ニュートラルモード
リラックス時の自然なハンドポジション．

2. ラテラルピンチ
母指（親指）が示指（人差し指）の側面に向かって動く．平らな物を横から挟むことができる．

3. 三点つまみ
母指，示指，中指でのつまみ動作．直径が小さく，表面が滑りやすい物を正確につまむことができる．

4. ラテラルグリップ
母指が示指の側面に向かって動く状態での握り動作．大きな物をつかむことができる．

5. 対立位での握り
母指が示指と対立位の状態での握り．小〜中程度の物をつかむことができる．

6. 指間でのつまみ
ハンドが閉じている場合，指間も閉じる．これにより，指の間で薄く平らな物を挟むことができる．

7. オープンパーム（手の平を開いた状態）
手が平らになった状態．物を乗せることができる．

図4-180　ミケランジェロハンドで可能なハンドポジション

では，オットーボック・ジャパン株式会社が販売している．

─4 ▶ i-Limb® hand（オズール社）

i-Limb® handはイギリスのTouch Bionics社製であったが，2016年Ossur社に吸収合併された．日本では，Ossur Japan合同会社が販売している．

i-Limb® Quantumとi-Limb® Ultraがあり，5本の指はSサイズよりチタン製で，それぞれ多関節となっており，個々の指で屈曲・伸展機能を有し，独立した動きが可能である（図4-181）．

把持の選択は，ジェスチャーコントロール（i-Limb® Quantum），アプリコントロール（モバイルアプリ），筋電シグナルコントロール，グリップチップ（日本未発売）の4つの方法からコントロールすることができる．

特にi-Limb® Quantumは，ジェスチャーコントロール（図4-182）であるi-moテクノロジー（Touch Bionics社の特許）を搭載しており，簡単なジェスチャーでグリップを変更することができる義手である．たとえば，ハンドを前後左右に動かすことで自動グリップにアクセスすることでグリップパターンを選択することができる．

母指の位置は，非切断肢を使って，他動で無段階に調整できる．母指は対立位から外側まで，グリップパターンに応じ，モーターの力によって自動で動き，グリップパターンは，Key Grip，Power Grip，Precision Grip，Index Point，Thumb Parkといったあらかじめ登録されているものと，カスタムのものを合わせて，最大36パターンから選択できる．また，Flexion wrist（屈曲

i-Limb® Quantum　　　　　　　　　　i-Limb® Ultra

図4-181　i-Limb® Quantumとi-Limb® Ultra

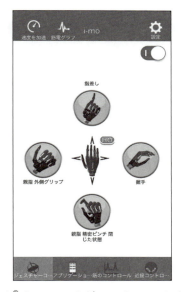

図4-182　i-Limb® Quantumのジェスチャーコントロール設定画面

リスト）を用いることで，手関節を5つの角度（＋40°，＋20°，0°，-20°，-40°）でロックすることで，掌背屈することができる．数多くのグリップパターンをアプリで設定することができ，母指の位置の調整ができることから細やかな作業に適しており，4つのサイズ展開がある（図4-183）ことが特徴である．

─5 ▶ i-Digits Quantum（オズール社）

　i-Digit（アイディジット）は，手部・指切断用の筋電手指としてデザインされていて，各指がモーターで動き，手部の残った機能と協同して使うことができる（図4-184）．
　適応は，指ではMP関節あるいは近位の切断で，第1～5指に対応している．
　自分でカスタマイズできるグリップも含め32種類のグリップから登録できる．i-Limbと同じように，本体を左右前後にジェスチャーコントロールすることでグリップを変えることができ

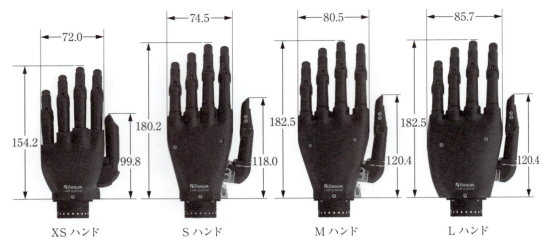

図4-183　i-Limb®の4つのサイズ

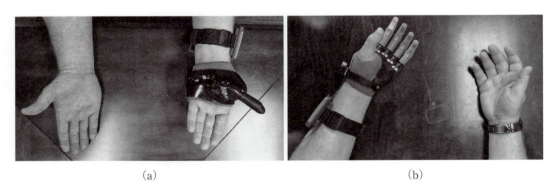

図4-184　i-Digitの使用例

る．対象物の形に沿った把持が可能で，スピードブーストは30％まで増加させることができる．リストバンド部分にバッテリーとマイクロプロセッサーが入っている．

　手部や手指部分切断の筋電手指の適応は，残った機能との協同運動が，求めている機能を提供してくれるのかどうかをよく確認する必要がある．筋電ハンドよりさらに機械的な特徴が目立つこともあり，日常生活や作業内容などで使い分けるなどの必要性が生じることもある．日常生活において両手動作ができることで便利なことも増える．さまざまな価値観を尊重し，選択肢が増えるとよいだろう．

4　わが国における前腕切断に対する筋電電動義手

　近年の筋電電動義手の技術進歩は著しく，福祉先進国では前腕切断者の約半数が筋電電動義手を装着するようになっている．前腕切断者の社会参加を進めるためには，公的給付の充実も必要ではあるが，公費により装着した筋電電動義手がほこりを被ることになってはならない．そこで，長年，筋電電動義手の装着訓練に取り組んできた兵庫県立総合リハビリテーションセンターの経験を紹介したい．

表4-6　第1段階でのチェック項目と筋電電動義手装着に好ましい条件

チェック項目	好ましい条件
切断レベル	前腕切断
片側か両側か	片側性切断
断端長	10cm以上が理想的
断端皮膚	ソケット適合や筋電信号検出に支障をきたす皮膚障害（瘢痕や皮膚植皮など）がない
近接関節	著しい可動域制限がない
理解力	筋電電動義手が高価であること，訓練を遂行できるインテリジェンスがあること
意欲	強い
非切断側上肢機能	障害がなく，ADLのほとんどが可能

なお，チームの成熟度により6cmの極短断端にも適応が可能である．

表4-7　第2段階での筋電電動義手の適否の判断基準

判断基準：2週間の集中的な評価訓練にもかかわらず，筋電信号を十分な強度で検出し，さらに分離することができなければ，筋電電動義手訓練の継続は困難と判断する．
留意点：第2段階は間隔をあけず，集中して行うことが肝要である．

陳　隆明『筋電義手訓練マニュアル』[353] より

〔筋電電動義手の装着訓練マニュアル（兵庫県立総合リハビリテーションセンター）〕

　筋電電動義手の適応については，切断者の受容具合，職業，意欲，断端の状況，熟練した専門職チームによる製作適合技術，装着訓練とメインテナンスシステムなど，条件の設定を厳しくすることが必要である．兵庫県立総合リハビリテーションセンターでは，陳　隆明氏をチーフとする上肢切断プロジェクト（医師，義肢装具士，作業療法士，リハビリテーションエンジニアより構成される）が，筋電電動義手の装着に積極的に取り組み，6カ月間にわたる筋電電動義手の貸与と評価システムを確立し，その成果を『筋電義手訓練マニュアル』[353] にまとめている．それによると，筋電電動義手の適応から訓練までは次のとおりである．

　(1) 第1段階：最初の医師によるチェックにより適応を判断．筋電電動義手装着訓練を開始するのに適する前腕切断者は**表4-6**のとおりである．

　(2) 第2段階：筋電電動義手訓練の最初の段階である筋電信号の検出と分離ができること（**表4-7**）を確認する．

　(3) 上記2段階の両方をクリアした切断者に対して筋電電動義手を製作する．

〔小児筋電電動義手の処方とリハビリテーション（兵庫県立総合リハビリテーションセンター小児筋電電動義手のアプローチプロジェクト）〕

　兵庫県立総合リハビリテーションセンターでは，成人のプロジェクトに続いて，2002年より「小児筋電電動義手のアプローチ」プロジェクトを結成し，小児分野においてハード面での整備とともに，関係スタッフが研鑽し，乳幼児期からの筋電電動義手装着の取り組みを始め，2024年現在までに102人の子どもたちへのアプローチを実施している．その中心となっているリーダー，柴田八衣子OTによる，乳幼児および小児における筋電電動義手装着までの流れと，重要な点を紹介する．

　(1) 患者の選択：子どもへの筋電電動義手の導入は，両親の思いから始まることがほとんどである．家族の筋電電動義手への理解と外来訓練を継続して行う意欲は不可欠である．開始年齢に制限はないが，2歳以下で前腕欠損がベストである．

　(2) 筋電電動義手の処方は医師が行い，義肢装具士，作業療法士，リハエンジニアの積極的

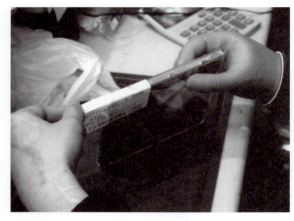
(a) CDの梱包

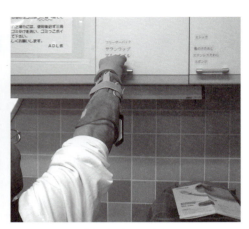
(b) 高所での仕事

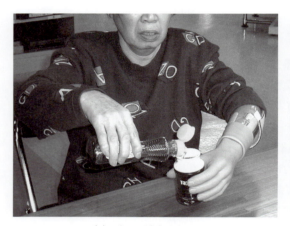
(c) ビンに油を入れる

(d) 袋を開ける

(e) 細かい作業

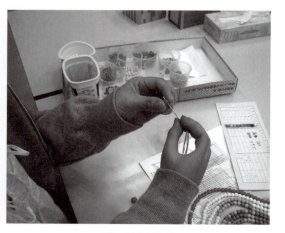
(f) 繊細な作業

図4-185 成人の筋電電動義手使用例（兵庫県立総合リハビリテーションセンター）

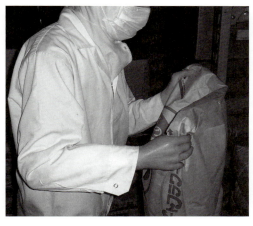
(g) 袋を持つ

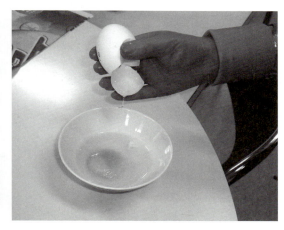
(h) 卵を割る

(i) 掃除をする

(j) 板を持つ

図4-185　つづき

なチームアプローチが不可欠である．

（3）義手装着訓練開始時には，週1〜2回の訓練が必要である．導入は，まず筋収縮やソケットの適応を確認する．両手遊びを中心に，筋電ハンドの制御訓練や筋電電動義手の役割を確立していく．さらに導入時には，両親に筋電電動義手の取り扱いや遊び方を指導しながら，在宅訓練へと移行する．訓練は，子どもの発達に合わせて階段づけを行い，両親への訓練指導を繰り返し進めていく．

（4）家族への指導，教育現場へのかかわりは，両手遊びを中心に，年齢に沿った遊び方を指導する．在宅での装着時間の確保が難しいようであれば，装着時間の計画やお茶碗保持の自助具を用いるなど，日常生活の中での役割を整える．また，保育園や幼稚園などの社会参加は有効であり，場合によっては作業療法士が訪問し，直接指導を行う．

成人，小児について訓練の具体例を紹介したい（図4-185，186）

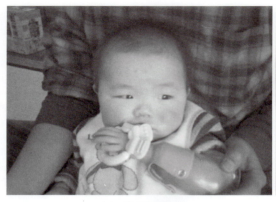
(a) 装飾用義手

　　　　　　　　　　(b) Grasp 練習

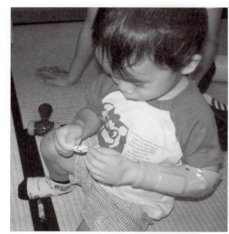
(c) 両手動作練習

(d) 目的物 reach の把持練習

(e) 2電極のための練習

(f) 太鼓をたたく

図4-186 小児の筋電電動義手装着訓練のアプローチの流れ（兵庫県立総合リハビリテーションセンター，柴田八衣子[378]）

9　筋電電動義手　281

（g）乗り物のハンドルを持つ

（h）本を読む

（i）ストライダーにのる

（j）はさみを使う

（k）三輪車をこぐ

（l）縄跳び

図4-186　つづき

5 筋電電動義手の公的交付の変化

労災保険では両上肢切断者が筋電電動義手の対象条件とされてきた．その内容は，旧労働省労働基準局からの通知（1979年）「労災保険における筋電電動義手の支給について」[411]は，前腕筋電義手の試験給付制度の「両側切断の場合ソケット代を含み63万円を上限とした助成（片側のみ）」であった．

その後，平成20（2008）年4月から平成25年3月まで，労働災害により一側の前腕切断を受けた方を対象として筋電電動義手の研究用支給事業（厚生労働省による「筋電電動義手の研究用支給」[412]）が行われ，その成果をもって平成25年5月から「義肢等補装具費支給要綱等の改正」があり，労働災害保険における筋電電動義手支給対象者枠が拡大された[413]．

その対象者枠の条件は次の3点である．
(1) 就労中であり，筋電電動義手により就労時の作業の質の向上が見込まれる者
(2) 筋電電動義手を操作することが可能であり，継続して可能な者
(3) 筋電電動義手の装着訓練を終了するとともに試験装着期間を経過している者

また自立支援法では，従来，国が規定する基準に当てはまらない「基準外補装具」として分類されてきた．

2013年から障害者総合支援法で筋電電動義手を支給する場合，厚生労働省が告示する支給基準外の特別補装具扱いとなった．特例補装具とは，「身体障害者・児の障害の現症，生活環境その他，真にやむをえない事情により，告示に定められた補装具の種目に該当するものであって，別表に定める名称，型式，基本構造等によることができない補装具」である[414]．その支給の条件は次のようにされている．
(1) 能動式義手では対応できない就労，日常生活上の動作が必須であること
(2) 専門医療機関で試験訓練が終了し，判定時に筋電電動義手が使用可能，使用効果があることを確認できる状態であること
(3) 支給後も定期的にメインテナンス，フォローを行う機関が地域にあること

特例補装具としての支給を経て，令和3（2021）年度からは障害者総合支援法において殻構造義手の型式に「電動式」が追加され，基準内補装具として収載されるに至った．これにより筋電義手の公的支給に対して，これまでよりも支給されやすい体制が整えられたといえる．

今後も筋電義手が適切に支給され，上肢切断者の生活において活用されるために，判定機関である更生相談所が筋電電動義手の有用性を理解し，支給に関して適切な判断が可能な環境が整備されること，ならびに地域において筋電電動義手の訓練評価を行うことのできる医療機関が整備されることが必要である．

6 上腕電動義手

体内力源上腕および肩義手の機能をアップするために，電動手先具用の肘継手が開発されている．電動肘（electric elbow）の機能をいかに人間の肘の機能に近づけるか，その機能特性やデザインの改善を目指して数多くの努力が積み重ねられている．

オットーボック ErgoArm（図4-187），オットーボック AxonArm Ergo（図4-188），Steeper

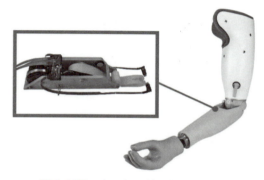

図4-187 オットーボック ErgoArm

電極ケーブル，バッテリーケーブル用の接続口が備わっている．肘継手内部をリボンケーブルが通り，筋電シグナルと電力を手継手と手先具に伝える．また，義手の外に配線が出ないため，外観の向上とケーブルの破損を防止できる．前腕の回旋も可能で，前腕内部には屈曲補助装置（AFB：Automatic Forearm Balance）を内蔵しており，前腕の屈曲が容易になる

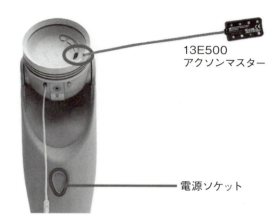

図4-188 オットーボック AxonArm Ergo

ErgoArmの長所と機能を引き継いでいる．ロックと解除はプルケーブルを使用し，ロック機構は任意の位置でロックと解除が可能，メカニックスリップストップ機能によりロックを完全に解除することなく前腕を下げることが可能，AFBが屈曲のサポートをすることで歩行中の自然なスイング動作が可能，回旋の摩擦の調整，電気ロック機構は筋信号またはスイッチによってロックと解除を行う，などである

図4-189 Steeper Espire Elbow Hybrid

Steeper Espire Elbow Hybridは筋電制御でのエルボーロックと機械式な屈曲と伸展制御である．Steeper Espire Elbow Proは革新的なパワーエルボーで，解剖学的形状を模倣しての設計で直感的で使いやすく信頼性の高いデバイスである

図4-190 fillauer Motion E2 Elbow (Hosmer NY Electric Elbow)
殻構造型．肘ブロックにコントローラー，バッテリーパックがあり，上部からケーブルが出ている

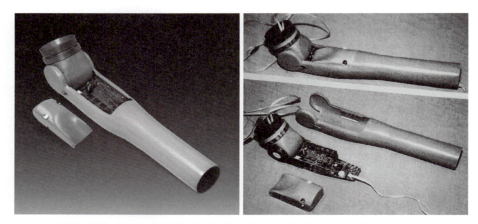

図4-191 Liberating Technologies Boston Digital Arm-Plus System
12ボルトバッテリーパックを取り除いた状態．プログラムをコントロールするサーキットボード内蔵

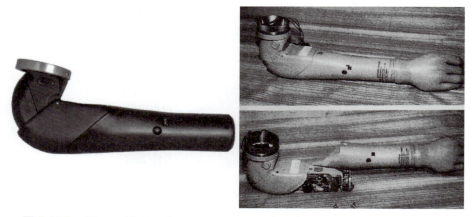

図4-192 fillauer Motion Control Utah Arm3/3+ (Motion Control Utah Arm 2)
右下図は前腕部のカバーを取り除いたところ．ドライブ機構と電動把持コントローラーが見えている．
12ボルトバッテリーは肘のキャップ内に内蔵

表4-8 成人電動肘継手の特性

電動肘継手名	NY Electric Elbow (large model)	Boston Digital Arm Systm	Utah Arm 2 (elbow only)
製作会社	Hosmer Dorrance	Liberating Technologies	Motion Control
ターンテーブルの直径	7.1cm	7.0cm	7.0cm
上腕部の直径	10.8cm	10.5cm	13.0cm
前腕部の最小径	前腕の部品は使用せず	20.3cm	24.8cm
重量	0.55～0.62kg（前腕部なしで使用するバッテリーに左右される）	1.02kg（標準的な前腕殻構造使用時）	0.91kg（標準的な長さの前腕殻構造使用時）
最大持ち上げ重量	3.4N・m	～14.2N・m	4.3N・m（概算）
ロック時の持ち上げ重量	2.44～27.1N・m	68N・m	68N・m
可動域	5～135°	0～135°	5～150°
速度	100°/s，負荷なし 56.5°/s，1.7Nmのカウンタートルク時	123°/s，負荷なし 113°/s，1.6Nmのカウンタートルク時	112.5°/s，オットーボックシステムElectricハンドの重量を含む．1.44Nmのカウンタートルク時
バッテリー	5か6.25V；固定（取りはずし不可能）	12V；取りはずし可能だが，充電中は腕に固定したまま	12V；取りはずし可能

(Craig W. Heckathrone：Components for Electric-Powered Systems, Atlas of Amputations and Limb Deficiencies 2004 より)

Espire Elbow Hybrid（図4-189），Steeper Espire Elbow Pro，fillauer Motion E2 Eibow（図4-190），Liberating Technologies Boston Digital Arm-Plus System（図4-191），fillauer Motion Control Utah Arm3/3＋（図4-192）などがその例である．

2004年時での情報であるが，Hosmer NY Electric Elbow（図4-190），Boston Digital Arm System（図4-191），Motion Control Utah Arm 2（図4-192）の3タイプの電動肘について，Craig W Hackathroneによりまとめられた情報を表4-8に示す．

10 筋電電動義手の装着訓練とメインテナンスの実際

　兵庫県立総合リハビリテーションセンターの上肢切断プロジェクト（陳　隆明医師をリーダーとし，義肢装具士，作業療法士，リハビリテーションエンジニア，看護師，医療ソーシャルワーカーより構成される）は，筋電電動義手の装着訓練の手順，そして修理，メインテナンスを次のように行っている（柴田八衣子ほか[363]）．

─1▶義手装着前訓練の評価と訓練について

(1) 切断者のオリエンテーションとニーズの確認

　前腕切断者に筋電電動義手の導入を勧めるにあたっては，まず，切断者の仕事，役割，趣味など日常生活において，筋電電動義手を含めてどのような義手が適しているか，詳細な情報を集めることが大切である．そのうえで，切断者に，筋電電動義手の使用場面を収録したビデオを見てもらい，さらに，先輩切断者の実際の訓練場面を見学してもらう．

(2) 切断肢の評価

　① 切断肢の断端長，肘・肩関節の関節可動域，筋力，断端痛，幻肢，皮膚の状態などの評価．
　② 筋電信号採取の評価と訓練：まず「デジタルハンド」をコントロールするために必要な，屈筋のみ，あるいは伸筋のみの強い収縮が可能かどうかを評価する（図4-193）．
　切断肢での触診とマイオトレーナーを使用して，筋の走行に沿って筋電信号を採取できる最適な位置を検索してそこに電極を置く．屈筋と伸筋それぞれの収縮を2秒間，瞬時に最大限発揮できる訓練を行う．その後，屈筋と伸筋の筋収縮を弁別（分離）する訓練を行う．このときに，電極の筋電増幅器の感度を調整しその値を決定する．このような訓練や感度の調整により分離を確実にし，随意的な筋収縮により筋電信号を出せるようにする．さらに，DMCハンドを選択する場合，速く強い筋収縮とゆっくり弱い筋収縮の訓練を行う必要がある．
　③ 上肢全体の関節可動域の拡大や筋力増強訓練：筋電電動義手の実用化にきわめて大切な基本訓練である．

─2▶訓練用筋電電動義手（仮義手）の製作

　仮義手の製作は義肢装具士が行い，その取り扱いやチェックアウトを義肢装具士と作業療法士が行う．製作手順は，①電極の位置の確認，②ハンドの選択，③採型，ソケットの製作と適合，④義手部分の取り付け（ハンド，電極，バッテリーなど），となる．

─3▶仮義手訓練

　仮義手を装着し，実際の筋電電動義手操作訓練に移行する．誤操作をなくし，疲労が出ない程度の軽い力で，次のような操作訓練を行う．

(1) 仮義手による基本操作訓練

　① ハンドの「開き」「閉じ」の訓練
　軽く肘関節を屈曲させ，目的物を使用しないで握り，開きの訓練をする（図4-194）．

図4-193 筋電信号の採取

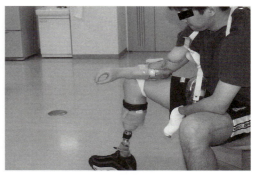
図4-194 基本操作訓練．「開き」「閉じ」の練習

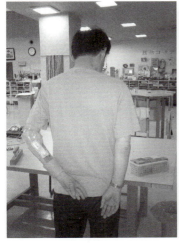
図4-195 基本操作訓練．さまざまな位置での「開き」「閉じ」の練習

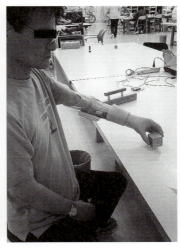
図4-196 基本操作訓練．ブロックを握る練習

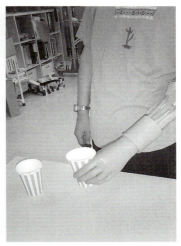
図4-197 基本操作訓練．紙コップを握る練習

② さまざまな位置での「開き」「閉じ」の練習

頭上，肩関節90°屈曲位，外転位，腕を下方に下げた位置，足元，腰の後ろ，後方からの位置など，さまざまな位置での操作練習を行う（図4-195）．

③ 物品を使用した「握り」「放し」の練習

ブロック（図4-196），円盤，ペグ，スポンジ，紙コップ（図4-197），パチンコ玉やビーズなどを用いて握り・放しの訓練を行う．

④ 目的物の移動（持ち運び）の練習

次いで，目的物に近づき，握り，持ち運び，放すまでの一連の動作を誤りなく行うことができるようにする（図4-198）．この訓練を通じて手先の持っていく角度や前腕の位置を学習する．

(2) 仮義手による応用動作訓練

この応用動作訓練の目的は，筋電電動義手を自分の手のようにコントロールし，他の関節とともに動かすなどの複合動作を獲得することにある．同時に，筋電電動義手の利点である把持力の強さや，どの部位でも開閉可能であることによって，健側の機能が十分生かせることを目的としている．

具体的な応用動作訓練として，紐結びなどの両手動作訓練や書字訓練（図4-199），割れやすい卵を握る訓練，物品を把持したまま断端を動かす訓練，さまざまな位置での開閉操作訓練を取

図4-198 基本操作訓練．目的物の移動の練習

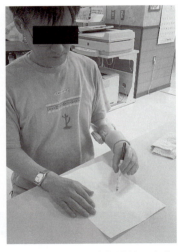
図4-199 応用動作訓練．書字の練習

図4-200 日常生活動作訓練．傘を差したり閉じたりする練習

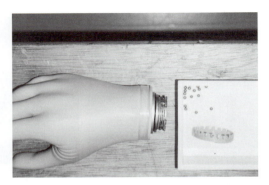
図4-201 電動ハンドのリスト部の故障例

り入れた両手の協調動作訓練，そして立位での全身的な動作の中での義手使用練習などを行う．

(3) 仮義手による日常生活動作訓練

片側切断者の場合は，家事動作やナイフ・フォークでの食事，靴紐を結ぶ，傘をさす（図4-200）など，両手を用いた日常生活動作訓練を行う．両側切断者の場合は，当然，筋電電動義手を日常生活動作に使用する割合が高くなる．食事，更衣，排泄，整容などの日常生活動作に合わせた筋電電動義手操作方法の訓練や自助具の調整などが必要になる．

(4) 仮義手による職場や家庭での使用訓練

自宅や職場で仮義手を使用し，実際の生活で長期間の使用訓練を行ってもらうことが，電動義手の有用性を評価するために不可欠である．特に故障（図4-201）やバッテリーの電池切れ間際のハンドの動きを経験することにより，筋電電動義手に対するより深い認識の獲得に繋がる．

─4▶ メインテナンス

従来，筋電電動義手の普及を妨げている原因の一つとして「故障時のバックアップ体制がない」ことが指摘されていた．そこで，兵庫県立総合リハビリテーションセンターでは，修理交換用の

パーツを在庫保有することによるバックアップシステムを整備した．これにより，故障が発生しても，その日のうちに故障パーツを在庫パーツと交換し，筋電電動義手の使用を中断しないようにした．故障したパーツを販売店に送り修理完了後，元の所有者へ返却し，交換するシステムを構築した．

─5▶筋電電動義手利用者の立場に立って─筋電電動義手装着を成功に導くためには─

　外観と機能を備えた筋電電動義手を装着することにより，外出することに対する切断者の心理的なバリアが減少し，外出や旅行の頻度が明らかに増している．筋電電動義手によって，より自然な動きの中で食事動作や仕事ができるなど，より優れた生活の質（QOL）を獲得できる可能性が生まれている．

　しかし，この筋電電動義手を利用者が自分の体の一部とするまでには，以上述べたように，切断者を中心とし，義手利用者の立場に立つ医師，義肢装具士，作業療法士，医療ソーシャルワーカーなどによる専門職間のチームアプローチが不可欠である．この筋電電動義手装着の成功の鍵を握るのは，ⓐこの個々のチームメンバーが筋電電動義手に精通し十分な経験を有すること，ⓑ筋電電動義手利用者の全人格的な情報とニーズを的確に把握すること，ⓒ仮義手を用いた徹底した筋電電動義手操作訓練を行うこと，そして，ⓓ筋電電動義手の故障に即時対応できるメインテナンスシステムを作り上げること，などである．全国的に，多くの切断者に筋電電動義手の給付を進めるためには，早くわが国で筋電電動義手の修理基準の制定を含めた公的給付がなされることを望みたい．

─6▶筋電電動義手を装着利用されている具体的事例
　　　（兵庫県立総合リハビリテーションセンター）

利用者：Y・H
性　別：女性
年　齢：64歳
職　業：現在，主婦
切断原因：1996年11月14日のプレス事故（労災）
切断部位：両側切断（右上腕切断・左手関節離断）
筋電電動義手訓練開始までの経過：1997年5月2日〜8月19日まで当院で両側能動義手操作訓練を行い，能動義手を処方し在宅生活を送っていた．
筋電電動義手訓練は外来訓練を希望．

(1) 筋電電動義手装着前の評価と訓練

　外出時に介助を要していた排泄時の下衣の上げ下ろしに主に使用するため筋電電動義手の訓練を希望し，医師より左の手関節離断側に対して筋電電動義手のオリエンテーションが行われ，OT処方が出された．

　作業療法では，筋電電動義手を使用して何を行いたいかの確認を再度行い，外出時の食事や書字，排泄動作を自分で行い，かつ見栄えに違和感がないものとの希望が確認された．

　ビデオや実際の筋電電動義手を使用し，筋電電動義手を使用している症例を見学し，また，それに関する話をすることで，筋電電動義手に対して自分が使用するイメージを膨らませていける

よう促していった.

次に，断端を触診し，屈筋と伸筋の筋の収縮があるかどうかの評価を行った．症例は手関節離断のため，収縮の強さは十分であったが，屈筋と伸筋の使い分けやDMCハンドを使いこなすための筋電の強弱やスピードの調整が不十分であった．

マイオトレーナーを使用し，屈筋と伸筋の使い分けを十分に行っていき，また筋疲労を少なくするような収縮方法の獲得を行っていった．在宅でもイメージトレーニングを行ってもらうようにした．

(2) 訓練用筋電電動義手 (仮義手) の製作

① ソケットの作製

筋電信号の採取が可能であったため，ソケットの採型を行い，電極の位置決定を行った．初めのソケットは顆上支持式 (顆上懸垂式) ソケットとした．装着時のソケットの適合は良好だったものの，ハンドなどの義手本体と接続し使用するうちに，前腕の回内回外の制限が操作訓練や日常生活動作訓練時に使用しづらいため，有窓式蓋付きソケットに変更した．変更により，着脱がより容易になり，装着感も向上しスムーズな操作が行えるようになった．

② 訓練用筋電電動義手 (仮義手) について

訓練用筋電電動義手 (マイオボックDMCハンド・大人用7 1/4) が完成し，仮義手操作訓練を開始した．このとき，取扱方法の説明を行った．本症例にとっては，大人用のハンドは見た目が大きすぎ，また違和感を訴えため，一連の仮義手訓練の終了後，小児用ハンド2000 (子供用6 1/2) に変更した試用も行った．

このそれぞれのハンドは，開き幅や開く方向・最大把持力・重量等が異なるため，それぞれのハンドごとに操作訓練を行った．

(3) 仮義手訓練 (基本操作訓練)

まず，目的物を使用しない練習から行った．筋電信号と義手の動きの結びつきを理解していけるよう，随時横について指導していった．ときおり動作が混乱し収縮と弛緩が十分行えなくなることもあり，声かけや休憩時期の見極めが重要であった．また，筋電増幅器の感度は，疲労やさまざまな手の角度により調整を行った．また，最大開大や途中で動きを止めるなどの動きを随意的に行えるようにしていった．

次に，さまざまな位置での「握り」「開き」の練習に移行していき，さまざまな位置での操作を行っていった．

随意的に「握り」「開き」が可能となり，目的物を使用した練習を行った．このときも疲労すると目的物を把持して離せなくなることがときおり出現し，筋電増幅器の感度調整が必要となった．

ハンドの開く幅に合わせて，ブロックやペグやスポンジやお手玉などさまざまな素材を使用し，目的物の移動 (持ち運び)「リーチ→握り→持ち運び→放し」という一連の動作を誤動作なく行えるようにしていった (図4-202)．この段階では，目的物の大きさに合わせてリーチする際に，手先を広げながら目的物に近づける動作や，目的物が小さい場合は上腕を外転 (肘を挙上) させながら，手先をより橈側に傾け目的物を把持する動作が行えるようになっていった．

ハンドの変更 (マイオボックハンド→エレクトロハンド2000) に伴って，開き幅や「握り」「開き」の動きの方向，把持力が異なるため，対象物に合わせたそれぞれのハンドで操作を行っていった．特に「握り」「開き」の動きの方向の違いは違和感があり，習熟するまでに時間を要して

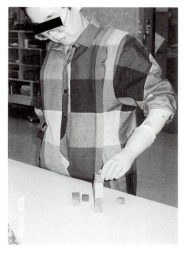

図4-202 仮義手による基本操作訓練．ブロックを使った練習

図4-203 仮義手による日常生活動作訓練．食事動作

いた．

さらに，使用時間が延長するうちにバッテリーが弱くなった場合のハンドの動きや汗をかく前の反応の違いなども理解していくこととなった．

(4) 仮義手訓練（応用動作訓練）

本症例は両側切断のため，右側（上腕切断）の能動義手と筋電電動義手との協調した両手動作を獲得するために行った．

右側（上腕切断）の能動フックや能動ハンドを誤動作なく使用するためにスキルスクリーンを行った．筋電電動義手でビーズをつまみ，能動義手（フックやハンド）で針を持ってビーズを通していく動作を繰り返し行うことで習熟した操作を獲得していった．

また，ビーズによる作品を完成させたことで，精神的にも自信を得ていくきっかけとなった．

(5) 仮義手訓練（日常生活動作訓練）

食事のための訓練としてまず，筋電電動義手で食べやすいようスプーンやフォークの角度を調整した．握りの向きや方向を決定し，誤動作が出現しないようにスイッチを切るよう指導し，動作訓練を行っていった（図4-203）．

また，パンやおかきや豆など手づかみで食べる練習をしていった．さまざまな対象物に対しても，つぶしたり，はじき飛ばしたりすることのないよう，手づかみでより自然な動作に近いよう訓練を行っていった．

歯ブラシはさまざまな形態のものを試行し，ヘッドが回転するものに決定した．

トイレ動作については，下着や下衣の上げ下ろし動作のシミュレーションから開始し，自立となった．

書字動作では，鉛筆やサインペン，ボールペンなどの握る角度や位置，その筆圧や適切な机の高さなど対象者と意見交換をしながら行っていった．その他，ヘアブラシの使用や鞄の開け閉め，食器の片づけなど対象者の生活に合わせて行っていった．

(6) 家での動作訓練

訓練用筋電電動義手を家に持ち帰ってもらい，外食での使用や公共交通機関の利用（切符の購

図4-204　家での動作訓練．趣味の刺繍を行う

入など），趣味の庭いじり・刺繍での使用などを試してもらい，長時間での有効性の評価を行っていった（図4-204）．

(7) 訓練を行って

　筋電電動義手を装着して外出することによってより自然な動きでの食事動作が行えるため，心理的なバリアが減少し，外食の機会が増えたようであった．そのことで，外出の頻度が増え，1人での遠方への外出や旅行も楽に行けるようになったと話していた．

　筋電電動義手を導入する前から食事・整容・排泄などは自立していたものの，それぞれの自助具を使用しての自立であった．しかし，筋電電動義手を使用することでコンパクトな自助具の使用が可能となったため，また，ハーネスの制限などがないことからより自然な手の動きに近い動作を行えるようになったため，QOLの向上が実現したのだと考えられる．

　本義手の完成まで，労災の申請許可など1年近い期間を要したが，対象者のニードをくみ取りながら訓練を行うことの重要性を認識した．

第5章

義　足

lower limb prosthesis

1 義足に関する基本的な事項

1 下肢切断の部位・測定の方法と義足の名称

下肢切断の部位とこれに相当する義足の名称は図5-1に示すとおりである．断端の計測は，図5-2に示すような計測図に記入し（ISO（国際標準規格）TC168），また表5-1, 2のような義肢装着前後の評価表を用いることがある．

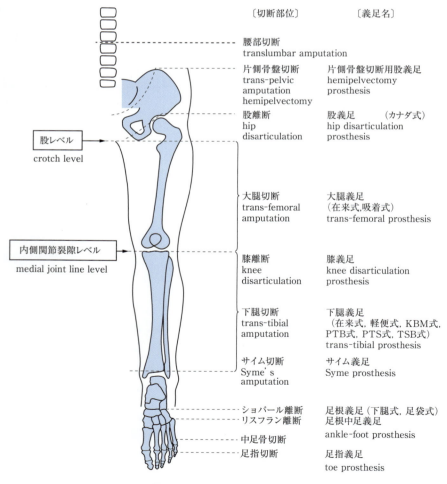

図5-1　下肢切断部位と義足

[下肢切断部位における計測の方法]

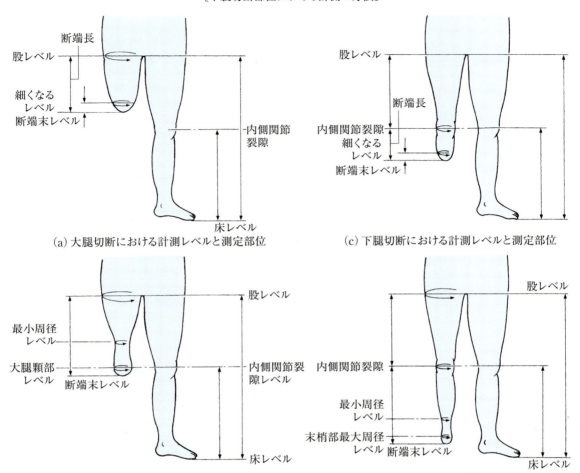

(a) 大腿切断における計測レベルと測定部位

(b) 膝離断における基本となる測定部位

(c) 下腿切断における計測レベルと測定部位

(d) 足関節離断における計測レベルと測定部位

(e) 足部切断（partial foot amputation）における測定部位および周径

図5-2 下肢切断における計測

表5-1 評価表(兵庫県立総合リハビリテーションセンターで使用)

大腿切断, 膝関節離断者義肢装着後の評価

No.＿＿＿＿

氏　名＿＿＿＿＿＿＿＿＿＿＿＿＿　年齢＿＿歳　性別　男・女

切断の種類＿＿＿＿＿＿＿＿＿＿＿　職業＿＿＿＿＿＿＿＿＿＿

運動範囲	検査療法士 日付						
股屈曲	左						
	右						
股伸展	左						
	右						
股外転	左						
	右						
股内転	左						
	右						
股内旋	左						
	右						
股外旋	左						
	右						

筋力

股伸展筋群						
股内転筋群						
股外転筋群						
股屈曲筋群						
股内旋筋群						
股外旋筋群						

切断肢の計測

断端長

坐骨結節
5 cm
10cm
15cm
端より
5 cm

断端周径

1週ごとに記載のこと

備考　1. 断端成熟とみなした時期
　　　2. 浮腫の有無
　　　3. 疼痛の有無

表5-2 評価表（兵庫県立総合リハビリテーションセンターで使用）

下腿切断者義肢装着前後の評価

No.＿＿＿＿＿＿
氏　　名＿＿＿＿＿＿＿＿＿＿　年齢＿＿＿歳　性別　男・女
切断の種類＿＿＿＿＿＿＿＿＿＿　職業＿＿＿＿＿＿＿＿＿＿

運動範囲

検査療法士 日付							
膝伸展	左						
	右						
膝屈曲	左						
	右						

筋力

膝伸展筋群						
膝屈曲筋群						

切断肢の計測

断端長／断端末より／脛骨端より

関節裂隙／5cm／10cm／15cm／20cm／断端末より5cm

断端周径

月日						

1週ごとに記載のこと

備考　1. 断端成熟とみなした時期
　　　2. 浮腫の有無
　　　3. 疼痛の有無
　　　4. その他

大腿周径（膝蓋骨上10cm）

右						
左						

2 義足継手と足部

　義肢の場合には，生体の関節に相当する人工の関節を継手と呼んでいる．生体の関節は多くの筋肉の作用により制御されるが，義足の場合には，切断者の残余筋力のコントロール下におかれ，その機能を代行するために次に述べるようないろいろの構造をもった継手が開発され実用化されている．

1 股継手

　股継手には，股義足に用いる継手（p353 図5-57）と，大腿短断端用義足に用いるヒンジ継手（p425 図5-175）とがある．

2 膝継手

　膝継手には，股義足および大腿義足に用いる膝ブロック継手（大腿末端部を構成する膝ブロックを貫通する継手軸の両端に下腿部筋金を取り付けた継手）と膝義足および下腿義足に用いる膝ヒンジ継手とがある．膝継手は文字どおり大腿部と下腿部とをつなぐ人工関節であり，次のような条件が必要である．
　① 日本の生活様式では，膝継手は少なくとも120°屈曲できなければならない．
　② 膝立ちをするため，膝継手の前の部分で衣服を損傷することができるだけ少ないほうがよい．
　③ 義足側で立つときに膝の中折れを起こさず，安定性があること．
　④ 義足を振り出すとき，すなわち遊脚相で，円滑で，早く，しかも疲れにくい歩き方ができるようコントロールできること．その場合に，変化する歩行速度に応答して，制動抵抗が変化する装置があればよりすばらしい．
　⑤ 外観および触感ができるだけ健常肢に近く，しかも女性の場合，スカートがはけること．
　⑥ 継手の部分で下着やズボンを破損しないこと．
　さて，膝継手はその形状，機能目的や制御方法などによりいろいろな形で分類されている．

─1▶膝継手軸の形状による分類

(1) 単軸膝ブロック継手

　図5-3のように，1本の単軸膝ブロック継手（single axis knee joint）があって下腿部が回転する構造である．この軸にブレーキ調節用ネジが取り付けられ，一定の摩擦が加わるようになっている．
　〔利点〕①機構的に簡単で耐久性，信頼性がある，②廉価である，③製作過程が容易である．
　〔欠点〕①遊脚相制御が不十分である，②踏み切り期で膝の屈曲が困難である，③不整地ではエネルギーの消費量が多い．

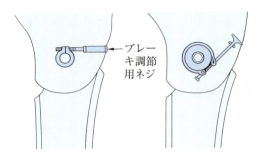

図5-3 単軸膝ブロック継手(一定摩擦式)

図5-4 Lange膝継手

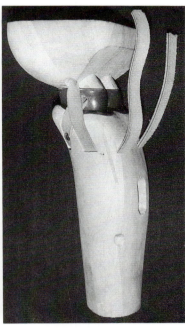

図5-5 Striede膝継手

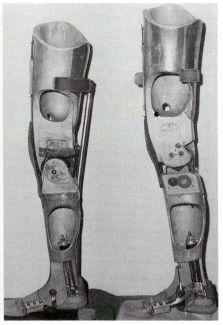

Model 46　　Model 42

図5-6 Shede-Habermann生理膝

(2) 2軸膝継手(double axis knee), 多軸膝継手(polycentric knee)

　これは,ドイツを中心としてヨーロッパで多く開発され用いられている.2軸膝にはLange, Sekura, Röck, Paschald, SHK Model 352, Greissingerなどがある.これらの継手は構造および機能が類似している.一例をあげると図5-4はLangeの2軸膝であるが,上下の2軸を回転の中心として膝関節が屈曲する.大腿部の下面は半径の異なる2つの曲面から成り立ち,これに接した下腿上部がすべり運動を行う.

　図5-5はStriede膝と呼ばれ,人の膝関節に似せて作られたものである.正常な膝関節の運動では,屈伸に際して膝関節軸がカーブを描き,前上方より後下方の方向に移動し,決して1軸運動を示さない.この考え方が膝継手構造に利用されて「生理膝」と呼ばれ,ドイツを中心にして多く開発された.

　図5-6はShede-Habermannによるもので,Model 46は大腿部と下腿部との間に歯車構造を用い,体重負荷によりその表面の機械的摩擦が増加し,安定性が得られるようになっている.またModel 42は脛骨上面に広いY字型の負荷面をもち,安定性を得ようとしている.

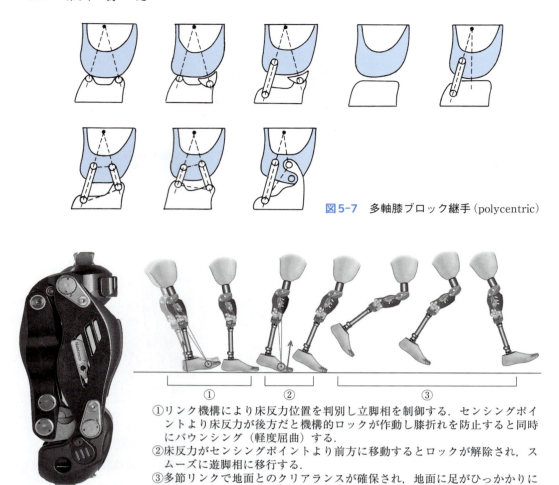

図5-7　多軸膝ブロック継手（polycentric）

①リンク機構により床反力位置を判別し立脚相を制御する．センシングポイントより床反力が後方だと機構的ロックが作動し膝折れを防止すると同時にバウンシング（軽度屈曲）する．
②床反力がセンシングポイントより前方に移動するとロックが解除され，スムーズに遊脚相に移行する．
③多節リンクで地面とのクリアランスが確保され，地面に足がひっかかりにくい．また，油圧シリンダによる遊脚相制御で速度変化にも対応できる．

図5-8　リンク膝ナブテスコ・NK-6＋Lシンフォニー

　多軸膝ブロック継手（polycentric knee）には多くの種類があるが，これをわかりやすく図解したのが図5-7である．最近の多軸膝は，図5-8のようにリンクの機構により大きな範囲で上下・前後に移動するようにデザインされ，これらをリンク膝と総称している．継手を構成するリンクの数が4本のものを4節リンク膝（four bar linkaged knee）と呼び，オットーボック3R106などがある．6本あれば6節リンク膝となる．多くのメーカーにより開発されているが，ここでは，Total Knee（図5-9）とLAPOC多リンク式安全膝（Swanシリーズ，図5-10）を紹介する．

2　義足継手と足部　301

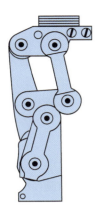
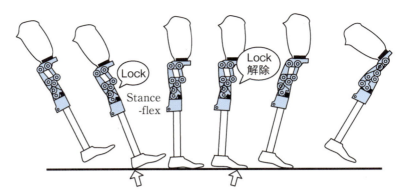

接踵期にロック機構が働き，遊脚相で下腿長短縮による床面のクリアランスが容易

Total Knee 1900	Total Knee 2000	Total Knee 2100	Total Knee（小児切断者用）1100
ポリマー摩擦による遊脚相制御機能をもつ	3相油圧式遊脚相制御機能をもつ．幅広い歩行に対応	大容量の油圧室をもつことにより，高い流動や高い衝撃への要求に対応	調節可能な伸展促進バンパーが踵の跳ね上がりを制御．定摩擦による遊脚相制御

図5-9　リンク膝 Total Knee（CenturyⅩⅩⅡ社からオズール社に変更）

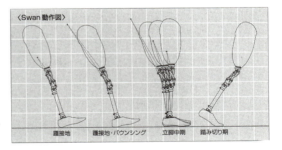

M0780/M0786 Swan75/Swan100（バウンシング膝）　　M0782/M0787 Swan+LK/Swan100+LK（ロックつきバウンシング膝）

① 5節リンクによる立脚相前半の膝折れ防止，バウンシング機構をもつ
② 油圧シリンダーによる立脚相後半での膝屈曲の抵抗が少なくなるように設定
③ 活動度に合わせた伸展補助バネをもつ

図5-10　LAPOC多リンク式安全膝（Swanシリーズ）

─2 ▶ 立脚相の制御 (stance phase control)

　大腿切断の場合，立脚相における義足の膝折れを防ぐには，ハムストリングおよび大殿筋力による随意制御 (voluntary control) と膝継手の機構による機械制御 (不随意制御：involuntary control of knee) が関係する．この後者の立脚相に働く装置は，主として体重負荷時に膝折れを防ぐことを目的として用いられ，固定装置，荷重ブレーキ，油圧シリンダーや一方向クラッチなどを用いた膝継手が製品化されている．

(1) 固定式膝継手

　膝折れが起こる心配をなくすために，膝継手をピンや掛け金で固定し，歩行時に可動性をもたない継手 (auto lock manual release knee) が用いられる．

　高齢者で筋力が弱くて膝の随意制御の困難な場合，農業や不整地での重労働作業を必要とする特殊な職業の場合に処方される．棒足歩行の実用性を得るためには，3.0cm 以上の義足長の短縮が必要である．この固定膝はエネルギー消費量が高くて疲れやすいが，歩行の実用性を得るためにはむしろ積極的に処方をする場合が少なくない (図 5-11)．

(2) 荷重ブレーキ膝——安全膝 (safety knee)

　これは，立脚相に義足がかかる体重を利用して，膝折れモーメントを上回る大きなブレーキ力を出して膝折れを防ぎ，遊脚相ではこれを解除する構造をもつ継手である．その方法には図 5-12 に示すように，面摩擦やくさびにより大きな摩擦力を得るもの (a)，クランプ (b) やバンドブレーキ (c) によるもの，あるいは V ベルトによるものなどがある．

　面摩擦型は，膝継手に体重が荷重した場合に膝継手のくさび状になった摩擦面が接して食い込むようになって膝の安定を得るものである．この代表的なものがオットーボック製の Jüpa 膝 (図 5-13) で，軽度屈曲位で負荷しても中折れを起こさない．この膝継手は Brems knee，安全膝と呼ばれる．

　クランプ型は，負荷によりクランプに圧がかかり，これにより安全性を得る継手である．オットーボック 3R15 (図 5-14)，LAPOC 膝，ブラッチフォード膝 (Endolite stabilized knee) などがよく用いられている．なお，オットーボック社は，3R15 に替えて，ブレーキ単軸膝継手 3R49 (チタン製，伸展補助装置・定摩擦機構付き，図 5-14) を開発・市販している．

(3) 油圧ロック膝 (auto locking hydraulic knee)

　遊脚相での下腿の振子運動を利用するために取り付けたピストンシリンダーの油圧装置が立脚相での制御にも働く機能をもっている．ピストンで 2 つに分けられた室間をつなぐ油の流路に設けられたチェックバルブが立脚相の初めに自動的に閉じる構造に作られているものである．Mauch 油圧膝などが代表的なものである．

 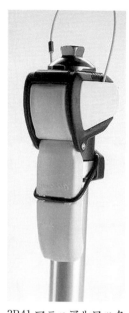

3R40 モジュラー軽量膝継手(単軸マニュアルロック付き)　　3R41 マニュアルロック膝継手プラスチック

(a) オットーボック社

LAPOC SL0708 Beluga バウンサつき手動ロック膝
バウンシング機構つきのロック膝．立脚相前半の軽度膝屈曲を再現し，従来のロック膝と比較し立脚相での快適性を向上させた．

LAPOC SL0702 軽量手動ロック膝(マグネシウム)
主要構成部品にマグネシウム合金を採用し，小型・軽量化を図った軽量手動ロック膝．最大屈曲角度180°で日本人の生活様式に適する．

(b) LAPOC SL 固定膝(今仙技術研究所)

図5-11　固定式膝継手

304　第5章 義　足

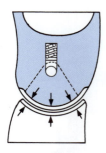 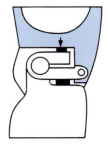 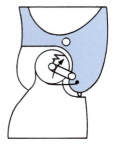

（a）面摩擦型　　　（b）クランプによる　　（c）バンドブレーキ型
　　　　　　　　　　　　摩擦型　　　　　　　　（brake type）

図5-12　荷重ブレーキ膝継手

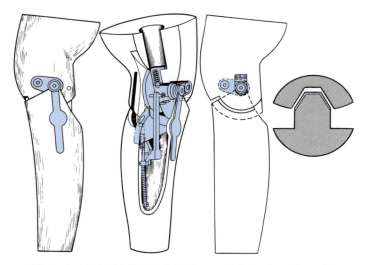

図5-13　くさびを利用した摩擦Jüpa膝（オットーボック製）

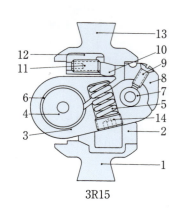

3R15

1：下部ジョイントフォーク，2：膝ストップ，3：スイングブロック，4：膝軸，5：スプリング，6：ブレーキ軸受け筒，7：スイング軸，8：合成樹脂製マウント，9：ネジ，10：圧をかけるブロック，11：摩擦ネジ，12：合成樹脂製ブロック，13：上部ジョイントフォーク，14：ブレーキネジ

3R49

図5-14　荷重ブレーキ膝継手

—3▶ 遊脚相制御（swing phase control）

健常者の歩行では，遊脚相初期において大腿四頭筋が働いて踵の強いけり上げを防止し，引き続いて膝の振り出しのための加速を行う．遊脚相中期では，慣性で前方への振り出しが行われ，遊脚相末期においてはハムストリングス筋群が働いて減速が行われる．これにより膝の最伸展時の衝撃を緩和し，立脚相へのスムーズな移行が行われる．

義足の膝継手がなんらかの遊脚相の制御機構をもたないと，まず遊脚相の初期で踏み切り期後に踵が後上方にはねあがり，次いで遊脚相の減速が行われず，踵接地期の前に膝が伸展し大きな音（終末インパクト）がする．したがって，歩容が悪いのみならず歩数も少なく，早く歩くことができない．この欠点を除くために，図5-15のような種々の摩擦機構が工夫されている．

(1) 伸展補助装置 (extension bias)
膝屈曲に抵抗し，膝伸展を助長するもので，金属性のスプリングや弾性バンドによるものである．

(2) 定摩擦膝継手 (constant friction knee joint)
これは，図5-3のように単軸のまわりに大きい輪を付けてネジで締めつけ，輪の回転に対して抵抗するように摩擦力が加わる．この方法によると，遊脚相の初めから終わりまで一定の摩擦力が働くことになり，これを定摩擦膝継手と呼んでいる．最も簡単なもので次のような利点，欠点がある．

〔利点〕①構造が簡単で耐久性に優れている，②廉価である．
〔欠点〕①理想的な遊脚相制御ができない，②不整地でエネルギーの消費が多くなりやすい，③踏み切り期で膝屈曲がしにくい．

(3) 可変摩擦膝継手，間欠摩擦膝継手 (variable friction knee joint)
これは，一定摩擦機構にさらに独立して間欠的な摩擦機構を加えたものである．すなわち，常に一定の機械摩擦機構をもたせながら，膝継手の屈曲角度の位置によって摩擦の程度を変動させ，遊脚相前期の過度の踵のはねあがりと遊脚相後期の減速が行われるようにしたものである．このように，遊脚相の間で摩擦の大きさが変わるため変動摩擦と呼び，この摩擦の働きが間をおいて起こるために間欠摩擦式とも呼ばれる．

(4) 油圧・空圧制御膝 (hydraullically, pneumatically controlled knee joint)
上記のような摩擦や伸展補助装置では，変化する歩行速度に十分な対応はできない．そこで，

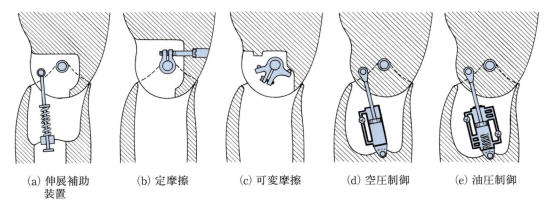

(a) 伸展補助装置　　(b) 定摩擦　　(c) 可変摩擦　　(d) 空圧制御　　(e) 油圧制御

図5-15　遊脚相制御膝継手

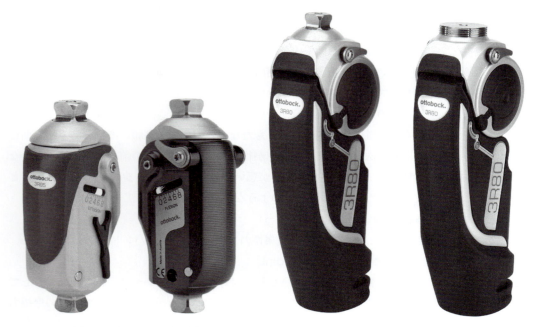

(a) 3R95と3WR95（防水）　　　　　(b) 3R80＋（防水・ロック機構付き）

図5-16　オットーボック油圧制御膝継手

歩行速度の変化に応答して制動抵抗が変化する装置が必要となる．現在では，これらは空気，または油などの流体を利用した膝継手が実用化されている．

① 油圧による制御

膝継手に油圧構造を用いようとした試みは，かなり古くから主として米国において実用化されている．これは，膝継手の屈伸運動に応じて下腿部に組み込まれたシリンダーにピストン運動が伝わり，この中の油が他のシリンダーに流れ込むようになっている．この場合に，その油の通路の状態とピストンを動かす速度を調整することにより流体抵抗が変わってくる．この抵抗を利用して遊脚相制御を行うものである．最近では，オットーボックから，コンパクトな油圧シリンダーによる遊脚相を制御する3R95＝1（図5-16 (a)），ロータリー式の油圧制御装置を備え，立脚相を制御する強い油圧抵抗と軽いジョギングまで歩行スピードの変化に追随する機能をもつ3R80（同 (b)）が市販されており，さらに3R80にはロックレバーが付属し，防水仕様となっている．

② 空気圧による制御

これは外観は油圧式の制御膝と同様であるが，機能的には異なる機構をもっている．図5-17は，カリフォルニア大学（UCB）で開発された空気圧制御膝（UCBL-pneumatic swing-control unit）である．これは，シリンダーに弁をもったバイパスが設けられており，膝継手の屈曲につれてこのピストン桿が動き，空気の移動が起こる．

これによって圧縮された空気がバイパスを通り，ピストン上部の真空側に流れ込む．この機構により抵抗は初めは増加するが，膝継手の最大屈曲時には減ずる．逆に，膝が伸展するにつれてピストンの下の空間が真空となり，膝伸展に対して抵抗するように働くようになっている．

義足膝の遊脚相制御機能は，正常歩行の場合にみられる，理想的な遊脚相制御モーメントに近い形になるように工夫されるべきである．この目的からすれば，油圧制御では若干不自然な動き

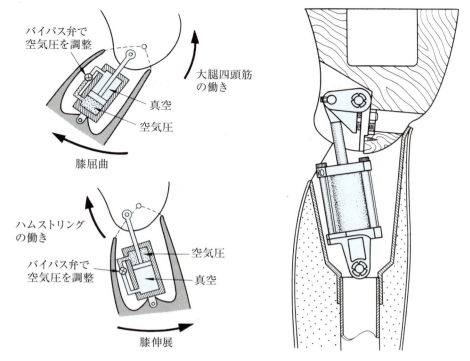

図5-17 カリフォルニア大学型空気圧制御膝継手

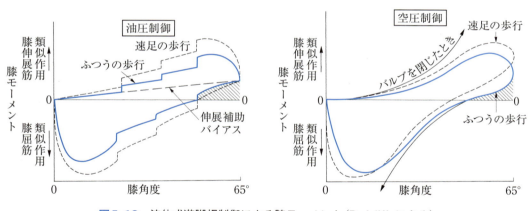

図5-18 流体式遊脚相制御による膝モーメント（Radcliffeによる）

を示すのに対し，空気圧制御の場合には比較的理想に近い制動モーメントを示すとしている（Radcliffe，図5-18）．

─4▶インテリジェント義足（兵庫県立総合リハビリテーションセンター）

　上記のような空圧制御の膝継手でも調節された歩行速度からある程度異なった場合には，歩容も歩行のリズムも良好に保つことは困難である．そこで，中川昭夫[180]らは，この空気圧シリンダーを基礎として，弁の開度を歩行速度に応じて自動的に変化させることによって，広い範囲での歩行速度の変化にも歩行リズムを確保することができる機構をもつ記憶再生方式の膝継手と，さらに，遊脚相期間中に弁の開閉をダイナミックに変化させることによって，その角度変位を健

308　第5章　義　足

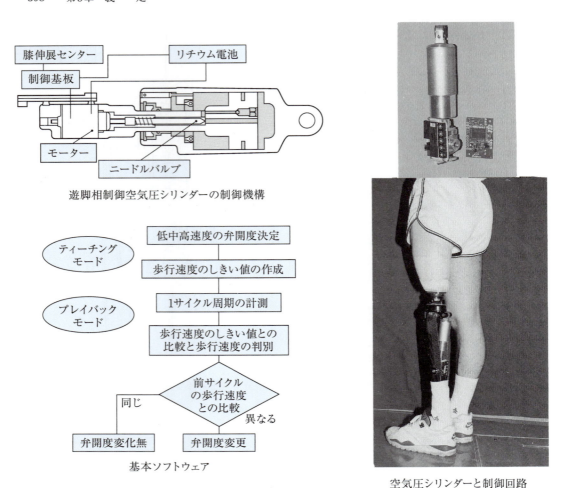

図5-19　HRCインテリジェント大腿義足の制御
（兵庫県立総合リハビリテーションセンター，中川昭夫）

常者のそれに近づけることを目標とした最適制御方法のインテリジェント大腿義足を開発した（図5-19）．このインテリジェント義足は，その機能の優秀性から国際的なフィールドでブラッチフォード社，わが国ではナブテスコ社（NI-C111，図5-20）により実用化され，すでに年間約3,000人の切断者に利用されている．現在，緩歩から非常に速い歩行速度までをカバーできているのは，インテリジェント膝継手のみであり，画期的な開発といえよう．すでに第2世代に入り，何度か改良が加えられており，ナブテスコ社NI-C111では，'96年モデルから膝継手単体の重量が軽くなり，セットポイントプログラムも入力しやすくなった．また，膝の最大屈曲角度が150°を超え，和式の生活に適応が容易となっている．

しかし，マイコン制御という名前から，訓練しなくても歩ける義足といった誤った見方がされる恐れがある．兵庫県立総合リハビリテーションセンターの下肢切断プロジェクトでは，義足歩行訓練の充実を重視しており，これによりインテリジェント義足の機能を最大限に引き出すことが大切である（長倉裕二ら[330]）ことを強調しておきたい．呼吸代謝の計測からも，体力の向上とともに速い歩行速度での運動負荷が減少するのみならず，歩行速度が同伴の健常者より速くなる可能性が多い（陳　隆明ら[331]）．農業従事者でも，インテリジェント義足装着により，友人に負

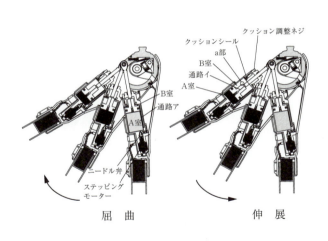

(a) NI-C111　　(b) 荷重ブレーキ付き　荷重ブレーキによる立脚相制御　　(c) 4軸リンク機構により安定性と自然な動きをもつ

図5-20 ナブテスコ社インテリジェント義足

けないで速く歩けるようになったと旅行を楽しむ機会が増えている例も多い．

─5▶ 最近におけるハイブリッド型膝継手の開発実用化

　最近，膝継手機能は，多軸などを用いた構造的な開発が進み，ますます多目的，多用途に広がりをみせている．特に，遊脚相制御，立脚相制御の機構に，従来の機能に代わって，空圧，油圧シリンダーによる流体制御システムの利点が一般に認められ，さらにインテリジェント義足に代表されるように，コンピュータを組み込んだメカトロ化などの開発による数多くの商品化がなされている．特に，立脚相での安定を図る機構と，遊脚相での円滑で速度の速さを目指す制御機構を組み合わせたハイブリッド膝継手が開発されている．また，膝継手の種類の増加に伴い，体重や活動性によりその選択基準を分類する方向が求められている．一方では，最近，欧米の義足継手の製作メーカー間での企業統廃合がめまぐるしく起こっている．その中で，もともとの開発製作社（CenturyXXII社など）がより規模の大きな会社のシステムに吸収合併され，名称が変更されてしまう傾向が少なくない．そこで，最近，主として利用されている代表的な膝継手を，オットーボック社，ブラッチフォード社，オズール社，わが国のナブテスコ社，今仙技術研究所などの製品を中心に紹介する．

(1) オットーボック膝継手（図5-21）

　オットーボックは多種多様な機械式膝継手の他に，複数のコンピュータ制御膝継手を保有している．C-Leg（同(b)）は立脚相・遊脚相の両方をコンピュータ制御する世界初の膝継手として1997年に発売を開始した．2013年には完成用部品の認可を受け，日本での使用数も増加している．C-Legは膝軸と足関節のセンサー情報によって，内蔵のマイクロプロセッサが油圧シリンダーを制御する．Genium（同(c)）はC-Legの機能を進化させ，より優れた安定性や人間本来の生理学的歩行の実現を目的に生まれた．ジャイロセンサー，加速度センサー，ニーモーメントセンサーなど多数のセンサーを内蔵し，歩行状態の検知能力が格段に向上している．Kenevo（同

(a) Kenevo　　　　　(b) C-Leg　　　　　(c) Genium

図5-21　オットーボックコンピュータ制御膝継手

(a))はGeniumと同等のセンサー機能をもち，立位や歩行以外に座位動作のサポートも行う，高齢者や低活動ユーザー向けのコンピュータ制御膝継手である．このように，近年は機能によってコンピュータ制御膝継手も多様化している．

(2) Rheo Knee（オズール社）

通常の機械的摩擦や空圧，または油圧による膝継手の制御メカニズムは，決まった設定に調節され作用している．これに対して，Rheo Kneeは，自動調整ソフトにより連続的で切れ目がなく，遊脚相・立脚相でのユーザーのニーズに適応するよう開発された．これを可能にしたのは，1,000 Hzで装着者に反応できる特性をもった磁気粘性流体（MR流体）の革新的な使用による（図5-22：Össur Japan G. K.提供）．

(3) ナブテスコ・ハイブリッドニー（図5-23）

この膝継手は，従来の空圧シリンダーとマイコンを用いたインテリジェント機能（図5-23①）による遊脚相制御に，油圧ダンパーとMRSシステムを用いてイールディング機能（図5-23②）を生かした立脚相制御をもつものである．義足が地面に着いたときに確実に油圧抵抗が働き，急激な膝折れを防止するだけでなく，油圧制御により体重を支持しながら膝を曲げることができるので，坂道や階段の両足交互下りが可能となる．一方，遊脚相では，マイコンが歩行速度を検知し，空圧シリンダーを制御するインテリジェント機能もしっかり継承したもので，安全と快適性を併せもつ膝継手である．

(4) ナブテスコ・NK-6+Lシンフォニー（図5-24）

NK-6+Lシンフォニーはナブテスコ（株）が日本の四季による環境変化に着目して行った「冬季に凍結した路面でも歩ける義足」の機能研究の成果を製品化した多軸（6軸）構造の膝継手である．この膝継手には立脚相制御として，ナブテスコ独自開発のP-MRSシステム（図5-24①）と特殊バウンシング機構（図5-24②），そしてセレクティブロック機構（図5-24③）が装備されており，①踵を接地したとき膝の軽度屈曲（バウンシング）により足底部の接地面積を大きくする

図5-22 最近開発された膝継手：Rheo Knee（オズール社）

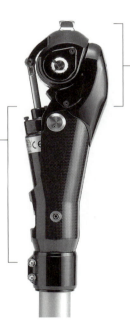

②イールディング機能
・油圧ダンパー
　力強い制御が得意な油圧ダンパーは下り坂や階段にて急激な膝折れを防止．
・MRSシステム
　（Mechanism of Reaction force Sensing）
　リンク機構によりセンシングポイントを設定することで，床反力位置を判別し，イールディング機能を確実に制御するシステム．

①インテリジェント機能
・空圧シリンダー
　柔らかい制御が得意な空圧シリンダーは足の曲り始めが柔らかく，自然な足の振出しが可能．
・マイコン
　足の振出し速度を最適にするために歩行速度を検知して空圧シリンダーを制御する．

階段の下り　　坂道の下り

図5-23 最近開発された膝継手：ハイブリッドニー

とともに，膝を機構的にロックするため滑りやすい路面でも膝折れを防止できる，②特に凍結路面では大きな力で蹴り出しができないので，小さな力でもスムーズに遊脚相に移行できる，③積雪，強風，不整地において，ユーザーがレバー操作で膝固定（ロック）を選択し安全を確保できるなどの特徴を有する．また，このセレクティブロック機能は，坂道，階段の歩行，立ち仕事，電車やバスの中で立っているときなど，日常生活のいろいろな場面で役立っている．遊脚相では，振出しが軽く歩行速度追随性のある油圧シリンダシステム（図5-24④）と，低活動者も安心して使用できる伸展補助バネ（図5-24⑤）を加えることで，疲れにくく，より歩きやすい膝継手となっており，より広い活動レベルの義足使用者に適応可能である．

①P-MRSシステム
リンク機構で床反力位置を判別し立脚制御を効率良く働かせるシステム．

③セレクティブロック機構
積雪や強風など遊動膝では不安に感じるときに固定膝にできるロック機構．立ち仕事やゴルフなどでも便利．

②特殊バウンシング機構
踵が接地した瞬間に機構的なロックがかかり，膝折れを防止．軽度屈曲により衝撃を吸収し快適な歩行へ．

④油圧シリンダシステム
シリンダー出力を最適なモーメントに変換し，優れた歩行速度追随性と空圧シリンダー並の振出しの軽さを実現．

⑤伸展補助バネ
活動レベルに応じてバネの強さが調整可能．完全伸展状態の保持を補助する．

図5-24 最近開発された膝継手：NK-6+Lシンフォニー

荷重ブレーキ機構
荷重ブレーキ感度の調節範囲を広くし，義足歩行訓練段階の確実なブレーキから，がたつきのないブレーキ完全解除での使用まで幅広く対応

ピラミッド結合方式

調整が容易
体重や活動度に合わせて，荷重ブレーキ感度・空圧シリンダーの伸展・屈曲抵抗の調整を行う

軽量・高強度
ニーフレームにカーボン繊維強化樹脂（CFRP）を使用．耐久性に優れ，軽量（膝継手総重量690g）

空圧シリンダー
可変摩擦機構を生かし，円滑な歩行が可能となる．

日本人の生活様式に対応するために，180°の膝屈曲角度が可能

図5-25 最近開発された膝継手：LAPOC空圧制御シリンダー付き荷重ブレーキ膝（P-BASS）

(5) LAPOC空圧制御シリンダー付き荷重ブレーキ膝（P-BASS，図5-25）

カーボン繊維強化樹脂によるフレームに，荷重ブレーキ機構と空圧シリンダー，可変摩擦機構を生かした膝継手である．軽量であるとともに，日本人の生活様式に適応するために180°の膝屈曲角度が得られる．

(6) 四軸油圧電子制御膝継手ALLUX™（ナブテスコ社）

ナブテスコ社製四軸油圧電子制御膝継手ALLUX™（アルクス）は，電子制御膝継手に世界で初めて四節リンク機構を用いた最新の義足膝継手である．ALLUX™各種センサにより歩行状況を把握し，立脚相および遊脚相を最適に制御することで，坂道や階段，荒地などのいろいろな生活

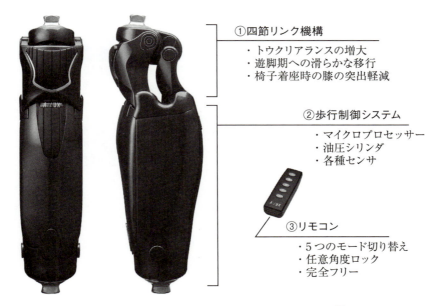

図 5-26 最新の義足膝継手：四軸油圧電子制御膝継手 ALLUX™（ナブテスコ社）

環境や日常動作への対応を可能とする．また，セーフティ・ロック機構は，膝を曲げた状態で自動的に固定（屈曲制限）し，立ち仕事や家事での不意の膝折れを防止する．これらに加え，四節リンク機構の特長であるトウクリアランスの増大，遊脚相への滑らかな移行，椅子着座時の膝の突出軽減により，つまずきの少ない快適な歩行や膝離断・長断端および股離断の切断者にも適用が可能である．さらに，付属のリモコン操作により5つのモード切り替えが可能であり，ユーザー自身が任意の角度でのロックや完全フリーなど使用環境に適した設定を選択できる（図 5-26：ナブテスコ（株）提供）．

―6 ▶ 膝継手の機能区分整備（厚生労働省障害者対策総合研究事業；平成 27 年）

　以上，多種類にわたる膝継手を紹介したように，1981年に現在の完成用部品の分類ができて以降，技術の進歩とともに各メーカーからさまざまな部品が開発・供給されている．この中で一部の膝継手は，補装具の価格基準の項（p529）で述べているようなプロセスにより，厚労省補装具第1類評価委員会での審査を経て厚労省により決定公示され，切断者により利用されている．しかし，膝継手完成部品としての原価率等を確認する仕組みはあるものの，部品の機能に応じた価格に妥当性評価を行う仕組みは確定していない．また，類似機能でありながら価格差がある等の問題が生じている．一方，膝継手の処方判定においても，利用者の機能レベルや生活様式に対し，必要な機能の部品を適切に処方するための基準がないこと，さらに，全国の身体障害者更生相談所の適合判定時に地域差があるとの問題が再三指摘されてきている．

　そこで厚生労働省では，平成25年に障害者対策総合研究事業として，『補装具の適切な支給実現のための制度・仕組みの提案に関する研究』を立ち上げ，その中の分担研究テーマとして補装具「完成用部品の機能区分整備」に取り組んできた（研究分担者；児玉義弘，山崎伸也，我澤賢之，相川孝訓）．この中で，膝継手の場合は付属品を含めて140点の調査を行い，軸の構造により単軸と多軸とに分け，さらにそれらを立脚と遊脚の制御方式の違いにより整理した．その研究成果を示したのが表5-3, 4である．この表には，膝継手の機能区分に沿って，機能概要，適応活動

表5-3　膝継手の

機能区分			機能概要	メーカー推奨適応活動レベル	メーカー名	メーカー品番
軸構造	立脚相制御	遊脚相制御				
単軸	固定	固定	膝が完全伸展位で固定される．座位をとる場合などは手動で固定解除可．	K1	ラボック	SL0702
					オットーボック	3R40
					ラボック	SL0701
					ラボック	SL0710
					オットーボック	3R41
					オットーボック	3R17
					オットーボック	3R33
				K1-K2	ラボック	SL0708
					ラボック	SL0720-A
					ブラッチフォード	019355
					啓愛	A3-1-1
					啓愛	A3-1-2
					啓愛	A3-2-1
					啓愛	A3-2-2
				K2	小原	34S-050
				K2-K3	ホスマー	60471
				K4	ラボック	SP0701
					高崎義肢	TG1023
					高崎義肢	TG1024
					高崎義肢	TG1014
					メディ	monolock
単軸	固定・遊動切替式		膝を完全伸展位で固定するか遊動にするかの選択可．		高崎義肢	TG1005
単軸	―	バネ（ゴム）伸展補助装置	立脚相制御機能なし．遊脚相はバネまたはゴムで屈曲と伸展を制御する．バネ（ゴム）力は調整可．	K2	ラボック	M0716
				K2-K3	ホスマー	60823
					ホスマー	60822
					ホスマー	60821
				活発な歩行	高崎義肢	TG1002
					高崎義肢	TG1003
単軸	―	空圧制御	立脚相制御機能なし．遊脚相は空圧により屈曲と伸展を制御する．空圧は調整可．	K1-K2	ブラッチフォード	019352
				K3-K4	ラボック	M0760
単軸	―	油圧制御	立脚相制御機能なし．遊脚相は油圧により屈曲と伸展を制御する．油圧は調整可．	K2-K3	Proteor	1 P50-R
				K3-K4	オットーボック	3R95=1
					ラボック	M0703
					オットーボック	3R95
					ブラッチフォード	019350
				設定なし	オットーボック	3WR95

機能区分

メーカー部品名称等	使用者体重制限(kg)	主な使用材料	重量(g)	価格(円)(基準価格)	メーカー保証期間	特記事項
軽量手動ロック膝(Mg)(マグネシウム)	80	マグネシウム	194	145,200	1年	
マニュアルロック膝継手	100	アルミ	290	50,200	1年	
軽量手動ロック膝	100	アルミ	284	59,400	1年	
上下分離カバー用手動ロック膝	100	アルミ	385	95,200	1年	
マニュアルロック膝継手 プラスチック	125	プラスチック	385	84,700	1年	
マニュアルロック膝継手	150	ステンレス	695	76,500	1年	
マニュアルロック膝継手 チタン	125	チタン	530	137,900	1年	
Beluga(バウンサつき手動ロック膝)	80	アルミ	450	187,500	1年	
半遊動膝継手	100	アルミ	458	181,500	1年	
単軸膝・半自動固定 4-BOLT/SAKL UNIVERSAL	125	アルミ・カーボン	775	240,000	2年	
固定膝(チューブアダプタ付)	100	―	690	59,400	1年	
固定膝(ソケットアタッチメント付)	100	―	670	49,900	1年	
固定膝あぐら付	100	ステンレス	960	68,000	1年	ターンテーブル付
固定膝あぐら付(チューブアダプタ付)	100	ステンレス	805	77,400	1年	ターンテーブル付
前留式固定膝	80	アルミ	345	72,600	1年	
単軸固定膝	135	アルミ	264	73,300		
ステップ用膝継手	80	アルミ	1,020	432,500	1年	
固定膝軽量用		アルミ	233	48,000		パイプ径25mm用
固定膝ライト	80	アルミ	270	66,000		
手動固定膝	80	アルミ	368	64,600	2年	
単軸マニュアルロック膝継手 アルミ	125	アルミ	275	65,700	1年	
遊動固定切替膝		アルミ	418	69,500		
皿受付単軸膝	70	アルミ	640	58,200	1年	
アルミ単軸膝	100	アルミ	315	93,900		
ステンレス単軸膝	100	ステンレス	450	80,800		
チタン単軸膝	100	チタン	350	127,800		
単軸膝	80	アルミ	383	47,400	2年	
単軸膝軽量用		アルミ	230	46,300		パイプ径25mm用
単軸膝・空圧制御 4-BOLT PSPC UNIVERSAL	100	アルミ・ステンレス	不明	312,700	2年	
空圧制御シリンダ付単軸膝	100	アルミ・カーボン	577	260,200	1年	
ハイドラケーデンス2	100	カーボンファイバー	1,850	732,500		足関節連動
油圧単軸膝継手，体重制限75kg	75	アルミ	340	266,200	1年	
Dolphin(油圧単軸膝，アルミフレーム)	100	アルミ	495	260,200	1年	
油圧単軸膝継手，体重制限150kg	150	アルミ	360	266,200	1年	
単軸膝・油圧制御 4-BOLT/CaSTANCE UNIVERSAL	100	アルミ・ステンレス	不明	576,600	2年	
アクアニーウォータープルーフロック付	150	アルミ	400	322,500	1年	防水加工

表5-3

軸構造	機能区分 立脚相制御	機能区分 遊脚相制御	機能概要	メーカー推奨 適応活動レベル	メーカー名	メーカー品番
単軸	荷重ブレーキ	定摩擦・バネ（ゴム）伸展補助装置	立脚相は荷重時に軸摩擦によって膝の屈曲制動（ブレーキ）が働く．ブレーキ力は調整可．遊脚相はバネまたはゴムで屈曲と伸展を制御する．バネ（ゴム）力は調整可．	K1-K2	ラボック	M0736
				K1-K2	オットーボック	3R15
				K1-K2	オットーボック	3R49
				K1-K2	メディ	OFM2
				K1-K2	オットーボック	3R90
				K2-K3	ホスマー	60785
				K2-K3	ホスマー	60775
				K2-K3	ホスマー	60794
				K2-K3	ホスマー	60236
				K2-K3	啓愛	A1-1
				K2-K3	啓愛	A1-2
				K2-K3	啓愛	A1-2-N
				K2-K3	啓愛	A2-1
				K2-K3	啓愛	A2-2
				K2-K3	フィラワー	124200
				活発な歩行に対応	高崎義肢	TG1011
単軸	荷重ブレーキ	空圧制御	立脚相は荷重時に軸摩擦によって膝の屈曲制動（ブレーキ）が働く．ブレーキ力は調整可．遊脚相は空圧で屈曲と伸展を制御する．空圧は調整可．	K2-K3	メディ	OP4
				K2-K3	ナブテスコ	NK-1s
				K2-K3	ナブテスコ	NK-1
				K2-K3	オットーボック	3R92
				K2-K4	ラボック	M0770
				K2-K4	ラボック	M0771
単軸	荷重ブレーキ	空圧電子制御	立脚相は荷重時に軸摩擦によって膝の屈曲制動（ブレーキ）が働く．ブレーキ力は調整可．遊脚相ではセンサーが速度を検知し，速度に合わせて空圧をマイコンで調整し屈曲と伸展を制御する．	K2-K4	ナブテスコ	NI-C111
				K2-K4	ナブテスコ	NI-C111t
				K2-K4	ナブテスコ	NI-C112
単軸	油圧イールディング	油圧制御	立脚相は荷重時に油圧によって屈曲抵抗が発生しイールディングが働く．遊脚相は油圧により屈曲と伸展を制御する．油圧は調整可．	K1-K4	オズール	MKN01360
				K3-K4	オットーボック	3R80＋
単軸	油圧イールディング	空圧電子制御	立脚相は荷重時に油圧によって屈曲抵抗が発生しイールディングが働く．遊脚相ではセンサーが速度を検知し，速度に合わせて空圧をマイコンで調整し屈曲と伸展を制御する．	K2-K4	ナブテスコ	NI-C311
単軸	油圧電子制御	油圧電子制御	立脚相と遊脚相両方においてセンサーが歩行状態を検知し，立脚相ではイールディングの，遊脚相では屈曲と伸展の油圧をそれぞれの状態に合わせてマイコンで制御する．	K3-K4	オットーボック	3C98
多軸	固定	固定	伸展状態で固定される．座位をとる場合などは手動で固定解除が可．	K0-K2	オズール	BKN12511
				K1	オットーボック	3R23
				中程度	高崎義肢	TG1037

つづき

メーカー部品名称等	使用者体重制限(kg)	主な使用材料	重量(g)	価格(円)(基準価格)	メーカー保証期間	特記事項
荷重ブレーキ膝	100	アルミ	695	75,500	1年	
荷重ブレーキ膝継手	100	ステンレス	490	63,800	1年	
荷重ブレーキ膝継手　チタン	100	チタン	360	147,600	1年	
単軸荷重ブレーキ付膝継手(ロック切替機能付)	125	アルミ	495	139,100	1年	ロック・遊動　切替機能付き
荷重ブレーキ膝継手　バネ内臓チューブ付	125	アルミ	745	217,800	1年	荷重応答型ブレーキ
アルミ荷重ブレーキ膝	100	アルミ	316	102,900		
ステンレス荷重ブレーキ膝	100	ステンレス	450	84,600		
チタン荷重ブレーキ膝	135	チタン	350	127,000		
荷重ロック膝キット	100	チタン	453	119,800		
安全膝(チューブアダプタ付)	100	ステンレス	790	70,300	1年	
安全膝(ソケットアタッチメント)	100	ステンレス	770	73,900	1年	
安全膝　極長断端用	100	ステンレス	790	75,700	1年	
安全膝あぐら付(チューブアダプタ付)	100	ステンレス	1,140	80,300	1年	
安全膝あぐら付	100	ステンレス	880	71,200	1年	
安全膝伸展補助付				84,700		
荷重ブレーキ膝	80	アルミ	510	79,100	3年	
荷重ブレーキ付空圧膝継手	100	アルミ	680	254,100	1年	
空圧膝継手・ピラミッド(伸展補助バネ)	125	チタン	910	294,600	1年	
空圧膝継手・ピラミッド	125	チタン	910	288,000	1年	
荷重ブレーキ膝　空圧式　チューブ付	125	アルミ	895	272,300	1年	
BASS(空圧 荷重ブレーキ膝 カーボンフレーム)	100	カーボンファイバー	685	281,300	1年	
P-BASS(空圧 荷重ブレーキ膝 カーボンフレーム)	100	カーボンファイバー	695	281,300	1年	
安全膝	100	カーボンファイバー	1,095	347,300	1年	
単軸・荷重ブレーキ付・ピラミッド	100	カーボンファイバー	1,095	341,500	1年	
単軸・荷重ブレーキ付・インテリジェント膝継手	100	カーボンファイバー	1,191	364,800	1年	
マウクニー	136	カーボンファイバー	1,140	517,800	2.5年	固定/遊動切替式
ロータリー油圧膝継手，チューブ付	150	アルミ	1,240	432,500	1年	防水加工・チューブ付
ハイブリッドニー	125	カーボンファイバー	1,380	836,500	3年	MRS(床反力センシングシステム)による油圧のON-OFF動作 電池寿命約2年，充電不要
Cレッグ	136	カーボン	1,143	1,652,500	3年	専用パイプアダプター，専用充電器，専用ACアダプターと組み合わせて使用．スタンスエクステンションダンピング機構(調整可)任意角度でのロック，モード切替(一定角度でのロック，フリー)，躓き転倒防止機能
バランスニーロックタイプ	125	アルミ	590	194,600	2年	
膝離断用膝継手　マニュアルロック	125	ステンレス	880	160,900	1年	
手動固定4リンク	80	アルミ	520	113,700	2年	

表 5-3

機能区分			機能概要	メーカー推奨適応活動レベル	メーカー名	メーカー品番
軸構造	立脚相制御	遊脚相制御				
多軸	—	バネ（ゴム）伸展補助装置	立脚相はリンク機構により安定性を高める．遊脚相はバネまたはゴムで屈曲と伸展を制御する．バネ（ゴム）力は調整可．	K1-K2	ラボック	M0781
					オットーボック	3R36
					オットーボック	3R20
					徳林	TGK-4000
					徳林	TK-4000S
					オズール	BKN12500
					オズール	BKN12501
					オットーボック	3R21
					メディ	OFM1
					メディ	OM8
				K3以下	啓愛	A2-10-2
				活発な歩行に対応	高崎義肢	TG1008
					高崎義肢	TG1006
					高崎義肢	TG1009
多軸	—	ポリマー定摩擦・ゴム伸展補助装置	立脚相はリンク機構により安定性を高める．遊脚相はポリマー定摩擦・ゴムで屈曲と伸展を制御する．摩擦力は調整可．	K1-K2	オズール	TK-1900
多軸	—	空圧制御	立脚相はリンク機構により安定性を高める．遊脚相は空圧により屈曲と伸展を制御する．空圧は調整可．	K2	オットーボック	3R78
				K1-K3	ブラッチフォード	019136
				K2-K3	徳林	TGK-4P01P
					オットーボック	3R106
					メディ	OHP3
					徳林	TGK-4P10
					徳林	TK-4P00S
					ラボック	M0750-A
					ラボック	M0755-A
					徳林	TGK-4P00
					メディ	OP5
				活発な歩行に対応	高崎義肢	TG1017
多軸	—	油圧制御	立脚相はリンク機構により安定性を高める．遊脚相は油圧により屈曲と伸展を制御する．油圧は調整可．	K2-K3	徳林	X60
					プロテオール	1P110
				K3-K4	オットーボック	3R55
					オットーボック	3R46
				活発な歩行に対応	高崎義肢	TG1027
多軸	—	空圧電子制御	立脚相はリンク機構により安定性を高める．遊脚相ではセンサーが速度を検知し，速度に合わせて空圧をマイコンで調整し屈曲と伸展を制御する．	K2-K3	ナブテスコ	NI-C411
					ナブテスコ	NI-C412
					ナブテスコ	NI-C414

つづき

メーカー部品名称等	使用者体重制限(kg)	主な使用材料	重量(g)	価格(円)(基準価格)	メーカー保証期間	特記事項
SwanS	75	アルミ	668	254,100	1年	
ハーベルマン膝継手 チタン	100	チタン	445	158,500	1年	幾何学的ロック
ハーベルマン膝継手	100	ステンレス	820	94,400	1年	幾何学的ロック
四軸膝継手	100	カーボンファイバー	655	129,400	1.5年	
Hy-Stan 四軸膝継手	100	アルミ	835	58,000		
バランスニー（伸展補助バネ）	125	アルミ	590	159,100	2年	
バランスニー（伸展補助バネ強）	125	アルミ	590	158,500	2年	
膝離断用多軸膝継手 伸展補助	125	ステンレス	1,010	146,400	1年	
四軸膝継手（ロック切替機構付）	136	アルミ	590	177,800	1年	30 ロック・遊動 切替機能付き ピラミッド位置 全方位360度スライド可
四軸膝継手（回転中心位置調整機構付）	136	アルミ	450	102,800	1年	回転中心位置調整機構付
四軸膝ターンテーブル付	100	アルミ	796	67,200	1年	
4軸膝（2）	80	アルミ	688	112,300	2年	
4軸膝継手	80	アルミ	668	94,800	2年	
6軸膝		アルミ		165,300		
トータルニー1900（ポリマー摩擦）	100	アルミ	675	314,600	2年	
多軸空圧膝継手 低活動用	100	アルミ	750	175,400	1年	
四軸膝離断空圧 4-BAR KNEE DISARTICULATION/PSPC SWING	100	アルミ・カーボン	888	526,100	2年	
空圧式四軸膝継手（ミニ）	80	カーボンファイバー	780	211,700	1.5年	
四節リンク空圧膝継手 チューブ付	100	アルミ	760	242,000	1年	
四軸空圧膝継手（回転中心位置調整機構付）	100	アルミ	875	297,600	1年	ピラミッド位置 全方位360度スライド可 専用ウェッジ組込でリンク形状変更可
空圧式四軸膝継手（膝離断用）	100	カーボンファイバー	1,100	225,000	1.5年	
Hy-Stan 空圧式四軸膝継手	100	アルミ	1,150	100,400		
HRC4本リンク膝（大腿切断用）（アルミフレーム カーボンリンク）	100	アルミ・カーボン	685	179,500	1年	
HRC4本リンク膝（膝離断用）（アルミフレーム カーボンリンク）	100	アルミ・カーボン	668	179,500	1年	
空圧式四軸膝継手	125	カーボンファイバー	920	211,700	1.5年	
四軸空圧膝継手	125	アルミ	765	234,700	1年	ピラミッド位置 全方位360度スライド可
四軸空圧膝	80	アルミ	650	126,900	2年	
油圧式四軸膝継手	125	アルミ	1,060	412,500		
ハイディール	100	アルミ・カーボン	1,850	372,460		
多軸油圧膝継手	125	チタン	720	332,500	1年	
膝離断用油圧膝継手	125	チタン	740	296,400	1年	
四軸油圧膝	80	アルミ	750	136,200	2年	
4節リンク機構ピラミッド	100	カーボンファイバー	1,015	356,500	1年	
4節リンク機構十字滑り子式	100	カーボンファイバー	1,060	365,500	1年	すべりこによるスライド調整可
4軸4節リンク機構皿タイプ	100	カーボンファイバー	915	356,500	1年	

表5-3

機能区分			機能概要	メーカー推奨適応活動レベル	メーカー名	メーカー品番
軸構造	立脚相制御	遊脚相制御				
多軸	バウンシング	空圧制御	立脚相では踵荷重時に膝が軽度屈曲（バウンシング）する．遊脚相は空圧により屈曲と伸展を制御する．空圧は調整可．	K2-K3	徳林	TGK-5PS0
多軸	バウンシング	油圧制御	立脚相では踵荷重時に膝が軽度屈曲（バウンシング）する．遊脚相は油圧により屈曲と伸展を制御する．油圧は調整可．	K2-K3	ラポック	M0780
					オズール	TK2000
					ナブテスコ	NK-6
					ナブテスコ	NK-6+L
					オットーボック	3R60-EBS
					ラポック	M0786
					オットーボック	3R60-PRO
				K2-K4	オズール	TK2100
多軸	バウンシング	空圧電子制御	立脚相では踵荷重時に膝が軽度屈曲（バウンシング）する．遊脚相ではセンサーが速度を検知し，速度に合わせて空圧をマイコンで調整し屈曲と伸展を制御する．	K2-K3	徳林	TGK-5PS0IC

表5-4 生体の股関節，膝関節，足関節，足部

機能区分			機能概要	メーカー推奨適応活動レベル	メーカー名	メーカー品番
軸構造	立脚相制御	遊脚相制御				
単軸	固定	固定	膝が完全伸展位で固定される．座位をとる場合などは手動で固定解除可．	K1-K2	徳林	TK-1C1
				特になし	オットーボック	3R39
					ラポック	C0720
単軸	—	バネ（ゴム）伸展補助装置	立脚相を制御する機能はない．遊脚相はバネまたはゴムで屈曲と伸展を制御する．バネ（ゴム）力は調整可．	特になし	オットーボック	3R38
				—	ラポック	C0700
単軸	—	油圧制御	立脚相を制御する機能はない．遊脚相は油圧により屈曲と伸展を制御する．油圧は調整可．	—	オットーボック	3R65
単軸	固定・遊動切替式		膝を完全伸展位で固定するか遊動にするかの選択可．		高崎義肢	TG1013
多軸	—	バネ（ゴム）伸展補助装置	立脚相はリンク機構により安定性を高める．遊脚相はバネ或いはゴムで屈曲と伸展を制御する．バネ（ゴム）力は調整可．	K1-K4	ブラッチフォード	019245
					オズール	TK-1100
				K1-K2	徳林	TK-40C
				特になし	オットーボック	3R66

つづき

メーカー部品名称等	使用者体重制限(kg)	主な使用材料	重量(g)	価格(円)(基準価格)	メーカー保証期間	特記事項
空圧式五軸膝継手	100	カーボンファイバー	1,005	254,100	1.5年	
Swan(油圧 バウンシング機構5軸安全膝 体重上限75kg)	75	アルミ	670	323,500	1年	
トータルニー2000(油圧)	100	アルミ	690	430,600	2年	幾何学的ロック,伸展補助バネ別売
バウンシング機構	125	チタン	890	372,500	1年	幾何学的ロック
ロック付バウンシング膝継手	125	チタン	940	397,500	1年	幾何学的ロック,固定と遊動切替機能あり.
EBS多軸膝継手 バウンシング機構	125	アルミ	845	472,500	1年	幾何学的ロック・油圧式バウンシング機構
Swan100(油圧 バウンシング機構5軸安全膝 体重上限125kg)	125	アルミ	840	370,500	1年	
小型EBS多軸膝継手 バウンシング機構	75	アルミ	770	492,500	1年	幾何学的ロック・油圧式バウンシング機構
トータルニー2100(油圧)	125	アルミ	900	838,800	2年	幾何学的ロック,伸展補助バネ別売
空圧式五軸膝継手(オートパロット)	100	カーボンファイバー	1,150	612,500	1.5年	

※「メーカー推奨適応活動レベル」と「特記事項」の空白部分については,2015年12月現在調査中.
(厚生労働省科学研究費補助金:補装具の適切な支給実現のための制度・仕組みの提案に関する研究.2015)

の機能を代償する部品【名称:膝継手(小児用)】

メーカー部品名称等	使用者体重制限(kg)	主な使用材料	重量(g)	価格(円)(基準価格)	メーカー保証期間	特記事項
小児用単軸膝継手	55	アルミ	310	52,800		
マニュアルロック膝継手 小児用	45	アルミ	145	132,700	1年	
手動ロック膝(小児用)	45	アルミ	181	115,000	1年	
単軸膝継手 小児用	45	アルミ	160	111,300	1年	
単軸膝(小児用)	45	アルミ	159	115,000	1年	
油圧単軸膝継手 小児用	45	アルミ	315	243,200	1年	
遊動固定切替膝軽量用(小児用)		アルミ	252	66,000		パイプ径25mm用
四軸膝子供用 CHILD'S AK 4 BAR KNEE/ICS	60	アルミ	435	302,300	2年	
小児用トータルニー膝継手	45	アルミ	395	293,700	2年	幾何学的ロック,伸展補助バネ別売
小児用四軸膝継手	55	アルミ	370	66,000		
多軸膝継手 小児用	35	アルミ	310	130,600	1年	足部回旋機構

※「メーカー推奨適応活動レベル」と「特記事項」の空白部分については,2015年12月現在調査中.
(厚生労働省科学研究費補助金:補装具の適切な支給実現のための制度・仕組みの提案に関する研究.2015)

レベル，メーカー・形式，部品名称，使用者の体重制限，主な使用材料，重量，基準価格，メーカー保証期間，特記事項が記載されており，わが国にとって初めての貴重な研究成果であり貴重な情報といえる[381]．

今後の課題として，この膝継手の機能を切断者にとって最大に引き出すには，義肢装具士の調整に要する経済的な評価，完成部品のフォローアップシステムの確立や，部品供給事業者間の機能についての考え方の統一などが必要であろう．この研究によって，今後，膝継手部品価格の妥当性評価や処方判定時の部品の選定を容易にするとともに，全国の身体障害者更生相談所の義肢判定で見られる地域格差間の是正につながることを期待したい．

─7 ▶ 膝継手の処方（選択）

膝ブロック継手の選択は，切断者の将来における歩行能力ばかりでなく，日常生活および職業能力などを左右するだけにきわめて重要な問題である．特に最近のように日進月歩で，多くの膝継手が開発されている現代の中で処方にあたる義肢装具士，セラピストを初めとするクリニックチームの責務は大きいといわざるをえない．

義足の処方には，図5-27に示すように種々の因子を考慮する必要がある．

この中でも，膝継手の処方を左右する最も大きな2つの因子として，断端長と，切断者自身の生活上，職業上の活動度があげられる．これをまとめてみると図5-28のようになる．

① 断端長を基準にすれば，短断端になるほど立脚相での安定性が膝継手の機能に要求される．
② 逆に，断端が長くなるほど断端のコントロールによる膝の安定性は確保されるため，立脚相での安定性のニーズは減り，むしろ遊脚相での円滑な膝のコントロールが要求されるようになる．

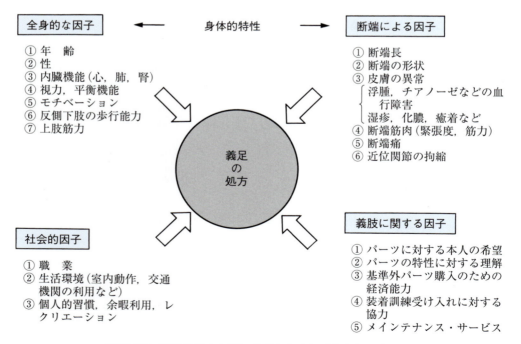

図5-27　義足の処方の際に考慮しなければならない諸因子

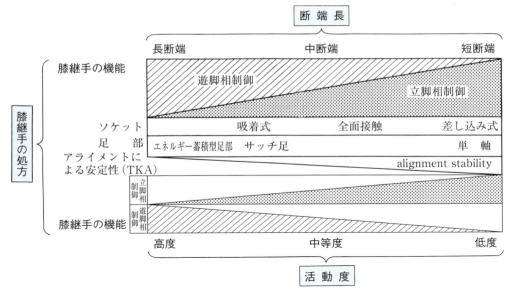

図5-28 大腿切断者における，断端長と活動度を参考にした膝継手の処方

③ 一方，切断者の活動度を基準にした場合には，速歩，不整地での安定性やスポーツなどが要求される高度の活動性が必要ならば，遊脚相のみならず，ある程度の立脚相の安定性を付加する必要が生ずる．特に，図5-23，29に示したように，立脚相でのダブルニーアクションを可能としてバウンシング(bouncing)機構やイールディング(yielding)機構をもつ膝継手の開発により，立脚相制御に対する処方の基本的な考え方を変える必要があろうかと思われる（図5-29）．義足装着の身体的特性が優れ，十分な義足歩行訓練を行った場合には，立脚相制御機構をもつ膝継手の処方は不要であるとの意見が一部にあった．しかし，このような優れた立脚相機構をもつ膝継手の処方によりQOLのより高い生活が可能になるため，その可能性は求められるべきであろう．

④ 逆にあまり活動度が低い場合には，むしろ軽量化，膝固定を含めた安全性の機能が要求されることになる．高齢者で高位下肢切断者の場合には，体力，片側安定性に応じた膝継手の処方が必要であり，図5-194（p438）に方針を示した．

⑤ 最近における立脚相に働く膝継手機構の分類と整理を図5-29に示した．

⑥ 膝継手の処方にあたって，切断者の義足装着訓練の成熟性に応じて，立脚相，遊脚相機能をコントロールすることが大切であり，その機能をもつ膝継手の選択が重要である（長倉裕二ら[330]）．訓練初期では，荷重ブレーキを十分利かせ，歩行能力が向上するにしたがってその利きを少なくするとともに，遊脚相コントロールに重点を残していくことが大切であろう．

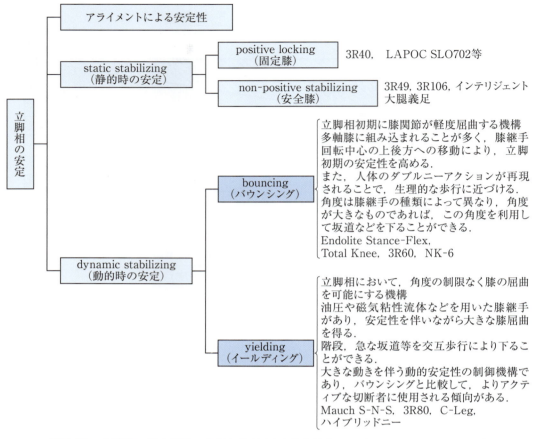

図5-29　立脚相に働く機構の分類と整理（兵庫県立総合リハビリテーションセンター）

3　足継手と足部

　足継手および足部は，理想的には正常の足関節および足部の運動をできるだけ代償できるように作られるべきである．しかし一方，義足の足部としては基本的に，負荷に対する耐久力があること，廉価であること，軽量であること，外観（生体に近いこと，指股が割れていること）が良いこと，ショックの吸収が良いことなどの条件が満たされねばならない．したがって，正常な足関節，足部のすべての運動のうち，次の3つの運動が義足足部の主な機能として代償されるよう考案されている．

─1▶ 中足指節関節の底背屈運動

　これは，義足では，底に付けられたベルトかフェルトにより，またゴム足先の弾力性でこの運動が行われる．したがって，この足部の中足指節関節に相当するトウブレーク（toe break）の位置と角度が変われば歩き方も変わってくる．この位置はだいたい第一中足骨骨頭の0.5cm後方で，その角度は進行方向に対して直角にあるとされている．このトウブレークの位置が前方に寄りすぎると膝の安定性が増加しすぎ，立脚相後期で膝の屈曲が困難となる．逆に，この位置が後

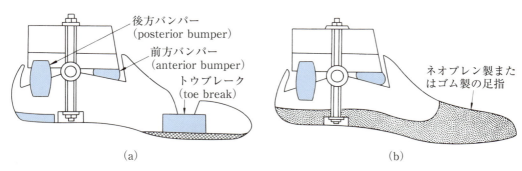

図5-30 単軸足部

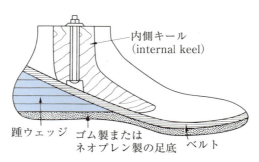

図5-31 サッチ足(SACH)

方に寄りすぎると負荷時の膝の安定性が悪くなる.

図5-30(a)は単軸足部(コンベンショナルフット:conventional foot)でトウブレークの位置を示したものである.一般的には,図5-30(b)のように,圧縮可能なネオプレン製またはゴム製のヒールおよび足先をもつ木製足部がよく用いられている.

2 ▶ 距腿関節の底背屈運動

これは,足継手に軸を用いたものと軸および継手がないものが含まれる.

(1) 単軸足部 (single axis ankle)

図5-30のように単軸の足継手により底背屈を行う.この軸の前に前方バンパー(anterior bumper)を用いて背屈を,後ろに後方バンパー(posterior bumper)を用いて底屈をコントロールするようになっている.一般にコンベンショナルアンクル(conventional ankle)と呼ばれるものである.

〔利点〕①低単価で交換も容易である.②前後のバンパーの厚さの加減によりアライメントの変更が容易であり,履物に対する適応ができる.日本の生活様式には捨てがたい利点である.

〔欠点〕①足継手の回内外運動,トルクに対するショックを吸収できない.②後方バンパーと前方バンパー両者の作用によっても円滑な歩行がしにくい.

(2) サッチ足部 (SACH:solid ankle cushion heel)

これは,足継手軸がなく,木製または金属性のキールが中心となり,これに合成ゴム製の足部とクッションをもった踵からなっている(図5-31).

〔利点〕①合成ゴムの圧迫により側方運動と底背屈運動ができ,コンベンショナルアンクルに

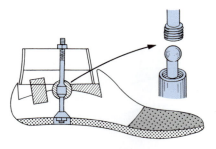

図5-32 球関節付き足継手(ball and ankle joint, Mckendrick)

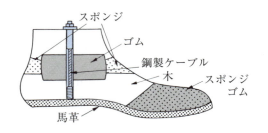

図5-33 米国海軍義肢研究所で開発された機能足部

比較して円滑な歩行ができる．②足部の形態が優れているため，特に女性，小児切断者に適応となる．③湿気に強い．

〔欠点〕①踵ウェッジのクッションが徐々に不良となる．②トルクの吸収が不十分である．③日本のように，ヒールの高さの異なるいろいろな履物を用い，室内外でアライメントの変わる生活様式には問題となる場合がある．

─3▶ 足根間および足根中足関節の回内外運動

　正常な足部の運動において，回内外運動は主として距踵関節で行われる．この運動のため，凹凸の不整地や坂道の歩行の場合にショックの吸収ができ，膝の機能に障害を起こさないようになっている．ところが，義足歩行でこのような足部の回内外運動がないと不整地歩行では足部でのショック吸収ができず，断端とソケットの間の適合に影響し，断端および膝関節に与える影響は少なくない．この意味で，足部に回内外運動および回旋運動を与えようとしていろいろな足部が開発されてきている．

　その古典的ともいえるものが，図5-6のShede-Habermannの足継手であり，その他にMckendrick球関節付き足継手（図5-32）や，米国海軍義肢研究所による機能足部（図5-33）がある．

　実用的には，図5-34（a）のGreissinger, Roeser（同（b））のように足部と下腿との間にゴムブロックを挟みこんだ形のものや，SAFE足（同（c）），ブラッチフォード多軸足部（同（d））やDual-Ankle Springs（DAS）足部（同（e））などが開発，市販されている．

─4▶ エネルギー蓄積型足部（energy storing foot）

　以上は通常歩行や労働に適した足部であるが，最近アメリカで，スポーツ愛好家のニーズに応えるために立脚相の踏み切り期に蓄えたエネルギーを放出して，走ったりジャンプしたりできるエネルギー蓄積型足部（Energy storing feet）の開発が進んでいる．一般的な構造の特徴としては，力を蓄えるための足継手の場所での背屈可能域が通常の足部より大きくなるようにデザインされている．図5-35は，その代表的なものであり，シアトル（Seattle）足（同（a）），ステン（STEN）足（同（b），Kingsley），Carbon CopyⅡ（同（c）），Dynamic Response FootⅡ（ブラッチフォード）（同（d））などがある．いずれもエネルギー蓄積機能とともに内外反方向への動き，軽量化を目的にして開発市販されたものである．そのほかにも従来の足部とは形態的に全く異なるカーボングラファイト（Carbon Graphite）で作られた板状の強度のスプリング性と耐久性をもつフレックス足が歩行能力の改善に高く評価されている．特に，オズール社フレックス足システム

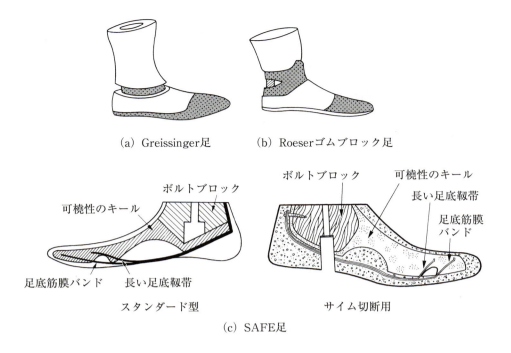

(a) Greissinger足　　(b) Roeserゴムブロック足

(c) SAFE足　スタンダード型／サイム切断用

可橈性のキール　ボルトブロック　足底筋膜バンド　長い足底靱帯

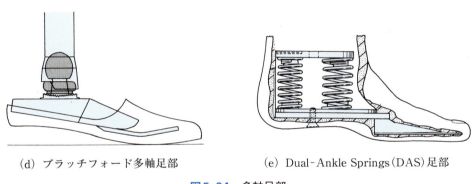

(d) ブラッチフォード多軸足部　　(e) Dual-Ankle Springs (DAS) 足部

図5-34　多軸足部

(同(e)),オットーボック社カーボン足部(同(f))がシステム的に開発され,スポーツ愛好家などに喜ばれている.図5-258(p480)は,TSB Icerossソケットにチータを取り付けたものであり,スポーツなど活動性が要求されるときは,ソケットと足部両者の適応を考慮する必要がある.そのほかに,エネルギー蓄積型足部として,トライアスJ-Foot,パスファインダー,セトラス標準タイプなどが開発されている.また,日本人の生活様式への対応として,イレーション,プラグ付き正座用足継手が市販されている.さて,このように多くある足部から個々の切断者にどの足部を選択して処方していくかは,現実にはむずかしい.

従来,大腿切断短断端や股離断に対する足部の処方は,踵接地時の後方バンパーの強さによる膝折れ防止から,後方バンパーの柔らかいものを選択するのがわれわれの常識であった.しかし,われわれのいろいろな足部の交換装着結果からは,両大腿切断における足部の後方への安定性の利点(トイレにて,立位で保持なしに小便ができる)などから,切断者によりシャトルフットの選択がなされることは少なくない.しかし,一方では,足部の機能が複雑になるほど,耐久

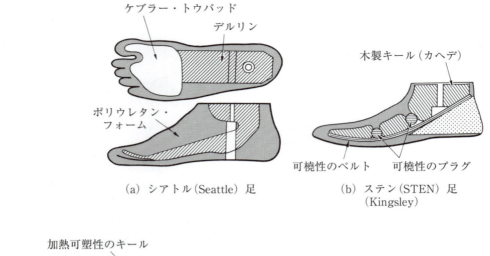

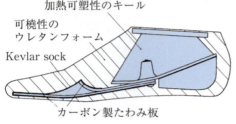
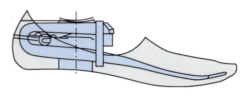

図5-35 エネルギー蓄積型足部

性,重量,価格などに問題があることが多く,従来の既定の考え方にとらわれず,今後の多くの経験からより良い足部の選択も行うようにすることが大切である.

なお,最近余暇活動の範囲が広がり,スキー,水泳,テニスなど多くのスポーツへの対応が必要になっている.

(e) オズール・フレックス足システム

(f) オットーボック社カーボン足部

図5-35 つづき

─5 ▶ 義足足部の臨床比較

それぞれの義足足部の一般的な利点・欠点を表5-5に示す．

表5-5 義足足部の臨床比較（John Michael）

	利　点	欠　点
SACH	耐久性，安価，多種類の靴に対応	かなり硬い 運動範囲が限られる
単軸	膝継手の安定性を加える	価格，重量，保守がわずかに増加
Greissinger	多方向運動	価格，重量，保守がわずかに増加 側方安定性が小さい
SAFE	多方向運動，湿気，小砂に強い	価格，重量がわずかに増加 側方安定性が小さい
Sten	価格，重量ともまずまず 側方安定性，多種類の変化に対応	価格，重量がわずかに増加
Seattle	エネルギー蓄積 円滑な踏みかえし	価格，重量が増加（light footにより軽量化），靴に適合困難
Carbon CopyⅡ	エネルギー蓄積，円滑な踏みかえし，側方安定性が著明，やや軽量	価格増加 靴に適合困難
Flex	最高のエネルギー蓄積，低い慣性，側方安定性は最高，広範囲の適応	高価，製作方法，アライメントが複雑，長断端には不適応

─6 ▶ スポーツ用義足足部

上述した義足足部の多くは，日常生活用の義足として使用されてきたが，競技レベルでのスポーツに挑戦するには，図5-36にあるように，競技専門としてデザインされたものが推奨される．(a)チーターは，下腿切断用として，(b)フレックスラン（Flex-Run）は，ランニング初心者や長距離走者用として，(c)のチーターエクシードは，大腿義足短距離走者用として記録が期待できる．図5-37はチーターを付けた下腿切断者で，短距離のみならず，マラソンやトライアスロンなどの長距離競技にもすばらしい記録をあげることができる．

スポーツなど活動度の高い運動を望む義足ユーザーのニーズにあった義足足部を選択する際には次の点を考慮すべきである（内田充彦[356]）．

① 義足ユーザーの望む活動：短距離競技の場合は，エネルギー蓄積・放出効率のより高いものが選択される．これに対して，中・長距離競技の場合は，断端へのストレスの軽減のために衝撃の吸収機能の高いものが選択される．

② 日常に利用する義足と併用するか，競技専門の義足を選択するか：一般的に，競技専門の足部は，軽量化・動的反応・衝撃・吸収性の面から優れた義足を選択する．

③ 経済性（価格）からみた義足足部：公費か自己負担か，十分な説明が必要である．

④ 床からソケット遠位端までの距離：コネクターのバリエーションが増え，アライメント調整機能を残すためには，この距離を考慮しなければならない．

(a) チーター　(b) フレックスラン　(c) チーターエクシード　(d) 1E90/91　(e) KATANA-β

図5-36　競技専用としてデザインされた足部

パラリンピック金メダリストの
ハインリッヒ・ポポフ

両下腿義足で世界記録保持者の
ヨハネス・フロアス

図5-37　競技用義足を装着したパラアスリート

—7 ▶ トルクアブソーバー

「3. 義肢の理解に必要な正常歩行について」(p340)で述べるように，健康人の歩行時には，下肢の長軸に沿って回旋運動が起こる．義足の場合には大腿義足を例にとると，義足の接踵期に膝の安定性を得るために股関節を伸展させるが，このときにソケットの長軸の周りに外旋方向へのトルクが生ずる．そこで，もしこのトルクを減少するための装置がないと残肢は内旋する傾向をとらざるをえない．逆に，踏み切り期の直前には，膝屈曲のために股関節を屈曲させるが，これがソケット長軸の周りに内旋方向のトルクを起こす．

トルクアブソーバー（起回転力吸収装置：torque absorber, axial rotation device）はこうした義足の立脚相全体にわたって，断続的に起こるトルクを吸収して，ねじれの負荷を軽減する補助装置である．この作用によって，断端とソケット間における剪力を減ずることができ，断端の皮膚の摩擦によるトラブルを少なくすることができる．骨格構造義足の進歩により使用頻度は少なくなってきているが，利点は捨て難い．トルクアブソーバーの取り付け位置については，図5-38のようなパターンが考えられる．その利点・欠点を示すと次のとおりである．

〔利点〕①義足歩行の動きがより自然で快適である．②断端皮膚のソケットとの摩擦による障害はより少ない．③立位での作業やゴルフなどのスポーツ，ダンスなどに疲労感が少ない．

〔欠点〕①重量の付加とメインテナンス．②このことによる懸垂機能による留意が必要．③義足の安定性（特に両側大腿切断者に）を減ずる可能性がある．

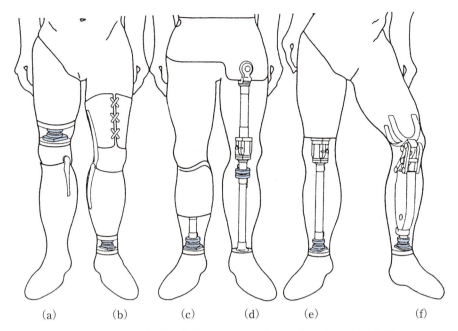

図 5-38 各切断部位の義足とトルクアブソーバーの取り付け位置
（United States Manufacturing Co. より）
(a) 大腿義足 + 膝上部の rotator
(b) 在来式下腿義足 + 足上部の rotator
(c) 骨格構造式下腿義足 + 足上部の rotator
(d) 股義足 + 膝下部の rotator
(e) 骨格構造式大腿義足 + SACH 足部上部の rotator
(f) 膝義足 OHC 4本リンク膝 + SACH 足部上部の rotator

─8▶国内で入手可能な義足足部

　2005年時点で，国内で入手可能な足部（新しい足部を中心として）について，野坂利也氏[355]にまとめていただいているので紹介したい（表5-6）．

表5-6 国内で入手可能な足部

義足足部	完成用部品の名称	メーカー	資料提供	完成用部品価格（円）	サイズの種類（cm）
シアトルナチュラルフト	SNF150	マインド	小原工業	30,100	22〜30
シアトルオリジナルフト男性用	SFH110	マインド	小原工業	50,100	22〜29
シアトルオリジナルフト女性用	SFH120	マインド	小原工業	50,100	22〜28
シアトルライトフト	SLF135	マインド	小原工業	50,100	22〜28
シアトルカーボンライトフト男性用	SCF185	マインド	小原工業	64,700	22〜29
シアトルカーボンライトフト女性用	SCF195	マインド	小原工業	64,700	22〜28
シアトルボイジャーフト	SVF175	マインド	小原工業	296,500	22〜30
シアトルケーデンスHP	SHF190（未認可）	マインド	小原工業	350,500	22〜29
ダイナステップフト	1A101	プロテア	小原工業		22〜29
多軸足継手付ダイナステップフト	1E201	プロテア	小原工業		22〜29
軽量コスメチックフト	1G6（未認可）+2R54	オットーボック	オットーボック		23〜27
単軸フト	1H38+2R51	オットーボック	オットーボック	53,100	21〜28
男性用サッチフト	1S49+2R31	オットーボック	オットーボック	35,000	21〜28
男性用ダイナミックフト	1D10+2R31	オットーボック	オットーボック	52,900	22〜30
女性用ダイナミックフト	1D11+2R31	オットーボック	オットーボック	52,900	22〜28
グライシンガープラス	1A30	オットーボック	オットーボック	66,000	24〜29
ダイナミックモーション	1D35	オットーボック	オットーボック	92,000	22〜30
C-ウォーク	1C40	オットーボック	オットーボック	248,000	24〜30
アドバンテージDP	1E50	オットーボック	オットーボック	350,500	22〜31
ローライダー	1E57	オットーボック	オットーボック	350,500	22〜31
アクション	1E+56	オットーボック	オットーボック	205,700	22〜31
ショパール	1E80	オットーボック	オットーボック	181,500	22〜31
アジャスト	1M10	オットーボック	オットーボック	70,100	22〜30
トライアス	1C30	オットーボック	オットーボック	116,200	21〜30
トリトン	1C60	オットーボック	オットーボック	229,900	21〜30
シニア	未認可	endolite	松本義肢製作所		22〜28
マルチフレックススタンダード（20mm差高）	519119〜519136	endolite	松本義肢製作所	23,700	22〜30
マルチフレックススリム（25mm差高）	519141〜519148	endolite	松本義肢製作所	35,600	22〜25
DR2（差高調整式）	529120〜529137	endolite	松本義肢製作所	49,800	22〜30
エラン	未認可	endolite	松本義肢製作所		22〜30
エシェロンVT	未認可	endolite	松本義肢製作所		22〜30
エシェロン	未認可	endolite	松本義肢製作所		22〜30
エリートブレードVT	未認可	endolite	松本義肢製作所		24〜30
エリートブレード	未認可	endolite	松本義肢製作所		24〜30

（新しい足部を中心として）（野坂利也）

重さ(g)	高さ(mm)	骨格と殻構造	差高(mm)	体重制限(kg)	活動レベル	納期	指股
420	74	両者	10, 18	41～120	低・中活動	2週間	あり
475	81	両者	18	42～110	低～高活動	2週間	あり
475	76	両者	10	43～102	低～高活動	2週間	あり
394	38	両者	10	41～136	低～高活動	2週間	あり
365	32	両者	10	22.7～113	低～高活動	2週間	あり
365	32	両者	10	22.7～113	低～高活動	2週間	あり
600	74	骨格	10	41～136	低～高活動（硬さの選択必要）	2週間	あり
831～917（硬さで異なる）	168	骨格	6, 10, 13から選択	23～136	低～高活動（硬さの選択必要）	2週間	なし
380	40	両者	10	100	中～高活動	2週間	なし
620	86	骨格	10	100	中～高活動	2週間	なし
335	79	両者	10	75	低活動	～3週間	あり
565	67	骨格	10	100	低活動	1-2日	なし
435	79	両者	10	100（～25cm），125（26cm～）	低～中活動	1-2日	なし
420	79	両者	10	125	低～中活動	1-2日	なし
415	79	両者	10	100（～25cm），125（26cm～）	低～中活動	1-2日	あり
620	85	骨格	10	75（～25cm），100（26cm～）	低～中活動	～3週間	あり
510	81	骨格	10	75（～25cm），100（26cm～）	低～中活動	1-2日	あり
405	89	骨格	10	75（～25cm），100（26cm～）	中～高活動	1-2日	なし
650	調整可	骨格	9	150（カテゴリーによって異なる）	中～高活動	～3週間	なし
465	45	骨格	9	136（カテゴリーによって異なる）	低～高活動	～3週間	なし
515	53	骨格	13	125（カテゴリーによって異なる）	中～高活動	1-2日	なし
325	18	殻	0, 9, 19から選択	136（カテゴリーによって異なる）	低～高活動	～3週間	なし
495	71	骨格	10	125（カテゴリーによって異なる）	低～中活動	1-2日	なし
468	110	骨格	10	125（カテゴリーによって異なる）	低～中活動	1-2日	なし
590	148	骨格	10	150（カテゴリーによって異なる）	中～高活動	1-2日	あり
395	70（サイズ22-24）75（サイズ25-26）80（サイズ27-28）	骨格	19	125	低～中活動	2週間～	あり
375	98（内アンクルピラミッド58）78mm*	骨格	20±15（3×5）	125	低・中活動	2週間～	あり
375	98（内アンクルピラミッド58）78mm*	骨格	25±15（3×5）	125	低・中活動	2週間～	あり
430	113*（内アンクルピラミッド58）	骨格	20±15（3×5）	125	中～高活動	2週間～	なし
1,200**	170（サイズ22-26）：75（サイズ27-30）	骨格	10	125	中～高活動	2週間～	なし
855**	168	骨格	10	125	中～高活動	2週間～	なし
688**	115（サイズ22-24）120（サイズ25-26）125（サイズ27-30）	骨格	10	125	中～高活動	2週間～	なし
1030**	VTM（オス）：215～380 VTF（メス）：233～398	骨格	10	166	高活動	2週間～	なし
580	200～365	骨格	10	166	高活動	2週間～	なし

表 5-6

義足足部	完成用部品の名称	メーカー	資料提供	完成用部品価格（円）	サイズの種類（cm）
エリートVT	未認可	endolite	松本義肢製作所		24～30
エリート2	未認可	endolite	松本義肢製作所		24～30
アバロンK2	未認可	endolite	松本義肢製作所		22～30
ブレードXT	未認可	endolite	松本義肢製作所		―
ジャベリン	未認可	endolite	松本義肢製作所		22～30
エピラス	未認可	endolite	松本義肢製作所		22～30
エスプリ	未認可	endolite	松本義肢製作所		22～30
ナビゲーター	未認可	endolite	松本義肢製作所		22～30
マルチフレックス スペシャルエディション	未認可	endolite	松本義肢製作所		25～28
スーパーサッチ	未認可	endolite	松本義肢製作所		22～28
アクアリム	未認可	endolite	松本義肢製作所		22～27
カレッジパークフット	未認可	カレッジパークインダストリー社	啓愛義肢	253,000	22～30
カレッジパークフット・ジュニア	未認可	カレッジパークインダストリー社	啓愛義肢		16～18
カレッジパークフット・ジュニア	未認可	カレッジパークインダストリー社	啓愛義肢		19～21
トリビュートフット	未認可	カレッジパークインダストリー社	啓愛義肢	144,000	21～30
ベンチャーフット	未認可	カレッジパークインダストリー社	啓愛義肢	276,000	21～30
アセント	未認可	カレッジパークインダストリー社	啓愛義肢		21～26
セルサス	未認可	カレッジパークインダストリー社	啓愛義肢		21～30
ゾレウス	未認可	カレッジパークインダストリー社	啓愛義肢		21～30
ヴェロシティー	未認可	カレッジパークインダストリー社	啓愛義肢		25～30
インパルス	IMP	ウィローウッド	田沢製作所	62,000	22～31
パスファインダー	PFDR	ウィローウッド	田沢製作所	402,500	23～31
オハイオ単軸足部	SAF	ウィローウッド	田沢製作所	25,600	22～31
デュラウォーク	DWF	ウィローウッド	田沢製作所	未認可	23～30
トレイルブレーザーMA	TBMA	ウィローウッド	田沢製作所	199,600	23～31
プロプリオフットEVO	未認可	オズール	パシフィックサプライ	未認可	22～30
リフレックス ローテイト EVO	RSPE-size	オズール	パシフィックサプライ	555,600	22～30
リフレックス ローテイト EVO トール	RSPE-size	オズール	パシフィックサプライ	555,600	22～30
リフレックス・ショック EVO スタンダート	F・F-RE-SP	オズール	パシフィックサプライ	638,400	22～30
リフレックス・ショック EVO トール	F・F-RE-SP	オズール	パシフィックサプライ	638,400	22～30
バリフレックス EVO	Vari-Flex EVO	オズール	パシフィックサプライ	350,500	22～30
バリフレックス EVO クイックライン付	VFQE-size	オズール	パシフィックサプライ	444,500	22～30
バリフレックスXC	XCPE-size	オズール	パシフィックサプライ	428,900	22～30
LP バリフレックス EVO	LP Vari-Flex Evo	オズール	パシフィックサプライ	313,400	22～30
バリフレックスモジュラー スプリットトウあり	F-F-MIII-SP	オズール	パシフィックサプライ	404,400	22～30
タラックス	TLPO-size	オズール	パシフィックサプライ	378,000	23～30
フレックスフットバランス	FBPO-size	オズール	パシフィックサプライ	63,800	21～28
バランスフットJ	JBPExyy L/R	オズール	パシフィックサプライ	121,900	22～30
フレックスフットアシュア	FAPO-SIZE	オズール	パシフィックサプライ	133,400	19～30

つづき

重さ(g)	高さ(mm)	骨格と殻構造	差高(mm)	体重制限(kg)	活動レベル	納期	指股
1050	170	骨格	10	166	高活動	2週間〜	なし
395**	130	骨格	10	166	高活動	2週間〜	なし
780**	115	骨格	10	125	中活動	2週間〜	あり
850	オスアダプター:230 メスアダプター:250	骨格	10	166	高活動(競技用)	2週間〜	なし
444**	200〜365	骨格	10	166	中〜高活動	2週間〜	なし
402**	85	骨格	10	125	中〜高活動	2週間〜	なし
317**	65(サイズ22-24) 70(サイズ25-26) 75(サイズ27-30)	骨格	10	125	中〜高活動	2週間〜	なし
565**	95	骨格	10	125	低〜高活動	2週間〜	あり
425**	75(サイズ25-26) 80(サイズ27-28)	骨格	10	125	低〜中活動	2週間〜	あり
449**	70(サイズ22-24) 75(サイズ25-26) 80(サイズ27-28)	骨格	19	125	低〜中活動	2週間〜	あり
1,390** (体重100kgまで用)	100〜415 (体重80kgまで用) 280〜415 (体重100kgまで用)	骨格	5	80 100	低〜中活動	2週間〜	あり
610	87	骨格	20	100	低〜高活動	15日	なし
280	53	骨格	6.5	45	特に指定なし	15日	なし
280	61	骨格	6.5	60	特に指定なし	15日	なし
410	61	骨格	9.5	100	低〜高活動(特に低活動)	15日	なし
500	63	骨格	9.5	100	低〜高活動(特に高活動)	15日	なし
576**	95	骨格	0〜50	100	低〜中活動		
521**	66	骨格		100	低活動		
653**	163〜193	骨格	10	100	中〜高活動		
638**	118〜130	骨格	10	114	低〜高活動		
362	42	両方	10	113	中〜高活動	即納	なし
1,100	209〜234	骨格	10	159	中〜高活動	2〜3週間	なし
410	75	骨格	10	115	低〜中活動	即納	なし
230	60	骨格	10	160	低〜中活動	2〜3週間	なし
460	87	骨格	10	115	中〜高活動	2〜3週間	なし
1,424***	168〜176	骨格	0〜50	125	低〜中活動	3週間	なし
1,136***	216〜265	骨格	10, 19	147	低〜高活動	3週間	なし
1,136***	267〜319	骨格	10, 19	147	低〜高活動	3週間	なし
1,048***	210〜238	骨格	10, 19	166	低〜高活動	3週間	なし
1,048***	255〜288	骨格	10, 19	166	低〜高活動	3週間	なし
700***	170***	骨格	10, 19	166	低〜高活動	即日	なし
688***	170***	骨格	10, 19	125g	低〜高活動	即日	なし
712***	155***	骨格	—	166	低〜中活動	3週間	なし
540***	68***	骨格	10	166	低〜高活動	即日	なし
885***	188〜383	骨格	10	227	低〜高活動	3週間	なし
740***	182***	骨格	10	147	低〜高活動	3週間	あり
490***	62***	骨格	10	136	低活動	即日	あり
632***	125***	骨格	—	136	低活動	3週間	なし
620***	125***	骨格	10	136	低活動	3週間	なし

表5-6

義足足部	完成用部品の名称	メーカー	資料提供	完成用部品価格（円）	サイズの種類（cm）
イレーション	ELPO-SIZE	オズール	パシフィックサプライ	295,200	22～28
フレックスサイム	F-F-LPS-SF	オズール	パシフィックサプライ	403,800	22～30
LPローテートEVO	VLXE/LRP-size	オズール	パシフィックサプライ	480,900	22～30
ショパール	未認可	オズール	パシフィックサプライ	—	22～30
フレックスランwithナイキソール	未認可	オズール	パシフィックサプライ	—	—
フレックスフットチータ エクストリーム	未認可	オズール	パシフィックサプライ	—	—
フレックスフットチータ エクステンド	未認可	オズール	パシフィックサプライ	—	—
フレックスフットチータ	未認可	オズール	パシフィックサプライ	—	—
フレックスフットジュニア	未認可	オズール	パシフィックサプライ	—	16～21
小児用バリフレックス	申請中	オズール	パシフィックサプライ	—	16～24
フレックスランジュニア	未認可	オズール	パシフィックサプライ	—	—
小児用チータ エクスプロア	申請中	オズール	パシフィックサプライ	—	—
小児用チータ	未認可	オズール	パシフィックサプライ	—	—
単軸足部・踵高調整型	M1002+M0900+M1100	LAPOC	LAPOC	51,100	22～26
多軸足部・プラグつきゴム座式	M1025+M1150	LAPOC	LAPOC	98,200	22～27
単軸足部・プラグつきスーパーアンクル	M1035+M1150	LAPOC	LAPOC	96,400	22～27
単軸足部・プラグつき正座用	M1055+M1150	LAPOC	LAPOC		22～27
単軸足部・輪ゴム式	SL1010+M0451+M1150	LAPOC	LAPOC	101,300	22～27
J-Foot	M1170	LAPOC	LAPOC	94,400	22～26
J-Foot Exo	X1170+X1370	LAPOC	LAPOC	113,400	22～26
J-Foot L	M1180+M1308	LAPOC	LAPOC	71,400	22～26
J-Foot L サイム用	M1180+M0328	LAPOC	LAPOC	68,800	22～26
JJ	C1170	LAPOC	LAPOC		18～21
VIP	C1100+C1305	LAPOC	LAPOC		12～17
ダイナダプト	申請中	FREEDOM INNOVATIONS	ナブテスコ	—	22～31
シエラ	FS1000	FREEDOM INNOVATIONS	ナブテスコ	220,200	22～31
ハイランダー	FS3000	FREEDOM INNOVATIONS	ナブテスコ	205,700	22～31
パシフィカLP	FS4000	FREEDOM INNOVATIONS	ナブテスコ	217,800	22～31
LPサイム	LP2000	FREEDOM INNOVATIONS	ナブテスコ	220,200	22～31
セネター	VS1000	FREEDOM INNOVATIONS	ナブテスコ	84,100	22～30
ウォークテック	VS3000	FREEDOM INNOVATIONS	ナブテスコ	84,000	21～30
レネゲイド	RS1000	FREEDOM INNOVATIONS	ナブテスコ	412,500	22～31
ランウェイ	RS2000	FREEDOM INNOVATIONS	ナブテスコ	322,500	22～28
シルエット	RS4000	FREEDOM INNOVATIONS	ナブテスコ	290,400	22～31
キンテラ	申請中	FREEDOM INNOVATIONS	ナブテスコ	—	22～31

表における高さの基準は差高を考慮せずピラミッドコネクタを使用しそれに取り付けるクランプアダプタ類の下端までの高さとし
は26cmの足部の場合の重量である．*は27cmの足部の場合の重量・高さである．++は18cmの足部使用の場合の重量と高さである

つづき

重さ(g)	高さ(mm)	骨格と殻構造	差高(mm)	体重制限(kg)	活動レベル	納期	指股
710***	92***	骨格	0〜50	100	低〜中活動	即日	あり
602***	60***	骨格	10	166	低〜高活動	3週間	なし
870***	149***	骨格	10	147	低〜高活動	3週間	なし
94	6	骨格	6	147	低〜高活動	3週間	なし
694	277	骨格	なし	130	高活動(競技用)	3週間	なし
918	375〜530	骨格	なし	147	高活動(競技用)	3週間	なし
750	330〜451	骨格	なし	147	高活動(競技用)	3週間	なし
512	411	骨格	なし	147	高活動(競技用)	3週間	なし
288++	46++	骨格	10	45	低〜高活動	3週間	あり
314++	120++	骨格	10	55	低〜高活動	3週間	あり
336	200	骨格	なし	84	高活動(競技用)	3週間	なし
—	—	—	—	55	低〜高活動	3週間	なし
232	182〜307	骨格	なし	55	高活動(競技用)	3週間	なし
653	85	骨格	0〜30	70	低〜中活動(歩行中心)	即納	なし
595	67	骨格	10	80	低〜中活動(歩行中心)	即納	あり
630	80	骨格	10	80	低〜中活動(歩行中心)	即納	あり
673	80	骨格	10	80	低〜中活動(歩行中心)	即納	あり
564	82*	骨格	10	80	低〜中活動(歩行中心)	即納	あり
450	77	骨格	10	80	低〜高活動(硬さの選択必要)	即納	あり
415	112	殻	10	80	低〜高活動(硬さの選択必要)	即納	あり
426	42	骨格	10	100	低〜高活動(ジョギングまで)	即納	あり
387	37*	骨格	10	100	低〜高活動(ジョギングまで)	即納	あり
375	76	骨格	5	45	低〜高活動(ジョギングまで)	即納	あり
212	31	骨格	0	30	低〜中活動(歩行中心)	即納	あり
535	158	骨格	10	100	中〜高活動	2〜10日	有:22〜28 無:22〜31
515	140	骨格	10	166	中〜高活動	2〜10日	有:22〜28 無:22〜31
470	98	骨格	10	166	中〜高活動	2〜10日	有:22〜28 無:22〜31
465	47	骨格	10	166	中〜高活動	2〜10日	有:22〜28 無:22〜31
420	43	骨格	10	166	中〜高活動	2〜10日	なし
520	120	骨格	10	136	低〜中活動	2〜10日	なし
490	85	骨格	10	136	低〜中活動	2〜10日	有:22〜28 無:22〜31
625	154	骨格	10	166	中〜高活動	2〜10日	有:22〜28 無:22〜31
620	92	骨格	0〜50(10段階)	116	中〜高活動	2〜10日	有:22〜28 無:22〜31
オスアダプター:525 メスアダプター:430	オスアダプター:168 メスアダプター:178	骨格	10	166	中〜高活動	2〜10日	なし
795	120	骨格	10(背屈2°, 底屈10°)	125	低〜中活動	2〜10日	有:22〜28 無:22〜31

なお, *はピラミッドが取り付けられない等のため他のアダプタを使用し参考の高さとした.

(野坂利也:義足足部の現状-義肢装具士の立場から. 義肢会誌 21(4):192-193, 2005. を2015年に一部改変)

3 義足の理解に必要な正常歩行について

　義足には，切断により失われた下肢の各関節の機能と荷重性ができるだけ正常に近く再現されることが必要な条件とされる．義足による歩容は，健常者の歩容とできるだけ似通ったものでなくてはならない．そこで，あとで述べる義足歩行とその異常を理解しやすくするために，正常歩行にはどのような要素があるか簡単にふれてみたい．

1 歩行周期

　1歩行周期は，一側の踵が接地し次に同側の踵が接地するまでの間をいい，立脚相と遊脚相の2つの周期に大別される．義足歩行の異常を表現する場合には，それぞれの歩行周期の名称で呼ぶことが必要である（図5-39）．

─1▶立脚相

　足が床面に着いて，負荷がたとえ少しでもかかっている間を立脚相（stance phase）という．これはさらに，歩行中において次のように細分される．
　① 踵接地期（heel strike または heel contact）：踵が遊脚相から床面に着いたとき．
　② 足底接地期（foot flat）：踵が接地してから足底全体が床面に着いたとき．
　③ 立脚中期（mid stance）：全体重が支持脚の真上にかかったとき．
　④ 踵離床期（heel off）：立脚中期後に踵が床から上がるとき．
　⑤ 踏み切り期（push off）：踵離床期から足指が離床するとき．

─2▶遊脚相

　足指離床直後から次の踵接地期までの間を遊脚相（swing phase）と呼ぶ．以下の3つに細分される．
　① 加速期（acceleration）：足指が床から離れるとすぐに下肢が，次の接地のために前に加速されるとき．
　② 遊脚中期（swing through）：加速された下肢が身体の下を通りすぎるとき．

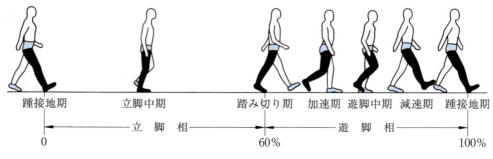

図5-39 歩行周期

③ 減速期（deceleration）：前方に加速された下肢が，踵接地前に極端に膝を伸展しないように速度を減ずるとき．

3 ▶ 両脚支持期

歩行周期の中の時間分布をみると，立脚相は1周期の60％，遊脚相は40％である．両下肢が同時に床面に接地している時間は**両脚支持期**（double support）と呼ばれ，1周期の25％である．

両脚支持期は歩行速度に関連し，速度の増加につれて減ってくる．なお，日本人の平均歩幅は61〜75cm，毎分歩数は70〜120，毎分速度は71〜90mと，報告者によりかなりの差がある．

2 歩行の基本的要因

歩行の状態を把握するためには，歩行中の体重心（center of gravity）の動きをみることが重要であるとされている．この体重心の位置は第2仙椎の直前で，身長の床面より55％のところにあるとされている．

この体重心の移動は，垂直方向の運動においてサインカーブを描き，歩行周期の間において，立脚中期にあたる25％と75％のところで2回最も高いレベルに移動し，その移動の幅は約5cmとされている．また逆に，歩行周期の中間の50％のところで体重心の位置は最も低くなり，これが両下肢支持期に相当する．水平面での体重心の移動は同様に円滑なサインカーブを描き，その移動幅は約4.5cmである．

したがって，これを総合すると，体重心は，垂直方向および水平方向での移動が一緒になって倍の正弦曲線（double sinusoidal curve）を描く結果となり，その移動の幅は，5cm平方の中に納まるほど円滑な歩容を示す結果となっている．

もし，下肢に関節がなくコンパスのような歩行を行うとしたら，体重心の移動は**図5-40（a）**のように垂直方向で9.3cm移動することになり，約2倍の移動幅で，エネルギー消費量がきわめて大きい結果となる．しかし，次に述べるような骨盤と下肢の協同運動により円滑な歩行ができるとされている．

(1) 骨盤の回旋

骨盤の回旋（pelvic rotation）は，立脚相で4°外旋，遊脚相で4°内旋し，合計8°の回旋を行うことになる．この骨盤の回旋運動により歩幅が長くなると同時に，体重心の移動カーブの最低部すなわち踵接地期に，**図5-40（b）**のように0.9cm上昇することになる．

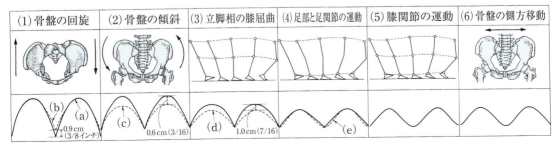

図5-40　体重心の移動——歩行の基本的な要因との関連（UCLA，PEPより）

(2) 骨盤の傾斜

正常歩行の立脚中期において5°の骨盤の傾斜 (pelvic tilt) が起こる．このため立脚相では下肢は内転し，遊脚相では外転する．この骨盤の傾斜により，体重心の上昇は0.6cm減ずることになる（図5-40(c)）．このためには当然下肢長が短くならなくてはならないが，これは，次の膝関節の屈曲運動によって補われる．

(3) 立脚相における膝関節屈曲

踵接地期で膝関節は完全に伸展しているが，すぐに屈曲を始め足底接地期まで継続する．このときの膝関節屈曲は約15°で，立脚中期のすぐあとで再び膝関節は伸展位をとる．この立脚相における膝関節屈曲 (knee flexion in stance phase) により，体重心の移動を1cm低くすることが可能となり（図5-40(d)），結果的には体重心の上下運動を円滑にしている．

(4) 足部と足関節の運動

踵接地期に足関節が背屈しているが，接地後すぐに底屈し，踵の上を足関節が円弧を描いて前方に移動する．そして，踵離床期まで足底は接地している．踵離床期になると足関節は，前足部の母指球を中心として円弧を描いて前方に移動する．この足部と足関節の運動 (foot and ankle motion) が，次の膝関節の屈曲運動と協同して起こり，体重心の移動を円滑にする．

(5) 膝関節の運動

膝関節の運動 (knee motion) は足部と足関節の運動と同時に起こる．踵接地期直後の足関節の位置が高くなるときに膝関節は屈曲する．そして，踏み切り期に再び足関節の位置が高くなるときに三たび膝関節は屈曲する．このように，足関節の位置の上昇は膝関節屈曲により代償される結果となり，円滑な体重心の移動を行うことができる．

(6) 骨盤の側方移動

歩行中，負荷が一側から他側に移るたびに骨盤の側方移動 (lateral motion of the pelvis) が起こる．もし両側下肢が股関節軸を中心として平行しているならば，体重の移動は両側股関節軸間の距離に相当して起こらざるをえない．しかし，大腿骨が内転位をとり，また生理的に外反膝があるために側方移動の幅は小さくなり，約4.5cmとなる．

3 歩行における下肢の回旋

歩行中において骨盤が8°回旋することはすでに述べたとおりである．この骨盤に対して大腿骨は約9°，さらに，この大腿骨に対して脛骨は約8°回旋するとされている．したがって，下肢全体としては25°の回旋を歩行中に繰り返していることになる．

すなわち，踏み切り期から遊脚相で，骨盤とともに大腿骨，脛骨が内旋しはじめ踵接地期まで内旋が増加する．この内旋運動は，立脚中期まで行われ，それから，逆に外旋運動をとるようになる．この外旋運動は，初め足部，次いで脛骨，大腿骨，骨盤の順に起こってくる．

4 歩行における筋肉の働き

歩行中の筋肉の作用は，下肢の安定性を得るためと，下肢の加速および減速のために働く．一般的に，歩行中のエネルギーの消費は，下肢前進のための加速時よりむしろ減速時に多いとされている．たとえば，遊脚相の減速期に働くハムストリング筋がその例である．

3 義足の理解に必要な正常歩行について　343

　歩行周期において筋肉がどのように働くかを示したのが図5-41である．立脚相の踵接地期には，大腿四頭筋が下肢の安定性に働く．これと同時に前脛骨筋，長指伸筋，長母指伸筋が，踵の接地におけるショックの吸収と，足関節の急な底屈の防止に働く．

　立脚中期に入ると，筋肉の働きは主として下肢の安定性に働く．大殿筋が股関節伸展と下肢内旋の減速として働く．この大殿筋の働きを最大限に生かすために，大腿切断の場合のソケット後

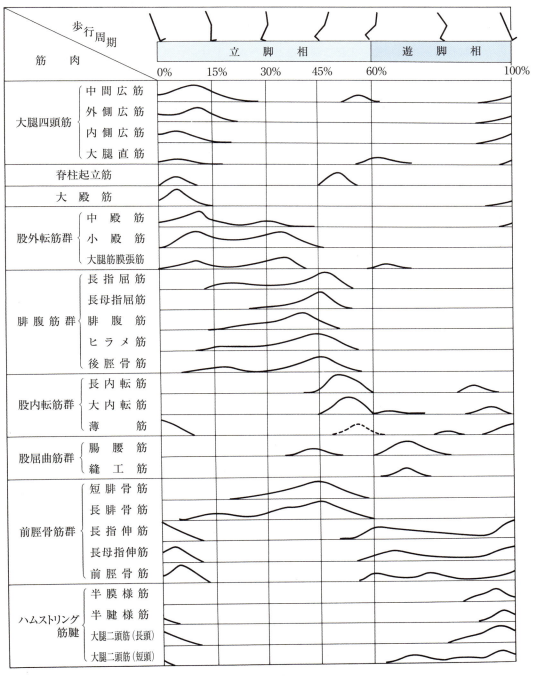

図5-41　歩行周期における筋肉の働き

壁は平坦とし初期屈曲角度をつけている．

中・小殿筋，大腿筋膜張筋の外側筋，大・長内転筋が，骨盤と大腿骨間の内外側への安定性を得るために働き，骨盤の傾斜をコントロールする．大腿ソケットでは，外壁の内転角度の設定が，特に股関節外転筋の機能を最大限に生かすために重要である．この立脚中期の初めには，足部の安定性に対し，腓腹筋，ヒラメ筋，後脛骨筋，長指屈筋，長母指屈筋が働く．この作用は踏み切り期に最大に達し，これが遊脚相への力源ともなる．この立脚中期には，立脚相側と反対側の脊柱起立筋が骨盤挙上のために働く．

遊脚相に入る前に，腸腰筋などの股関節屈曲筋が遊脚相への加速のために働く．遊脚中期では前脛骨筋，長指伸筋，長母指伸筋が，足先が床面につかえないように足関節背屈に働く．減速期に入ると半腱様筋，半膜様筋，大腿二頭筋などのハムストリング筋が主に膝関節伸展に対して減速に働き，踵接地期に移行するわけである．

5 歩行における床反力

歩行中には床面に対して重力が加わるが，これに対してその逆の方向に床から足底部に力が働く．この力を**床反力**（floor reaction force）といい，これには重力と床面の摩擦力が必ず関係する．この床反力はカリフォルニア大学で詳細に分析され（図5-42），次のように垂直，前後，左右の各方向，およびねじれに分けて報告されている．

(1) 垂直方向の力

この力は踵接地期に始まり，立脚中期まで急速に増加しその後わずかに減ずるが，踏み切り期

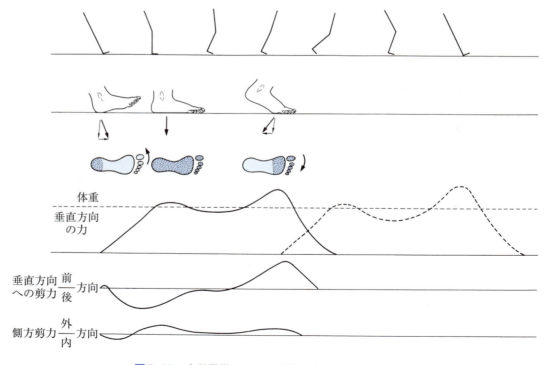

図5-42　歩行周期における床反力（UCLA，PEPより）

には最高に達する．この時期は反対側の踵接地期の前に相当し，両側立脚相で床面にかかる力は体重より大となる．

(2) 前後方向への剪力

踵接地期に後方へのわずかな抵抗力がみられ，負荷の増加につれて前方運動に対する抵抗力が増加する．次いで踏み切り期に移行するときには，逆に後方運動への抵抗力に変化する．

(3) 側方方向への剪力

踵接地期には，わずかに床面に対する足の内側方向への剪力が加わるが，直後に外側方向への運動に対する剪力は増加する．立脚相を通じてあまり著明な変化をみない．

(4) ねじれ

踵接地期に足部外旋に対する抵抗力が始まり，踏み切り期に最高に達する．

6 義足歩行におけるエネルギー消費

下腿義足歩行による酸素消費量は，速度にかかわらず健常人に比べ約20％増加する．また，下腿義足歩行に比較して，大腿義足歩行における酸素消費量は多くなっている．一般に，義足歩行におけるエネルギー消費量は断端の長さに反比例する．つまり，高位の下肢切断ほど酸素消費量は増大することになる．図5-43に，車いす使用時から大腿義足歩行時の酸素消費量を示した．

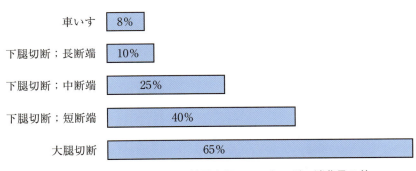

図5-43 切断レベルによる義足歩行でのエネルギー消費量の差
高位切断ほど義足歩行時のエネルギー消費量は大きい

7 義足歩行に必要な4つの条件

義足を装着した場合には，少なくとも次の4つの条件が必要となってくる．
① 装着しているときに快適で，疼痛や不快感がないこと．
② 機能的で，歩行するのに楽で疲れにくいこと．
③ 歩容がきれいで義足の外観も健常者とあまり変わらないこと．
④ 多様な座位での生活や室内で靴を脱ぐ習慣など，わが国での生活様式に適応できること．
さて，これらの機能を満たすための条件を大別してみると，ⓐ義足ソケットと断端との合い具合い，すなわち適合，ⓑソケットと膝，足および足指継手との間の相互関係，すなわちアライメント，ⓒ膝継手，足継手などの各パーツの構造学的な問題，重量，ⓓ懸垂方法，ⓔ切断術と義肢装着訓練に関連したリハビリテーション実施の成否，チームアプローチ，などがあげられる．

4 股義足

1 受皿式およびティルティングテーブル式の股義足

股離断に対する義足(hip disarticulation prosthesis)は従来，主に受皿式とティルティングテーブル式の2つが用いられてきた(図5-44)．

受皿式のものは，大腿部の上部がちょうど受皿のようなソケットになっていて，骨盤ベルトと単軸股継手および肩吊り帯によってソケットの懸垂を行っている．股継手は普通，歩行中は固定され，座位のときには遊動とする．

ティルティングテーブル式のものはソケットが皮革で製作され，股関節軸に相当する場所に置かれた外側股継手により大腿部と接合される．ソケットの内側下部に，ローラーと，これに接するレールが取り付けられ，この間において回転運動と一部体重支持が行われる．これも，股継手は歩行中は固定され，座位をとるときに手で固定を外し遊動となる．

この両者とも，股継手が歩行中固定されていることが大きな欠点としてあげられる．その理由としては，①義足のコントロールに過大な骨盤運動を必要とし，その結果，不自然な歩容をとらなければならないこと，②座位をとるときに股継手の固定を外す動作が不便であり，また外観上不自然なこと，③股継手金具に機械的な問題があること，などがあるが，現在はほとんど用いられていない．

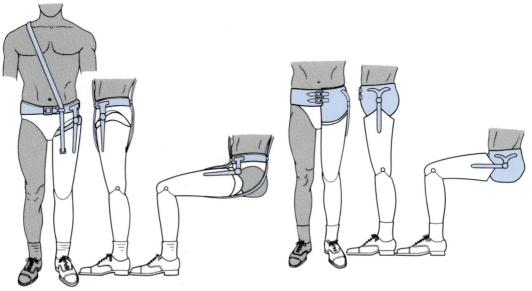

(a) 受皿式(saucer-type prosthesis)　　(b) ティルティングテーブル式(tilting-table prosthesis)

図5-44　股義足(McLaurin, C. A.：Artificial Limbs, 4, 1954. より)

2 カナダ式股離断用股義足

それらの義足に代わり，1954年にカナダのトロントのサニーブルック病院で，現在，カナダ式と呼ばれる股離断用義足（Canadian type hip disarticulation prosthesis）が開発された（図5-45, 56）．

この義足は，図5-56にあるように股継手の位置を前下方にずらして取り付け，股・膝・足継手が全遊動となっている．歩容が健常者歩行に近く，歩行の各時期を通じて安定性が良好であることが特徴で，殻構造から骨格構造への移行があるものの，現在，世界各国で最も普及している義足といえよう．

─1▶特　徴

この義足は，一般的には次のような特徴がある．

(1) 合成樹脂製ソケットと三点固定

ソケットは，断端を含めた骨盤の固定，適合と負荷，および義足懸垂の役割をもっている．ソケットは，硬い合成樹脂の部分と軟らかい合成樹脂の部分に分かれ，これが連なった形をとっている．すなわち，体重を負荷する部分，股継手の取り付け部分は硬性樹脂で厚く製作され，これに連なる腰バンドに相当する部分は軟性合成樹脂で製作される．このように軟性合成樹脂の使用によりある程度の屈伸性をもち，このため歩行中の骨盤の回旋・傾斜運動に適合させることができる．

ソケットの固定，懸垂は，主として，両側腸骨稜の上部，断端下部の坐骨結節，大殿筋部の3点により行われる（図5-46）．これにより快適な適合が得られ，また，ソケット内での断端のピ

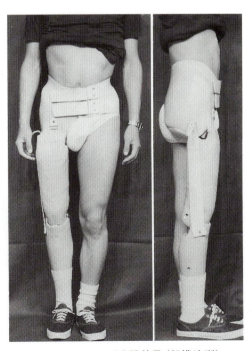

図5-45　カナダ式股義足（殻構造型）

ストン運動は0.6cm以下にすることができる．

① 前方開き式ソケット

原法ではソケットは，図5-47(a)～(c)のような前方開き式のものが一般的に用いられてきた．しかし，高温多湿のわが国の気候条件の中で，畳上の生活などの姿勢からソケットが骨盤と腹部を広く押さえるこのfull socket（骨盤全体を覆うソケット）タイプは切断者の苦痛の大きな原因ともなる．この解決のためにソケット内での発汗を抑え，通気性をよくするために，ソケットに多くの孔をあけたソケット（図5-48）や断端部の外側を広くあけた開窓式のソケット（図5-49）が用いられることが多くなっている．

さらに，ソケット適合の基本的な原則を失わぬようにしながらも，少しでも適合範囲を少なく

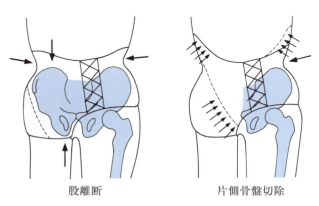

図5-46　荷重部位とソケットの適合性を得るための重要な部位

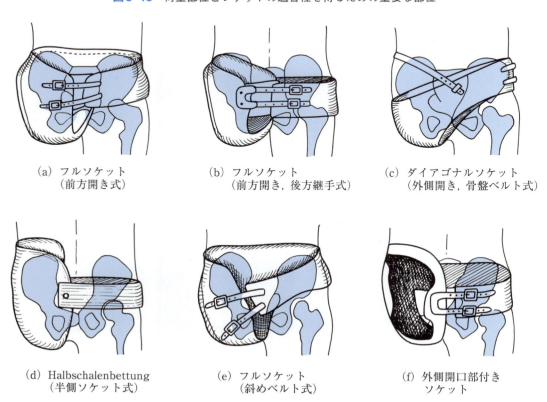

図5-47　カナダ式股義足におけるソケットのいろいろな形

図5-48　多孔をもつフルソケット

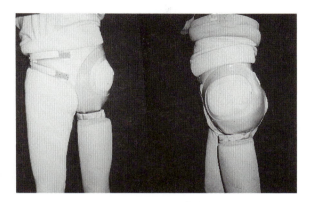

図5-49　フレーム型開窓式ソケット

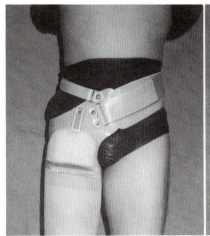
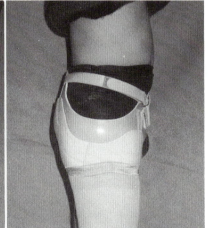

図5-50　ダイアゴナルソケット

して装着感をよくしようとの試みがなされ，ダイアゴナルソケット（diagonal socket，図5-50）や半側ソケット（Halbschalenbettung）などが好んで用いられるようになっている．

② ダイアゴナルソケット

図5-47（c）のように切断側の腸骨稜のソケットの部分を除去して，ベルトによる懸垂に代え，骨盤を斜めにたすきをかけたような形となるためこの名称（diagonal＝斜めの）で呼ばれている．このソケットの利点は，①懸垂の調整が容易であり，②腹部にかかる圧迫の少ないこと，③健側股関節の運動制限が少ないなどがあげられ，その適応は広い．しかし，一方，欠点として，①歩行時の前後への安定性が不良であるために，重労働者などには処方に慎重でなければならない．②肥満型の人の場合には腸骨稜上部の懸垂が保ちにくいため，このソケットは不適応と考えられていた．しかし，図5-51の女性例のように，腸骨稜と大腿骨大転子間での懸垂を利用すること

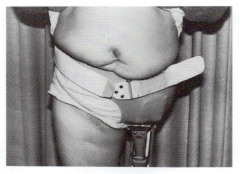
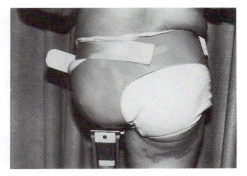

図5-51　左股離断（女性，40歳）．肥満例であるが，ダイアゴナルソケット装着成功例

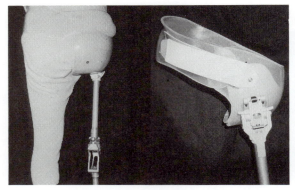

図5-52　右股離断（男性，63歳）
サーレンを用いたフレキシブルダイアゴナルソケット

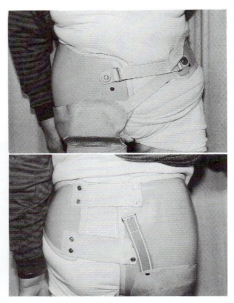

図5-53　右半側ソケット
健側の腸骨部を押さえる部分ソケットを用い，幅広いベルトで固定

でダイアゴナルソケットに大きな優位性を認めることがあり，ケースに応じて適応を広げていくことが必要である．なお，高齢者で長期の歩行能力を必要としない場合は，図5-52のような軽量型のダイアゴナルソケットを勧めたい．

③　半側ソケット

図5-53のように，断端側を包むソケットと健側の小さい部分ソケットを幅広いベルトで固定するソケットである．ソケットによる窮屈感が少なく，健側の股関節屈曲制限をなくす利点は切断者にとって捨てがたい魅力である．

④　CAT-CAMソケット

大腿切断に対する坐骨収納型ソケットと同様に，坐骨結節よりも坐骨枝のほうがソケットの内外方向の安定性，回旋方向の安定性に重要であるとの認識から，坐骨枝での骨性の固定性を利用して，坐骨結節をソケットの中に収納しようとするソケットである（図5-54）．坐骨結節部での固定性不良により，また，軟部組織のカバーする厚みの少ないケースでは摩擦による皮膚障害を

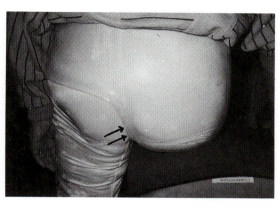 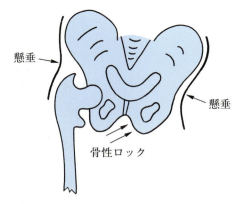

図5-54 股離断用CAT-CAMソケット（J. Sabolich）

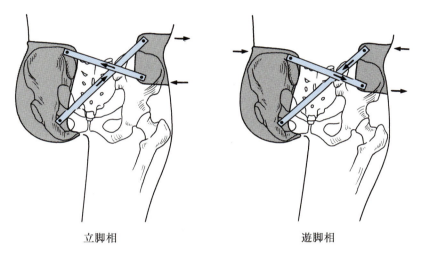

図5-55 UCLA解剖学的股義足
X字型バンドによる懸垂システム（David H. Litting）

訴えることはしばしばである．これらのケースには注目されてよいソケットと思われる．
　UCLA（カリフォルニア大学ロサンゼルス校）の義肢教育プログラムでも，同じような考え方から坐骨枝と坐骨結節を包んだソケットを用い，快い装着感，懸垂機能と円滑な歩行を目指した義足の開発を行っている．
　初期は1枚のポリエチレンソケットを試みたが，最近ではこれを2つのパーツに分け，切断側のみを覆い3mmのピーライトを内側にもつソケットと健側のポリエチレン懸垂部から成り立っている．この両者を図5-55のように，後方でクロスした形のダクロン帯でつなぐものである．X型をとるのは，義足側の接踵期に後方のバンドに緊張を与え，立脚中期で最大に達するようになっている．軽量感と快適性が利点であり，特に，日本式生活様式には適したものと思われる．

(2) アライメントによる安定性の獲得

　本義足の最も重要な点はアライメントであり，これによる安定性が生命である．図5-56に示すように，股継手が正常股関節の中心軸より45°前下方に位置するように取り付けられている．この場合に注意しなければならない点は，股継手の位置が断端とソケットにできるだけ接近して取り付けられていることである．これによって，正常股関節軸を中心にして正常膝関節軸と義足

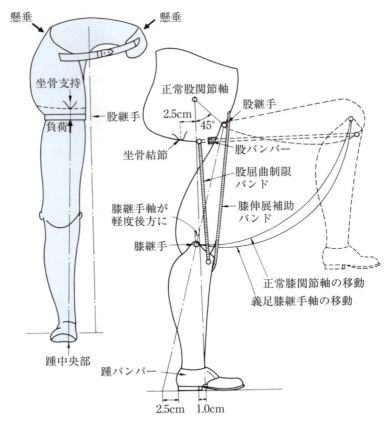

図5-56 カナダ式股義足におけるアライメント

の膝継手軸が円弧を描き,立位および座位で同じ長さになる.
　アライメントにおいて重要な点をあげると以下のとおりである.
　① 前後のアライメントにおいて,股継手と膝継手を通る線が,踵の後方約2.5cmのところを通るように設定される.一方,正常股関節軸の位置は,ソケット外壁においては,坐骨結節がソケット内面と接するところから2.5cm前に相当する.この点からの垂線は,靴のヒールの前縁と,それから1cm前との間に落ちる.この線に対して膝継手軸は,軽度(1.2cm以内)後方に位置することになり,このアライメントの設定により膝の安定性が保たれる.
　② 内外のアライメントは大腿義足の場合と同様である.ソケット底部で坐骨結節の位置する場所からの垂線が,踵の中心部のわずかに内側を通るように設定されている.この場合,検査時の肢位が問題で,義足を装着している場合には両側踵の内側間の距離が約5cmになるように立位をとらせ,チェックすることが大切である.
　③ 股継手軸は必ず水平で,ソケット底部から約3.5cm上部に取り付けられる.その軸の回旋角度は,筆者の経験からすれば,進行方向,すなわち義足足部の内縁に対して約5°外旋している.
　④ 義足の長さは原則的に健側と同じ長さでなければならない.

(3) 広く耐久性がある股継手
　股継手は,ソケットと大腿部との間で側方への安定性に耐えるために広い股継手が用いられるのがカナダ式股義足の特徴の一つである.図5-57(a)はノースウェスタン大学で開発された股

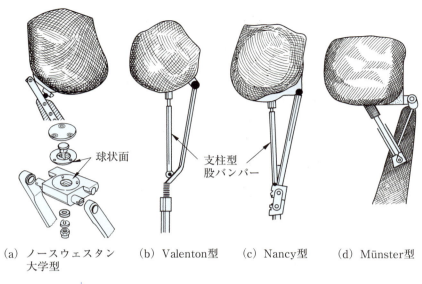

(a) ノースウェスタン大学型　(b) Valenton型　(c) Nancy型　(d) Münster型

(e) LAPOC M0110ヒップジョイント

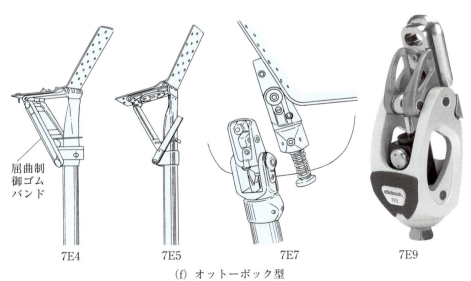

7E4　　　　7E5　　　　7E7　　　　7E9

(f) オットーボック型

図5-57　股継手の種類

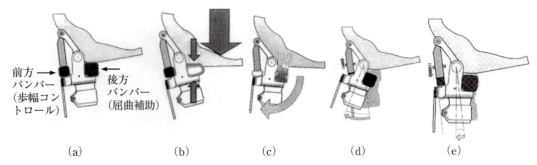

図5-58 股継手の機構(田澤英二：目で見る臨床シリーズ/義肢⑧義足の股継手．臨床リハ 2(8)：607，1993．)
    (a) 前方にストライドコントロール，後方に屈曲補助バンパー
    (b) 荷重時，屈曲補助バンパーが圧縮される
    (c) 荷重を取ったときにバンパーが反発する
    (d)，(e) 前方に付いているストライドコントロールの調整で股継手の屈曲角度を制限できる

継手(Hosmer社製)であり，球面部の移動によりアライメントの調整ができるのが利点である．しかし，ややかさばることと，アライメント決定後に固定したネジがゆるむことが欠点である．その他の股継手として，Valenton型(同(b))，Nancy型(同(c))，Münster型(同(d))など，股継手の屈曲制限にいろいろな工夫が加えられたものがあるが，最近では骨格構造義足の進歩により，LAPOC(同(e))など多くの股継手が開発され市販されている．特に，股継手の取り付け部分がソケット底部でかさばらないオットーボック7E7，最近では7E9(同(f))がよく用いられている．LAPOC(同(e))は伸展補助スプリングを内蔵し，高崎義肢は，屈曲角度制限機構をもっている[383]．

(4) 股継手の前後にあるバンパーの役割（図5-58）

① 後方のバンパーは，ⓐ立位での，腰椎の変形を含めて正常な姿勢を保つために大きな役割を果たす．すなわち，股バンパーが厚すぎると腰椎前弯度が増加し，これを矯正しようとすれば股バンパーを圧迫することから，膝屈曲を起こし転倒する傾向をみる．逆に股バンパーの厚さが薄すぎると腰椎前弯度が減少し，殿部が下がり不快感を訴える．ⓑまた，股バンパーは，歩行初期に，押しつぶされていたバンパーが反発して股継手を屈曲補助する役割をもつ．ⓒまた，踵接地期での膝安定性に大きく関係している．したがって，股バンパーが厚すぎると膝安定性が不良であり，逆に薄すぎると接床時に骨盤の不自然な下降がみられ，膝屈曲による遊脚相への移行が遅れることになる．

② 前方のバンパーは，遊脚相末期における股継手の屈曲角度，結果的には歩幅を制限する役割をもつ．

(5) 股屈曲制限バンドと膝伸展補助バンド

殻構造型の原型のカナダ式股義足では，股屈曲制限バンドと膝伸展補助バンドが取り付けられる．

股屈曲制限バンド(hip flexion control strap，図5-56)は，上端は股継手とほぼ同じ高さで4〜5cm後方に，下端は膝継手軸の下約7cm，前2〜2.5cmのところに付けられる．

膝伸展補助バンド(kick strap)は，上端は股継手の前上部5〜6cmのところに，下端は下腿上前面に取り付けられる．股屈曲制限バンドは，股継手の屈曲を制限することにより歩幅を調節し，遊脚相の終わりにおける膝伸展を補助するように働く．また，膝伸展バンドは膝伸展を助長

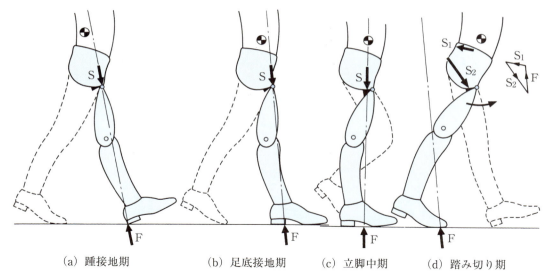

(a) 踵接地期　　(b) 足底接地期　　(c) 立脚中期　　(d) 踏み切り期

図5-59　カナダ式股義足の歩行周期におけるアライメント（McLaurin, C. A.による）

し，遊脚相の初めにみられる不自然な踵の後方へのけり出し（excessive heel rise）を少なくするように働く．ただ，骨格構造型義足が主流となり，しかも，股屈曲制限機構をもつ股継手や，遊脚相制御機能をもつ膝継手の処方によりこれらバンドの必要性は少なくなっている．

─2▶ 歩行の特徴

カナダ式股義足の歩行の特徴は，ソケットの解剖学的適合とアライメントによる安定性を巧みに用いた点にある（図5-59）．各歩行周期における変化は次のとおりである．

(1) 踵接地期

遊脚相の終わりで踵が床に接しようとする直前に，股屈曲制限バンドの働きにより股継手の屈曲する角度が制限される．と同時に，断端の前上部と後下部でソケットに対する圧が増加する．次いで，骨盤を少し後方に引くことによって膝継手伸展位で踵が接地する．このときには股バンパーはソケットに接触していない．床からソケットに加わる力は，踵後部から膝継手の前を通り股継手軸に達する．したがって膝の安定性は良好である．さらに体重が義足側に加わることにより，足継手の踵バンパーは圧縮され足底接地期に移行する（図5-59 (a)）．

カナダ式股義足の場合，特に膝継手の安定性が重要であり，これに直接関係する後方バンパーは軟らかいものを用いるのが普通である．この点は，PTBのような下腿義足の場合とは明らかに異なる．足底が接地すると床からの力はさらに前方にかかるようになり，膝の安定性はますます良好となる．床からかかる力に対し体重心の位置は後方にあり，これがソケットを時計と逆の方向に回転させようとする力となって働く．しかしこの時期では反対側が接地しているため股バンパーのソケットの接触が避けられる（同 (b)）．

(2) 立脚中期

立脚中期に入ると股バンパーはソケットと接触する．股継手，膝継手，足継手ともに，バンパーがそれぞれの継手のストップでしっかりと固定されたようになり，全負荷下でも十分な安定性が得られる．体重は股バンパーの少し後ろで下方に働く．体重が前方に移るにつれて前足部に

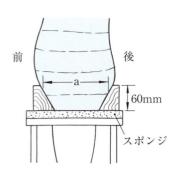

| （a）弾性ギプス包帯を用い，反対側の肩の方向に懸垂させながら採型する | （b）ギプス包帯を紐状として腸骨稜上部を強く引き下げる | （c）スポンジ上で前後から約60°の角度の板で挟みながら負荷させる |

図5-60　陰性モデルの採型

かかるようになる．これにより，前足部と股継手を結ぶ線に対して膝継手軸が後退することとなって安定性が増加する（図5-59(c)）．

(3) 踏み切り期

体重をかけたままソケットが前方に移動すると，床からの力がソケットの後方を通るようになる．このため，ソケットにかかる力が図5-59(d)の矢印S_2の方向に働くこととなって，股バンパーへの接触力が増加する．これが膝継手を屈曲させ，遊脚相へ移行することとなる．

この遊脚相では，義足足部が床面にひっかからないようにすることが重要である．そのためには，脊柱が前屈位をとることを避け，まっすぐに伸ばして股継手の位置ができるだけ高く前方にあるようにすることと，ソケットに十分体重をかけて股バンパーを押さえ義足を振り出すことである．この足部のクリアランスを行うために義足側の骨盤を強く上げたり，健側の踵を挙上（vaulting）して歩行することは，不自然な歩行パターンの原因となる．

─3▶製作方法

カナダ式股義足の製作方法にはゴム帯によるハンモック型スリング（McQuirk）の利用のように研究者によっていろいろな変法がみられているようであるが，ここでは，われわれの経験に基づいて行った製作方法について簡単に述べてみたい．

(1) 陰性モデルの採型

断端に薄いストッキネットを1枚かぶせ，これに，腸骨稜，前後上棘，坐骨結節，恥骨結合および瘢痕圧痛部に印をつけて弾性ギプスを巻く．本義足では体重支持面が坐骨結節および大殿筋部に相当するが，力学的に体重支持面を広くし，しかも床面と平行にすることが望ましい．この意味から，ギプスを巻き終えると同時に，両腸骨稜が同じ高さになるように調節した台の上に断端部を乗せて座らせる．

この場合，図5-60(c)のように軟らかいスポンジを用い，ギプスが固まる前に座るようにする．そして，前後から50〜60°の角度をもつ板で挟み込むようにする．また，解剖学的な適合を重要視することから，同(b)のように両腸骨稜上部にゴム帯またはギプス帯をかけ，同部の輪郭がはっきり出るように心がけ，立脚相との間のピストン運動が比較的少なくなるようにしている．特に負荷時の前後からの安定性を得るために，同(a)のように反対側の肩の方向に向かって

斜めに弾性ギプス包帯を引っ張り懸垂する．ギプス包帯が固まるのを待って，陰性モデルを前面中央で縦に割り身体から外すのであるが，その前に再び臥位をとらせ，切り開いた前部で腹部の陥凹に応じて適合が良くなるまで重ね合わせる．これは腹部の膨隆が立位と臥位とで異なるためであり，特に肥満者の場合にはこの方法で良い適合が得られる．

(2) 陽性モデルの修正

陰性モデルから得た陽性モデルについて修正を行う．この場合に特に注意すべきことは，体重負荷面を広くし床面と平行にすること，腸骨稜上部および腸骨窩部を少し深くすること，および股継手の取り付け位置を考慮し，できるだけソケットに接するように陽性モデルの前下部を削り修正することである．

なお，やせた人では前上棘部にソケットの圧迫による疼痛をしばしば訴えることがあり，幅1cm程度のフェルトを同部に当てておいてからソケット製作に移る．

(3) ソケットの製作

ソケットは，安定性，重量，衛生上の利点から合成樹脂で製作される．陽性モデルにPVA膜をかぶせ，ストッキネットを重ね合成樹脂を流し込む．その際に問題となるのは，用いる材料，特にストッキネットの枚数と合成樹脂の種類である．普通，内側よりダクロンフェルト1枚，ナイロン製ストッキネット1枚，負荷面と継手取り付け部位にガラスクロス7枚，ダクロンフェルト1枚，ナイロン製ストッキネット5枚を用いる．負荷面には硬性合成樹脂，他の部分には軟性合成樹脂を用いる．この場合，吸引装置を用いるのが普通である．

(4) 股継手の取り付け

股継手の位置は，ソケット底部より約3.5cm上部で，ソケットにできるだけ接触し床面に平行であるべきである．なお，股継手の回旋方向は約5°程度の外旋角度が適当のように思われ，進行方向，すなわちソケットの矢状面に対して軽度外旋位に取り付けている．しかし理想的には，あくまで動的アライメントを通じて股継手軸の回旋角度が調整できるようにすべきである．

(5) 大腿部の製作

健側大腿部と同長になるように木製大腿部を製作するが，注意すべきは上後方部のソケットと接する場所であり，この間に挿入される股バンパーの厚さの調節が容易であるように考慮しなければならない．

(6) アライメントの決定

調節膝（adjustable knee）かカップリングを取り付けてアライメントを決定する．まず，前述したようなアライメントに従って義足を組み立てる．ソケットの適合感が良ければ歩行をさせ，最適のアライメントを決定する．

(7) 復元ジグによる最良のアライメントの再現

以上の最良のアライメントを得たあとで復元ジグに固定し，調節膝に代わる膝継手および下腿部を取り付け，得たアライメントを再現する．

(8) 外　装

大腿部ではポリウレタンまたはスポンジゴムによって健側と同様の形態を整え，皮革または合成樹脂による外装を行う．

─4▶歩行能力と実用性

一般的に股義足の装着成績は，①ソケットの適合の快適性，②坐骨結節および大殿筋部などに

おける荷重性，③優れた懸垂性，④重量，⑤歩行能力の実用性，エネルギーの消費による疲労感，⑥座位，立位における外観上の変化がないこと，⑦膝継手の機能，などにより左右される．

股義足装着者の遠隔成績をもとにして，本義足の装着状況，歩行の実用性，日本における生活様式との関係を調査したところ次のような結果を得ている．

(1) 装着率

一般に，日中の自宅以外の作業や生活においては義足を継続して装着し，帰宅後または夕食後に義足を外すことがほとんどである．室内生活において義足を外すことが多い原因には，この義足自体の適合や材質などの問題のほかに，生活様式および気候などがあげられる．特に畳の上に座位をとる日本の生活様式では，両足を前に投げ出して座る不快な姿勢をとるため，ソケットの装着による窮屈感，腹部に対する圧迫感が強く，このため義足を外すことが多い．特に夏季においては，ソケット内での発汗とこれに伴う湿疹を理由にあげている場合がかなり多い．したがって，ダイアゴナルソケットや半側ソケットの積極的な導入が必要である．

(2) 義足歩行の実用性

カナダ式股義足歩行の実用性は，ソケットの適合性，股・膝継手の選択，そして，歩行訓練の程度により左右される．特に，十分で適切な義足歩行訓練が歩行の実用性につながることを指摘しておきたい．

① 義足歩行時の杖の必要性

高齢者を除いては一般に杖を必要としない．しかし，義足歩行訓練をある程度行っても老齢者で意欲を欠く症例の場合には，膝継手の安定性を得ることが最後まで困難なことがある．したがって，このような場合には膝継手に固定装置を取り付け，義足長を1.5cm短縮して歩行の安定性を得るか，もしくは，股継手を固定し安全膝を処方すると歩行の実用性を得ることができる．

② 歩行速度

殻構造型単軸膝継手をもつカナダ式股義足の装着訓練中における歩行速度を経時的に観察すると，100mを1分15～20秒前後の速度で歩行が可能となる．特に，インテリジェント膝継手の処方により，より正常に近い歩容と歩行速度のアップが認められる．

しかし，遊脚相制御機能がないと，ほとんどの症例で義足側の踏み出しが健側に比較して大きくなっている．したがって，若年者で歩容および歩行速度を必要とする場合には，インテリジェント義足を初めとする遊脚相制御機能をもつ膝継手を積極的に処方する必要がある（図5-61）．

③ 歩行持続距離

義足歩行訓練を十分に行ったケースでは，高齢者を除き，義足で継続して歩行しうる距離は3km以上のものが大半を占める．特に注意すべき点は，訓練によって100mを1分20秒前後で杖なし歩行が可能となった症例はすべて3km以上の歩行距離をもっており，訓練の重要性を見逃すわけにはいかない．

しかし，最近のモータリゼーションの流れの中で，成人の股義足装着者のほとんどが，営業，通勤，買物，通学のために自動車を利用しており，持続歩行距離が1kmでも十分な実用性を認めている．

④ 不整地歩行と安全膝の処方

砂利道やぬかるみなど不整地の歩行は，若年者で訓練を十分に行った場合，単軸定摩擦膝でも特に問題とならない．しかし，大腿吸着義足装着者と比較した場合，股伸展筋による随意的膝コントロールを欠く．このため，不整地歩行では床面の変化によってアライメントによる安定性が

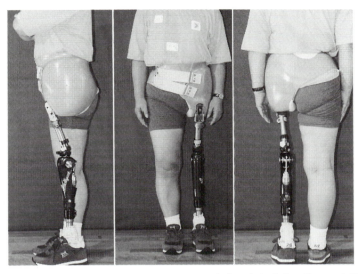

図5-61　インテリジェント義足の処方により，歩容，歩行速度の著しい改善をみる

固定膝，ドリンガー足　　　多種類の耕耘機を利用　　　梯子にて高所の枝切り
　　　　　　　　　　　　　　　　　　　　　　　　　　　（殻構造義足）

図5-62　左股離断（農業，68歳，男性）

減少し，膝継手の中折れが起こり転倒の危険性が多いといわねばならない．特に，農業従事者のような場合には，膝継手の安定性がまず優先される．図5-62は68歳の左股離断の農夫であるが，固定膝，ドリンガー足部の利用と義足長を5cm短縮することにより，耕耘機や草刈り機の使用，高所での梯子を用いての木の枝切りなど優れた実用性を認めている．また，風雨の強い中を傘をさして歩くことがしばしば問題となる．これは，義足の遊脚中期での風圧に対する抵抗および片手で傘を持つための平衡が関連している．

このため，高齢者の場合はもちろんであるが，若年者の場合でも活動性の高い例では，立脚相制御機能をもつ膝継手を積極的に処方するほうがよい．しかし，この安定性があまり高いと，階段や坂道の下行時に遊脚相への移行が妨げられることがあるので注意を必要とする．

⑤ 階段歩行

階段，坂道ともに歩行困難を訴える症例を若干認めたが，歩行不能のものは皆無であった．JR駅の階段昇降を一応の基準として，25段（高さ15cm，幅30cmのステップ）の階段で，歩行パターンの変化，安定性，速度などを観察した．大腿切断者と比較して，当然のことながら股関節の運動源が骨盤の運動にあるため，健患側の交互階段昇降は不可能である．

昇段訓練では，健側を1段踏み出し，義足側を健側にそろえるパターンで行い，降段訓練では義足から踏み出し，歩行で階段に対して身体を斜めにして昇降する傾向が強いが，訓練の上達につれて安定性が増加し，昇降ともに義足側外旋傾向が減少するようである．昇段25秒，降段32〜33秒を必要とし，成人健常人（平均して昇段15秒，降段11〜12秒）の2〜3倍の速度がかかる．これを大腿吸着義足の階段昇降時間と比較した場合，同様のパターンで昇段26〜29秒，降段24〜29秒であり，股離断用義足歩行のほうが劣る．

⑥ 脱靴によるアライメントの変化による問題

履物の踵の高さの変化によるアライメントの変化は，股義足の場合，大腿切断者に比較してより問題が多い．このため，足継手の処方にあたっては，サッチ足よりも，アライメントの変化が可能な単軸足継手のほうが望まれる．

⑦ 自転車の利用

自転車は，常時，通勤や通学に利用されている例がかなり多く，明らかに歩行の実用性を補っている．自転車はその調節と訓練さえ行えば十分乗車可能であり，特に学童児には実用性が高い．しかし，成人の場合には自転車の実用性は乏しく，自動車の利用を勧めるべきである．

⑧ 用便動作

自宅以外での用便動作においては，当然のことながら，すべて，トイレで義足を外してから行っている．ただ，自宅で作業している症例の場合には，義足を外し，片足跳びでトイレに行くのが普通である．

⑨ 室内での座位動作――ターンテーブルの処方

a. いすに座った姿勢においてはソケット底部の厚さだけ高くなり，腰椎の側弯を余儀なくされ，長期座位をとることが困難なことが多い．このため，いすのシート部の患側を除去したものを利用したり，小さいマットを健側殿部の下に敷いて骨盤を水平に保つことが多い．

b. 畳上での座位姿勢は両足を前に投げ出して座る姿勢が大半を占め，手を横か後ろにつくか，または座いすを用いることが多い．いずれにしても長時間これらの姿勢をとることは苦痛である．このため他家への訪問など社会参加に対して消極的にならざるをえない．この解決のために，膝継手上部にターンテーブルを取り付ける方法がとられている．

図5-63〜65は左股離断の例（主婦）で，インテリジェント膝継手とターンテーブルを組み合わせ，横座りによる外観の改良とともに，長い時間座れる利点を認める．このターンテーブルは，図5-65に示す靴の着脱や，自動車の乗降などの場合にも便利である．また，自動車運転時に回転盤のロックを外して義足を外旋しておくと，自動車の床面よりハンドルまでの距離が相対的に短くなり，ソケットに伝わる窮屈感が少なくなる利点を認める．

 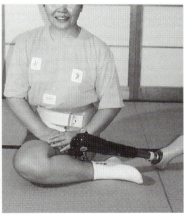 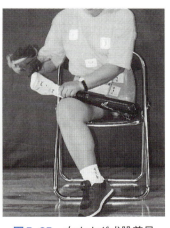

図5-63　左カナダ式股義足によるあぐら（インテリジェント義足およびターンテーブルを処方）　　図5-64　左カナダ式股義足による横座り　　図5-65　左カナダ式股義足ターンテーブル処方により靴の着脱が容易となる

―5▶殻構造義足から骨格構造義足への移行

　これまで主として述べてきたのが殻構造義足である．この義足の欠点としては，外観および触感が不自然であることと，股屈曲制限バンドおよび膝伸展補助バンドの耐久性の不良，および衣服の破損などがあげられる．このため，1960年代にすべてを占めていた殻構造，単軸膝継手の処方が骨格構造，安全膝継手の処方へと変化し，1986年以降は全例とも骨格構造へと移行している．これにより，軽量，外観の改善，アライメントの調整の容易さ，衣服の損傷などを防ぐなど多くの利点を認めている．特に，女性，高齢者では絶対の適応であろう．最近，軽量化への努力がなされており，各継手においてステンレス製からチタン合金やカーボンファイバー製などへの変換によるより軽量化が図られていることに注目すべきである．図5-66，67はオットーボックの股義足であるが，外観の改善，アライメントの調整の容易さなど多くの利点を認めている．なお，現時点においては，歩行速度の安定性および歩容の優秀性から，膝継手の立脚相制御機構をもつインテリジェント義足の処方が望まれる．

―6▶継手の処方

　股義足の継手の選択方針は，切断者の能力，訓練，余暇，生活様式などにより大きく異なる．

(1) 股継手

　①カナダ式股義足では，基本的に遊動股継手を処方する．②高齢者や両側股離断に対する手動固定股継手（manual locking hip）は，座位をとるとき後方への転倒の危険性から処方はされないのが普通である．③ソケット底部に取り付けられた継手の幅が骨盤の高さの不均衡をもたらす欠点を除くために，この部分のかさばらない継手を処方する．④屈曲角度制限機構を働かせると歩行速度と歩行の安定性の向上を得ることができる．これまでの股継手は，ゴムバンドやバネを利用した股関節伸展補助機構をもっているものしかなく，身体機能が高い壮年期の股離断者にとって満足した機能を補えるものではなかった．これに対してオットーボック製の股継手7E9（図5-67）は油圧シリンダーを内蔵し，立脚初期での伸展を制御しスムーズな義足側への体重移動を

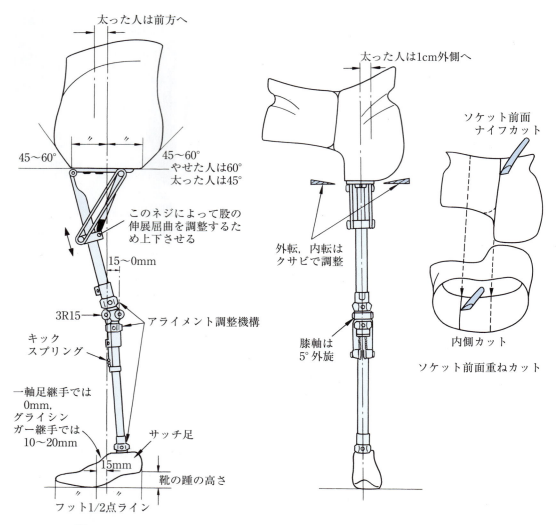

図5-66 オットーボックシステム骨格構造股義足のアライメント（鋤園による）

可能にすることで，腰椎への負担を軽減することができる．さらに，遊脚相では股継手の屈曲を制限し，歩行速度の変化にも追従する機能を有している．7E7との比較研究において，7E9は各歩行速度において義足側歩幅が減少し，非切断側歩幅を少し拡大，ケーデンスを増加させた歩行パターンに変化しており，また，歩行時の酸素摂取量も各歩行速度において低下し，自由歩行速度での酸素コストも歩行速度が増加したにもかかわらず，低下した結果を認めたという報告もある．義足装着者からも，義足への体重移動が楽になり，義足が振り出されるのを待たなくてもよくなった等の評価が得られている（高瀬泉[383]，兵庫県立総合リハビリテーション中央病院）．

(2) 膝継手

①固定膝は，膝の安定性の利点から高齢者にときおり処方される．しかし，現実的には訓練の中で立脚相制御機能をもつ遊動膝を最終的に選択することが多い．

②立脚相制御膝：立脚相コントロールは，高齢者で必要なことはいうまでもないが，若年者であっても，職業，生活様式，趣味，スポーツなどで活動性の高いケースでは立脚相制御膝継手を積極的に処方すべきであろう．ブラッチフォード安全膝や，オットーボック3R106，3R60など

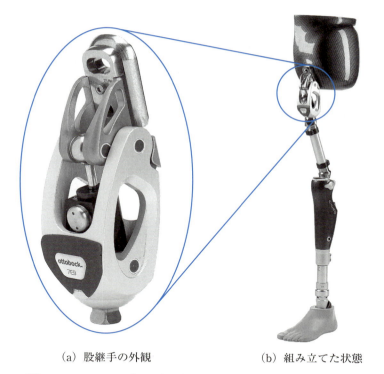

(a) 股継手の外観　　　　(b) 組み立てた状態

図5-67　オットーボック製股継手7E9を用いた骨格構造股義足

が好んで用いられている.

③遊脚相コントロール：中川[180]の膝継手の変換による装着成績から，膝継手に優れた軽量の遊脚相制御機構を用いることが大切であり，インテリジェント膝継手の利点が大きい．これは，股義足のように高位でバランスを得にくい切断者にとっては，義足の遊脚相時間が長びくと，その間に立脚相のバランスを崩す結果となるためである．

(3) 足部の処方

膝の荷重時の安全性が歩行の実用性の鍵となることから，股義足には，従来単軸足継手の処方が一般的に行われてきた．しかし，安全膝など膝継手の機能付加などとの関連から，処方の範囲が広がっている．今後，各種のエネルギー蓄積型足部の処方の機会が，特に若年者層を中心に増えるものと思われる．

(4) ターンテーブルの処方

室内の座位動作，履物の着脱，自動車の乗降などにターンテーブルは予想以上の大きな利点として切断者に受け入れられている（**図5-63〜65**）．原則として処方すべきである．

5 片側骨盤切断（仙腸関節切断）用義足

　片側骨盤切断（hemipelvectomy）の手技および適応などに関しては，1891年にBillrothにより初めて試みられて以来多くの報告がなされている．特に最近の手技および輸血の進歩により，術中の出血性ショックによる死亡率はきわめて少なくなり，その症例数も多くなってきている．

　しかしながら，片側骨盤切断後に義足を装着することに成功したという報告はWise, Wirbatz, Hamptonらのものがあるが比較的少ない．このように片側骨盤切断用義足（transiliac prosthesis）の報告例が少ない原因は，次の2つの理由によるものと思われる．

　その第1はソケットの適合を得ることが困難な点である．片側骨盤切断を行った断端には体重を負荷しうる骨組織がないために負荷が困難である．さらに断端に対する義足ソケットの固定および懸垂が困難である．第2の理由としては，主として義足のアライメントおよび継手の構造に関連した問題である．

　従来より，このような問題点を解決するために次のようないろいろな試みがなされた．

　まず負荷性の獲得については，考えられる負荷部位として健側の坐骨結節または体幹部，特に胸郭下部が選ばれた．しかしながら，ソケット底部を健側の坐骨結節部位まで伸ばし，この部で負荷を試みた場合は，健側の踏み出し期の段階においてハムストリング腱の緊張による坐骨結節支持部の不快感を避けることができない．

　また胸郭下部での負荷による場合は，ソケットが深くなるため体幹の運動性を著明に制限するとともに，夏季の発汗による不快感を避けることができず，これらが不成功の原因となっている．これに対して最近，断端自体に体重の負荷性を求めたほうがより合理的であるとの考え方が出てきた．その一例がノースウェスタン大学で開発されたソケットであって，図5-46, 68に示したように，断端より健側の肩に向かう方向に負荷面を設け，そのうえさらに，坐骨および大殿

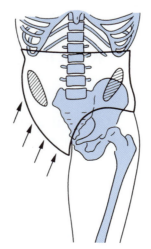

図5-68　Fred Hamptonの片側骨盤切断用ソケット

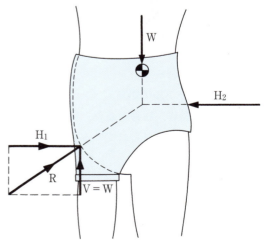

図5-69　立脚中期において片側骨盤切断のソケットにかかる外側からの力のパターン（McLaurinによる）

筋部に多少の負荷性を得るように設定されている．なおこれらの進歩には，合成樹脂を初め材料面での開発が大きく関連している．

次いで義足歩行時の安定性の獲得については，従来より，いわゆる股継手に固定装置を取り付ける方法が試みられてきた．しかしながら，歩行時に股継手が固定されている場合には，歩容が不自然なことと疲労感が強いことが欠点とされていた．そこで，これにカナダ式股義足と同様のアライメントによる安定性を得る方法が用いられ，現在，主としてノースウェスタン大学で開発された義足が用いられており，これについて述べてみたい．

―1▶特　徴

① ソケットの開口部，すなわち断端の出入り場所は前でなく外側に取り付けられている．これにより安定性は増加し，ソケットの前後部で負荷性が増す．
② 股継手取り付け位置と断端との間にシリコーンフォームを用いている．
③ 股継手がソケット内部に取り付けられている．
④ 腸骨の下から大転子のまわりを通る負荷帯を用いる．
⑤ 大腿部のブロックを小さくし，その上を，アルミニウム・ケンブローゴム，皮革などを用いて大腿部をカバーする．
⑥ 立脚中期にソケットにかかる力は，断端の外下方部で斜め上方への方向で負荷する．McLaurinは，この力関係を図5-69のように述べている．負荷に対抗する力Rは，断端の表面に直角に向いている．この力は，水平面でのH_1と垂直面でのVの力の合成である．Vは，体重Wに対して反対に上方に同じ力で働いている．同じ水平面での力H_1は体重の約2倍の力に相当し，健側の大転子部にかかる力H_2とバランスをとっている．

―2▶製作過程

(1) 採　型

採型に関しては，図5-70のように，ストッキネットで断端部から胸郭上部まで覆うようにし，健側の腸骨稜および大転子に印をつける．断端自体に負荷が行えるように15cm幅の懸垂帯を断端部にかけ，これを，健側の肩の方向すなわち斜め上方に懸垂する．患者にこの懸垂帯の上に十分負荷させ，それと同時に，両肩が水平位にあることおよび脊柱の側弯のないことを確かめてギプス包帯を施行する．

この場合，両側の腸骨稜部への圧迫を避け，腸骨稜上部での圧迫による義足の懸垂が行えるように，図5-71のようにヒップスティック（hip sticks）を用いて同部に圧迫を加えることが必要である．特に患側には，懸垂に必要な骨組織を欠くため，健側と同じレベルで圧迫を加えることが重要となる（McLaurin）．

次いで，陰性モデルの半硬化を待って立位による腹部の膨隆をとるため，患者をベッド上に寝かせる．陰性モデルの前中央部で左右に二分したうえ，これを腹部に適合させるように前面で重ねて良好な適合を得る．この操作は，特に肥満体の症例に必要であるように思われる．

(2) 陽性モデルの修正

陰性モデルの中に吸引用パイプを立て，ギプス泥を流し陽性モデルを製作する．陽性モデルの健側の前上棘および腸骨稜に相当する場所に沿って盛り修正を行い，陽性モデルの表面全体を平滑にする．

366　第5章　義　足

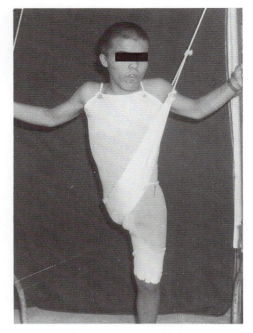

図5-70　片側骨盤切断用義足の採型
懸垂帯を断端より健側肩のほうにかけて負荷面の設定をする

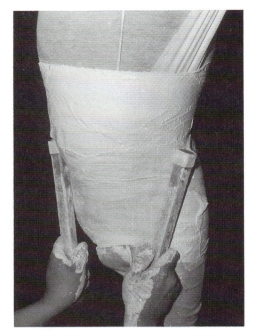

図5-71　ヒップスティックの使用
ヒップスティックを用いて，腸骨棘上部での懸垂部位を設定する

   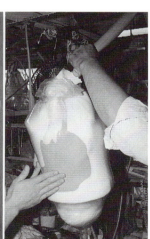

（a）発泡ポリウレタン　　（b）底面が水平になる　　（c）股継手位置の設定　　（d）アクリル樹脂による
　　　フォームを注型　　　　　ようにする　　　　　　　　　　　　　　　　　　　　ソケットの製作

図5-72　陽性モデルの修正からソケットの製作まで

　次に，欠損部分の外観を整え，股継手の取り付け場所を設定するために，図5-72（a）のように発泡ポリウレタンフォームを流す．股離断用ソケットと同様に，底面が水平になるようにして座位に対する安定性を高める（同（b））．矢状面での股継手の設定は，股離断の場合と同様に健側の大転子を基準にして，継手軸ができるだけ45°前下方に位置し，膝継手軸とのアライメントの関係を考慮して決定する（同（c））．また，前額面での股継手の設定は，側方への安定性や外装に

  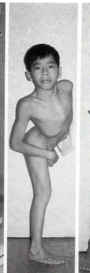 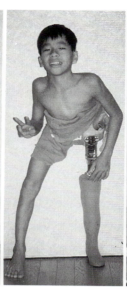 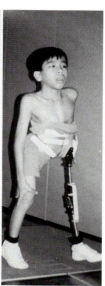

図5-73 発泡ポリウレタンのソケットへの接着　　図5-74 膝継手の調整とアライメントの決定　　図5-75 右片側骨盤切除用股義足（ベトナム骨盤結合児ドク君）

よる股部の擦れなどがないように考慮して決定する.

(3) 合成樹脂製ソケットの製作

ストッキネットおよびテトロンフェルト約8枚を陽性モデルの上にかぶせ，股継手およびソケット底後面の部分にアクリル樹脂を80％硬性，20％軟性の割合で，またこれ以外の部分に100％軟性を流し込む（図5-72(d)）.

前述したソケット内の発泡ポリウレタンフォームは，ソケットのトリミングを行った後，ソケットへの接着を行う（図5-73）.

(4) アライメントの決定

ベンチアライメントの設定は，すべてカナダ式股離断用義足の場合と同様である．しかし，膝継手の調整を含めて，最終的には動的アライメントによって決定すべきである（図5-74）.

(5) 外　装

これは，立位および座位における義足側と健足側の外観上の差をできるだけ少なくするために行うものであり，膝継手の遊脚相制御にできるだけ影響を与えないようにすることも必要である．図5-75は，ベトナムの骨盤結合児ドク君に装着したもので，ソケットと骨格構造義肢と外装を行ったものである.

—3▶歩行能力

① 若年者の場合，義足歩行訓練を十分に行ったときは，歩行速度は100mを1分20秒程度で他の股離断例とほとんど変わらない．
② 歩行持続距離において，杖なし歩行が3km可能であるという点も同様である．
③ 歩容は股離断例とほぼ変わらないが，ピストン運動がやや強い関係で肩の下垂を認める．
④ 階段昇降も杖なし手すりなしで十分可能であり，その速度も股離断例と大差を認めない．

—4▶膝継手および足部の処方

股離断の場合と同じように，立脚相制御と遊脚相制御の両者の機能をもつ膝継手の処方が望ましい．股継手，膝継手の機能を追加することにより，高い歩行機能が得られる．

6 大腿義足

1 大腿義足の種類と変遷

　大腿義足には，形，目的，適合方法の差などによっていろいろな呼び方があるが，わが国の身体障害者福祉法の補装具の種別によると，常用，吸着式常用，作業用に分類されている（図5-76）．常用義足は，在来式（conventional），差し込み式（plug fit）とも呼ばれている．従来の義足の大半は殻構造型のものであったが，最近は骨格構造のものが一般的となっている．

　大腿義足ソケットは，差し込み式ソケット（plug fit type, 切断者が断端に適当な厚さの袋をかぶせ，ソケットの中に差し込むようにして装着するタイプ）が主流であったが，現在ではこの差し込み式ソケットは，短断端例，戦傷高齢者の一部を除いてほとんど処方されていない．これに代わって，次に述べる吸着式ソケットを主軸として発展している．

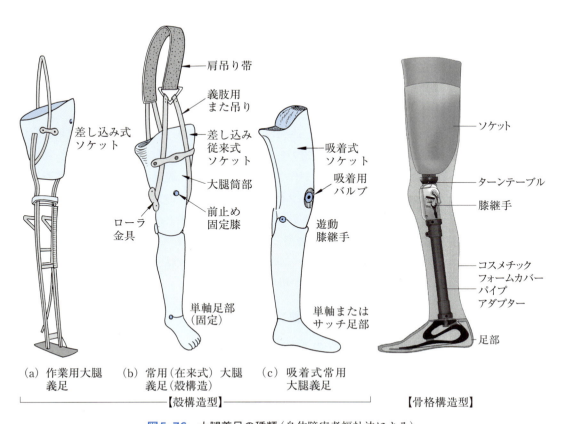

図5-76　大腿義足の種類（身体障害者福祉法による）

2 吸着式ソケット

　この吸着式ソケット（suction socket）は，断端の周径よりもいくぶん小さく，しかも，これまでよく用いられているソケットは断端の残された機能を最大に発揮しうるよう四角形に近い形で製作されている．義足を装着するには，断端表面に布をかぶせ，ソケットの弁孔を通じてこの布を引き抜くことにより断端をソケット内に装着させる．これにより，遊脚相において断端とソケット内の空間に陰圧が生じて大腿義足が懸垂される．したがって肩吊り帯，腰バンドは不要となり，義足の長さは健側長と同様で膝継手は遊動となっている．

─1▶ 吸着義足の利点

　この義足は差し込み式ソケットに比べて多くの利点をもっている．
① 軽く感ずる．
② 人体の一部として義足を感ずる．
③ 差し込み式ソケットにみられるような内転筋ロールを作らない．
④ 義足を断端の運動によって動かしやすい．
⑤ 腰バンドが不要のため，骨盤周辺での皮膚疾患を起こさない．したがって，妊婦，肥満者にも適用がある．
⑥ 懸垂が良好なため遊脚相において足先が床につかえない．したがって，反対側の関節の障害，麻痺があるとき，また両側切断者に利点を認める．
⑦ 差し込み式にみられる骨盤運動に伴う義足回旋はほとんど起こらない．

─2▶ 初期の吸着式ソケット

　この吸着義足の歴史は古く，1863年，ニューヨークのDubois D. Parmelee以来，欧米において多くの報告がなされている．大腿部の断端の形状は立位で円柱形をとる．したがって，初期ではソケットがこれに適合するよう円柱形に製作されてきた．また，義足の遊脚相において断端からソケットが抜けないようにするためには，ソケットの周径は同一のレベルにおける断端周径より小さくなくてはならない．これをソケットのコンプレッション値（socket compression value）と呼んでいる．初期においてはソケットを樽型とし，適合は主としてソケット上部の6〜7.5cm間で行い，それより断端末梢部ではソケットに接せず，陰圧保持のためある程度の空間をもつ，いわゆるオープンエンドソケット（図5-77）が用いられた（Mazet[152]，McMaster）．

─3▶ open end socket から全面接触ソケットへ

　前項で述べたopen end socketの方法のように人工的に陰圧が加わることは非生理的であり，断端末に，浮腫，うっ血，さらに潰瘍までも起こす症例が多かった（図5-78，p123図2-20）．これに代わって断端全面で接触させ，これによって体重をソケット全面に負荷させようとする適合方法が主流を占めるようになった．これを**全面接触ソケット**（trans-femoral total contact socket）と呼んでいる．全面接触ソケットのコンプレッション値，すなわち断端の一定の高さにおける周径と同じレベルでのソケット内周径との差は，一般には**表5-7**のような基準（UCLA）で行っている．これは，断端長および筋肉の発達程度によってコンプレッション値を変化させる

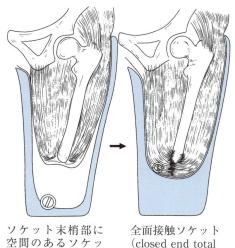

ソケット末梢部に　　全面接触ソケット
空間のあるソケット　（closed end total
ト（open end socket）　contact socket）

筋膜縫合例　　　　　筋肉固定縫合例

図5-77 全面接触ソケットへの移行

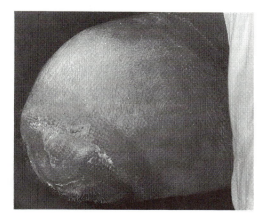

図5-78 Open end soketにみられる末端部の循環障害

表5-7 ソケットと断端の周径の差によるコンプレッション値
（断端長と断端筋肉の状態により異なる）（単位 cm）

周径の測定部位	断端長 7.5〜12.5 (上1/3)			15〜17.5 (中1/3)			20〜22.5 (下1/3)			25〜35 (断端支持)		
	軟	中	硬	軟	中	硬	軟	中	硬	軟	中	硬
坐骨結節レベル	4.7	3.0	3.0	3.2	3.0	2.8	3.0	2.8	2.5	2.5	2.1	1.8
2.5	3.0	2.8	2.8									
5.0	2.8	2.5	2.5	2.5	2.2	1.9	2.2	1.8	1.5	1.8	1.5	1.2
7.5	2.5	2.2	1.9									
10.0	2.2	1.9	1.2	1.5	1.2	1.0	1.5	1.2	1.0	1.5	1.2	1.0
12.5	1.9	1.5	1.0									
15.0				1.2	1.0	0.6	1.0	0.6	0.6	1.0	0.6	0.3
20.0							0.8	0.6	0.3	0.8	0.6	0.3
25.0										0.6	0.3	0.3
30.0										0.6	0.3	0.3
35.5										0.3	0.3	0.3

ものである．すなわち，断端の全長にわたってソケット周径が断端周径よりも小さく，断端中枢部のコンプレッション値が強く，断端末梢端でも3mm程度のコンプレッション値を保つようになっている．

─4▶ 全面接触ソケットの利点

全面接触ソケットはopen end socketに比べて次のような利点がある．
- 断端の循環状態を良好とし，浮腫を起こさない．歩行に際して断端に間欠的な圧が加わり，これにより筋肉の収縮によるポンプ作用が増加して体液の貯留を減少させ，断端の成熟を促進させる結果となる．
- 体重の負荷面が広くなって単位面積にかかる圧が減少し，不快感がなくなる．

・断端全面での接触感により，義足足部の位置を知覚しやすい．

最近では，ソケット底部にシリコーンやポリウレタンフォームを用い，遊脚相の場合でも全接触を図ろうとするソケットが一部に用いられている．

3 四辺形吸着式ソケット

― 1 ▶ 円形から四辺形ソケットへ

吸着義足の初期においては，坐骨支持レベルでのソケットパターンはほとんど円形に近い形がとられていた．しかし，その後の適合経験につれ，円形パターンからだんだんと五角形に近いパターンが推奨されるようになった．米国では，坐骨結節および大転子後方を押し出した五角形のパターンが推奨され，Bechtol[23]（1950）も，外側広筋と大殿筋との間に凹みをせめこんだパターンが重要であるとしている（図5-79(a)）．これと同時に，ソケット内壁の長さが坐骨結節から長内転筋腱までの長さよりも1.2cm短く設定することが適当であると述べている（Daniel, Canty[41]）．

このような五角形のパターンからさらに進んで，大転子後部を特に押さえない直線的パターンが好んで用いられるようになった（Eberhart[56]，Mazet[154]，Canty[41]，田中[290]）．この大腿ソケットパターンは，欧米各国によってそれぞれ特徴のあるパターンがとられてきた．なお，わが国では国立障害者リハビリテーションセンターのリーダーであった飯田卯之吉氏のパターン（図5-80）が主として用いられてきた．これは，ソケットの設計に必要なデータを直接断端から多くとり出すために9つの計測部位を作り，断端の周径とともに個々の断端の解剖学的，力学的特性に応じた製作方法をとったものでハート形に近いソケットになっている．しかし，その後のカリフォルニア大学のグループによって作られた四辺形のソケット（Quadrilateral Socket）が普及し，

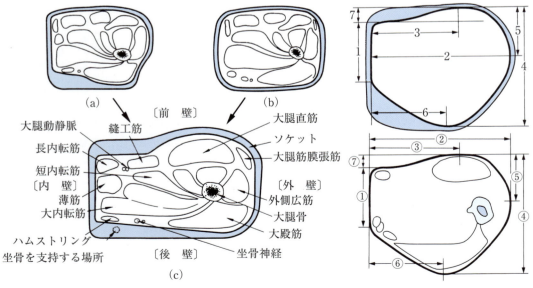

図5-79　大腿吸着義足ソケットパターンの変遷
坐骨結節で体重を支持する高さでの横断面を示す

図5-80　大腿吸着式ソケットの至適断面形の設計法（飯田による）

これが世界各国で義肢教育においての一つの基本形として用いられている（図5-79(c)）．そこで，まず四辺形全面接触吸着ソケットにつき述べてみたい．

─2▶断端に対する四辺形吸着式ソケットの機能的役割

近年，この内外径の長い四辺形ソケットから，内外径を短くし，坐骨枝までをソケット内に収納する坐骨収納型ソケットへ移行しつつある．しかし，そのためにも，四辺形ソケットの機能についての基本的な理解が必要であるので，その機能的役割について述べる．

ソケットの機能については，次の5つの原則が適用される（Hall[89]）．

① 機能を有する筋肉に対しては，筋肉の機能を損なわないよう，その走行に一致するソケットのチャネルは深く広くされる．大腿直筋，長内転筋，大殿筋などがこれに相当する．

② 機能を有する筋肉の存在しない部分では，これに一致するソケット壁は比較的平面が選ばれ，断端皮膚との接触面による安定性が図られる．たとえば大腿外側広筋がソケット外壁に広い接触面をもち，股関節内転筋がソケット内壁上部に広い接触面をもって大腿断端を内転位に保持し，内外方向への安定性に働く．

③ 筋機能は，静止時の長さよりわずかに伸展された状態でより大きい力を得ることができる．股関節伸展筋に対するソケット後壁の初期屈曲角度の設定がこれに相当する．

④ 断端の神経，血管に対する圧迫は，ゆるやかな丸みを帯びた面で押した場合は障害を起こさない．スカルパ三角に対する前壁からの圧迫がこれに相当する．

⑤ 断端に働く力は，力のかかる部位が広範囲になるほど単位面積にかかる力は小さくなり，また，統合すれば大きい力を発揮しうる．次に述べる全面接触ソケットによって断端との接触面および負荷面を増加させることがこれに相当する．

以上のような機能的必要性から，必然的に現在の四辺形ソケット（quadrilateral socket）ができたものと解される．ソケットの個々の部分がどのような役割を果たしているのか，前壁，後壁，内壁，外壁に分けてまとめてみた．

(1) ソケット前壁

〔解剖学的特徴〕

ソケット前壁に接する断端の前側部には，図5-79に示したように，内側に長内転筋腱，外側2/3にわたって股関節屈曲筋および外旋筋として縫工筋，大腿直筋，大腿筋膜張筋が存在する．これらはすべてソケット内で機能をもつ筋肉である．この内側の長内転筋と外側の縫工筋および上部の鼠径靱帯の間にスカルパ三角がある．この三角部はソケット前壁の内側1/3に相当して，ここには大腿動静脈および神経が存在する．

〔機能的役割〕

ソケットの機能的役割としては主に，内側1/3のスカルパ三角の部分に対する役割と，外側2/3の筋群部分に対する役割とに分かれる．

① 前壁の最も重要な機能は，坐骨結節を後壁上面に支持させることにある．このため，坐骨結節のちょうど前側に相当するスカルパ三角の適当な圧迫が重要である．すなわち，この圧迫により坐骨結節の位置が後方に移動し，ソケット後壁の前内方に落ち込むことを防ぐ重要な役割をもつ．このため，後述するように前後壁間の距離と前壁の高さおよび輪郭が問題とされる．

② 次いで重要な機能は，ここに含まれる股関節屈曲，外旋，内転の筋群の運動を障害しないことである．したがって，これらの筋の機能を考慮に入れ，ソケットには筋の走行に沿った十分な溝を作ることが重要で，特に大腿直筋，長内転筋に対する考慮が必要である．

〔ソケット前壁に要求される形〕

① 坐骨結節支持レベルでのソケットパターン前壁のあり方

ソケット前内角部での長内転筋腱に対する部分では，チャネルの深さおよび大きさが関係する．半径3〜4mmの深さが適当であり，この部分の適合不良の場合には疼痛をきたし，外転歩行の原因となることがしばしばである．

前壁の内1/3のパターンは，スカルパ三角への圧迫と，これによる後壁上部での坐骨支持が目的なので，内壁より外へ2〜2.5cm寄ったところが最も後方に突出し，それより外側へゆるやかな輪郭をもつようにすれば問題は少なくなる．

前壁の2/3のパターンは深さと輪郭が問題である．その深さ（図5-81のⓒ）は平均約1.5cmで，

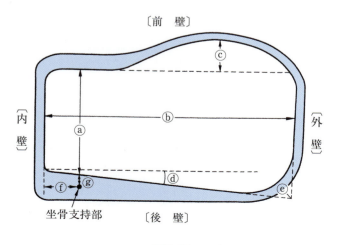

図5-81 ソケットパターンの概略の決定方法

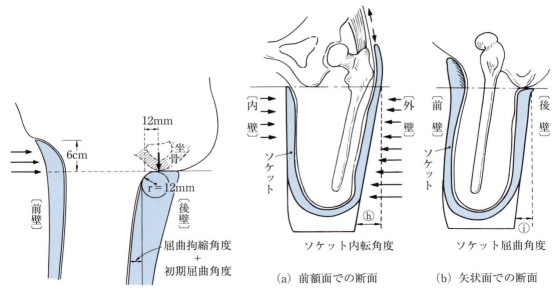

図5-82 前壁および後壁の坐骨支持部の形状　　図5-83 ソケットの矢状面および前額面での断面像

大腿直筋の発達度および大転子の位置いかんで変化する．すなわち，この深さは，大腿直筋が発達し，大転子の位置が前方に位置するほど深くなり，逆になればその深さを浅くすることが重要である．輪郭は，中央1/3と外側1/3がほぼ対称となるようにし，かつ大腿直筋の筋走行に一致したものでなければならない．

② 前壁の坐骨結節より上部での形状

この部分は，後壁での坐骨支持と同時に股関節の屈曲を制限せず，骨盤の前傾を防止する機能をもっていなければならない．したがって，その高さと輪郭が常に問題となる．高さ約6cmとし，短断端の場合にはこれより少し高くすべきであろう（図5-82）．

輪郭は，図5-83(b)の矢状面の断面像に示すように，坐骨結節のレベルより徐々に前側にゆるやかな輪郭をもつようにする必要がある．特に内側では，恥骨との接触状態および皮下脂肪の多少によりゆるやかな傾斜をとる．なお外側では，屈曲時に腸骨前上棘と接触し，疼痛の原因ともなりうるので注意を必要とする．

③ 前壁の坐骨結節より下部での形状

スカルパ三角の輪郭の出し方および大腿直筋のチャネルが筋の走行に一致していることが重要である．

(2) ソケット内壁

〔解剖学的特徴〕

ソケットの内壁には，大・長・短内転筋，薄筋およびハムストリング腱が接しており，後者は股関節伸展筋として働くが，前者の内転筋の機能についてはいろいろと議論がある．

〔機能的役割〕

内壁の機能は体重の支持に対する役割はほとんどなく，断端を内転位に保持し，歩行時の内外側への安定性に最も大きな機能をもつとされている．すなわち，内壁の特に上部においては，外壁の特に断端末梢外側部と協同し断端を内転位に保持するように働き，外転筋に最大の機能を与え，歩行時の骨盤の安定化を図ろうとする（図5-84）．

この内転筋群の機能を重視する意見もあるが，現在，一般的には内転筋自身は機能をもっていないと考え，この筋群を扁平に圧迫してもよいとしている．

もう一つの機能としては，リンパ，血液などに富む大きな軟部組織を包含する部分としての意味をもち，したがってソケット内外径が密接な関係を有する．

〔ソケット内壁に要求される形〕

① 坐骨結節支持レベルでの内壁の形

前後の長さ：坐骨結節の中央より長内転筋腱までの長さから1〜1.2cm引いた長さに相当する（図5-81の⒜）．

高さ：後壁すなわち坐骨結節の高さに相当し水平であるべきである．ただ屈曲拘縮が存在する場合には，恥骨との圧迫を避けるために若干低くすべきである．なお，差し込み式大腿義足の長期装着者，または断端内転筋の処理を誤って内転筋ロールを形成している症例では特に注意を必要とし，内壁をできるだけ高位に保つことが重要であろう．

方向：内壁の内側の方向は進行方向すなわち足部の内縁に平行とする．

輪郭：前内側の角部の輪郭は前壁の項で述べたとおりである．後内側の角部の輪郭については，ハムストリング腱の緊張を避ける意味で，このためのチャネルをもつべきだという意見もある．

厚さ：断端の内転位保持の目的から反対側大腿内側部との接触を避けるため，ソケットの耐久性を損なわない程度で薄いほうがよいのが当然である．0.7〜0.9mm程度とする．

② 坐骨結節支持レベルより下部での内壁の形

内壁に体重負荷の目的がなく断端の内転位保持を目的とするから，図5-84に示すように，内壁の上部の特に約10cmの間は床面に垂直な平面に設定し，これより下部では断端に沿った形状をとるように努力すべきであろう．ただし短断端でかつ外転拘縮がある場合には，このようにすることは不可能である．

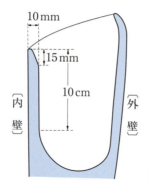

図5-84 内壁の形状

(3) ソケット外壁

〔解剖学的特徴〕

ソケット外壁には大殿筋，外側広筋，大腿筋膜張筋が接しており，これらの筋肉の収縮により義足を断端に保持するように作用している．しかし，外壁と関連して最も重要な作用をもつ股関節外転筋は，解剖学的に外壁の上縁よりまだ上部にあり，直接ソケット外壁と接する点は非常に少ない．

〔機能的役割〕

ソケット外壁の機能は，断端の内転位保持と同時に股関節外転筋筋力の最大限の利用にあり，これにより骨盤の安定を図ることにある．すなわち，断端の内転角度（図5-83のⓗ）に一致した角度を外壁に設定し，外壁に広い支持面を得るために内壁と平行した扁平な面を設定している．もし断端外側部の外壁との接触が不十分な場合，必ず内外性の不安定を訴え，体幹の側方移動，外転歩行のような異常歩行の原因となる．

〔ソケット外壁に要求される形〕

① 坐骨結節支持レベルでの外壁の形

前述の理由により，内壁の方向すなわち進行方向に平行であるべきである．外壁で最も問題になる点は，次に述べる後壁との移行部，すなわちソケット外後部に相当するところである．従来より，大殿筋に対するチャネルを作り，大転子との間に生ずる凹みに対して外側から内側に突出させ，吸着を保持し，足部の回旋を防止しようとする利点が考えられてきた．しかしながら最近では，どちらかといえば大殿筋にも体重負荷させ，このソケットの外後方の角の深さ（図5-81のⓔ）は大殿筋の発達程度，大転子の位置により決定されている．すなわち，大殿筋が発達している場合にはソケット外後方の角は深く，大転子がよく触れ突出している症例では浅くしている．

② 坐骨結節支持レベルより上部でのソケットの輪郭

高さは，前壁同様約6cmの高さを必要とするが，短断端の場合にはより高くすることがあり，内外性の安定にかなりの関係をもたせている（図5-85）．輪郭は，あくまで断端と密接に接していることが必要である．

③ 坐骨結節レベルより下部でのソケットの形

断端を内転位に保持するために，断端の内転角度に相当した位置に内壁に平行な扁平な形で設定する．ただ注意すべきことは，軟部組織の特に皮下脂肪組織が非常に多く，大腿骨骨端が断端末梢で外側に偏位している症例では，その部に相当するソケットの外壁下部の特に前側に寄ったところで歩行中に大腿骨端とソケット外壁との接触が強くなり，このため，図5-83の外壁下部に示すように，外側へ凹みを作り，ソケットとの圧迫を避けるべきである．

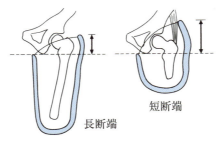

図5-85　断端長と外壁の高さ（短断端ほど外壁を高くする）

(4) ソケット後壁

〔解剖学的特徴〕

内側に坐骨結節と，これに起始部をもつハムストリング腱，外側には大殿筋を含み，いずれも股関節伸展筋として働き，坐骨結節が体重負荷線の支持点として重要な働きをする．

〔機能的役割〕

後壁は次のような機能をもっている．

① 坐骨結節および大殿筋による体重支持．

② 後壁における初期屈曲角度の設定による股関節伸展筋筋力の増強と，これによる義足膝継手の随意的膝制御（voluntary knee control）の向上による膝継手の安定性の獲得．

③ 内壁との相互関係，特に内後壁間の角度によるソケット回旋力の平均化があげられる．

〔ソケット後壁に要求される形〕

① 坐骨結節支持レベルでの形

坐骨結節の後壁上の位置：これは，骨盤の解剖学的差異，特に性別により多少変化するのが当然であるが，股関節解剖軸より外側に位置するため，ソケット後壁上の位置いかんが股関節外転筋筋力とともに内外方向への安定性を左右し，歩容に関係してくる（Habermann）．この位置はソケット前後径，内外径のみならず，大腿直筋のチャネルの深さにより変化するが，一応の基準は内壁の内側より 1～1.2 cm 後方（図 5-81 の ⓖ）に寄った位置にあるべきであろう．

内壁となす角度（図 5-81 の ⓓ）：歩行中のソケットの回旋に関係をもつといわれる．内壁と直角をなす線より，後外側への傾斜角を断端の筋肉の状態により決定する．一般に大殿筋筋肉が硬い場合は 10～12°，軟らかい場合では 5～7°，その中間を 8～9° としている（図 5-86）．

② 坐骨結節支持レベルより下部の後壁の形

後壁の上前部の丸みについて：体重負荷と同時にハムストリング腱の緊張を損なわぬようにすることが重要である．すなわち，丸いゆっくりした輪郭であるべきで，立位，座位ともに緊張感があってはならない（図 5-87）．

屈曲角度の設定：断端の屈曲拘縮度に 5° をプラスした初期屈曲角度（図 5-83 の ⓘ）をもつ．

後壁全体の形状：股関節伸展力を最大限に利用するため全体としては扁平であるべきであるが，ハムストリング筋の緊張が著明で，装着後に断端同部に発赤を認める場合には，この筋肉に対する浅いチャネルを作る必要がある．

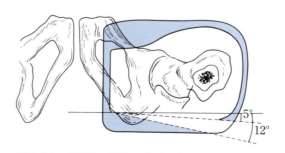

図 5-86　大殿筋の発達，後壁と内壁とのなす角度図

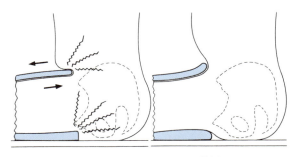

図5-87　座位における愁訴
左図のように前壁の輪郭が不良で高すぎ，しかも後壁の輪郭に丸みが少ないと愁訴を生ずる

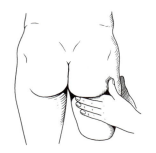

図5-88　Gochtの採型手技

―3▶木製ソケットから合成樹脂ソケットへ移行

　四辺形ソケットの開発がドイツで行われ，米国に導入された1960年頃は，木製ソケットをカービングマシンで掘って製作する方法が中心であった．しかし，合成樹脂の導入が進むにつれ，ギプス包帯を用いた採型と，陽性モデルの修正，その上にストッキネットをかぶせ，合成樹脂を流し込んでソケットを製作する方向に，変わっていった．

　合成樹脂製ソケットは，木製のようにソケットを削りながらだんだん断端に適合させていく方法とは異なり，採型，すなわち断端の陰性モデルをいかにうまく製作するかが適合の良否を決定する最大の因子となる．ギプスによる採型には古くから，坐骨支持，大転子周辺を徒手で形を作るGochtの手技といわれる方法がとられてきている（図5-88）．ドイツでは伝統的に，採型した陰性モデルにギプスによる盛り修正を加えて装着させ，再三荷重を加えて適合検査を行い満足した段階で合成樹脂ソケットの製作にかかる方法をとっている．このような徒手による採型方法は熟練を必要とするうえ，かなりの個人差をみる欠点がある．このため最近では，世界各国でいろいろな採型器が開発されて陰性モデルの採型が行われているが，必ずしも万能的ではないため徒手方法が併用されることが多い．

―4▶合成樹脂製ソケットの処方および製作上必要な断端の諸検査

　個々の切断者に最も適したソケットはただ一つしかありえないといっても過言ではない．したがって，個々の断端に対する細心の検査が重要である．その詳細については，米国の義肢教育に主として用いられている．次のような諸検査が特にソケットパターンの製作指導に重要と考えられる．

　① 断端長：会陰部より断端末端までの長さを測定する．断端長はよく坐骨結節部より計測されたが，この場合は，股関節の屈曲角度により計測値が変わるため，会陰部より計測したほうがよい．

　② 断端筋の発達程度：筋肉は収縮時の断端皮膚の回旋可能度により，筋肉組織の硬，普通，軟の3段階に分けて評価される（図5-89）．軟部組織が軟らかいほど適合に困難で，断端の状態が不安定であり，筋肉組織がよく発達したものでは比較的ゆるい適合であっても吸着を失わず，筋肉収縮による義足の保持が可能である．断端の筋肉は，ハムストリング，大殿筋，大腿直筋，長内転筋のグループに分けて検査を行う．実際的には，断端筋の働く反対方向に抵抗を加えておいて，収縮させた状態をチェックする．

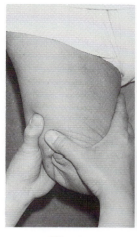 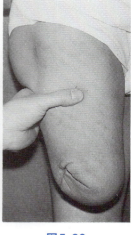 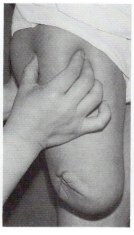 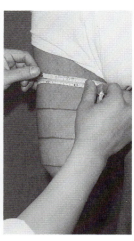

図5-89 断端筋の発達程度（皮膚の回旋度により評価）　　図5-90 大殿筋と大転子との相互関係の検査　　図5-91 大転子の位置の確認　　図5-92 断端周径の測定

③ 大殿筋と大転子との相互関係：検者の母指を大転子に，示指を坐骨結節に当て，この指間部を大殿筋がどの程度埋めるかにより検査する（図5-90）．大転子突出例，大殿筋突出例，およびこの中間で大転子と大殿筋がほとんど平坦となっている例の3段階に分ける．

④ 大転子の位置：断端が不良肢位，特に外旋位で拘縮を起こすと，大転子の位置は後方に移動して大腿直筋のチャネルの深さを変える必要が生ずる．したがって，大転子の位置を，大腿外側からみて中央にあるもの，前方にあるもの，後方にあるものの3つに分類する（図5-91）．

⑤ 大腿直筋の長内転筋腱より前方への隆起程度：大腿直筋の発達程度をみるための検査である．大腿直筋の隆起が著明な場合，ほとんどない場合，わずかに隆起している場合の3段階に分類する．

⑥ 断端周径：坐骨結節支持部レベルより末梢へ5cmの間隔で測定，記載する（図5-92）．測定は，断端周径がしばしば変化する不安定な例では断端に弾性包帯を巻き，翌朝計測することを原則とする．

⑦ 坐骨結節から長内転筋腱までの長さの測定：計測に誤差が最も多い点であろうが，繰り返し行えばかなり正確な値を得ることが可能である．特に屈曲拘縮または外転拘縮が著明な例や坐骨結節下の皮下脂肪が多い例では注意を必要とする．

⑧ 股関節屈曲拘縮の有無：これも重要な点である．トーマス（Thomas）の方法と立位で断端を屈曲位より伸展させ，腸骨稜が前傾位をとりはじめたときに股関節の屈曲角度を測定する方法を併用する．

⑨ 股関節内外転拘縮の有無：この角度の決定は将来の歩容に重要な関係をもっている．必ず腸骨稜を同一レベルに置き，体重心が身体の中央を通り健側踵の内側からわずかに内側に落ちるようにしておき，この肢位で断端を内転位に保って内転角を測定する．われわれがよくおかす誤りは，屈曲位をとって内転を行う場合である．この際，内転は容易であって，外転拘縮の存在を見逃す結果となる．したがって断端は，必ず伸展位にして外転拘縮の検査を行うべきである．

⑩ その他の検査項目として，坐骨結節部の疼痛の有無，皮膚および皮下組織の状態，体重の変動，身長などに注意する必要がある．

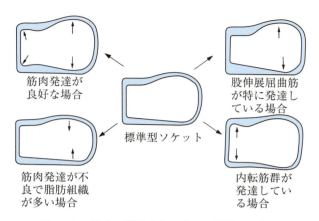

図5-93　筋肉の発達度とソケット形状との関連

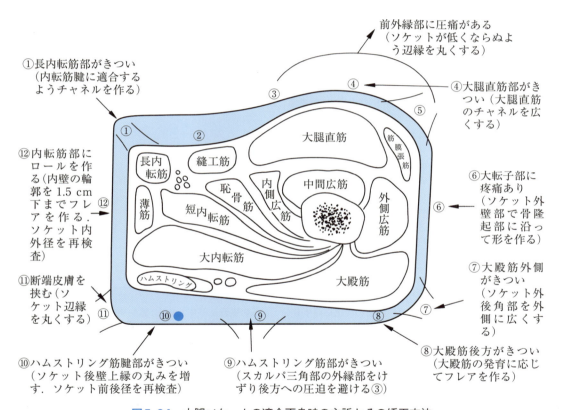

図5-94　大腿ソケットの適合不良時の主訴とその矯正方法

─5▶ 坐骨結節支持レベルでのソケットパターンの概略の決定

　以上，ソケットの適合の考え方と方法について，カリフォルニア大学バークレー校のパターンを中心にして述べた．しかしながらこれはあくまで基本的なパターンであって，個々の症例に応じて若干の変化を求めることは当然である．その例として図5-93に，筋肉の発達度とソケットパターンの形状の変化との関連を示した．個々の断端の精細な観察と検査が何よりも重要である．

—6▶ 大腿ソケット適合上の愁訴と原因

大腿ソケットの適合不良があった場合には，必ずこれが愁訴として現れ，また異常歩行の原因となることがある．図5-94は，よく起こるソケット適合不良による愁訴とその矯正方法を示したものである．その主なものを表示すると表5-8のとおりである．

表5-8 大腿吸着義足における適合上の愁訴とその原因
(a) 前 壁

愁　訴	そ　の　原　因
1) 長内転筋部に切るような疼痛を感じる場合	①長内転筋チャネルが狭い(図5-94の①) ②ソケットの内外径が短すぎ，その結果，断端の内側部軟部組織が窮屈である ③ソケットの前後径が短すぎる
2) 長内転筋部がきつく感じる場合	①ソケット前後径が長すぎて坐骨結節が後壁支持部から前方に滑り落ち前内角部に体重がかかり不快感を訴える(図5-95) ②ソケット前後径が短すぎる ③長内転筋チャネルの丸みが大きすぎる
3) ソケット上縁から軟部組織が膨隆している場合	①ソケットが小さくて断端がソケット内に十分に入っていない ②外側に膨隆(図5-94の③〜⑤)している場合には大腿直筋チャネルが小さすぎる ③内側に膨隆(同②)している場合には，スカルパ三角部の上部でのソケットの輪郭が不十分か，または前壁が低すぎる
4) スカルパ三角に圧迫が強い場合	①スカルパ三角の輪郭が適正でない ②ソケット前後径が短すぎる
5) ソケット外側2/3で，座位で骨盤との間に挟まれる感じの場合	①前縁が高すぎて骨盤に当たる．ソケットが吸着を失い，脱げようとする ②骨盤帯がある場合には，ソケットの前縁が低すぎるとこの間に軟部組織が挟み込まれる
6) 断端がしびれたようになる場合	①スカルパ三角の膨隆が強く，大腿動脈への圧迫が強い ②前縁が低すぎると，断端の前方で締められる感じがある

(b) 外 壁

愁　訴	そ　の　原　因
1) 断端の外側で下端部に疼痛を訴える場合	①大腿骨下端部の突出に対するソケットの適合が不良である(図5-96(b)，この突出に対してソケットにレリーフをつける必要がある) ②この下端部より上部のソケットの輪郭が大腿骨骨軸に沿わず，大腿骨を内転位に保持することができないで大腿骨末端部がソケット外壁に当たる(同(c)) ③ソケットの内外径が坐骨支持レベルで長すぎ，負荷時に大腿骨の末端部が外転位になって骨端部が外壁に当たる(同(d)) ④ソケットのピストン運動が大きすぎる ⑤ソケットの下部で前後径が広すぎる．このため歩行時に大腿骨末端部が前後に動き疼痛を訴える(同(e))
2) 大転子部に疼痛を訴える場合	①大転子部の適合が不良である(同(e)) ②坐骨結節部とソケット外壁との間の距離が小さすぎる
3) 外壁上部で断端との間にギャップがある場合	①外壁の輪郭が不良である ②短断端の場合に義足足部が過度に内側にあると，ソケットが内転位となり外側にギャップがあく(同(d)) ③ソケットの内外径が大きすぎる ④シレジアバンドを装着したとき，外側取り付け位置が低すぎる

表5-8 つづき
(c) 内 壁

愁 訴	そ の 原 因
1) 内壁上縁部に圧痛がある場合	①内壁の前後径が大きすぎると，坐骨結節が前下方に移動し内壁に疼痛を訴える ②腰椎前弯か股関節屈曲拘縮が強いと，内壁に疼痛を訴える ②内壁上部の形状が不適当である
2) 内転筋ロールを作っている場合（図5-94の⑫）	①長期間における差し込み式ソケットの装着により内転筋ロールを作る ②内壁の形状が不良で内転筋群に対するスペースが狭い場合にロールを作る ③内壁の高さが低すぎる場合にロールを作る

(d) 後 壁

愁 訴	そ の 原 因
1) 坐骨結節部に不快感または疼痛がある場合	①適合が良好であっても，適合後の初めの1〜3週間は不快感があることがある ②ソケット内側の前後壁が長すぎる．このため坐骨結節が前方に移動し，後壁での坐骨支持を失う（図5-95） ③逆に内側の前後径が小さすぎると，坐骨結節が後壁の後方に移動しハムストリングに疼痛を訴える ④大殿筋に対する輪郭が大きすぎる．このため坐骨結節にかかる負荷が強くなり疼痛を訴える ⑤同様に後壁の傾斜角度が内側から外側に低くなっていると坐骨結節にかかる負荷が強くなり疼痛を訴える（図5-97 (a)） ⑥ソケット後壁の坐骨支持部の形状が丸みを欠き，ハムストリング腱に対するレリーフが少ない（図5-94の⑩） ⑦義足のアライメントで膝継手が過伸展位となると後壁に対する負荷性が増加し，不快感の原因となる ⑧後壁が厚すぎると座位で後壁が坐骨結節を押し疼痛を訴える
2) 大殿筋部に不快感がある場合	①大殿筋に対する後壁外側部の輪郭が小さいと不快感を訴える（図5-94） ②後壁の傾斜角度が内側から外側に高くなっていると，坐骨結節よりも大殿筋部にかかる負荷が強くなり疼痛を訴える（図5-97 (c)）．この不快感により，踵接地期に義足を外旋する異常歩行を認めることがある ③大殿筋チャネルの輪郭が不適当な場合に不快感を起こす．この輪郭が深すぎると不快感を訴える．もし浅すぎると大殿筋を挟み込み，刺すような疼痛を訴える
3) 坐骨結節より下部で圧迫感を訴える場合	①ハムストリング筋に対するレリーフが不十分だと不快感を訴える．普通は後壁は平坦であるべきであるが，特にハムストリングの発達が著明な症例には軽度のレリーフを必要とする ②ソケットが小さすぎて窮屈なときに不快感を訴える

(e) 座位における問題

愁 訴	そ の 原 因
1) 前壁部の不快感を訴える場合	①前壁が高すぎる ②前壁の輪郭に丸みが少ない ③坐骨支持部の後壁の厚さが厚すぎると（2.5cm以上）前壁が上前棘に当たる ④骨盤帯の取り付け位置が不良で，特に大転子の後下方に取り付けてある場合は座位で疼痛を訴える
2) ハムストリング腱起始部に不快感を訴える場合	①ハムストリング腱に対するチャネルが狭く，ソケットの後内角のところを広くする ②後壁の丸みが少ない場合に疼痛を感じる

(f) 懸垂に関する問題

愁 訴	そ の 原 因
1) 遊脚相で吸着が失われる場合	①大殿筋，大腿直筋チャネルが深すぎる ②断端の容積が体重の減量または断端の萎縮自体で減少する
2) 座位で吸着が失われる場合	①ソケット前壁が高すぎるかまたは輪郭が不適当である ②ソケット後壁が厚すぎる

(a) 適合良好例
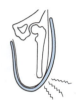(b) 骨軸および骨端部の適合不良，骨端部に疼痛
(c) 大転子部の適合不良，大転子部に疼痛
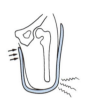(d) アライメント不良（足部内側位）による骨端部疼痛

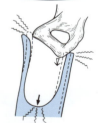
坐骨結節が前下に落ち込み，坐骨部と断端末に疼痛を訴える

図5-95 ソケット前後径が長すぎる場合

(e) ソケット下部での前後壁が広すぎるため骨端部前後に移動し，ソケット外壁との摩擦による疼痛

図5-96 ソケット外壁の適合不良

(a) 後壁が外側に低くなっていると坐骨結節部の負荷性が増加する

(b) 正常で水平である

(c) 後壁が外側に高くなっていると大殿筋部の負荷性が増加する

図5-97 後壁の傾斜角度

4 坐骨収納型ソケット（IRCソケット）

―1▶四辺形ソケットから坐骨収納型ソケットへ

　前項で解説した上記の四辺形ソケットは，1950年代初頭にカリフォルニア大学バークレー校で開発され，大腿義足の適合技術の基礎がここで確立された．特に，ソケットデザインの基本的な概念の提示がなされ，ソケットやアライメントの力学的原理が体系化されたことは大きな成果である．しかし，その後10年に及ぶ試行錯誤を経て，1960年代後半頃からこの四辺形ソケットの適合利点に関して疑問が提議されるようになった．そのきっかけとなったのが，次に述べるIvan Longの研究報告（1977年）である．

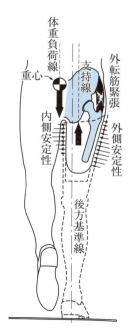

図5-98 立脚相中期における断端に加わる内外側の力
断端大腿骨の外側からの支持が適切であれば，股外転筋（中・小殿筋）が骨盤の外側への安定性に働く（Radcliff CW：Artificial Limbs 1955. 2：35-60）

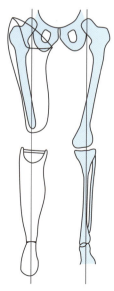

図5-99 Longの基準線
(International Workshop on above-knee Fitting and alignment Techniques C. Michaelより引用)

─2 ▶ Normal Shape-Normal Alignment（N.S.N.A.：Ivan Long）

　大腿切断者の義足歩行は，図5-98にあるように，断端の大腿骨が内転位に保持されるように，大腿骨の外側からの支持が適切であれば，外転筋が緊張した形で骨盤の外側へ安定性に働き，代償的に体幹を切断側に傾斜して歩行する必要がなく正常に近い歩行が可能である．

　ところが，Ivan Longは，実際に大腿切断者の義足歩行者の大半が外転位で歩行しており，切断側への体幹の傾斜が認められることに注目した．そこで，義足を装着して立位をとった状態で大腿切断者のX線写真を撮り，ソケット内での大腿骨の角度を調査した．その結果，100例中91例においてソケット内での大腿骨の外転を認めた．ソケットの中で大腿骨が外転位になると，切断肢の立脚相での支持が不十分となる．その結果，外転筋が短くなり相対的に大腿骨が外転し，骨盤が内側にスライドする．そこで，p416図5-158，p419図5-160のように，大腿切断者は体幹を側屈させることにより，大腿骨外側遠位端と内転筋組織への圧迫による不快感を和らげ，中殿筋の負担を減らすことにより骨盤の高い安定性を確保せざるを得なくなる．このように，大腿骨外転位が体幹の側屈や外転歩行などの異常歩行の原因となる．そこで，Ivan Longは，大腿切断者での大腿骨が健常者のように内転位をとることの重要性を述べ（1981年），図5-99に示すような基準線を"Normal Shape-Normal Alignment"（Longの基準線）と名づけた．さらに，外転位の原因は，四辺形ソケットの内外（ML）径が大きすぎ，前後（AP）径が小さすぎることであると指摘した．これを契機に，従来の四辺形ソケットの適合に疑問をもっていた人々により次のようなソケットの研究開発が行われた．

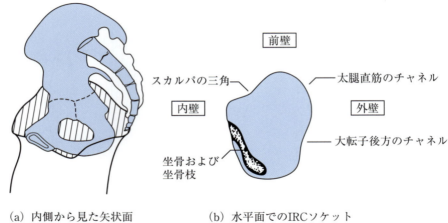

(a) 内側から見た矢状面 　　(b) 水平面でのIRCソケット
　　でのIRCソケット

図5-100　IRCソケットにおける骨ロックと回旋方向での安定性を示す（Prithan CH：Biomechanics and shape of the Aboue-Knee socket considered in light of the ischial containment concept. *Proschet Orthot Int.* 14, 9-21.）

─3▶CAT-CAM

　まず，John Sabolichは，900を超える数の非四辺形型のソケットを製作し，CAT-CAM（Contoured Adducted Trochanteric-Controlled Alignment Method）ソケットを考案した．これは，大転子の上・下部で大腿骨を支え，大腿骨の内転角を正常近くのアライメントに保つソケットである．また，四辺形ソケットでは，坐骨結節はソケット後壁の上に座るが，軟部組織に囲まれて自由に動くことができ，きわめて不安定である．中殿筋が収縮すると大腿骨が外転位をとり，坐骨結節は内側に移動し，股関節の外転が増加する．また，歩行周期の接踵期で断端に最大の惰力がかかるときに，股屈曲をとっているために坐骨支持ができていない欠点がある．

　これに対して，CAT-CAMの適合理論は，「骨性ロック（bony lock）」により大腿骨を内転位に保持することにある．①坐骨結節と坐骨枝の一部をソケット内に収納する（図5-100），②ソケットの外壁を大腿骨の外側にしっかり沿わせ，特に転子下の遠位部に内転する力を働かせることにより大腿骨を内転位に保つ，③大転子をしっかり固定することによる効果（ロッキング効果：locking effect）と，ソケット外壁の上端を大転子上部の軟部組織にしっかり沿わせること（腸骨大腿骨間角度：ilio-femoral angle, Staats），さらに，④ML径の狭いことにより，ソケットからの圧が骨に直接加わることになり，軟部組織を通じての動きのロスが減少する．また，接踵期に坐骨結節がソケット内にあるために，坐骨結節が後壁に対して堅実な力を発揮でき，膝継手のコントロールがしやすい利点がある．

　四辺形ソケットとCAT-CAMソケットとの適合比較を図5-101に示した．また，坐骨結節高位でのソケットパターンの差を示したのが，図5-102である．

　このCAT-CAMソケットが，米国の教育プログラムに取り入れられ，そのソケットの重要な計測基準として，次の項目があげられている．

　① 骨の内外径（骨ML径：図5-103（a），図5-104）
　② 軟部組織間の内外径（軟部組織ML径：図5-103（a），図5-104）

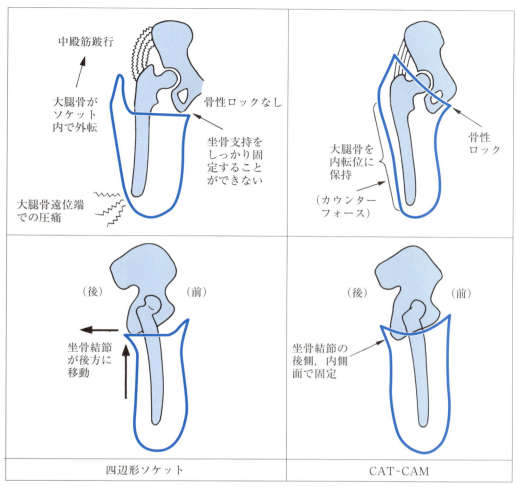

図5-101 四辺形ソケットとCAT-CAMとの適合比較（Sabolich[213]）

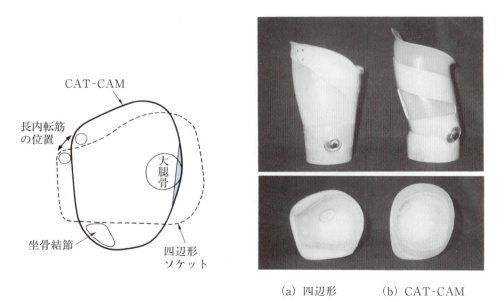

図5-102 四辺形ソケットとCAT-CAMの比較（坐骨結節高位における）と同一大腿切断者におけるソケットパターン

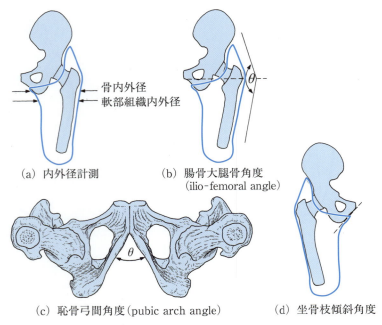

(a) 内外径計測　　(b) 腸骨大腿骨角度
　　　　　　　　　　(ilio-femoral angle)

(c) 恥骨弓間角度（pubic arch angle）　　(d) 坐骨枝傾斜角度

図5-103　UCLA CAT-CAM ソケットのための計測基準項目
（C. Michael Schuch, C. P. O）

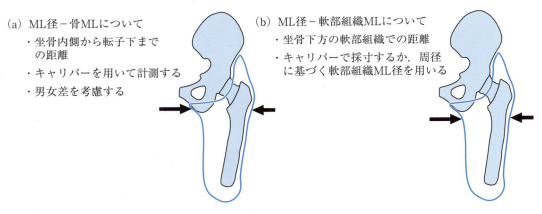

図5-104　IRCソケットにおける骨MLと軟部組織ML（Michael Dillon：IRCソケットデザイン教育コース（神戸2005）より）

　坐骨と坐骨枝を，ソケットの内後方部にしっかりと収納するには，坐骨の内側と大転子の下外側間の距離（骨ML）と，その下での軟部組織の内外（軟部組織ML）径の正確な計測が必要となる．図5-104に骨MLと軟部組織MLの計測部位と計測方法を示した．
　③　腸骨大腿骨間の角度（図5-103（b））
　④　恥骨弓間の角度（図5-103（c））
　⑤　坐骨枝の傾斜角度（図5-103（d））
　四辺形ソケットの，近位部での形が，筋肉など軟部組織の状態に関連するのに対して，IRCソケットは，骨盤の解剖的な構造，特に恥骨弓間角度（図5-106）により影響され，坐骨と大転子の位置関係に差が出てくる．特に出産が予期される女性の場合，骨盤の開角度が大きく，そのた

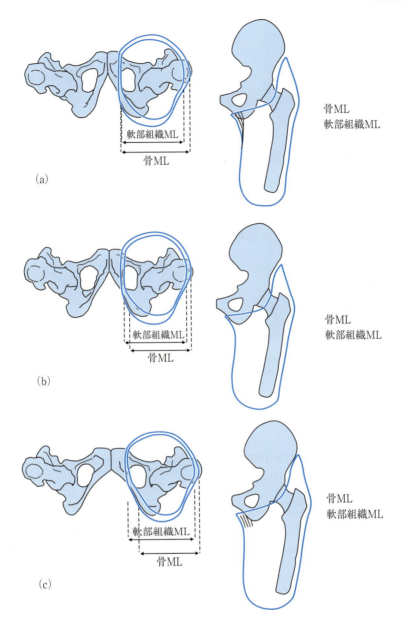

図5-105 IRCソケットの近位部でのデザイン
骨盤の構造とその直下の軟部組織の径により異なってくる．特に，坐骨レベルでの骨ML径は個人差・性差がある(Hoyt C.: UCLA Prosthetics Education and Research Program 1987. p.15)

め図5-105に示したように，坐骨結節の位置は外側に，そして大転子により近くなる．この坐骨と大転子の位置関係は，当然，骨盤の開角度による坐骨と大転子の位置のいかんにより図5-105のように変わってくる．さらに，大腿骨頸部の前捻角と頸体角により変わってくる．

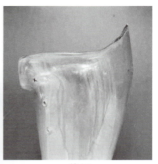

図5-106　坐骨収納型ソケット（Michael P. Dillon）

―4▶Ishial-Ramal-Containment Socket（IRCソケット：坐骨収納型ソケット）を統一名称に決定

　このCAT-CAMソケットを基に，その後Narrow M-L Socket（Tim Staats 1986），Anatomical Design Brim（James Breaky, Dale Berry 1987），Direct Mold Ishial Containment Socket（Shamp 1987），Marlo Anatomical Socket（M.A.S®：Marlo Ortiz, Vazquez del Mercado）など，多くのデザインや形状をもつIRCソケットが開発された．そこで，名称の統一の必要性が生じ，1987年にAAPOとISPO米国支部との主催の下に協議され，その結果，"Ishial-Ramal-Containment Socket（IRCソケット：坐骨収納型ソケット）"を統一名称と決定した．

　この坐骨収納型ソケットの形は，上記のように共通理念をもちながらも，それぞれの研究者がさまざまな採型手技や陽性モデルの修正手技に取り組み，その結果として，微妙なバリエーションの差をもつソケットの形状が報告されている．そこで，近年，オーストラリアの義肢教育の中で用いられている，La Trobe大学・国立義肢装具センターのDr. Michael P. Dillon氏から提供いただいた教育資料（第22回日本義肢装具学会学術大会（熊本）での招待講演，神戸医療福祉専門学校三田校での講演（内田充彦氏訳）を基に，坐骨収納型ソケットの形状を紹介する（図5-106）．

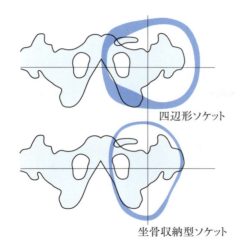

図5-107　四辺形ソケットと坐骨収納型ソケットの差

─5▶坐骨収納型ソケットの機能と形状

　まず，坐骨収納型ソケットと四辺形ソケットとの差を図5-107に示す．ML径が狭く，AP径が大きいのが特徴である．前壁については基本的に変わらないが，内壁および後壁の形状と高さが違い，大転子領域における快適性，大転子より上方の外壁の高さなどが異なる．

　坐骨収納型のソケットの機能と形状を，内壁，前壁，外壁，後壁について述べる．

〔高さ〕
・坐骨結節レベル

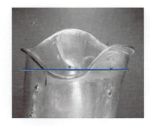

〔高さ〕
・前壁（四辺形ソケットに準じる）に対応させて内側壁の高さを決める

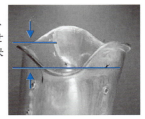

・『V』形状の最深部は坐骨結節レベルから6mm下方とする

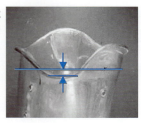

・収納部の深さは坐骨結節レベルに対して約4cmとする

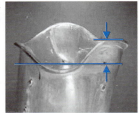

〔輪郭〕
・ソケット内に恥骨下枝が落ち込まないために坐骨の棚をデザインする

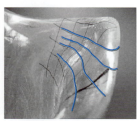

〔負担の軽減〕
・前内側のコーナーで長内転筋を逃がす

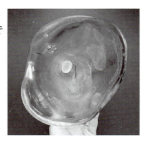

・棚は，坐骨の下方を削り込んで作る

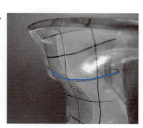

・ソケットAP径の中央で恥骨下枝を逃がす

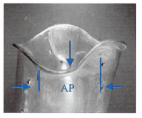

図5-108　ソケット内壁の形状

（1）内壁の機能と形状

〔機能〕
① 坐骨と坐骨枝を収納する．恥骨下枝への負担を軽減する．
② 同時に，内部の組織を収納し内転筋ロールの発生を防ぐ．
③ 前額面での安定性にかかわる．
④ 長内転筋の負担を軽減し，ハムストリングを快適に収納する．

〔形状〕
図5-108に示した．

〔高さ〕
・内側1/3の位置での高さは坐骨結節レベルより約40mm上方とする

・外側1/3の位置での高さは坐骨結節レベルより約50〜60mm上方とする

・恥骨結合を圧迫しない大きく広がる曲面にする

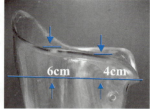
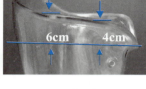

〔スカルパ三角（大腿三角）〕
・最深部を坐骨結節レベルの直上に位置させる

・最深部は四辺形ソケットの場合ほど"深く"しない

・スカルパ三角の境界が解剖学的構造と一致している

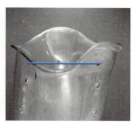
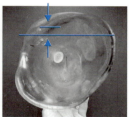

〔外側2/3の位置〕
・より体の形状に沿った大腿直筋チャンネル
・コンプレッション値を合わせるため，周径を調節するのに用いられる部分の一つである

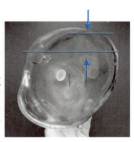

〔前壁から後壁が見える〕
・坐骨の収納部位の一部がはっきり確認できる

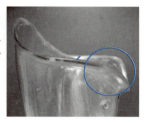

図5-109　ソケット前壁の形状

(2) 前壁の機能と形状

〔機能〕
① 坐骨を収納部の適切な位置に保持する．
② 座位の快適性を提供する．恥骨と上前腸骨棘の負担を軽減する．

〔形状〕図5-109に示した．

〔高さ〕
・通常，ソケット中心線上で大転子の頂点より3インチ(7.6cm)上に位置させる
・通常，ソケット中心線に対して対称とする
・前・後両壁に滑らかにつなげる

〔輪郭〕
・大転子の後方に大殿筋ポケットがある
・下方に向かうにつれて，後壁と外側壁とをつなげてゆく

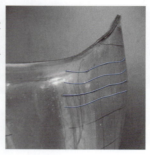

〔輪郭〕
・一般的に，大転子から骨端の直上まで平坦である
・骨端の直上は凹形状となる
・腸骨-大腿骨角度を保持するため，大転子より上部も平坦になっている
・外側壁の頂点は，通常，骨端の上方に位置する

図5-110　ソケット外壁の形状

(3) 外壁の機能と形状

〔機能〕
① 内側壁とともに側方安定性を高める．
② 大腿骨を内転位に保持する．
③ 大腿遠位端への負担を軽減する．

〔形状〕

図5-110に示した．

〔輪郭〕
・適切な内転位において，後壁上縁は床面と平行となる
・外観を良くするため，坐骨の外側部を削り落とすことも可能

〔輪郭〕
・後外側のコーナーが大殿筋を収める形状になっている
・後壁と外側壁を外側1/3の位置から滑らかにつなげてゆく

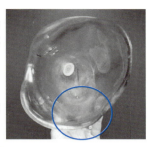

〔輪郭〕
・坐骨の下方は，後壁から内側壁に向かう比較的平坦な形状にする
・坐骨より下方では，ハムストリングスを圧迫するような極端な削り込みをしない

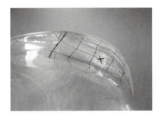
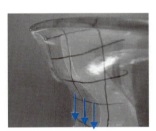

図5-111　ソケット後壁の形状

(4) 後壁の機能と形状

〔機能〕
① 坐骨の後方へのスライドを防ぐ．
② 縁部での内転・外転角を保持する．
③ 座位の快適性を提供する．
④ 殿部の外観を損なわない．

〔形状〕
図5-111に示した．

─6▶ 坐骨収納型ソケットの利点と欠点（四辺形ソケットと比較して）

〔利点〕
① 優れた制御と高い安定性．
② 大腿内転角の改善と体幹の側屈の減少．
③ 骨端およびソケット縁部での快適性と外観の向上．
④ エネルギー消費の減少．
⑤ 両側大腿切断者への適応．

〔欠点〕
① 製作に多くの時間を必要とする．
② 多くの材料（チェックソケット，フレキシブルブリム，ソケットなど）を必要とし，その結果価格が高くなる．
③ 装着状態が変化すると，良好な適合が困難となる．
④ 一貫した品質を得るためには，多くの経験と優れた適合技術を必要とする．

─7▶ 坐骨収納型ソケットの製作

(1) 坐骨収納型ソケットの製作に必要な身体評価

坐骨収納型ソケットについては，その後M.A.S（図5-142）など，いろいろな適合方法が報告されている．しかし，あくまで，Hoytの適合理念の理解から出発することが大切である．

まず，坐骨収納型ソケットの適合の特徴をよく理解しておくことが必要である．通常の大腿義足ソケットと異なる適合理念の要点は次のとおりである．

① まず，切断者にこの坐骨収納型ソケットをなぜ適合させるのか，ソケットの中にどの筋肉や骨格を収納するのかをよく説明する．できればソケットのモデルを使って話をすると理解が得やすい．

② 断端股関節の屈曲拘縮度を測定する．もし屈曲拘縮がなければ，ソケットの屈曲角度を0～3°に設定．もし屈曲拘縮があれば，股関節の屈曲拘縮角度に3～5°プラスした角度にソケットの屈曲角度を設定する．同時に股関節伸展筋の筋力を測定する．

③ 同様に，断端股関節の内転範囲と筋力を測定する．男性の場合の平均内転角度は9～11°で，女性の場合は11～13°である．もし，拘縮があればできるだけ正常の内転位を取らせた角度を記録する．

④ 断端肢の組織の硬さ（consistency）を評価する（p379の断端筋力の発達程度の評価と同じ）．

⑤ 前後径を決定する．切断者に固くて平坦ないすで座位をとってもらい，できるだけ断端の近位部で，いすの表面から長内転筋腱の前面までの長さを測定する（図5-112）．この前後径は個人により異なるが，成人では70～100mm程度である．

⑥ 腸骨大腿骨角（iliofemoral angle）を決定する．もし，断端側の股関節に外転拘縮がなければ，健側立位で足部に荷重した位置で，健常側の腸骨大腿骨角（角度計の中心を大転子に置く）を測定し，その角度を断端肢の腸骨大腿骨角度に用いる．もし，断端側の股関節の内転角度が制限されているときには，断端肢の腸骨大腿骨角度を測定する．通常，男性の場合は28～35°，女性では35～42°である（Hoyt 1987）（図5-113）．

⑦ 骨内外（ML）径（skeletal ML dimension）の測定．骨ML径は，坐骨の内側と大転子下の大

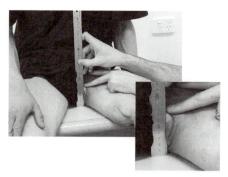

図 5-112
できるだけ断端の近位部で，いすの表面から長内転筋腱の前面までの長さを測定する

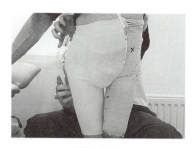

図 5-113
断端側の股関節の内転角度が制限されているときには，断端肢の腸骨大腿骨角度を測定する

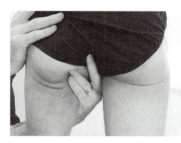

図 5-114
薬指の先端を坐骨結節の上部に置き，示指，中指を坐骨枝の内側に置く

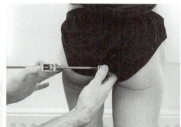

図 5-115
キャリパーの外側アームを大転子の下部に持ってきて外側から押さえ，骨組織がしっかりと把握されたことを確認し計測する

図 5-116
骨ML径の測定は，測り方によって数mmの範囲で誤差が生じるため，少なくとも数回の計測が必要になる

腿骨軸との間の前額面における距離である．最初に，坐骨結節と坐骨の下部に指を置き，そこから坐骨の内側に触れ，中間矢状面に対して坐骨が内側にどれくらい傾斜しているかを確かめる．図 5-114 にあるように，薬指の先端を坐骨結節の上部に置き，示指，中指を坐骨枝の内側に置く．そこで骨MLキャリパーの内側アームを坐骨内側に置くことが可能となる．そして，図 5-115 にあるように，キャリパーの外側アームを大転子の下部に持ってきて外側から押さえ，骨組織がしっかりと把握されたことを確認し計測する．キャリパーの位置は水平で，内外側のアームは平行かつ進行方向に沿っていることが大切である．実際にはこの骨ML径は，測り方によって数mmの範囲で誤差がでるため，少なくとも数回の計測が必要である（図 5-116）．

⑧ 断端の適切な解剖学的なランドマークとして，長内転筋腱，大転子，大腿骨軸および大腿骨末端にマークをつける．なお神経腫など圧痛のある点もマークする．

⑨ 断端長および周径の大きいところを計測する．APの長さを測るゲージを恥骨枝のところに強く押し当て，図 5-117 に示したようにゲージを垂直方向に置いて，断端末の軟部組織の長さ，そして大腿骨端までの長さを計測する．坐骨結節からの断端長の計測は，股関節の拘縮いかんにより異なるために用いない．ゲージを恥骨枝に当てたまま断端肢の内側で25〜50mm下がったところに周径計測のためのマークをつける．

⑩ ソケットの良好な適合を行うために断端の輪郭や特徴をよく把握しておく．具体的には，

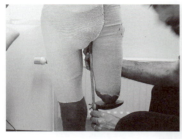
図5-117
ゲージを垂直方向に置いて，断端末の軟部組織の長さと大腿骨端までの長さを計測する

図5-118
ギプスシーネを会陰部中間部の前後に当てる

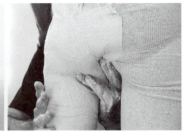
図5-119
薬指と小指を坐骨結節の下に置く

　前額面では，大転子の突出，大転子から大腿骨端までの輪郭，断端内側における平坦性やくぼみ等をチェックする．そして矢状面では，断端の前面，後面の軟部組織など輪郭をチェックする．
　⑪ ギプス採型の前に，もう一度坐骨枝の位置を指で確認しておくことが大切である．特に，2人で採型するときには役割分担を決めておく．

(2) 採　型

　① まず，15cm幅3層のギプスシーネを冷水（温水であれば早く固まりすぎる）に浸け，完全に水が通った段階で，ギプスシーネを会陰部中間部の前後に当てる（図5-118）．このギプスシーネは坐骨全体（特に坐骨内側を押さえるためのもので）を覆うことが大切である．このときに，ギプスシーネを坐骨内側方向に引っ張らないこと．ギプスシーネは柔らかくて，固まる前に坐骨内側部の確認ができることが大切である．固まりかけたらパートナーが断端の遠位部までギプスを巻く．
　② ギプスが固まる前に，坐骨枝と坐骨内側部を示指と中指で押さえる．そして，薬指と小指を坐骨結節の下に置く（薬指の側面に坐骨結節が座るように）（図5-119）．
　③ 手で坐骨を押さえながら，断端をゴールとする内転位，外転位に置き，ハムストリングの緊張度などをチェックする．
　④ 反対側の手でギプスの外壁つまり大腿骨に沿って押さえる．坐骨のカウンターフォースとして骨ML径の確保を意識したものである（図5-120）．
　⑤ 進行方向をマークする．ギプスキャストを断端から取り外す前に，キャストの遠位端で進行方向を確認する（図5-121）．このプロセスは将来のキャストの正確な回旋位を確保するために，きわめて大切である．

(3) 断端から取り外したギプスキャストの評価

　① キャストの長さの評価：p397⑨）で測定した断端長とキャストの長さ（恥骨枝が位置する内壁の最も低い点からキャストの遠位端まで）をチェックする．もし長さに差があれば，ただちに再採型することが大切である．
　② キャストの前後AP径と恥骨枝の位置：長内転筋腱から坐骨結節（採型時には薬指の上に乗っていた）までの長さを測定評価する（図5-122）．図5-123は，図5-122の内側のキャストを拡大したものである．この図のAP径を2等分（この図では定規の37mm）したところが内壁の低くなっている部分に相当し，坐骨および坐骨枝が前方に滑り落ちて（drop away）収納されている場所である．点状の円のところが恥骨枝の出ているところである．

図5-120
反対側の手でギプスの外壁，つまり大腿骨に沿って押さえる

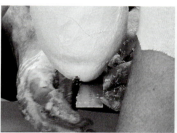
図5-121
ギプスキャストを断端から取り外す前に，キャストの遠位端で進行方向を確認する

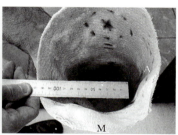
図5-122
長内転筋腱から坐骨結節までの長さを測定評価する

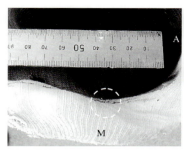
図5-123
図5-122の内側のキャストを拡大したもの

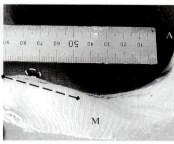
図5-124
定規の75mm，白い点線の楕円形で示したところが坐骨結節の場所である

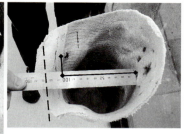
図5-125
キャストの末端部にマークした進行方向をキャスト内側の点線に生かす

③ 坐骨および坐骨枝の収納場所の評価：図5-124に，定規の75mmのところに白い点線で楕円形を示しているが，ここが，坐骨および坐骨枝を収納しているところの中間から後側部に相当しており，坐骨結節の場所である．

④ 骨ML径の評価：キャストの末端部にマークした進行方向をキャスト内側の点線に生かす（図5-125）．この進行方向に直角方向で大転子から収納場所・坐骨結節との間の径を測定する．

⑤ 陽性モデルの製作にあたり，キャストのゴールとなる内転角および屈曲角（垂直線に対して）を明確にしておく（図5-126）．

(4) 陽性モデルの修正

① 陽性モデルの遠位端にソケットの進行方向のマークをつける（図5-127）．

② この進行方向ラインをガイドとして，まずキャストのすべての縁にはみでたギプスを取り除く．

③ そして，陽性モデルの4面に，前壁，内壁，後壁，外壁が分かりやすいようにマークをつける（図ではA，M，P，Lとマークされている）．同時に，坐骨結節，大転子，大腿骨端，長内転筋腱などの部位を改めてマークづけする．

④ 断端の記録（長さ，周径，前後径，骨ML径，屈曲・内転角度，腸骨大腿骨角度などを陽性モデルのワークシートに記載する．

⑤ 修正での重要点として，以下をあげることができる．

a．キャストの腸骨大腿骨角は断端と同じ角度とする．

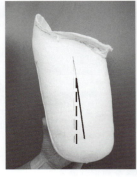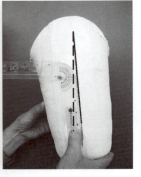

図5-126
キャストのゴールとなる内転角および屈曲角を明確にしておく

図5-127
遠位端に進行方向のマークをつける

図5-128
目的とする骨ML径を得るために，大腿骨軸に沿って削り修正を行う

図5-129
大腿骨の外側遠位端での荷重を避けるために遠位端を浮かす形となる

図5-130
腸骨大腿骨角度を確保するために，大転子より上部のギプスを削り修正する

　b．キャストの骨MLは，断端の骨MLより数mm広くする．軟部組織の快適性を獲得するためである．
　c．最終屈曲角度は断端の股関節拘縮角度プラス3〜5°とする．
　d．坐骨収納型吸着ソケットの適合には，断端の周径よりソケットの周径を少し小さくする必要がある．断端の長さ，軟部組織の硬さにより，坐骨結節下の25mmごとのレベルでの周径差をp371表5-7に示している．
　⑥ 内壁の修正：通常，内壁の修正はほとんど行わない．わずかの凸凹の修正にとどめる．内側ブリムと坐骨収納部の修正については⑪で述べる．
　⑦ 外壁の修正：外壁の修正は以下のとおりである．
　a．大転子下で，目的とする骨ML径を得るために，大腿骨軸に沿って削り修正を行う（図5-128）．
　b．患肢立脚相において，股関節外転筋の収縮により大腿骨の外側遠位端での荷重を避けるために遠位端を浮かす形となる（図5-129）．
　c．腸骨大腿骨角度を確保するために，大転子より上部のギプスを削り修正する（図5-130）．しかしその前に，腸骨，殿筋部の解剖学的な輪郭をチェックしておくことが必要である．通常，外壁の後方部（財布を入れるポケットに相当）はへこみ気味であり，これに対して外壁の前方部は，股関節の屈曲筋，外転筋の輪郭により丸みを帯びているのが普通である．

  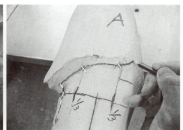

図5-131
坐骨レベルで前壁にかけて長内転筋腱から約1cmのところにマークをつける

図5-132
最下部と最上部のポイントをつなぐ線が三角の外側の線となる．これは縫工筋の走行に近い

図5-133
前壁の形は，長内転筋（点線）から中1/3で坐骨レベルから4cmの高さの点（X印）と，外側1/3で坐骨レベルから5cmの高さの点（X印）とをつなぐゆるやかなカーブをとるようになる

⑧ <u>前壁の修正</u>：通常断端の中間線に沿って比較的平坦とする．断端の輪郭と周径を意識して大腿直筋チャネルからどれくらいギプスを切除するかを決める．

⑨ <u>スカルパの三角部（femoral triangle）の修正</u>

　a．坐骨レベルで前壁にかけて長内転筋腱から約1cmのところにマークをつける（図5-131）．この三角部に体重をかけすぎると，結果として長内転筋腱の圧迫がかかる可能性が高くなるので注意が必要である．

　b．ML径を3等分し，内側1/3のところから下に垂線を引き，約10cmのところが三角の最下部となる（身長の低い人は修正が必要）．

　c．外側1/3のところで，坐骨レベルより5cmのところが三角の最上部となる．義足を装着して座位をとったとき，上前腸骨棘が当たらないようにする．

　d．この最下部と最上部のポイントをつなぐ線が三角の外側の線となる．これは縫工筋の走行に近い（図5-132）．

　e．内側1/3で，坐骨レベルから4cmのところにマークをつける．

　f．これらのポイントが前壁の輪郭を作るのに重要である．つまり図5-133にあるように，前壁の形は，長内転筋（点線で示した）から中1/3で坐骨レベルから4cmの高さの点（X印）と，外側1/3で5cmの高さの点（X印）とをつなぐゆるやかなカーブをとるようになる．と同時に，四辺形ソケットと同様に，骨盤や腹筋を支えるための前方へのカーブをとる．

　g．坐骨レベルより5mm上部で，長内転筋腱と前壁中1/3との中間（図5-134の点線の円）が三角の最も深い場所となる．

⑩ <u>後壁の修正</u>

　a．後壁のトリムラインを決定するためには，まず坐骨を収納する内壁の高さを決定しておくことが必要である．この収納する深さは，平均的な成人では坐骨の上4cmに相当する．この部位を図5-135のようにマークして，そこから後壁に向かって水平方向に線を引く．この線は，断端が内転位をとった状態で水平でなければならない．

　b．前壁と同じように，後壁も一般的には図5-136のように断端中心線に平行とする．

　c．後壁と外壁とのコーナーの修正は，まず大転子の先端より約3インチ（7.6cm）のところに印をつけ，ここから図5-137のように後壁のトリムラインに円滑につなぐ．

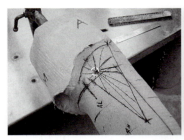
図5-134
坐骨レベルより5mm上部で，長内転筋腱と前壁中1/3との中間（点線の円）が三角の最も深い場所となる

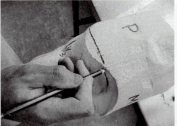
図5-135
坐骨を収納する内壁の深さは，平均的な成人で坐骨の上4cmに相当する．この部位をマークし，そこから後壁に向かって水平方向に線を引く

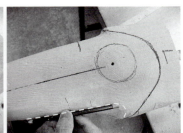
図5-136
後壁も一般的には断端中心線に平行とする

図5-137
後壁と外壁とのコーナーの修正は，まず，大転子の先端より約3インチ（7.6cm）のところに印をつけ，そこから後壁のトリムラインに円滑につなぐ

図5-138
恥骨枝は，長内転筋腱と坐骨結節を結ぶAP径の中間で，坐骨レベルに対してわずか下に位置する

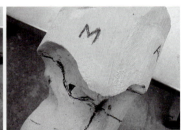
図5-139
前壁から坐骨結節の少し下までを結ぶトリムラインを描く

　d．坐骨レベル以下では，輪郭は比較的円形に近くなる．しかし，勿論断端の殿筋の輪郭に沿って修正が必要である．
　⑪　内側ブリムと坐骨収納部位の修正
　a．恥骨枝は，図5-138のあるように，長内転筋腱と坐骨結節を結ぶAP径の中間で坐骨レベルに対してわずか下に位置する．
　b．長内転筋腱と恥骨枝のランドマークを用いて，図5-139にあるように前壁から坐骨結節の少し下までを結ぶトリムラインを描く．このトリムラインは恥骨枝後方から鋭角線上にあげ，坐骨枝の大部分をソケット内に収納するようにする．
　⑫　坐骨の形状評価
　a．坐骨は，その形状，輪郭，角度などに個人差があることをまず留意するべきである．
　b．採型時にあまり強く坐骨の下を押さえると，陽性モデルの坐骨下部に大きなくぼみを作り，結果的には坐骨に過剰な荷重がかかる可能性がある．
　c．図5-140に，坐骨枝の角度と矢状面での進行方向のなす角度を示したが，この角度は修正してはならない．通常，男性では35°以下，女性では40°以上とされている．坐骨より下の荷重がかるところは，進行方向と45〜60°の角度をなす（Staats, 2002）．

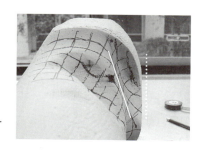

図 5-140
坐骨枝の角度と矢状面での進行方向のなす角度.
男性では35°以下，女性では40°以上

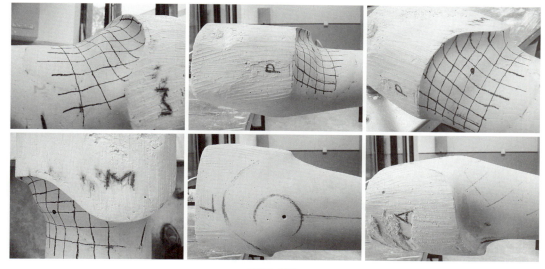

図 5-141
陽性モデルの修正を終了した坐骨収納型キャスト

　d．坐骨での荷重を増加するかどうかについては，新しい切断者かどうか，浮腫が著明かどうか，重労働者で多くの荷重を必要とするかどうか，など関係する多くの因子を考慮する必要がある．坐骨支持を増すことが，断端末梢部や恥骨枝への荷重を避けることにつながる．

　⑬　ソケットの周径の調整：p371 **表5-7** で述べたような緊張度の設定にしたがって25mm間隔で周径を調整する．

　⑭　最後に陽性モデルの修正を終了した坐骨収納型キャストを **図5-141** に示した．

─8 ▶ M.A.S.® (Marlo Anatomical Socket)

　最近広く使われるようになったIRCソケットの中で，特に前壁・後壁のトリムラインを低くしたM.A.S.®(Marlo Anatomical Socket)を紹介する．まず，Marlo Ortiz氏自身による採型時の指が坐骨枝結節に置かれていることに注目したい(**図5-142(a)**)．**同(b)** にソケット内壁と坐骨枝との位置関係を示した．**同(c)** は，坐骨収納と坐骨枝収納との差を示したものである．坐骨枝収納型ソケットの生命は，①採型前の断端の状態の把握(特に，骨ML，軟部組織ML)，②骨MLと坐骨枝収納を強く意識した細心の採型術(**同(d)** に採型後のソケットを示す)，③採型前の断端計測値に合致した陽性モデルの修正(**同(e)** に，大腿骨を内転位に保つための腸骨大腿骨角度を確保するための陽性モデルの修正を示す)，④チェックソケットの作製による適合調整，などにある．

(a) 採型時の指の位置（Marlo Ortiz氏）

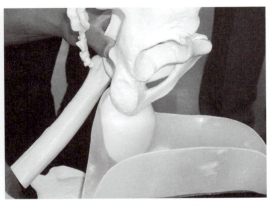
(b) ソケット内壁と坐骨枝の位置

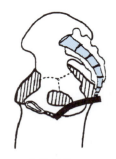
(c) 坐骨収納と坐骨枝収納

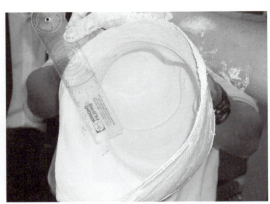
(d) 採型後，上から見たソケット

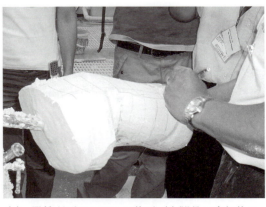
(e) 陽性ギプスモデルの修正（大腿骨の内転位の確保）

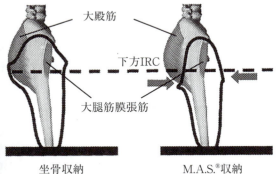
(f) IRC収納では，従来よりも低いAPのトリミングラインが可能

図5-142 M.A.S.®ソケット（アドバンス大腿切断プログラム（M.A.S.®）Ana'sレッグ2005年9月（川村義肢(株)）．より）

M.A.S.®の特徴として次の3点をあげることができる．

① まず，前壁を四辺形の形状に変化させ，後壁を，坐骨結節後縁の近くまで修正を加えるなど変化させていった．

② そして，解剖学的前後（AP）・内外（ML）長を考慮するとともに，恥骨の内側部分と同様

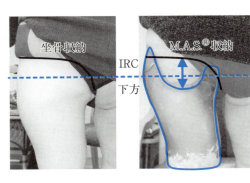
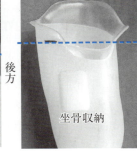
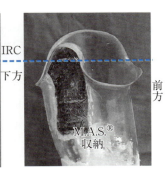

　(g) 後方から見た図．大殿筋を収納しない　　　(h) 坐骨収納とM.A.S.®収納のトリミングの差

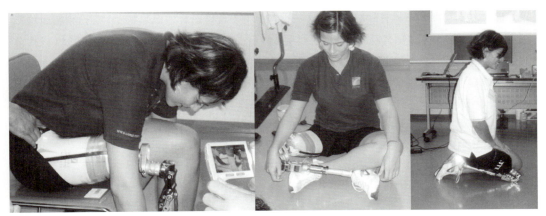

　　　前屈　　　　　　　　　　あぐら　　　　　　　　　　正座
　(i) 前後のトリムラインを低くしたことによる快適な座位の確保（Ana）

図5-142 つづき

に，恥骨枝の一部分と坐骨結節，坐骨枝を収納するための角度を考慮することが重要である．

　③ もう一つの特徴は，従来と異なるトリミングラインの設定である．従来型が大殿筋を包み込むトリミングラインであるのに対して，後壁の高さを大殿筋のくぼみ（gluteal fold）付近まで下げ，大殿筋がソケットから出る形をとっている．これにより外観上の問題が克服できるようになった．大殿筋がソケットから出るため，大殿筋をサポートする機能はないが，坐骨結節と坐骨枝の一部を制限することなく簡単にソケット内に収納することが可能となった．後壁のトリミングだけでなく，前壁と内壁においても坐骨レベルより低く設定されているが，トリミングの高さは各切断者の骨格構造を考慮に入れ決定する．

　M.A.S.®ソケットデザインの利点として，大殿筋による快適な座位，胡座や股関節屈曲など最大可動域の確保（同(i)），患者にとって重要な外観の確保などがあげられる．

　大腿切断者にとって，理想的な適合を得るには，チェックソケットによる骨ML-AP長の細かいチェックを含めて数多くの修正が必要であり，見よう見まねでソケットを作製しても評価の対象にすらなりえないこともあることを明記すべきである．このIRCソケットは，臨床的には，スポーツなど活動性が高い切断者，外観上の利点から女性切断者，そして両大腿切断者に適応されるとされているが，今後，ライナーの開発によりさらに適応が広がるものと思われる．

5 Flexible Sub-Ischial Vacuum Socket

　前述した大腿ソケットは，1950年代の四辺形ソケット，1980年代の坐骨収納型IRCソケットは，図5-98（p385）のRadcliffの立脚相中期での体重支持にあるように，骨盤で体重を支持することを基本としてきた．しかし，ソケットの上縁のトリムラインが高いために，義足装着時に股関節の可動域の制限が大きく，切断者にとって不快感の原因となっていた．その解決のため，前項のMarlo Anatomical Socket（M.A.S.®）のように坐骨収納型ソケットによる吸着懸垂機能を損なうことなく，前後のトリムラインを低くして関節可動域を少しでも改善しようとした試みがなされた．しかし，ソケットと骨盤との接触による股関節の可動域の制限，座位での不快感は大きな問題として残されてきた．

　この間に，シリコンライナーなどインナーソケットの技術が著しく進歩し，TBS下腿義足におけるハイドロスタティックの適合技術が注目されるようになった．これらの適合理念・技術を大腿切断者に適応することによって，骨盤ではなく坐骨から下部で，大腿切断端の大腿骨とこれを覆う筋肉など軟部組織により体重を支えることができないだろうかという画期的な研究が10数年前から米国のノースウエスタン大学で行われてきた．そして，大腿骨とこれを覆う筋肉軟部組織だけでは安定して体重を支えられるはずがない，大腿義足の支持は骨盤でなくてはならないとの既成概念を根底から覆す画期的な大腿義足が誕生した．これが，米国ノースウエスタン大学（Prof. Stefania Fatone, Ryan Caldwell）で開発された，NU-FlexSIVソケット（ノースウエスタン大学式フレキシブル坐骨下吸引ソケット；Northwestern University Flexible Sub-Ischial Vacuum Socket）である．

　すでに過去12年間に150人の大腿切断者に適合され，ユーザーから素晴らしい評価を得ている．今回，この義足の画期的な適合理念に注目された佐々木伸氏〔ISPO（国際義肢装具協会）日本支部会長〕が，日本への導入を試み，ノースウエスタン大学Feinberg校リハビリテーション学部で長年この研究に携わってこられたStefania Fatone教授と，この義足の適合研究開発普及に10数年来かかわってこられた義肢装具士Ryan Caldwell氏をお招きし，NU-FlexSIVソケットのセミナーを2017年8月に神戸医療福祉専門学校三田校で開催した（図5-143）．筆者もこの画期的な適合理論に興味を抱き，セミナーに参加させていただき，予想よりもはるかに多くの切断者

図5-143 NU-Flexible Sub-Ischial Vacuum Socket セミナー
2017年8月5～8日に神戸医療福祉専門学校三田校にて開催された．左より，佐々木伸氏，Stefania Fatone教授，Ryan Caldwell PO．

の笑顔に接することができた．その成果の背景には，Ryan Caldwell氏の長年の経験に基づく断端の特性評価，ライナーの選択，陽性モデルの修正，チェックソケットの適合における断端とのギャップの調整，内転筋ロールの収納の仕方，吸引機能による懸垂機能の向上など，義肢装具士としての素晴らしい職人芸がある．それとともに，骨盤と接触しないソケットの製作であるため，坐骨収納型ソケットに比較して製作技術にかかる細かい制限が少なく，製作技術を習得できる可能性が比較的高いこと，さらに股関節の可動域制限から開放されるために，日本人大腿切断者の和式生活を快適にすることができ，今後わが国においても広く普及するものと思われる．そこで，本ソケットデザインの特徴と製作の概略について述べる．

─1 ▶ NU-FlexSIV ソケットデザインの特徴

① 坐骨下吸引ソケットは，骨盤での支持は一切なく，すべての荷重は大腿部を通して行われる（図5-144, 145）．図5-145に示したようにA1〜A6の垂直方向への力が，断端Wへの反作用力となる．

② ソケットのトリムラインを坐骨より2.5cm離れた下部に置くことにより，股関節の可動域が広がり，制限されないので内転・屈曲・外旋などがしやすく，あぐらがしやすい（図5-146）．四辺形ソケットや坐骨収納型ソケットにみられる座位でのソケット後壁の不快感がない．これは，畳の上での座位をせざるをえない日本人大腿切断者の和式日常生活に大きな利点となる．

③ ソケットのコンプレッションの効果が重要な役割をもっている．ソケットは，高い収縮力をもち円柱形のシリコンライナー，フレキシブル・インナーソケット，それより短い硬性のソケット，ライナーとインナーソケットの間を真空状態に保つためのシールの役目をするスリーブ（図5-145）から成り立っている．

④ ライナーの柔らかさが義足装着時の快適性の向上に役立つ．下腿義足用のライナーがよく用いられる．RELAX 3C Cushion Linerがうまくいかない場合にはIceross Synergy® Cushion Liner（ともにÖssur, Reykjiavik, Iceland製）がよく用いられている．ライナーには高い圧縮性・堅さ・摩擦性・熱伝導性が望まれる．

⑤ 吸引機能をもつことで懸垂機能の向上が認められる．ソケット内での吸引機能によってソケットと断端との間のピストン運動を少なくし，より装着感が優れ，断端の皮膚にとって優れた健康的なソケットである．

─2 ▶ NU-FlexSIV ソケットの製作

NU-FlexSIVソケットの製作過程の一端を，図5-148〜151で紹介する．

─3 ▶ NU-FlexSIV ソケットの不適応例

本ソケットは，大腿骨を取り巻く筋肉，皮下組織および皮膚など軟部組織で全荷重を支え，吸引による懸垂力が必要なために．次のようなケースが不適応となる．

① 断端に大きな深い瘢痕や陥没がある場合
② 異所性化骨，骨棘のある場合
③ 短断端例（12.5cm以下）
④ シリコンライナーへのアレルギー反応

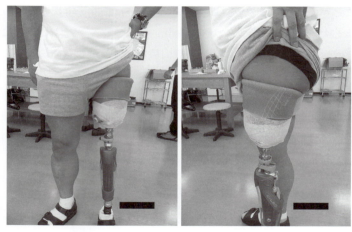

図5-144 NU-Flex坐骨下吸引ソケット
ソケットのデザイン．硬い外ソケットの高さは坐骨より2.5cm低い．内ソケットは柔らかく，シリコンライナーとスリーブが重要な役割を担う．吸引装置をもつ．

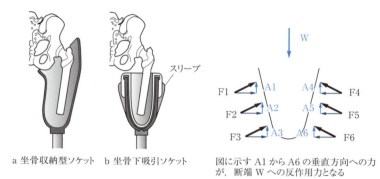

a 坐骨収納型ソケット　　b 坐骨下吸引ソケット

図に示すA1からA6の垂直方向への力が，断端Wへの反作用力となる．

図5-145 NU-Flex坐骨下吸引ソケットの適合
坐骨下吸引ソケットは，骨盤での支持は一切なく，すべての荷重は大腿部を通して行われる．

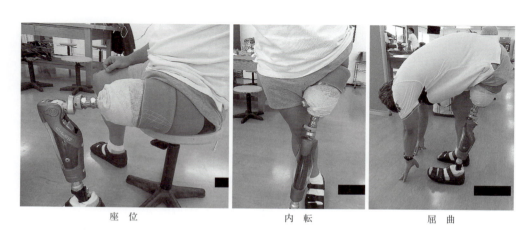

座位　　　　　　内転　　　　　　屈曲

図5-146 股関節の可動域
ソケットが骨盤と接しないために，股関節の可動域はフリーであり，座位では従来の坐骨収納型の義足にみられる不快感は一切なく，快適である．

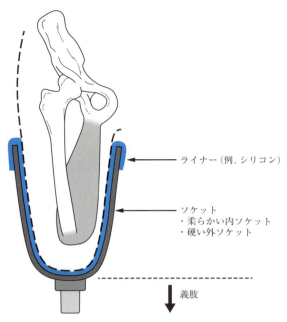

図5-147 NU-FlexSIVソケットの構成
シリコンライナーを用いることによる柔らかさが快適性につながる

①軟部組織のチェック：座位で断端の軟部組織の硬さをチェックする．硬いと筋肉の収縮により大きな断端の形状変化を起こし，軟らかいと断端の形状の変化が少ない．この硬さの程度により，後の陽性モデルの削り修正の量と場所を決定する．

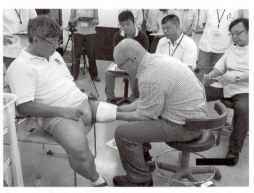

②ソケットの製作：断端周径より1サイズ小さい円柱形のまっすぐなライナーを選択．円柱状，円錐状の断端には既製品のライナーを，瘢痕の多い断端にはカスタムライナーを選択．断端にライナーをローリングしてできるだけ上部までかぶせる．

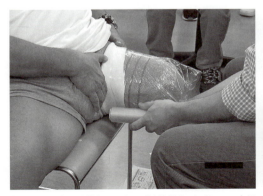

③フレアの形成：近位部のライナーを折り返すこと（5cmの余裕スリーブを残す：図5-150）で，採型時および陽性モデルにゆるやかなフレアが形成される．会陰部で折り返しのライナーの上から内外径を測定する．断端のアライメントをチェックし，食品用ラップを被せる．

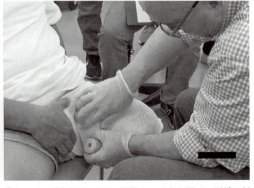

④キャストの巻き付け：ガラス繊維キャストを2層づつ断端の外側から会陰部に向って巻き始め，徐々に断端末まで巻く．ライナーのコンプレッションと重力によって，断端の形状が決められるので，採型時のテンションや手技は必要としない．

図5-148 NU-FlexSIVソケットの製作（採型）

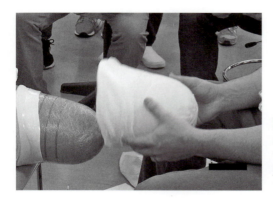

図5-149 NU-FlexSIVソケットの製作（陰性モデル）
陰性モデルを取り外す前に前面に基準線を書く．陰性モデルを断端から取りはずし，<u>陰性モデルの外側，後面の形状がライナーを装着した断端の形状と同じ</u>であることを確認する．陽性モデルを製作する．

①陽性モデルの修正に先立ち，<u>内側のトリムラインより，2.5cm下方を起点として，2.5cmごとに断端末まで印をつけ周径を計測する</u>．陰性モデルの取り外しが難しいときは4〜2％の削り修正，取り外しが容易な場合には6〜4％の削り修正を行う．

②陽性モデルを円柱形にするために，<u>断端の外側および後面の多量の陽性モデル削り修正を行う</u>．そして，後面の軟部組織を平坦にする．陽性モデルの修正は削り修正のみ．盛り修正は必要としない．近位部で6〜4％，遠位部で4〜2％の割合で修正を行う．

③陽性モデルのアライメントは，前額面において中心線は床面に対して垂直とする．長断端では，軽度内転位とする．陽性モデルの表面が極めてスムーズになるようにやすりをかけ，チェックソケットを製作する．

図5-150 NU-FlexSIVソケットの製作（陽性モデルの修正）

図5-151 ソケットの製作（チェックソケット）

チェックソケット内にライナーをつけた断端を挿入し荷重して，<u>断端末がソケットの底部に底付けがないか</u>，またソケット内に隙間がないかを確認する．<u>チェックソケットの近位部トリムラインは，坐骨結節より25mm下方，大転子より50mmとする</u>．近位部の軟部組織のはみ出し，内転筋ロールなどを収納するため，チェックソケットの近位部をヒートガンを用いて修正する．

ソケットに吸引装置を取り付け<u>吸引機能をもつことで懸垂機能の向上</u>が認められる．これにより，ソケットと断端との間のピストン運動を少なくし，装着感が優れ，断端の皮膚にとって優れた健康的なソケットとなる．

6 大腿義足のアライメント

　大腿義足のアライメントとは，主として大腿部ソケットと膝継手，足継手，および前足部のトウブレークなど各継手間の位置関係を示すもので，上述したソケットの適合とは密接な関係にあるものである．四辺形大腿義足を例にアライメントの基本を述べる．

─1▶ アライメントの決定方法

(1) 作業台上でのアライメントの決め方

　立位における正常下肢の軸位は図5-152のようになっている．側面からみた軸位は，大腿骨骨頭中心から膝蓋骨中心より足関節の中央部を通る床面に垂直な線とみなされる．

　大腿義足の軸位を決める場合は，この正常下肢の軸位になるべく近い状態で組み立てることが望ましい．そこで一般に，義足の膝・足継手の軸位を図5-152のように，下肢軸と一致した位置に合わせたアライメントを基準として組み立てるのが普通である．作業台の上で組み立てるために，これをベンチアライメント(bench alignment)と呼んでいる．

　このベンチアライメントでの重要なポイントをあげると次のとおりである．

① 下腿軸は床面に対して直角である．この場合，履物の種類，特に踵の高さが問題となる．日本では，生活様式の複雑さからこの点が問題となるが，一側切断者の場合には，あくまでその切断者が日常生活動作において最も使用率の高い履物を標準にして行う．男性であれば，靴を装着したままでアライメントを決定したほうがよい．したがって，製作者はソケット採型時に必ず切断者から靴を預かり，義足足部が靴によく適合した状態でアライメントを設定するようにする．

② ソケットは正確な初期屈曲角度，内転角度をとっていなければならない．

③ ソケット内壁は進行方向，すなわち図5-153のように足部内側を通る線と平行にする．

④ 膝継手軸は，進行方向に対して直角となるように設定する．

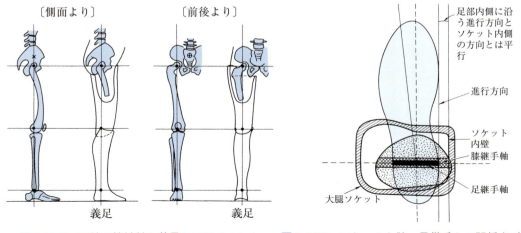

図5-152　下肢の機械軸と義足のアライメント　　図5-153　ソケットと膝・足継手との関係(回旋角度)

(2) 静的アライメント

ベンチアライメントをすませ，いよいよ切断者に義足を装着させる．一般的には平行棒内で行われ，静止またはそれに近い状態でアライメントが調整される．これを**静的アライメント**(static alignment)という．注意すべき重要な点は次のとおりである．

① **適合の確認**：ソケットを装着させる．坐骨結節が後壁上部にあることと長内転筋腱が前内壁の角にあることを確認する．

② **立位での下肢全体のアライメントの確認**：両側踵中央部の間が10cmとなるように立位をとらせ，足底部が床面についていること，膝継手が伸展位を保てることを確認する．

③ **後方バンパーの硬さ**：義足側を1歩前に出させ，体重をかけさせる．そのとき，足底部が床につくかまたは1cm以内の間隔であれば，後方バンパーの硬さは適正である．サッチ足の場合には，全負荷時に踵部が靴の中に約1cm沈むのがよいとされる．

④ **義足の長さの確認**：立位において義足側が健側と同じ長さであるかどうかを確認する．普通は両側腸骨稜の高さによる判定が簡単である．

⑤ **ソケット後壁の初期屈曲角度の確認**：立位において切断者の後方から腰椎の状態を観察する．初期屈曲角度が不十分であれば，腰椎に前側弯が起こり脊柱起立筋の緊張を認める．この場合，義足を切断者の楽な姿勢のところに置かせるように指示すると，だいたいの適正な屈曲角度を判定しうる．

(3) 動的アライメント

義足歩行を行わせて円滑で楽な歩行が行われるようにアライメントを調整することを**動的アライメント**(dynamic alignment)という．

この場合には，いろいろな義足歩行の異常の観察とその原因の矯正が必要となってくる．これを義足および切断者における原因に分け，矯正方法を列挙したのが**表5-9**(p418〜423)である．なお，最適のアライメントを得た場合には，復元ジグを用いて調節装置を除去し，義足を完成する．殻構造義足では動的アライメントの決定に調節膝やカップリングがよく用いられていたが，最近の骨格構造型義足には，アライメントの調整機能がついているため，このプロセスは必要ないことが多い(**図5-154**)．大腿義足のアライメントを大別すると，膝の安定性を中心とした前後方向での安定性，義足側が立脚相において身体の横揺れはどの程度か，両側の足部間の歩幅はどの程度狭く歩けるかという側方への安定性が含まれている．

― 2 ▶ 膝の安定性

義足側が立脚相のときに膝が不安定で中折れを起こしやすかったり，また逆に膝の安定性(knee stability)が良すぎると，踏み切り期に膝を屈曲させることが困難で，このため余分なエネルギーを消費し疲れやすいことがしばしばある．これらの膝の安定性には次に述べるような因子が関係している(**図5-155**)．

(1) 切断者の意思によらない不随意制御因子

① **TKA線**：これは，大転子(T)，膝(K)，足(A)継手を結ぶ線で，このTKA線よりKの位置が前方にあると膝が不安定となり，またKが後方にありすぎると安定性が良くなりすぎ，膝屈曲が困難となって歩容が悪く，階段，坂道での歩行が困難となる．このTKA線は切断端の長さにより変わる(**図5-156**)．断端長が短いほど，後述するように膝の随意制御が困難となる．このため膝継手を後方に取り付ける必要がある．逆に断端長が長くなるほど膝継手軸位を前方に

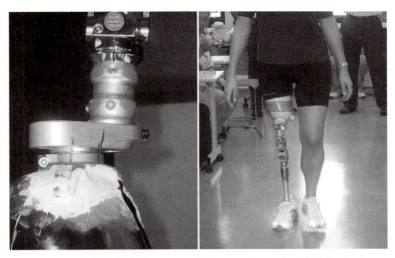

図5-154　骨格構造型義足における動的アライメントの決定（アドバンス大腿切断プログラム（M.A.S.®）Ana'sレッグ2005年9月．より）

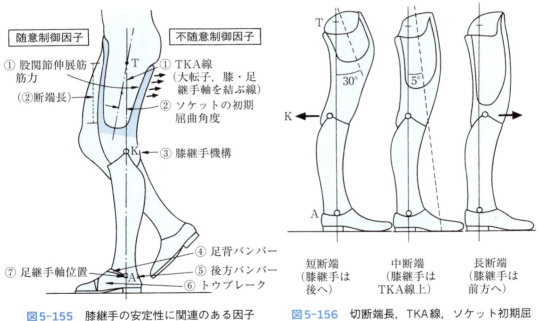

図5-155　膝継手の安定性に関連のある因子

図5-156　切断端長，TKA線，ソケット初期屈曲角度との関係

取り付けることができ，歩行しやすくできる利点が生ずる．

　②　ソケット後壁の初期屈曲角度：この後壁に初期屈曲角度をもつことは次のような利点がある．ⓐ間接的に股関節伸展増強に働く，すなわち筋肉のrest length theoryで，後壁に5°の初期屈曲角度を加えることにより股関節伸展筋が緊張し，膝安定性に働く，ⓑ切断者が股関節を伸展させるとき，骨盤を前傾させたり腰椎を前彎させて代償しなくてよい，ⓒハムストリング腱の強い切断者では，股関節伸展の場合，坐骨結節がソケット後壁上から前方に外れる傾向があるが，これは初期屈曲角度の設定により防ぐことができる．

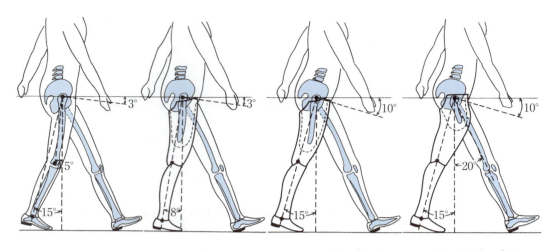

図5-157 股関節屈曲拘縮とアライメント設定との関係

③ 膝継手の立脚相制御機構（立脚相の制御，p302参照）

④ 足背バンパー：これが軟らかいと膝安定性は不良となる．踏み切り期に入ったときに，足先部と足継手軸との間の長さがテコの長さ（toe lever arm）として働く．このモーメントが下腿部を後方に押しやり，膝の安定性を増す結果となる．この足背バンパーが逆に硬すぎると坂道を登るような感じとなる．

⑤ 後方バンパー：これが硬いと膝安定性は不良となる．踵接地期では踵部と足継手軸間の長さがテコの長さ（heel lever arm）として働く．後方バンパーが軟らかくないと踵に加わった力が下腿部を前方に押しやる力として作用し，膝の中折れを起こす．

⑥ トウブレークの位置：この位置は，経験的に足部前後径の前1/4，後3/4のところにあれば理想的とされている．後方にありすぎると膝の安定性が不良となり，前方にありすぎると膝の安定性が増加する．

(2) 切断者による随意制御

股関節の伸展筋筋力と断端の長さが膝の安定性に直接関係する．したがって若い筋肉質の人では高齢者に比較して安定性が得やすい．これらの因子を考慮した場合，義足歩行の理想的なゴールは，随意制御，すなわち股関節伸展力を訓練により最大に保ち，義足アライメントによる安定性を最小にとどめることにある．これにより，最も円滑で楽な義足歩行を得ることができる．

(3) 股関節屈曲拘縮とアライメント設定との関係

大腿切断の場合には，切断された股関節伸展筋と屈曲筋のアンバランスのため多少とも股関節の伸展障害を残すことが多い．そこで，この股関節の屈曲拘縮に対する義足のアライメントのとり方と腰椎の代償機能が常に問題になる．正常歩行の踏み切り期では図5-157(a)のように，股関節軸と足関節軸を結ぶTKA線は垂線に対して15°後方にある．しかし実際には，骨盤の3～4°

の傾斜と膝関節の屈曲および足関節の底屈により股関節は5°伸展するにすぎない．

ところが大腿義足歩行の場合では，踏み切り期に膝継手を屈曲すれば転倒する恐れがあって伸展位に保つ必要がある．そのため同(b)のようなアライメントをとらざるをえなくなり，健足を踏み出すステップの幅が短くなって歩容が不自然となる．このTKA線を正常人と同様に15°後方にもってくるためには，骨盤の傾斜の増加を行わざるをえない．

この骨盤傾斜の増加による影響については，カリフォルニア大学の大腿切断者の統計で，約10°の骨盤傾斜腰椎の前弯増強によっても特に障害を認めていないことが明らかにされている．そこで同(c)のようにアライメントを設定し，骨盤前傾度を増さない正常人と変わらぬ歩幅で歩行が可能となる．以上は，あくまで股関節の屈曲拘縮がなくて5°後方に伸展できる例である．

しかし，もし屈曲拘縮が起これば，骨盤傾斜による代償を行っても健足と同様の歩幅を得ることができない．この場合には，ソケット初期屈曲角度の設定を行わねばならない．たとえば同(d)は30°股関節屈曲拘縮例である．この場合には10°の骨盤傾斜により大腿骨軸を垂線より20°前方にもってくることができる．しかし，TKA線を垂線より15°後方にもってきて正常の歩幅を得るためには，35°のソケット初期屈曲角度がどうしても必要となる．

(4) 断端末負荷による利点

一般に坐骨支持による大腿義足の場合には，ソケット後壁の坐骨支持部の近くに支持点があるとされる．したがって，図1-21(p23)のように，ここにかかる体重支持力が膝継手を屈曲しようとする力となり，膝不安定性の原因となる．ところが断端末で体重負荷性がある場合には，体重支持線と一致しているために膝継手の安定性は良好である．

一方，腰椎前弯を起こす可能性を考えた場合，坐骨支持の義足では骨盤前傾を起こし，したがって腰椎前弯を増強させる方向に働く．これに反して断端末で体重負荷性がある場合には正常の体重支持点に近い線上で断端支持ができ，このため腰椎前弯の増強が起こらない．

─3▶ 大腿義足の側方安定性（mediolateral stability）

正常歩行では，立脚相において反対側への骨盤の傾斜が起こる．しかし，股関節中心から足底部までの長いテコの長さと股関節外転筋筋力の作用により，この傾斜はわずか4°程度にすぎない．しかし義足歩行では，外転筋筋力は正常であっても大腿骨は短く，そのうえ断端の筋肉の中でいくぶん移動性があって，四辺形ソケット外壁で完全に内転位に固定することが困難である．

この困難性を補うため，体幹部を義足側のほうに屈曲させて体重心が支持点に近くなるようにし，しかも骨盤低下によるソケット内縁部での疼痛を避ける意味で外転歩行をすることになる．図5-158は，義足の立脚相中期における体重心Aとソケットにおける体重支持点Bと断端長(D-E)，外転筋筋力Gとの間の関係を示したものである．

身体の重心はだいたい股関節の中心から2.5〜5.0cm上部で，第2仙椎の前に位置するとされ，切断者では中央からわずか健側に移動している．この体重支持は個々の義足の製作技術により異なるが，坐骨支持義足では主としてソケット後壁で，内壁内側より約2.5cm外側のところにあるとされている．そうすると，立脚相中期における体重支持のバランスは，W×BC=F×DEとなる．したがって，D-Eすなわち断端長が長いほど断端の外側に加わる力が少なくてすみ，側方への安定性を得た良好な歩容を得ることができる．

一般に中等度の断端長であれば，ソケット後壁の坐骨支持部からの垂線が踵の中央部を通るようにアライメントが設定される（図5-159）．しかし断端が短くなると，ソケット外壁における

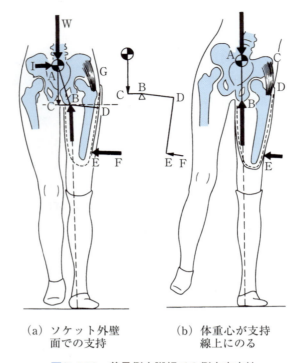

(a) ソケット外壁面での支持　　(b) 体重心が支持線上にのる

図5-158 義足側立脚相での側方安定性

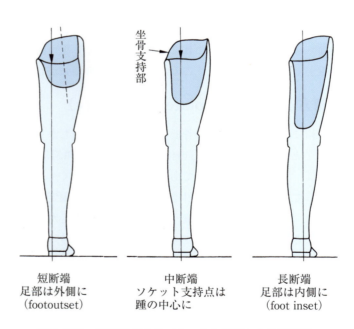

短断端　　　　　　中断端　　　　　　長断端
足部は外側に　　ソケット支持点は　　足部は内側に
（footoutset）　　　踵の中心に　　　　（foot inset）

図5-159 断端長によるソケットと足部との位置関係

単位面積での圧を強くしないと立脚相において側方の安定性を保つことができない．実際には断端に疼痛と不快感があって，上記のような足部を内側に置いた義足のアライメントの設定ができない．このため，どうしても足部を坐骨支持部からの垂線より外側（foot outset）に置くようにアライメントを設定する．したがって**短断端**の場合には一般的に，歩行において両側の足部間の距

離が開いた歩行(wide based gait)をとる場合が多い.

　逆に**長断端**の場合には，ソケット外壁にかかる圧が十分であるが，足部を内側(foot inset)に置くことが可能となる．歩容も両足部間の距離を狭くした歩行(narrow based gait)が可能となる．このように，外科医が手術時にできるだけ大腿断端を長く残す意義はきわめて大きい.

　義足の側方安定性に関するもう一つの要素は**股関節外転筋筋力**と，この機能を最大に発揮しうるためのソケット外壁の形状と**内転角度**の設定である．このため，外転拘縮を起こさぬこと，外転筋増強訓練を行うことはもちろんであるが，ソケット外壁を内転位に設定し，股関節外転筋をrest length theoryにより緊張させ外転筋筋力を最大限に発揮できるようにすることが大切である.

7　大腿義足における義足歩行異常とその原因

　大腿義足の動的アライメントでは，さまざまな義足歩行の異常を観察し，その原因を理解して矯正を行う必要がある．代表的な異常歩行とその原因(義足における原因と切断者における原因)を列挙したものを，表5-9，図5-160〜172に示す.

表5-9 大腿義足における義足歩行異常とその原因

異常歩行	義足における原因	切断者における原因
1) 体幹の側屈 (lateral bending of the trunk) 義足側が立脚中期になったときに体幹部が義足側のほうに傾斜する状態である（後方より観察する）図5-160	①義足の長さが短すぎる場合 ②ソケット外壁の適合が不良な場合 ③ソケット内壁の高さおよび輪郭が不良で内股に疼痛を訴える場合 ④アライメントが，ソケットに対して足部が外側に寄りすぎる場合（foot outset）	①平衡訓練が不足しているために側屈によって代償する場合 ②断端の外転拘縮がある場合 ③内股に創，化膿などの疼痛の原因がある場合 ④大腿断端の外側末梢部に疼痛がある場合 ⑤断端が短くて，ソケット外壁での支持が不十分な場合 ⑥悪い習慣がついている場合
2) 外転歩行 (abducted gait) 切断者が歩行しようとする進行方向に対して義足側の踵が著明に外側に移動する状態である．しばしば骨盤の外側への移動と体幹の側屈を伴う（後方より観察する）図5-161	①義足の長さが長すぎる場合 ②内壁の高さが高すぎる場合 ③義足のアライメントが外転位に設定されている場合 ④外壁の支持が不十分な場合 ⑤骨盤帯の取り付け位置が不良な場合	①断端の外転拘縮がある場合 ②内股部に創，内転筋ロール，皮膚炎などがあって疼痛がある場合 ③平衡訓練が不足している場合 ④悪い習慣がついている場合
3) 分回し歩行 (circumduction) 義足側が遊脚相で振り出すときに外側に円弧を描く（後方より観察する）図5-162	①義足側の長さが長すぎる場合 ②膝継手のアライメントによる安定性が良すぎる場合（反張膝） ③膝継手の摩擦が強すぎて遊脚相で膝屈曲が困難で，したがって長く感じる場合 ④ソケットの懸垂力が不十分な場合	①断端の外転拘縮がある場合 ②平衡訓練が不十分なため膝継手の中折れの恐怖感をもち，膝を伸展位とする場合 ③悪い習慣がついている場合
4) 健側の足先での伸び上がり歩行（vaulting） 義足側を前に踏み出すときに健側足の踵を浮かして尖足位をとって伸び上がり，義足膝継手はあまり屈曲させないで歩行する（後方および側方から観察する）図5-163	①義足側の長さが長すぎる場合 ②懸垂が不十分な場合 ③膝継手が反張位をとり，過度の安定性のために膝屈曲が困難な場合 ④膝伸展補助バンドが強すぎて屈曲困難な場合	①膝に不安定感か疼痛があって，膝継手をほとんど屈曲させないで歩行する場合 ②歩行訓練の不足 ③不整地歩行での習慣があって義足が床を蹴らないようにする
5) 過度の腰椎前弯 (excessive lumbar lordosis) 義足側が立脚相にあると生理的な腰椎前弯が過度に増強する（側方から観察する）図5-164	①ソケット後壁の形態が不良のため，疼痛を避けようとして骨盤を前傾 ②前壁の支持不良の場合，坐骨支持が不十分となる ③ソケットの前後径が大きすぎて坐骨結節が前下方に滑り，坐骨支持部が痛い．これを避けようとして骨盤を前傾させる ④ソケットの初期屈曲角度が不足している場合	①股関節の屈曲拘縮があると，体重心が体重支持点より前にあり骨盤が前下傾する ②断端の伸展筋筋力の減弱があると骨盤が前傾位をとり，これを代償させるために腰椎前弯をとる ③腹筋筋力の減弱をみる場合 ④悪い習慣がついている場合

特に必要な装着訓練
①横歩き訓練 ②外転筋の増強訓練 ③ステップ足踏み訓練
①直線上歩行 ②歩幅を狭くして歩行訓練をする
①平行棒内で膝継手屈曲訓練をする ②交互に膝屈曲する ③左右歩行の時間を測定する ④義足側に負荷し健足を振り出す ⑤健側に負荷し義足側を振り出す
①平行棒内で膝屈曲訓練をする ②交互に膝屈曲をさせる ③メトロノームで時間を計る ④義足側へ体重移動させる ⑤健側へ体重移動させ，義足側の遊脚相での振り出しの練習を繰り返す
①義足を装着しないとき，股関節伸展筋筋力増強訓練および屈曲拘縮に対するROMの改善 ②義足を装着したとき 　ⓐ前後方向への体重移動訓練 　ⓑ足踏み訓練 　ⓒ一歩前後進訓練

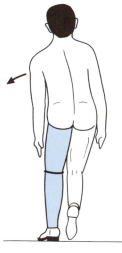
図5-160　体幹の側屈

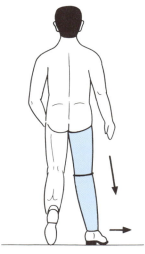
図5-161　外転歩行

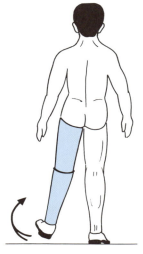
図5-162　分回し歩行

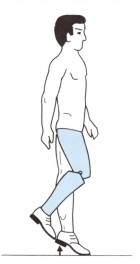
図5-163　健側の足先での伸び上がり歩行

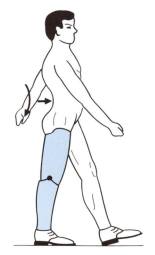
図5-164　腰椎前弯の増強

表5-9 つづき

異常歩行	義足における原因	切断者における原因
6) 歩幅の不同 (uneven length of steps) 義足側と健側との歩幅が不均等である（側方から観察する） 図5-165	①膝継手の摩擦が強すぎると遊脚相に断端を前方に強く振り出し，それから遊脚相の後期で後方へ急に動かし，膝継手が伸展位になるのを確かめる．この場合には義足側の歩長が長くなる ②逆に摩擦がゆるすぎると遊脚相制御を失い，義足側の歩長が長くなる ③膝継手が過伸展すると義足側の歩長が長くなる ④初期屈曲角度が少ない場合	①股関節の屈曲拘縮が強い場合 ②切断者が転倒に対する不安感や疼痛を訴える場合，十分に義足側に負荷できない．健足の歩幅が短く早くなる
7) 義足側と健側との立脚相の時間の不均等 義足側に負荷する時間が健側と比較して短い場合が多い	①ソケットの適合不良で負荷に対して疼痛，不快感がある場合 ②膝継手の伸展補助バンドが弱いか摩擦が不十分なため，遊脚相初期に踵のはね上がりがあり，このため遊脚相に時間の延長をみる場合 ③アライメントによる安定性が不良で中折れを起こしやすい場合	①断端筋力が弱い場合 ②平衡訓練が不十分な場合 ③歩行に対する恐怖感，不安感がある場合
8) 遊脚相終期における膝のインパクト (terminal swing impact) 義足側の遊脚相の終わりで踵接地期の前に極端に強く膝を伸展すると，下腿部を前方に振り伸展するために不自然な音を発する　図5-166	①膝継手の摩擦が不十分な場合 ②膝伸展補助バンドが強すぎる場合	①膝継手に不安定感をもち，膝伸展を強く意識して歩行する場合
9) けり上げの不同 義足側の踵の上がり方が健側に比較して強い (excessive heel rise) 踏み切り期後，遊脚相初期に膝屈曲を行うが，このとき義足踵が健側踵に比較して高く上がる（後方より観察する）図5-167	①膝継手の摩擦が不十分な場合 ②膝継手伸展補助バンドがないかまたは弱い場合	①膝継手を伸展することを意識するあまり，切断者が強く反動をつけて義足を振り出す場合
10) 手の振りの不同 両手の振りが非対称．義足側の手が自然に振り出されず，身体につけて歩行する（側方より観察する）図5-168	①ソケットの適合が不良なために不快感がある場合	①平衡訓練が不十分な場合 ②恐怖感が強い場合 ③習慣となっている場合
11) 義足側立脚相の終わりでの骨盤低下 立脚相の終わりで体幹部が下方に下がる状態をいう（側方より観察する）	①インステップバンパーが弱い ②足継手軸よりトウブレークまでの距離が短い ③ソケットが足部に対し過度に前方に位置する場合	特に原因はない

特に必要な装着訓練
①義足側で立位をとる ②メトロノームで時間を計る ③ステップのマークを描いたところを歩行訓練する
①断端の筋力増強訓練 ②メトロノーム使用による歩行訓練 ③平行棒内での平衡訓練の徹底
①健側に体重を移動させ，義足の振り出しをさせる ②義足側に体重を移動させ，前後に体重の移動訓練を行う
①同じ場所でステップをし，腕を振る訓練をする ②次いで鏡の前で歩行しながら腕の振り方を矯正する

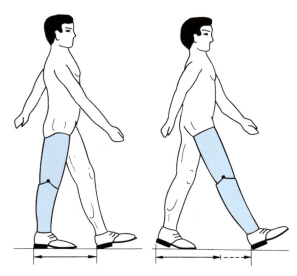

図5-165　歩幅の左右不均等

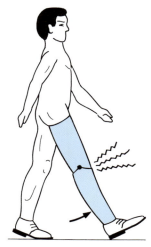

図5-166　遊脚相終期における膝のターミナルインパクト

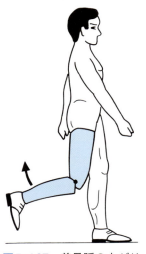 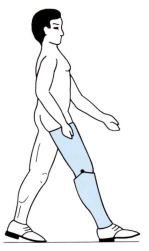

図5-167　義足踵の上がり方が強い　　図5-168　両手の振りが非対称

表5-9 つづき

異常歩行	義足における原因	切断者における原因
12) 内側または外側ホイップ 内側ホイップ (medial whip)：義足の離床時に踵が内側に動く 外側ホイップ (lateral whip)：内側とは逆に踵が外側に向く （後方より観察する）図5-169	①膝継手軸位の異常．膝軸が過度に内旋している場合は外側ホイップ，逆に外旋している場合は内側ホイップを起こす　図5-170 ②ソケット適合がきつく，断端の回旋を起こす場合 ③断端の筋力が弱いと，ソケット自体の内外旋を起こす ④膝継手の外反または反張変形を認めるとき ⑤トウブレーク方向が進行方向に対して直角でないとき	①歩行に不良な習慣がある
13) 踵接地期の足部の回旋 (foot rotation) 義足側が踵接地期において義足足部の回旋・振動運動を起こす（前方より観察する）図5-171	①後方バンパーが硬すぎる ②義足足部の過度の外転をみるとき (toe out) ③ソケットの適合がきわめてゆるい場合 ④踵接地期の前にホイップがある場合	
14) フットスラップ 義足の踵接地期に足底が床にたたきつけられる (foot slap) 踵接地期に義足の足部が急に底屈し，床にたたきつけられたようになる（前方および側方より観察する）図5-172	①後方バンパーが体重に比較して弱すぎる	①切断者が膝伸展を意識して，早く義足側に体重を移動させる

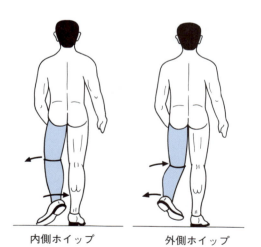

図5-169　義足離床時の踵の動きの異常

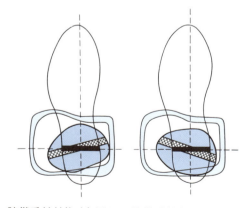

図5-170　内側ホイップ・外側ホイップ

特に必要な装着訓練

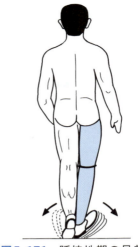

図 5-171　踵接地期の足部の回旋

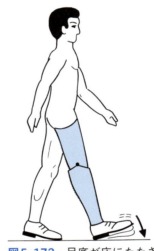

図 5-172　足底が床にたたきつけられる

8　大腿義足の懸垂方法

　大腿義足が断端から抜けないようにする懸垂方法 (auxiliary suspension) には大別すると次のようなものがある．すなわち，ソケット自体が吸着式または全面接触式となって陰圧および筋肉の収縮により懸垂する方法と，補助的な懸垂方法とである．これにはシレジアバンド，腰バンド，また吊り，肩吊り帯などが含まれる．実際の懸垂方法は，これらいろいろな方法の組み合わせにより行われていることが多い．図 5-173 は 1.8 歳児の大腿短断端 (5cm) 例であるが，腰バンド，肩吊り帯では懸垂が不十分なために，骨盤とソケットとの間に弾性キャンバスを用いて実用性を得たケースである．

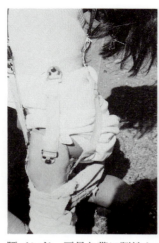 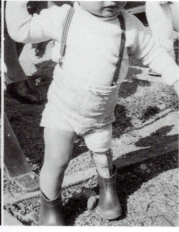 

腰バンド，肩吊り帯に弾性キャンバスを用いる．懸垂が不十分で断端がソケット外に出る

歩行および遊びの中に実用性をみる

図5-173　1.8歳児の大腿短断端（5cm）例

─1▶ シレジアバンド

　シレジアバンド（Silesian bandage）は，図5-174のように幅の広い布または皮革帯で作られ，健側の腸骨稜と大転子の間を通りソケットを断端に保持しようとするものである．原則としては，四辺形吸着義足の場合に用いられる．

(1) シレジアバンド3つの型

　① 前方バンドが1本で，ソケットの前側に取り付けられているもの（図5-174(b)）．取り付け位置は，ソケットの前側で坐骨支持，すなわち後壁の上縁に相当する高さで前壁の中央部にある．

　② 前方のバンドがDリングでY字形に皮革帯で固定されているもの（図5-174(a)）．これが標準型ともいえるもので，その取り付け位置は中央部で，上下端は坐骨支持レベルよりそれぞれ上下へ3.5cmのところとなっている．

　③ ウエストベルト付きのもの（図5-174(c)）．これはシレジアバンドに患者のウエストにまたがるバンドを取り付けたもので，これにより懸垂力と安定性が増加する．

(2) シレジアバンドの利点

　① 大腿切断者が座位をとったり，自転車，自動車に乗る場合，股関節屈曲につれてソケットが抜けやすくなり，切断者に不安感を与えることが多い．シレジアバンドはこれを予防し，安心感を与えることができる．

　② 短断端や肥満型の断端の場合には，回旋や外側に対する不安感が特に問題となる．シレジアバンドは，外側の取り付け位置が前側に比較して高いため安定性に役立つ．

　③ 長断端の場合にはシレジアバンドは，遊脚相では内転筋の，踏み切り期では股関節屈曲筋の働きを助ける作用をもっている．

─2▶ 股ヒンジ継手と骨盤帯

　骨盤帯（pelvic band）は普通，図5-175のような金属性の股ヒンジ継手と軟性または硬性のベルトからなっている．

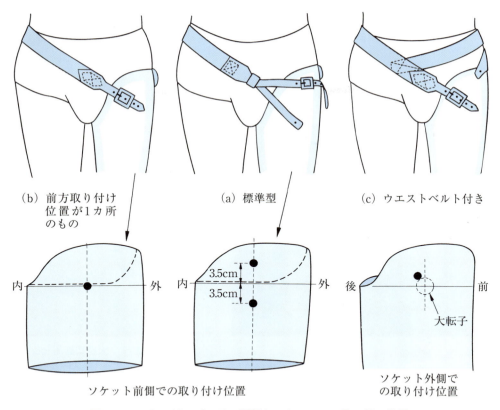

図5-174　シレジアバンドの種類とソケットへの取り付け位置

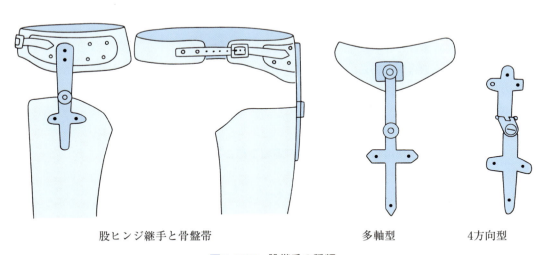

図5-175　股継手の種類

　股継手の種類としては，単軸型と多軸型以外に，4方向（股内外転，屈伸）への運動が可能なもの，さらにこれに回旋運動が加わったものがある．この中で単軸型が最もよく用いられる．多軸型は，大転子と骨盤ベルトとのつなぎのところに軸が取り付けられる．これにより，座位をとったときにベルトが前方に移動し，腹部への圧迫を少なくしうる利点がある．しかし一方，ソケットから断端が抜ける傾向があるため短断端にはあまり用いられない．

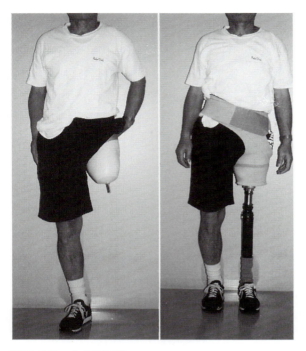

図5-176　左大腿切断
IcerossとSuspension bandと骨盤帯を利用（兵庫県立総合リハビリテーションセンター，大塚博）

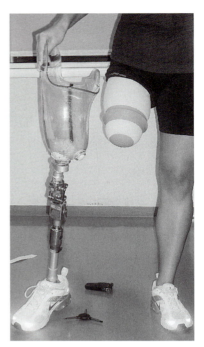

図5-177　大腿切断用Icerossライナー（オズール社）

(1) 骨盤帯の利点

① ソケットの回旋と内外への安定性を与える．
② 断端袋を装着することが多く，汗などの吸収がよくできる．
③ 吸着義足の不適応例である，広範囲に皮膚瘢痕のあるもの，全身体力が減退したもの，股関節の筋力のないものなどに適応しうる．

(2) 骨盤帯の欠点

① 股関節の運動可動域を制限する．
② 断端筋肉をあまり使用しないため筋肉の萎縮を起こしやすい．
③ ピストン運動は避けられない．
④ ベルトで皮膚と摩擦し，皮膚に傷を作りやすい．
⑤ 義足の重量が重くなる．
⑥ 健側でのベルトの位置を正確に保つことがなかなかできない．

―3▶シリコーンライナーによる懸垂

シリコーンライナーについては，p138〜139で紹介している．

大腿切断者に対しても，①適合の快適性の確保，②切断端の軟部組織の安定化と保護，③遊脚相における優れた懸垂によるピストン運動を最小限に抑える効果などをもたらす．この効果を生かして，活動性の高い切断者を中心に用いられている．多くの種類のシリコーンライナーが開発市販されておりそれぞれ特徴がある．その中でも，現在，最もよく用いられている**大腿用Icerossライナー**（図5-176，5-177：オズール社）について，留意するべき点について述べる．①

Icerossライナーの機能を最大限に生かすためには，正しいサイズ選びが重要である．②断端長を非切断肢の長さと比較して，短断端，中断端，長断端に分ける．③会陰レベルの断端周径を採寸し，円筒形か円錐形かのライナーを決定する．

9 大腿吸着義足の適応例

従来より，急性骨髄炎，大腿上部にある広い瘢痕，皮膚炎などの皮膚疾患を有するものなどは，吸着義足の非適応とされている．筆者は一般に，次のような点を考慮して適応の選択を行っている．

(1) 切断者の障害に対する克服意欲およびクリニックチームに対する協力

この点が最も重要である．特に大腿切断者の場合，切断後長期にわたって断端の変化が著しい．したがって，大腿吸着義足の初期には適合の修正を再三必要とし，そのためには医師，義肢装具士，理学療法士などチームメンバーに対して，その一員として切断者自身が協力することが要求される．

(2) 断端長

適応には大転子12.5〜15cm（Bechtol），7.5cm（Canty），10cm（Thorndike）など，いろいろな意見がある．筆者の症例で最短断端長は坐骨結節下4cm（図5-178）である．問題は長さだけでなく，筋肉の発達状況と，股屈曲時の吸着性が保たれるかどうかであり，一般的には8cm以上のものの適応が無難といえる．IRCソケットやシリコーンライナーの開発により，より短断端への適応が期待される．

(3) 断端筋の発達程度

断端筋の発達程度を筋収縮時の皮膚の移動性により検討しているが，全面接触ソケットの意義からいえば重要な因子であろう．比較的短い断端であっても，筋収縮が十分可能な場合，遊脚時のソケットの保持が可能となるので適応としている．

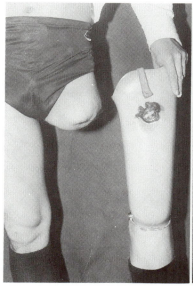
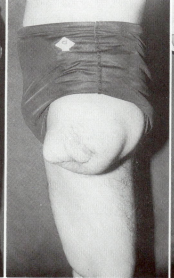
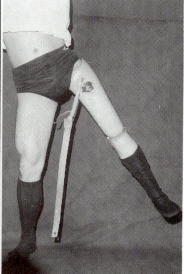

図5-178 左大腿短断端（4cm）における大腿吸着義足装着例

(4) 年　齢

年齢はそれほど重要な因子と考えられない．比較的高齢者でも意欲があれば適応になり，また年少者でも理解が得られれば適応になると思われる．文献的には7歳（Aitken）から70歳（Hadden）までの報告がある．筆者の経験は3歳から83歳までである．

(5) 性　別

特に性別は問題とならないように思われる．ただ，女性で妊娠の可能性がある場合には，ベルトを必要としない吸着義足を用いることは大きな利点となる．また，IRCソケットの適応により，ソケット外壁上縁の外観が著明に改善されるため，女性にとって大きな利点となる．

(6) 反対側下肢の状態

反対側に障害がある場合，特に両下肢切断者では，吸着義足装着により遊脚相のピストン運動減少から遊脚足の床への接触が少なくなり，また循環障害がある症例のような場合，歩行時のエネルギー代謝率を減少させる意味からも吸着義足が一つの利点となる．IRCソケットの両大腿切断者への適応が増すと思われる．

(7) 日本式生活様式，道路条件など

吸着義足では，ある程度の義足の回旋制限，膝継手の屈曲制限は避けられず，膝継手上部にターンテーブルを取り付けない限り，日本の生活様式，特に座位をとる生活で障害となる場合がある．その意味では，今後は股関節可動域の制限をしないNU-FlexSIVソケット（p406～410）が主流になる可能性がある．さらに悪路での歩行ならびに作業では，膝継手を遊動とした場合，膝継手の安定性が少ないことから問題とされてきている．

10 わが国の大腿切断者の悩みとその解決方法

兵庫県立総合リハビリテーションセンターで相談，治療，訓練をした324例の大腿切断者の義足に対する希望を調査したところ，図5-179のような結果となった．

この中で膝継手自体で改善しなくてはならない問題は，①速く歩きたいということに対する遊脚相制御，②安定性がほしいということに対する立脚相制御による安定性の確保，③雑音に対する膝継手自体の構造上の改善であり，処方はこの希望に沿って行わなければならない．④軽量化

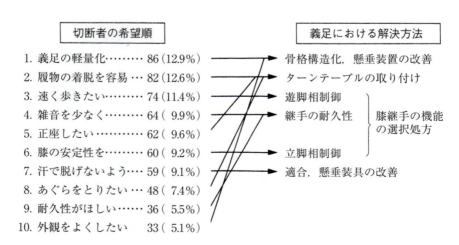

図5-179　大腿切断者の希望と解決方法

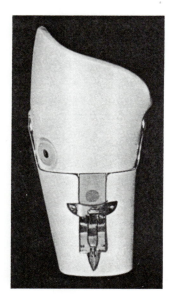 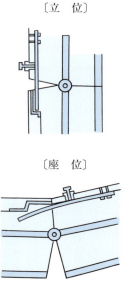 

図5-180　キップシャフト（大腿短断端用 Habermann）

に対する希望も少なくなく，骨格構造化への移行を考慮しなくてはならない．⑤履物の着脱を容易にしてほしい，正座したい，あぐらをかきたいという日本での生活様式にかかわる特殊な希望がきわめて多いのをわれわれは銘記すべきである．そこで，これらの希望についての解決方法をいくつか述べることにする．

─1▶日本の日常生活動作への適応

これには，室内畳上での座位動作，用便動作，履物の着脱動作および，これにより踵の高さが変わることによるアライメントの変化への対応などがあげられる．このためには，特に大腿部に取り付けられたターンテーブル（turntable）やキップシャフト（Kippschaft）（図5-180）などによる解決が必要である．

(1) ターンテーブルの処方

現在，ターンテーブルとしては，オットーボック，LAPOCなどのものが市販されている．

図5-181は1975年国際的に初めて兵庫県立総合リハビリテーションセンターで開発したもので，空気圧制動機能と組み合わせモジュール化している．ターンテーブルは単に，あぐら（図5-182），横座り（図5-183）のみならず，履物の着脱（図5-184）や，自動車の乗り降り（図5-185）にも有用である．また，いすでの座位動作でも，ターンテーブルのロックをゆるめることにより，大腿断端に与える窮屈感が軽減されることがあり，欧米の切断者にも場合によって利点を与える機構として考えられている．このターンテーブルはもっと積極的に処方されるべきであろう．

(2) キップシャフト

短断端の場合には，必然的にソケット前壁を高くすることから，低いいすまたは軟らかいクッションのいすに座る動作が困難であることが多く，また，ソケットから断端が後方に抜ける可能性が多い．この解決のためには，ソケットの下部に屈曲機能をもつキップシャフトの積極的な処方が必要となる．また，図5-186の大腿短断端例にあるように，手動ロック型股継手をソケッ

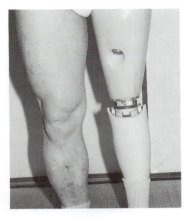

図5-181
HRCターンテーブルと空気圧制御膝との組み合わせ

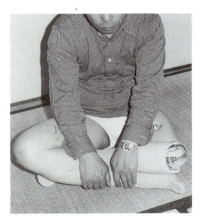

図5-182　あぐらがとれる

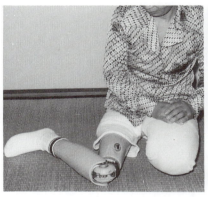

図5-183
横座りができる

図5-184
履物の着脱ができる

図5-185
車の乗降が容易．またロックを外すとハンドル操作が容易となる

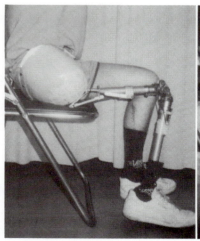
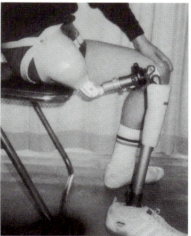

図5-186　キップシャフト

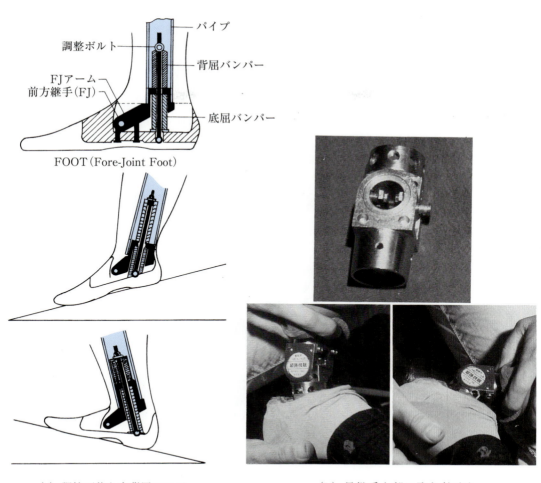

(a) 調節可能な底背屈バンパー　　　　(b) 足継手上部に取り付けた
　　 (FJ foot)（細田，石倉義肢）　　　　　 足底背屈装置（姫路技販）

図 5-187 足継手の底背屈角度の調節装置

ト下部に取り付け，座位での屈曲により，ソケットの適合安定性を確保することも大切である．もちろん，IRC ソケットの適応，特に M.A.S.® の場合（図 5-142）には，ソケット前後壁のトリムラインが低く，わが国の生活様式にも適応されよう．

(3) 足継手の底背屈角度の調整ユニット

　足部については，室内では履物を着脱する日本での生活様式への適応，室内外での靴の着脱によるアライメントの差の調整が必要である．

　このような踵の高さの変化に対応して，いろいろな試みがなされている．調節可能な機構をもつ底背屈バンパー（FJ foot）（図 5-187 (a)）や，足継手の直上のパイロンに足底背屈機構を取り付けたもの（姫路技販山本氏，同 (b)）などがある．特に自身が大腿切断者である山本氏はターンテーブルも独自に開発しており，図 5-188 のようにオットーボック骨格構造システム 3R15 を用い，これにターンテーブルと足継手に角度調整機能（図 188 (b)）を取り付けたことにより，①正座が可能，②しゃがんで仕事ができる，③和式トイレの使用も楽である，④靴の着脱によるアライメントの変化に対応しうる，⑤坂道を登るときは足継手を背屈にしておけば容易である，など

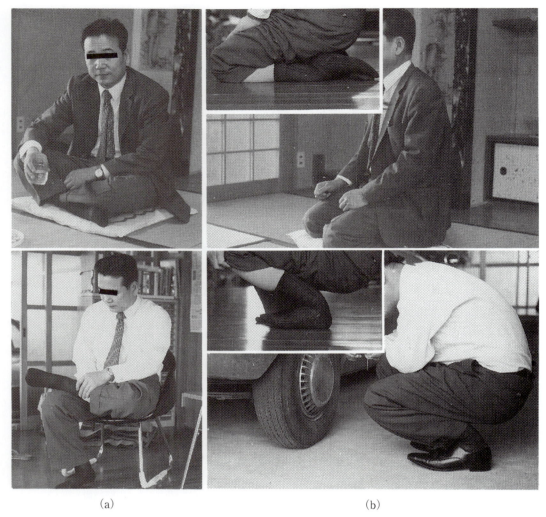

(a)   (b)

図5-188 左大腿切断吸着ソケット（姫路技販山本氏提供）
ターンテーブルと図5-187(b)の足底背屈装置による日常生活への適応例である

の利点を認めている．これに対して，踵の高さを工具なしで調節することができる調整ユニットが開発市販されている（図5-189）．足部を付けたままで踵高調節が可能であることが利点である．日本での生活様式への適応としてはきわめて重要な開発課題であろう．

─2▶高齢大腿切断者に対する軽量化，適合調節に関する問題

　動脈硬化症，糖尿病を主因とする高齢大腿切断者は精神面で克服意欲，判断力に乏しく，感情的に不安定で依存性が高い．また身体面で断端筋力の低下，健脚のバランス不良，体幹，上肢筋力の低下，不良肢位拘縮がある．ところが従来の義足は，重い，膝の安定が悪い，装着操作が困難，体重の変化や断端の浮腫に対するソケットの適合調節が困難などの欠点があり，膝関節機能を大腿切断で失ったことが車いす生活を余儀なくさせることが多かった．特に欧米では，入院期間の短縮により十分な義足歩行訓練を受けることができず，車いすに依存する割合が高い．そこで表5-10のような解決方法が試みられている．最近，膝ロック機構をもつ内骨格構造型パイロ

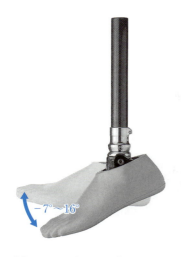
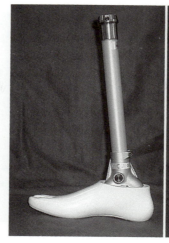
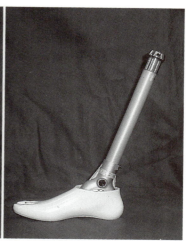

(a) LAPOC M1085 ピッチアジャスター　　　背屈　　　　底屈
　　（今仙技術研究所）　　　　　　　　　　(b) イレーション（オズール社）

図5-189 踵高調整ユニット

表5-10 高齢大腿切断者の問題とその解決方法

高齢大腿切断者の問題点	従来の義足の問題点	現在での義足の解決法	調整ソケットをもつ軽量大腿義足による解決（Rancho Los Amigos）
a) 精神面 ・克服意欲乏しい ・判断力に乏しい ・感情的に不安定 ・依存性が高い	(1) 重量が重たい	軽量化	ポリプロピレンソケット内骨格構造型パイロン
	(2) 膝の安定性が悪い	固定装置またはsafety knee	手動固定膝継手
	(3) 装着操作が困難		
b) 身体面 ・断端筋力の低下 ・健脚のバランス不良 ・体幹，上肢の筋力の低下 ・不良肢位拘縮	(4) 体重の変化や断端の浮腫による変化にソケットの適合が対応できない	ソケット周径に調整能力を	調節ソケット
		適合の快適性	ソケットの上縁部を軟らかくする
	(5) 上記の理由により早期の装着訓練が困難		早期装着訓練が可能

ンとともにポリプロピレン製の，ソケット上縁部を軟らかくし，断端周径に応じて調整しうるソケットが用いられることがある．高齢高位下肢切断者の日常生活の実例を図5-190〜193（兵庫県立総合リハビリステーションセンター下肢切断プロジェクト・大藪弘子氏による）に示した．高齢者の場合，体力，片脚起立時の安定性に応じて，図5-194に示すような膝継手の処方を行っている．

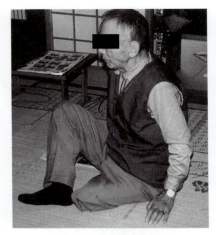
（a）自室での座位移動

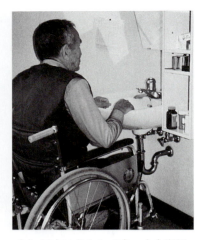
（b）屋内は主として車いすを利用

（c）義足装着による両杖歩行

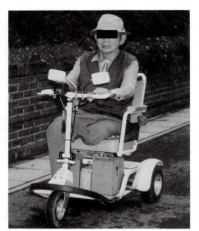
（d）仕事場への移動は電動車いす

図 5-190 交通事故による左大腿切断（82歳）
（図 5-190〜193：兵庫県立総合リハビリテーションセンター下肢切断プロジェクト・大藪弘子氏による）

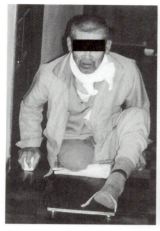 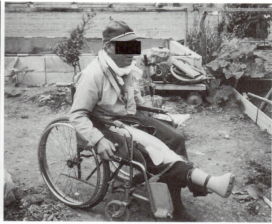

（a）キャスター付き台車にて　　（b）義足を装着（ドリンガー）して車いすで屋外移動
　　屋内座位移動

（c）台車移動後に手すりを使　　（d）義足を装着してトラクター運転，農耕作業
　　用して洋式トイレに乗り
　　移る

図5-191　末梢動脈疾患による右大腿切断（72歳）

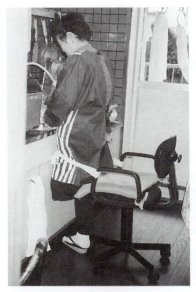

(a) 義足非装着時の炊事（いすが後方に移動しないようにベルトで固定）

(b) 掃除のとき，義足は常時装着

(c) 義足装着にて洋式トイレを利用

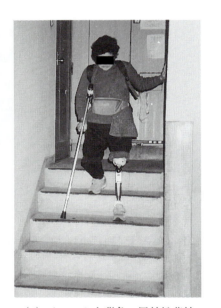

(d) リュックを背負い屋外松葉杖歩行

図5-192 末梢動脈疾患による左大腿切断（70歳）

(a) 右転子下大腿切断，左膝屈曲拘縮(71歳)．寝室にてポータブルトイレを使用

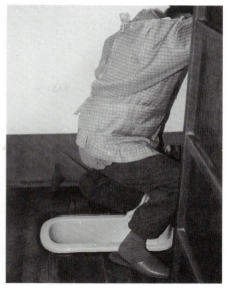

(b) 左大腿切断(82歳)．義足装着のまま和式トイレを使用

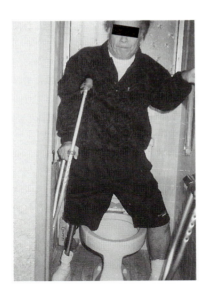

(c) 脊椎カリエスによる脊柱，股・膝関節伸展拘縮，右大腿切断．立位にて用便

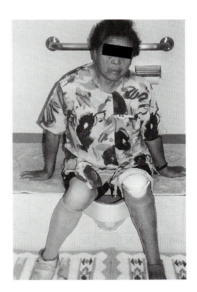

(d) 糖尿病による左大腿切断，右足部切断(70歳)．汽車式和式トイレを利用

図5-193 トイレ動作は個々の切断者により異なる

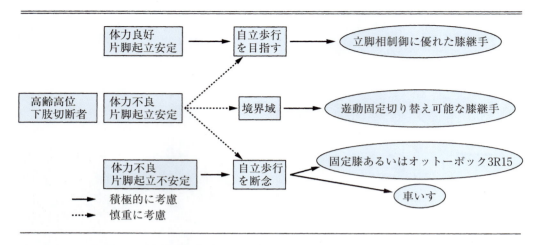

図5-194 高齢高位下肢切断の体力と膝継手の処方方針（兵庫県立総合リハビリテーションセンター 下肢切断プロジェクト　陳　隆明）

─3▶水泳・入浴用大腿義足

　p140で簡単に紹介したように，水泳や入浴に用いられるように耐水性を目的とした義足も開発されている（**図5-195**）．ソケット，サッチ足はもちろんであるが，膝，下腿部も合成樹脂製である．**図3-5**（p141）にその断面を示した．切断者の社会参加のためにはこの義足が必要なことは少なくない．特に切断児が義務教育課程の中で夏季にプールでの水泳へ参加するためにはこれらの義足の製作は必要であり，製作技術の普及とともに，保護者の経済的負担が増えないような法的整備が必要である．

　北欧諸国のようにサウナが日常生活の中に入り込んでいる場合にはきわめて実用性が高い．わが国でも今後，切断者が一般社会人として生活するにはこのような義足の開発が必要である．**図5-196**にはオットーボック社が開発した防水パーツを示した．

─4▶農耕用大腿義足

　農耕作業では，義足には安定性，支持性，堅牢性が要求される．p359**図5-62**，**図5-197**はドリンガー（Dollinger）足部と呼ばれるもので，足部が丸みを帯びた舟底様となり，前足部がないのが特徴である．これにより，あぜ道，坂道での歩行の安定性と容易さが得られ，泥田の中から足部が抜けやすい利点がある．現在なお農業従事者に愛用されている．

6 大腿義足

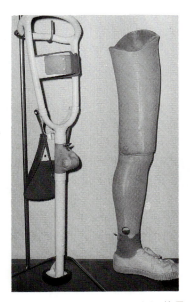

図5-195 水泳・入浴用大腿義足
(Badeboy, Habermann)

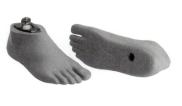

防水足部1WR95

防水膝継手3WR95

図5-196 防水パーツ（オットーボック社）

図5-197 ドリンガー農耕用義足

7 膝義足

膝離断（knee disarticulation）は，断端の特性，外科的手技および義足の適合上の問題から，その利点と欠点をあげると表5-11のとおりである．

(1) 外科手技上の利点

① 手術侵襲が下肢切断の中で最少で出血量が少ないため，リスクの高い高齢者などに最適な手術である．

② 大腿四頭筋腱，ハムストリング筋腱の十字靱帯，関節嚢への再縫合により大腿筋肉の等尺性収縮の可能性を残せ，ソケット適合上良好な結果を得る．

③ 小児切断では，骨端線の保存による成長障害を起こさない．

④ 大腿骨顆部の軟骨が残存することにより，炎症が起こったとしても骨まで及ばない．

⑤ 断端の術後変化が比較的少ないため，早期義足装着によるリハビリテーションが可能である．

(2) 膝義足装着の立場からみた膝離断の利点

① 断端の長いテコを利用した前後，左右方向で優れた安定性がある．

② 大腿骨顆部の残存によりソケット内での回旋方向に安定性がある．

③ 広い大腿骨下端関節面における負荷性と，これによる位置的運動的な感覚の獲得．

④ 大腿骨顆部の膨隆によるソケットの良好な懸垂機能．

(3) 義足装着の側からみた欠点

① ソケット懸垂のためには利点であった大腿骨顆部の膨隆がそのまま不格好の原因になる．

② 同時にソケットの適合手技が困難である．

③ 単軸ヒンジ膝継手を用いることにより，立脚相・遊脚相制御機構を取り付けるスペースが

表5-11 膝離断と義足における問題点

	膝離断の利点と欠点	膝義足における改良点
利点	①外科的に出血量が少なく，筋腱損傷も少ない．腱再縫合による筋収縮が可能 ②大腿長，テコの長さが長い　内外，前後の良好な適合が得やすい，立脚相での安定性が良好 ③断端全負荷が可能　位置的運動的な感覚 ④大腿骨顆部の膨隆のための懸垂が可能	・ソケット前方に開窓部を設ける 　　（FIOT，ウィーン（オーストリア）） ・上下の分離したソケット（小児用） 　　（Zettl，シアトル（米国）） ・空気バッグ 　　（Bar，イスラエル） ・軟ソケット付き全面接触ソケット 　　（HRC）
欠点	①大腿骨顆部の膨隆のため外観上に問題 ②大腿骨顆部の膨隆のためソケット製作上に問題が起こる ③膝継手に，遊脚相・立脚相制御機構を取り付けるスペースがない	・OHC 4節リンク膝継手 　HRC 4節リンク膝継手 ・機械的摩擦 　Fendel，Kellie，RIM，FIOT ・流体制御 　Hosmer， 　VAPC—Dynaplex—油圧制御 　OHC＋空圧制御 　HRC＋空圧制御

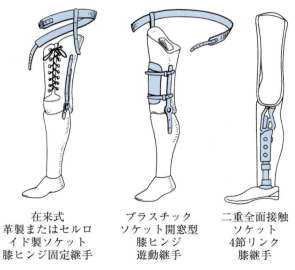

図5-198　膝義足の種類

ないこと，軸受けの耐久性に問題があること，および，筋金によって下着など衣服が破損されること．

以上，膝離断の利点，欠点を述べたが，これらの膝離断の利点をそのまま生かしながら欠点を義足の側で解決しようとして，表5-11の右欄に示すように多くの試みがなされている．

膝義足には，図5-198のように，在来式で固定式や遊動式の膝ヒンジ継手をもつものと，二重全面接触ソケットで4節リンク膝継手をもつものがある．

1 膝離断用ソケットの適合

―1▶ 在来式ソケット

膝義足の適合は，断端末端部の膨隆したところをソケット内に挿入するために，図5-199のように，ソケットの前の部分が開いている義足がしばしば用いられている．これが在来式 (conventional type) と呼ばれるものである．ソケットは，合成樹脂もしくは革，セルロイドなどで製作される．

ソケット上部は四辺形ソケットの形をとり，全面接触ソケット式のものをよく用いている．しかしながら，これらの義足の共通の欠点として，①義足の装着操作が複雑，②外観および耐久性が不良，③義足の適合が不満足，などがあげられる．

―2▶ 軟ソケット付き全面接触ソケット（兵庫県立総合リハビリテーションセンター）

以上のような欠点を補うために，筆者らは，図5-200, 201のような軟ソケット（ソフトライナー）を断端と硬ソケットの間にもつ全面接触ソケットを好んで用い，良好な成績を得ている．

この義足は内外2層のソケットからなり，内層の軟ソケットは，大腿骨顆上部の細い部分に断端末の膨隆部と同じ大腿周径のところまで軟性スポンジゴムを，断面が円形となるように貼り付けている．これにより，顆上部および膝蓋骨上部を含めて断端の輪郭に沿ってソケットを全面接

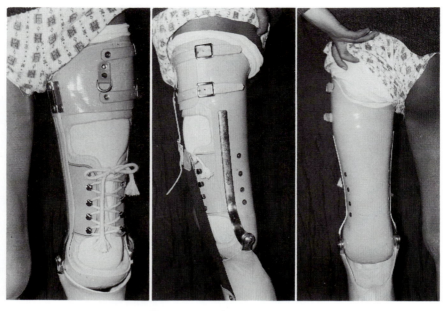

図5-199 合成樹脂製膝義足

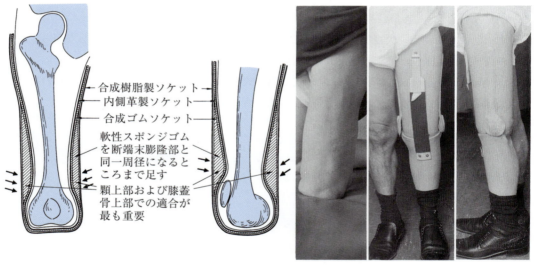

図5-200 軟ソケット付き全面接触ソケット式膝義足（澤村）　　図5-201 軟ソケット付き全面接触ソケット式膝義足

触させ，懸垂させることができる．この軟ソケットの外側に，硬性ポリエステル樹脂を主体とした合成樹脂で硬ソケットを製作する．

〔利点〕①全面接触による適合感と懸垂機能の改善により義足のコントロールがより容易で，軽量に感ずる．したがって懸垂用バンドは，よほど軟性組織が多くて懸垂が困難な断端以外は不要である．②外観，耐久性に優れるため，多くのケースは次回の義足交付を受けるまで外来を訪れないことが多い．③装着操作が簡単で紐，バンドなどを必要としない．④あぐら座り，横座りが可能であり，日本人の生活様式に最適である．⑤製作技術上問題が少ないため製作時間は比較的短い．

〔欠点〕①スポンジを貼ることによりやや広がった円柱形となって外観に問題が残り，細いズ

ボンなどははきにくいことがある，②発汗に対する解決策ができていない．

2 膝義足の遊脚相制御

膝義足では従来，膝継手を取り付けるための十分な空間がないため遊脚相制御の機構が取り付けにくいとされている．

これを改善するため，p301 図5-9に示したようないろいろなリンク機能をもつ膝継手をソケット直下に取り付ける方法がとられている．特にOHC（Liquist）などに代表される4節リンク膝継手などがよく用いられた（図5-202）．しかし，このOHC型のものは，①平均身長の低い日本人には適応困難，②膝屈曲角度が110°までで，日本人の生活様式に適応しにくい，③輸入することにより非常に高価となる，などの欠点が認められた．この4節リンク膝継手は設計いかんにより，アライメントによる安定性，外観，屈曲角度，遊脚相への膝屈曲の容易さなどの自由度の選択が可能であるが，残念ながら，同時にすべての自由度が得られないことおよび遊脚相制御機能がないことが問題である．

現在，各国で用いられている4節リンク膝継手を，安定性の程度から過度の安定，安定，不安定と分類しているのが図5-203である（Radcliffe）．膝義足の場合は，アライメントによる安定性（alignment stability）よりも遊脚相への踏み出しの容易さと膝屈曲角度を得たいとの観点から，日本人の場合には，①身長の低い日本人に適応しうる，②膝屈曲可動域を120°まで得たい，などの条件が必要となる．図5-204は，これらの条件に沿い，さらに，アライメントによる安定

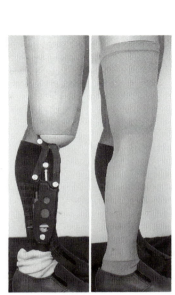

図5-202
OHC 4節リンク膝継手

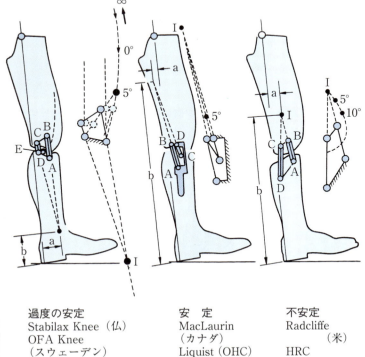

過度の安定
Stabilax Knee（仏）
OFA Knee
（スウェーデン）
Polymatic Knee（米）

安　定
MacLaurin
（カナダ）
Liquist（OHC）

不安定
Radcliffe
（米）
HRC
（兵庫リハ）

図5-203 4節リンク膝継手；安定性による分類

性よりも遊脚相への加速の容易性を目的として開発されたHRC 4節リンク膝継手である（中川ら）．空気圧制御シリンダーをもち，コスメチックカバーで仕上げれば，歩容，外観ともに最も優れた機能をもつものである．

さらに，インテリジェント義足を4軸膝継手（ナブテスコ，NI-C411）に応用したものが開発された（図5-205）．この義足は，立脚相の安定性，自然な歩容，遊脚相におけるクリアランス最大膝屈曲角度160°などの利点を認めている．また，オットーボック社の3R106には，膝義足用のタイプもあり，170°の最大屈曲角度や立脚相の安定性など必要条件を満たしている（図5-206）．

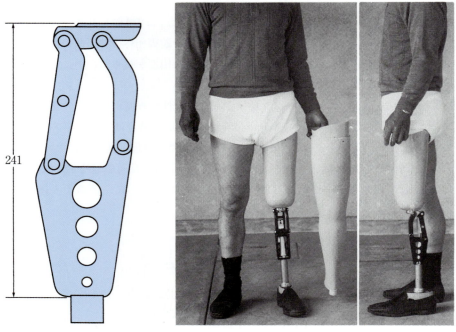

図5-204　HRC 4節リンク膝継手（兵庫県立総合リハビリテーションセンター，中川，雨森によるModel 3）

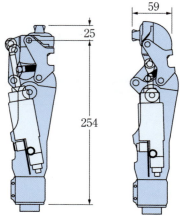

重量：960g
膝屈曲角：最大160°

図5-205　4軸インテリジェント義足膝継手（ナブテスコ，NI-C411）

図5-206　オットーボック3R106膝屈曲時

8 下腿義足

1 機能的特徴とその機能を生かすための条件

― 1 ▶ 下腿切断の機能的特徴

下腿切断（trans-tibial amputation）に残された機能は次のとおりである．

① 膝関節の機能はほぼ完全に残存している：極端な短断端を除く通常の下腿切断では，切断される膝関節屈伸筋は腓腹筋，ヒラメ筋のみである．これについては骨への縫合術を用いるが，一般の筋膜縫合術でも脛骨に再癒着する結果となることが多く，その結果，術前と変わらぬ筋力を得ることができる．

② 膝関節の運動軸は単軸運動ではない：膝関節軸は屈伸運動につれて弧を描いて移動し，また同時に大腿骨，下腿骨骨軸間の回旋運動が起こる．

③ 下腿断端で全負荷を行うことが可能である：下腿断端は，大腿切断のように軟部組織が大腿骨の周囲を取り巻いている状態と異なり，骨性の断端ともいえる特性から，断端で全負荷が可能である．したがって，大腿コルセットの緊縛による免荷の必要性は特殊な症例を除いてはない．

― 2 ▶ 下腿切断後の残余機能を最大限に生かす下腿義足の条件

以上のような下腿切断の残余機能を最大限に生かすための下腿義足（trans-tibial prosthesis）に必要な条件は次のように考えられる．

① 下腿義足は，膝関節の運動機能をできるだけ障害してはならない．したがって，従来より在来式と呼ばれる大腿コルセット付きの義足のように単軸の膝継手をもち，大腿部を大腿コルセットで緊縛する型のものでは膝関節機能を制限することは明らかである．

② 断端で全負荷ができ，同時に疼痛または不快感がないようにソケットの適合を行う．このためには，ソケットの適合面の増大を図って，単位面積にかかる負荷を軽減できるように製作する．さらに，ソケット初期屈曲角度の設定により，負荷面の増大とともに膝窩部への圧迫を防ぐことができる．

③ 義足の懸垂が十分に行われ，ピストン運動を最小限にとどめることが必要である．

④ 正常に近い歩容と，疲労度が最少の歩行能力を得ることが必要である．

⑤ その他の一般条件として，義足の耐久性が優れ，外観が良く，装着方法が簡単なものが望まれる．

2 下腿義足の進歩の歴史

下腿切断者に対しては，過去長年にわたってアルミニウム，セルロイドなどで製作されたソケットと，これに大腿コルセットおよび膝継手を取り付けた，いわゆる**在来式**（conventional type, plug fitting socket）と呼ばれる下腿義足が用いられた．また，長断端例を主な対象として，膝上のベルトと両側の吊り革で懸垂する**軽便式**と呼ばれる下腿義足も用いられてきている（図5-207）．これらの義足のソケットの適合はゆるくて解剖学的ではなく，断端袋で適合を調節することが多く，また大腿コルセットをきつくしばることによって大腿部の部分負荷が行われていた．

下腿義足の進歩の過程をみると，まず適合面の改良が注目される．1959年に米国**海軍式ソフトソケット**（Navy soft socket[24]）が開発された．この義足は，ソケットが軟性合成樹脂と合成ゴムの2層からなり，当初は，ソケットの底の部分が開いたままになって，断端とは接触していないソケット（open end socket）が用いられた．しかし，断端部位の循環障害の改善ができないため，次に，ソケット底部も断端の表面全体と接触しているソケット（closed end socket）が開発された．これにより，従来から問題となってきた浮腫のコントロールに大きな進歩をみた．

しかしながらこのソケットは，在来式のものと同様，膝継手と大腿コルセットをもち，大腿コルセットによる緊縛で大腿部でのある程度の負荷と懸垂を目的とした．このために大腿筋肉の萎縮は著明となり，断端血流の障害は改善されない．また，単軸ヒンジ膝継手のため膝関節の運動軸とは合致しない．これらの欠点を克服できたのが次のPTB下腿義足である．

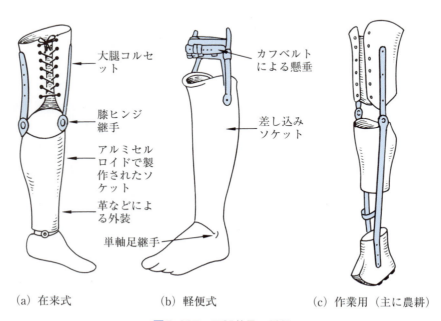

(a) 在来式　　　(b) 軽便式　　　(c) 作業用（主に農耕）

図5-207 下腿義足の種類

3 PTB下腿義足

　1959年にカリフォルニア大学の生体工学研究所で，医学部と工学部との協同研究によって歩行に関する基礎的な研究が行われ，義肢装具士の協力を得て，PTB下腿義足 (patellar tendon bearing cuff suspension type below knee prosthesis) が開発された (Charles Radcliffe & Jim Foort). このPTB下腿義足は，生体工学的な立場から，そして機能解剖学的な立場から，従来の下腿義足の適合理念を発展させて研究開発されたものである．ちょうど，このPTB下腿義足がUCLA教育プロジェクトで取り上げられた1960年に，著者は製作技術を学ぶことができた．現在，後述するTSB (Total Surface Bearing) ソケットデザイン，さらに，シリコーンライナーの導入により，先進国では主役の場を奪われつつある．しかし，PTBソケットの適合技術はきわめて画期的なものであり，価格的にもそれほど高価でないことから，現在なお，世界各国でよく用いられている．PTB下腿義足の適合の基本的理念，動的アライメントの導入，そして，わが国での適応上の問題について紹介する．

－1▸ PTB下腿義足の構成

　PTB下腿義足は，図5-208に示すような構成からなっている．

(1) 軟ソケット付き全面接触ソケット（closed end total contact plastic socket）
　弾性ゴムおよび馬革からなる内層軟ソケットと，硬性合成樹脂による外層の硬ソケットで，ソケットと断端が全体に接触し解剖学的な適合をもっている．

(2) サッチ足
　solid ankle cushion heelの頭文字をとってサッチ (SACH) 足と呼んでいる．名のとおりクッションをもった踵のある硬い足部である．踵ウェッジは比較的硬く，切断者の体重により変えることができる (p325 図5-31).

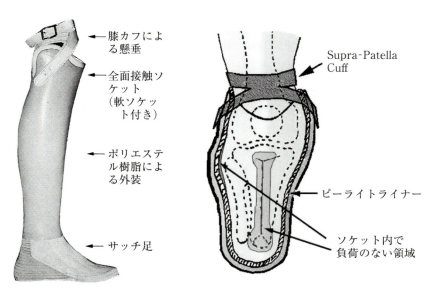

図5-208　PTB下腿義足の構成

(3) 膝カフ

膝カフ（cuff suspension belt）を用いて義足の断端部に固定および懸垂を行う．この膝カフは同時に膝の伸展を防止し，膝屈曲位を保つのに大きな意味をもっている．

(4) 合成樹脂による外装

─2▶ PTB下腿義足の特徴

(1) 膝カフによる懸垂

膝継手，大腿コルセットをとり除き，膝カフによる懸垂に置き換え，膝関節の残存機能を生かした．

(2) 解剖学的特徴に応じた陽性モデルの修正

個々の断端の解剖学的特徴に応じた適合手技，特に陽性モデルの修正などが行われた．その結果，膝および断端部の位置的運動的な感覚（proprioceptive sensation）が優れ，床面から足部に加わる力に対する安定性が得られるようになった．

(3) 最も適正なアライメントの決定

さらに大きな利点として，動的アライメントによる，切断者にとって最も適正なるアライメントの決定ができるようになった．すなわち，ソケットとサッチ足との間にパイロンおよび調節足（adjustable leg）またはカップリングを取り付け，実際に切断者を歩行させ，その歩容により，また訴えによりアライメントを決定する方法が用いられた．

(4) 膝屈曲位での歩行

PTBの最も大きな特徴は膝屈曲位で歩行する点である．この考え方は正常歩行の分析の結果によったものと思われる．すなわち，正常歩行では踵接地期の直前に膝伸展位となるが，すぐに膝屈曲位をとり，160～165°の膝屈曲角度で立脚中期に移行する．次いで，踵が床から離れる踏み切り期にあたって再び伸展位をとるが，すぐに再び約115°屈曲角度まで膝屈曲し遊脚相に入る．

この間，膝伸展位になる期間は歩行全体の周期に比較してわずかである．しかしながら大腿コルセット付き下腿義足歩行では，単軸ヒンジ膝継手による膝解剖軸の代行と弱い後方バンパーの使用とともに，膝伸展位歩行をとっている場合が多く，大腿義足とよく似た歩容をとっている．

このような点に注目して適合面を改良し，膝屈曲位でアライメントをとり，比較的強いバンパーを用い，膝伸展防止を兼ねたカフベルトを使用し，膝屈曲位歩行を行わせようとの試みがPTBによって行われたのである．

具体的に膝屈曲位をとる利点としては，歩容の改善以外に次に述べる3つの点があり，シェーマをもって在来式の下腿義足と対照して示すと図5-209のとおりである．

① 踵接地期でショックの吸収が容易：在来式の下腿義足では，踵接地期の瞬間には膝伸展位をとっているため，床から感ずる床反力として受けるショックは膝および股関節部に直接伝わる傾向が強い．これに対してPTBの歩行では，踵接地期ですでに膝が160～165°の屈曲位にあって，膝関節軸はこの床反力に対して前にある．このため，踵に加わったショックはソケットの後壁上部と前壁下部に働く力となり，立脚中期への移行を容易にする．

② 立脚相で体重負荷面が大きい：膝屈曲位をとっているために，在来式下腿義足では下腿両顆の上部を主として負荷面としていたものが，脛骨の両側全体で膝蓋腱部に広範に負荷ができるようになり，したがって1カ所にかかる負荷圧が減ずる．

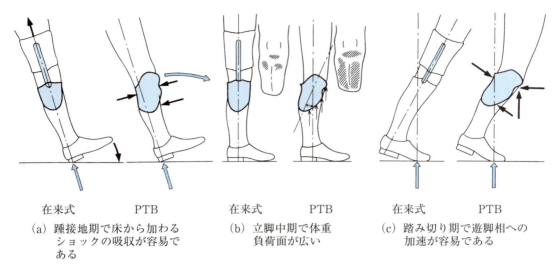

(a) 踵接地期で床から加わる
    ショックの吸収が容易で
    ある

(b) 立脚中期で体重
    負荷面が広い

(c) 踏み切り期で遊脚相への
    加速が容易である

図5-209　PTB下腿義足ソケットが屈曲位をとっている利点

③ **踏み切り期で遊脚相への加速が行いやすい**：下腿義足歩行の場合には，足先が床を蹴って遊脚相に入る力源として下腿三頭筋に相当するものがないため，踏み切り期における義足の下腿部の前傾度が遊脚相への移行の容易さに関係する．この点，従来の下腿義足歩行に比較してPTBの歩行は膝屈曲をとっているため，遊脚相への移行が容易である．

④ **内外側への安定性が良く，両足間の幅が狭い歩行が可能**

図5-210(a)は，義足側が立脚中期にあるときの負荷と，これに対する床反力および，断端とソケットの間での内外側への力のかかり方を示したものである．

この力関係は，

$$Lb + Ic = Wa$$

で表される．したがって，内外側への安定性に対して最も重要な下腿の外側下方にかかる力Lは，

$$L = \frac{Wa - Ic}{b}$$

となる．この外側下方にかかる力b，すなわち下腿長が10cm以上の場合には十分な内外側の安定性が得られ，両足間の幅が狭い歩行（narrow based gait）が可能である．

しかし，もし10cm以内の短断端の場合には，外側での安定力を増すためには慣性力Iを増さねばならない．このため，同(b)のように，具体的には足部を外側にアライメントを設定せねばならない．しかしその結果，腓骨頭への圧が加わり不快感，疼痛が増加し，また，この両足間の幅が開いた歩容（wide based gait）はきわめて不自然であり，避けなければならない．したがって短断端の場合，同(d)のように大腿コルセットと膝継手を取り付ければ内側の大腿部の安定力Tが増加し，

$$L = \frac{Wa - Td - Ic}{b}$$

となり，内外側の安定性が得られる．もし同(c)のように義足足部を極端に内側に設定した場合には，腓骨外側への圧が増加するため不快感を伴い，特に短断端では不適である．

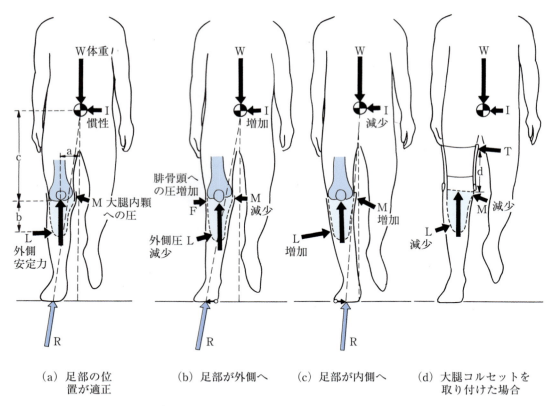

(a) 足部の位置が適正　(b) 足部が外側へ　(c) 足部が内側へ　(d) 大腿コルセットを取り付けた場合

図5-210　PTB下腿義足における内外側への安定性（UCB：Manual of Below Knee Prosthetics より）

─3▶PTB下腿義足の採型とソケットの製作

(1) ソケットの適合の基本理念

PTBソケットの適合理念は，図5-211に示したように，生体機能解剖学的な立場から，断端の体重支持が可能な場所（膝蓋靱帯，脛骨内側フレア部，前脛骨筋，膝窩部，腓骨外側骨幹部など）には陽性モデルの削り修正を行い，一方，体重支持ができない場所（脛骨稜，脛骨端，腓骨頭，腓骨端，ハムストリング腱など）には盛り修正を行い，明確な区別をしている．

PTB下腿義足の採型および陽性モデルの修正における基本的な考え方は次のとおりである．

① 断端でソケットの接触圧に耐えうる部位では，接触圧を増加するように陽性モデルを修正する．

② これに反して断端でのソケットの接触圧に耐えない部位，たとえば骨隆起部では，接触圧が少ないように修正する．

③ 断端部の膝屈曲位によって得られる体重支持面の増大を修正に生かす．

④ 生体力学的な面で断端の残余機能を生かすように修正する．

(2) 採型の方法

① 切断者に腰かけさせ，採型者は向かい合わせに座り，断端部の状態，特に皮膚の状態，瘢痕の走行，圧痛点，骨隆起部，膝関節部の異常，安定性，拘縮などについて観察し，記載を行う．次いで，薄い1枚のぬらしたストッキネットを約25°の膝屈曲位をとった断端部にかぶせ，これをかなりの緊張度で上に引っ張り，腰バンドで固定する．なお，このときの膝屈曲角度は断端長に応じて変えることが必要である．図5-212のように，長断端であれば5〜10°，短断端で

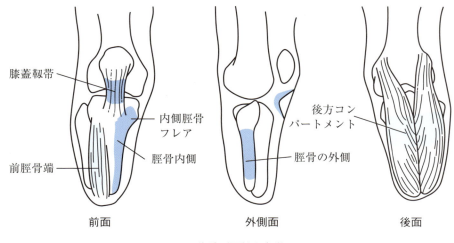

荷重が可能な部位

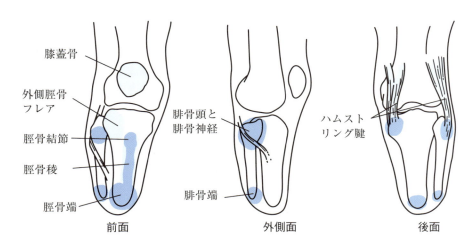

荷重が不可能な部位

図5-211 断端において荷重が可能な部位と不可能な部位

あれば25〜35°とする．

② 次いで，**断端長**および**断端の前後径**（膝蓋腱部より膝窩部まで，計測時に軽度の圧迫を必要とする）および**断端の内外径**（大腿骨両顆の中央部で計測する）を計測し，これを記載する．

③ 骨隆起部および圧痛点に図5-213のような印を入れ，のちほど行う陽性モデルの修正を容易にする．特に膝蓋骨，脛骨粗面，脛骨稜から脛骨の前下端部まで，両脛骨結節，腓骨頭から腓骨端までをマークする．

④ いよいよ採型に入るが，ギプス包帯の上縁のトリミングに細心の考慮を払わねばならない．特に短断端の場合には，内外方向での安定性を得るためにソケットの両側上縁，特に内側縁を高くするように心がけるべきである．ギプスを巻き硬化するまでに，図5-214のように，膝蓋靱帯負荷部となる膝蓋靱帯部は両母指指頭で圧迫し，膝窩部の軟部組織に対しては残りの4指でゆるやかに圧迫を加え，同部位に丸みのある輪郭を出す．その際，ハムストリング腱に対する圧迫を避けねばならない．

⑤ ギプスが固まれば，断端から引き抜いた陰性モデルについて前後径，内外径および断端長

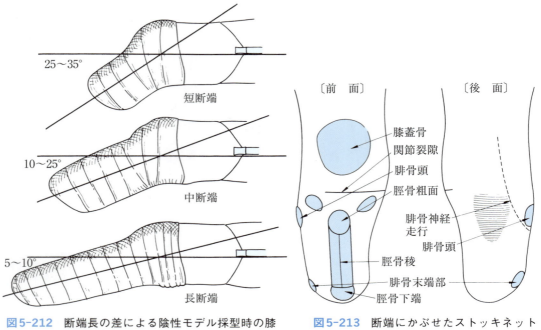

図5-212 断端長の差による陰性モデル採型時の膝屈曲角度の設定

図5-213 断端にかぶせたストッキネットに印をつける

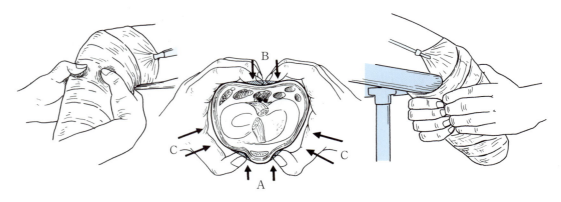

図5-214 PTB採型時の手技

を計測し，前に測定した断端のそれと比較し，1cm以上の差があればもう一度採型を行わねばならない．

⑥ PTB採型時には，断端の解剖学的な特徴をよく理解し，徒手により各個人に最も理想的な陰性モデルを採型することが大切であり，PTB下腿義足の適合の成否にかかわる場面である．したがってこの方法は，断端の解剖学的条件を熟知した義肢装具士の場合には何ら特別の器械を必要とせず，優れた方法といえよう．しかし一方，採型時の膝関節の角度，進行方向などに留意すべき点も少なくなく，技術が未熟な場合にはPTBとしての生命を失い，成績不良の結果となることを明記しておかなければならない．

⑦ 次に陰性モデルにギプス泥を流して陽性モデルを作り，修正を行う．この修正は，断端の特徴を熟知している採型を行った義肢装具士自身が行うべきである．

(3) 下腿義足の他の採型方法

上記は，PTB下腿義足の採型方法であるが，下腿義足の採型には，以下のようにいろいろな

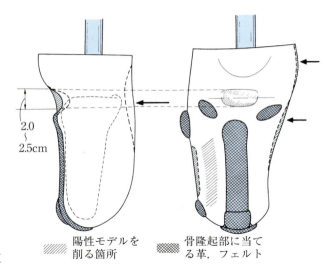

図5-215　陽性モデルの修正

方法が試みられている.

① 断端全体に均等の圧を加えながら採型する方法：これは断端の末梢部にもかなりの圧を加え, 静脈還流を促進し浮腫を除去しようとの目的をもつものである. この具体的な採型方法としては, 水圧を用いる方法 (hydrostatic pressure, Dundee) と空気圧を用いる方法 (pneumatic system for stump casting), さらに吸引を用いる方法 (vacuum casting technique), ICECAST (p480 図5-257) などがある.

② 採型時に用いるソックスの緊張度を利用して採型する方法 (suspended cast method, North Western University)：これは, 採型台に取り付けたストッキネットの中に断端を挿入し体重を負荷させた状態を再現して採型する方法である. これにより, ソックスの長軸方向の緊張が働いたときに周囲からの収縮により外側からの圧力が働くことになる.

③ CAD/CAMによるソケットの採寸採型：最近注目されているCAD/CAMを用いた採寸と製作を行う方法であるので, 図5-286 (p498) に紹介している.

(4) 陽性モデルの修正

陽性モデルの修正は次のように実施する (図5-215).

① 膝蓋靱帯部の修正：採型時の両母指指頭による凹みの間に, 直径約2.5cm, 深さ1cm, 幅約3.5cmの膝蓋靱帯負荷に対する修正を行う. ちょうど10円銅貨の輪郭と考えてよく, 通常これを使用している.

② 膝蓋骨の両側では, 断端部の皮下脂肪の多少によりギプスを削り, 膝蓋骨の輪郭をくずさないようにする.

③ 陽性モデルの両大腿骨顆間の内外径を測定し, 断端の内外径との差を比較してその差を修正するが, 内外側の安定性から考えて短断端ほど陽性モデルの内顆から削る.

④ 脛骨内顆は大きな負荷面であり, 軟部組織の多寡により, 内顆の輪郭に沿って約0.5cm削る.

⑤ 断端外側部の修正は内外側の安定性を得るために特に重要であるが, 断端の長さおよび状態により次のように修正する. ⓐ中等度または長断端の場合には, 腓骨頭下約1.5cmのところから腓骨端の上約1cmのところまで, 深さ0.5～1cm程度ギプスを切除する. その際, 切除面が進行方向すなわちソケットの矢状面と平行していることが重要である. ⓑ短断端の場合にはⓐの

ように修正はできないので，ごく軽度にギプス粗面を滑らかにし，腓骨頭上部のギプスを軽度に切除する程度にとどめる．ⓒ腓骨が切除された例では，脛骨外顆に沿ってかなりのギプス切除を行う．

⑥ 断端部の前面の修正：ⓐ脛骨稜に沿う内側部は皮下組織が少ないため，0.2～0.3cm程度のギプス切除のみを行うが，脛骨内側部の角度を変化させないことが大切である．ⓑ外側部は前脛骨筋，長指・長母指伸筋，腓骨筋などの筋肉組織で覆われているため，かなりのギプス切除（0.3～0.6cm）ができる．その際，脛骨端より1.5cm近位側までは修正を行わないことが重要である．

⑦ 膝窩部の修正は，陽性モデルおよび断端の前後径を比較して，その差だけギプスを切除する．採型時の位置が適切で，膝窩部の指の押さえがゆるやかな輪郭を作っている場合にはほとんど修正の必要はない．重要な点は，両側のハムストリング腱に相当する部分を修正しないことである．

⑧ 断端遠位端部の修正は，PTB下腿義足ではある程度の断端支持が行われるようにする．そのためには断端部と陽性モデルの断端長の差を求め，断端部の軟部組織の多寡によりギプスの除去を行う場合がある．

⑨ 以上の修正が終われば，骨隆起部に厚さ約3mmの革かフェルトを図5-215のように当てる．すなわち，脛骨結節から脛骨稜に沿って脛骨端まで腓骨頭および腓骨端，前脛骨隆起部に行うが，骨隆起の程度によっては脛骨端に二重の革を張る．

(5) 合成樹脂製ソケットの製作

製作方法は，陽性モデルに馬革かビニール革をかぶせ，その上に合成樹脂ゴムをなるべく緊張しないように張り，PVA膜，ダクロンフェルト，ストッキネットを数枚かぶせたのち，アクリル樹脂を流し込む．半ば硬くなったときにソケット下部に穴をあけ，ソケット上縁に相当する部分でトリミングしておいて，ソケットを陽性モデルから引き抜く．

ソケット上縁の切り方は，前上縁は膝蓋骨の中央部，内外上縁は大腿顆を覆うように関節裂隙から4～5cm上方（ただし短断端では内側縁を高くする），後縁は膝窩部に相当する丸みの中央部が膝蓋靱帯中央部に相当するようにし，両側のハムストリング腱に対するスペースを十分とり，膝屈曲に対する抵抗を少なくするように注意が必要である．最近は内層ソケットをもたないハードソケットが用いられる場合がある．特に底部にシリコーンパッドを用いた断端末負荷が試みられる．成熟断端，発汗対策などに適応となる．

—4 ▶ PTB下腿義足のアライメント

殻構造のPTB下腿義足のアライメントは，ソケットと足部の間に調節足（adjustable leg）またはカップリング（coupling）を取り付け，位置，角度などを調節しながら立位をとらせ，歩行させて決定しなければならない（図5-216, 217）．このような調節足は，足部に対してソケットをあらゆる角度および方向に変え，また下腿部の長さが調節できるようになっている．この調節から切断者の訴えを注意深く分析し，その歩容から最も優れたアライメントを決定する．したがって，このアライメントの調節が義足を理解するには最も重要である．義肢装具士はもちろんであるが，セラピストもこのアライメントの調節に積極的に参加すべきである．なお，最近では，殻構造から骨格構造の下腿義足が主役となりつつあり，この場合はパイロンにアライメントを調節する装置が内蔵されているので操作が便利になっている．アライメントは一般的に以下に述べる

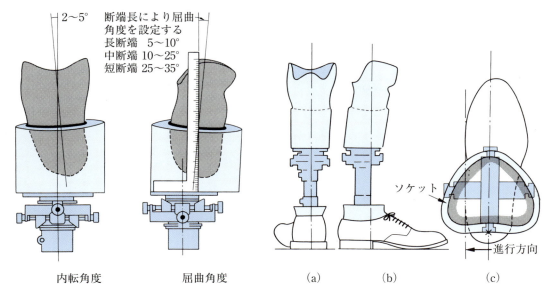

内転角度　　　屈曲角度　　　(a)　　(b)　　(c)

図5-216　ソケットの木部と調節足への取り付け角度

図5-217　PTB下腿義足のベンチアライメント

順序で決定される．
(1) ベンチアライメント
　ベンチアライメント (bench alignment) は，水平の製作台 (bench) の上で製作したソケット足部および調節足を義足として組み立てる段階である．
　ソケットは，調節足を取り付けるためにソケット下部に木部を取り付ける．そのソケットの取り付け角度は床面に対して，屈曲角度(ソケットの脛骨稜に沿う線と垂線とのなす角度)は**図5-216**のように断端長に応じて決め，内転角度は2〜5°程度と設定する．
　次いで，あらかじめ履物に十分適合するように製作された足部を用意する．これはアライメントの正確さを期するためであり，もし足部と履物との間に不適合があれば不自然な歩容をとる結果となるからで，具体的には靴に合った足部をまず製作する．
　ベンチアライメントは実際には**図5-217**のように行う．
　① 義足を後方からみた場合，**同(a)**のように，ソケット後壁の中点からの垂線が踵の中央部を通る．
　② 外側からみた場合，**同(b)**のように，ソケットの膝蓋靱帯の高さにおける中点からの垂線が靴のヒールの前縁を通るようにする．
　③ 上からみた場合，**同(c)**のように，ソケット前壁の中央部と後壁の中央部を結ぶ線が足部の内線を結ぶ線(進行方向)と平行になるようにする．
　④ パイロンが床面に垂直であるように，後方および前方バンパーの厚さと硬さを調節する．
(2) 静的アライメント
　静的アライメント (static alignment) は，組み立てた義足を実際に切断者が装着して，立位と座位で，ソケットの適合状態，義肢の長さ，ソケット後壁の高さなどについて，主観的，客観的にアライメントを決定する段階をいう．

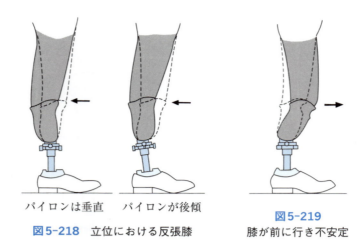

パイロンは垂直　　パイロンが後傾

図5-218　立位における反張膝

図5-219
膝が前に行き不安定

① 義足の長さの検査

両側腸骨稜の高さを検査し，義足の長さが健側と同長かどうかを調べる．

② 断端がソケット内へどれくらい入っているかの適合検査

ソケットの前縁で膝蓋骨の位置がどこにあるかを調べ，断端がどの程度ソケットの中に入っているかを検査する．

③ 静的アライメントにおける異常とその原因

[反張膝をとる場合 (図5-218)]：

・下腿パイロンが垂直ならば，ⓐソケットの位置が足部に対して普通より後方にあり，ⓑソケット屈曲角度が不足する．

・下腿パイロンが後方に傾斜している（踵がその原因であることを示す）ときは，ⓐ後方バンパー，踵ウェッジが軟らかすぎ，ⓑ踵の高さが低すぎる．

[膝が前に行き不安定な場合 (図5-219)]：

・ソケットの屈曲角度が強すぎる．

・足部のトウブレークまでの長さ (toe lever arm) が短すぎる．

[ソケット外側で断端との間にすき間がある場合]：

前後からみてソケットの外側で断端との間にすき間がある場合，断端の外下部に圧を感ずる．

・パイロンが垂直ならば，ソケットの位置が足部に対して外側にある．

・パイロンが外側に傾斜していればソケットの内転角度が不足している．

[ソケット内側で断端との間に隙間がある場合]：

この場合は (図5-221) の逆となる．

(3) 動的アライメント

動的アライメント (dynamic alignment) は，実際に義足歩行を行わせて客観的に歩容の分析を行うと同時に，主観的に切断者が感ずる訴えにより，切断者個々の義足歩行に最も適切であろうと思われるアライメントを最終的に決定する段階である．特に踵バンパーの硬さや膝カフによる懸垂状態などの観察は，この方法に負うところが多い．

この決定には正常人歩行，生体力学に関する深い知識と理解が必要とされるが，それだけにたいへん興味深いものがある．事実，従来ほとんど無視されていた程度のアライメントの変化，た

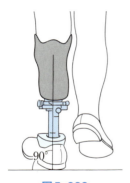

図5-220 立脚中期で下腿パイロンは床面に対して垂直でなければならない

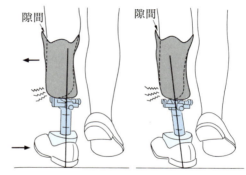

(a) パイロンが垂直―足部が過度に内側位

(b) パイロンが外傾―ソケットが外転位

図5-221 ソケットの外上縁と断端との間に隙間がある場合

とえば，ソケットと断端との接触圧のわずかな変化から切断者の訴えが変わり歩容の変化を認めることからしても，今まで述べてきた多くの操作の中でも最も重要な部分である．以下のように行われる．

① 膝カフの取り付け位置

まず義足を断端に装着させ，かつ膝伸展防止のために膝カフを取り付けねばならない．取り付け位置は個人差が大きく，また日本の生活様式上，比較的膝屈曲をとる機会が多いため重要な問題である．だいたいにおいて膝伸展位で膝蓋上辺部でぴったりと緊張し，坐位で同部に圧迫が加わらぬ程度が望ましい．事実，何回も膝運動を繰り返してその位置を決定するが，内外両側とも床面に対して平行で，かつその結ぶ線が進行方向に対して直角であるべきである．

② 歩行時の内外側の安定性を前後方向から観察する

次の点につき，特に注意を必要とする．

・調節足のパイロンに注意し，立脚中期に床面に対してパイロン軸が垂直であるように調節を行う（図5-220）．

・ソケットの内外上縁部と大腿両顆部との適合状態および切断者自体の訴えにより，ソケットと足部との内外位置関係が決定される．たとえば，ソケットの外上縁と断端との間に隙間を認めパイロンが垂直のときは，ソケットの位置が足部に対して外側にあることを示す（図5-221）．しかし，パイロンが傾斜しているときはソケットの内外転角度の設定を誤っている場合がほとんどであり，その場合はパイロンが垂直位になるまでソケットの内外転角度を調整する（同(b)）．

③ 歩行中の前後方向の歩容および安定性を側方から観察する

ソケットの前傾，すなわち膝屈曲角度の程度およびソケットの足部に対する前後位置関係，後方バンパーの状態，カフベルトの適合性などが観察される．歩行の周期の順に観察すべき点は次のとおりである．

踵接地期から立脚中期まで

［過度の膝屈曲が認められた場合］（図5-222）：

正常歩行では踵接地期の瞬間には膝関節は完全に伸展し，次いですぐに膝屈曲しはじめ15〜20°の膝屈曲角度となる．しかし，PTBでは膝カフの作用，PTSではソケット前上縁の膝蓋骨上

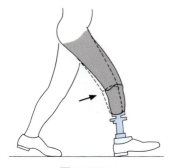
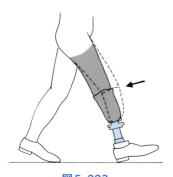

図5-222　踵接地期に膝屈曲がひどく起こる　　　図5-223　踵接地期に膝伸展が起こる

部に対する圧迫により膝関節の伸展が制限され，踵接地期においても膝屈曲位をとる．
　PTB歩行では，踵接地期から立脚中期にかけて膝屈曲角度が異常に大きい場合には次のような原因が考えられる．
　・後方バンパーが硬すぎる場合：後方バンパーが硬すぎるために，踵接地期で底屈が困難となり，これが膝屈曲位を強制するように働き，膝の不安定の原因となる．
　・ソケットの位置が足部に対して著しく前側にありすぎる場合：ソケットが足部に対して前方にありすぎると，踵接地期に膝関節の屈曲が急にそして強く起こってくる．
　・ソケットの角度が強く前傾しすぎているか足部の背屈が強すぎる場合：正常歩行で述べたとおり，踵接地期には足部の底屈と膝関節の屈曲が働いて足底が床につき，円滑な歩行ができる．しかし，ソケットの角度の前傾が強いか足部の背屈が強い場合には，足底部が床面に接するためには膝関節の屈曲を強く行わなければならない．

[膝関節の屈曲が不十分でかえって伸展位をとる場合]（図5-223）：
　この原因としては以下のものが考えられる．
　・ソケット前部における適合不良：踵接地期には，大腿四頭筋の作用によって膝関節を伸展位に保持しようとする．その結果，断端の前面とソケット間の圧が増加する．しかし，もしこのときにソケット前部に適合不良があれば，この不快感を避けるために踵接地期で膝関節を伸展しようとする結果になる．これはPTBの理想的な歩容と逆行するもので，むしろ踵接地期におけるハムストリング腱の収縮を強化し，膝屈曲位歩行をさせるべきである．
　・大腿四頭筋筋力が弱い場合：これは，下肢の弛緩性麻痺患者における大腿四頭筋歩行と同じ原理に基づくものである．
　・大腿コルセット付き在来式下腿義足を装着して膝伸展歩行を長年にわたって行ってきている切断者は，それが習慣となっている場合が多い．したがって，これをPTBに変えた場合，理学療法士による膝屈曲位歩行の指導が必要である．

[膝関節の屈曲が踵接地期より遅れて起こってくる場合]：
　・後方バンパーが軟らかすぎる場合：後方バンパーが軟らかいと踵接地期に完全に圧縮され，このあとで膝関節の屈曲が起こってくる．したがって，膝屈曲のテンポが少し遅れることになる．
　・ソケットが足部に対して後方にある場合

[踵接地期において頭，肩などの上体が前のめりになる場合]：
　・断端の前部に不快感がある場合：ソケットの不適合による疼痛を避けるためである．

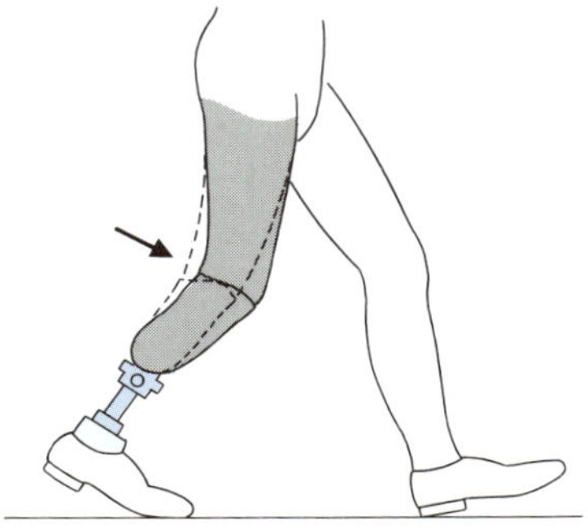

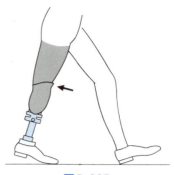

図5-224　踏み切り期に膝屈曲を起こす

図5-225　膝の伸展を起こす

　・大腿四頭筋の筋力低下がある場合：体重心を前方に移動させ，膝伸展位に保持させようとするためである．

立脚中期から踏み切り期まで

［急に膝屈曲を起こし骨盤の低下（drop off）をみる場合］（図5-224）：

　・ソケットが足部に対して前方にありすぎる場合：この場合，トウレバーアーム（toe lever arm）つまり足部の前側のテコの長さが短くなり，体重心がかかる点の移動がトウブレークより前方に移行したときに膝関節の急速な中折れを起こす．したがってトウブレークの位置が大きく関係する．

　・足部が過度に背屈している場合
　・足部の外内旋が強すぎる場合
　・ソケットの角度が著しく前傾している場合
　・靴のヒールが高すぎる場合

［急に膝関節の伸展を起こす場合］（図5-225）：

　・ソケットが足部に対して著しく後方にありすぎる場合：トウレバーアームが相対的に長くなったためで，これにより膝屈曲に対して抵抗し伸展位をとる．

　・義足足部が尖足位をとっている場合
　・ソケットの角度が後方に傾きすぎている場合
　・ソケットの適合不良により，ソケットの中で断端が伸展位をとっている場合

─5▶ PTB下腿義足の特性（利点・欠点）と処方方針

　1961年，筆者はUCLA義肢教育プロジェクトから帰国後，すぐに，PTB下腿義足製作の伝達講習を開始した．それと同時に，在来式の下腿義足からPTB下腿義足へと処方を変換したので，その成績から，PTB下腿義足の装着率，利点・欠点，そして適応などについてまとめてみた．

(1) 装着率

　PTBの装着率は90％以上ときわめて高く，わが国でも十分適応のあることを示している．装着不成功例は，断端自体に有痛性の瘢痕があり知覚過敏などの問題があった症例と，重労働などに関係して義足の安定性に問題があった症例が大半を占めている．

(2) 利　点

　いわゆる大腿コルセット付き在来式義足に比較し次のような利点がある．

① 在来式義足に比較して適合感が優れ (71%)，同時にピストン運動の減少 (63%) が認められる．

② PTBは在来式義足に比較して義足を軽く感ずる (85%)．

③ 歩容が良好となり (43%)，歩きやすい (69%)．これには，膝屈曲位でのアライメントの設定が大きな影響をもつものと考えられる．

④ 大腿コルセットの緊縛による大腿部の筋萎縮および末梢部の循環障害をきたす可能性が少ない．

⑤ 装着操作が簡単である (90%)．

⑥ 義足の耐久性が良好となっている (42%)．

(3) 特に注意すべき問題点

① 歩行時の安定性

PTBは整地歩行では安定性に問題を認めないが (81%)，不整地歩行，坂道歩行では安定性が減少する傾向を認め，不安定感を訴えるものが多くなっており (32%) 軽視できぬ問題である．特に在来式に比較して不安定感を訴える率が高くなり (53%)，本義足の適応の限界を示す一材料となっている．

② PTB装着後の断端の収縮

PTBは，解剖学的適合を目的として軟部組織にある程度の圧迫を加えるために，義足の装着後にある程度の断端の痩削 (shrinkage) が起こってくることを避けることができない．しかもこの断端の痩削は，長年にわたって在来式の義足を装着してきた症例でも43%に認めることは注意すべきである．これらの理由から，PTBの装着後1～2カ月頃に必ず適合状態を再検査しなければならない．

③ 膝カフにおける問題点

PTBにおける膝カフは2つの作用をもっている．第一には，ソケットの懸垂に作用しソケットと断端を保持し，ピストン運動を最小限にとどめる．第二には，膝カフが膝関節の完全伸展を防止し膝屈曲位歩行を完全に行わせることにある．このように膝カフは，PTBの適合および歩容にきわめて大きな役割をもつにもかかわらず，遠隔成績を調査した場合にはその使用目的および方法が案外切断者自身に説明されず，理解もされていないことが多い．

・膝カフの形状：これは，個々の切断者の膝関節上部の解剖学的特徴，特に軟部組織の発達の程度により，個々の切断者によく適合するものを選択する必要がある．

・膝カフの材質：これは特に厳密な選択が必要である．膝カフは義足の初期適合時に良好であっても，装着後に徐々に伸展し，また形状がくずれ，適合不良となってピストン運動の原因となることがしばしばである (図5-226)．

・膝カフの取り付け位置：これも，膝関節屈曲能力に関連してくるため，あくまでも個々の切断者に適した位置の選択が必要である．

④ PTBにおける膝関節屈曲能力に関係する因子

日本の生活様式においては，欧米に比較して膝関節の屈曲能力範囲を要求される動作が多い．特に問題となるのは，室内における畳上の座位や用便動作をとる場合，自転車やオートバイに乗る場合，さらに大工，左官など膝屈曲位での仕事を要求される職業の場合などである．

PTBの場合は在来式義足のものに変わらない膝関節屈曲能力を得るとの結果を得たが，PTBにより完全に日本の生活様式に対する適応ができるとは考えられない．たとえば座位を例にとっ

8 下腿義足 461

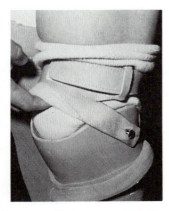

図5-226 膝カフの適合不良例
膝蓋骨上部でぴったり適合しなければならない

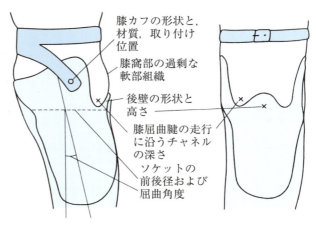

図5-227 PTB装着者の膝関節屈曲能力に関連する因子

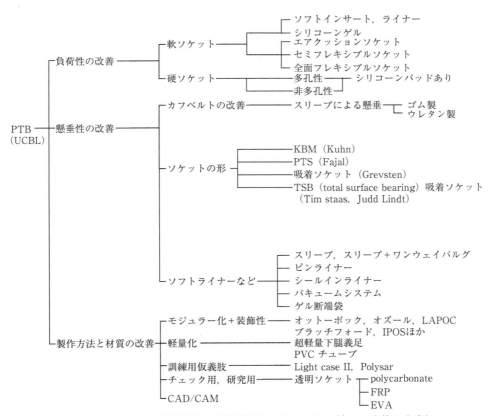

図5-228 下腿義足の分類（PTBを中心とした種々の改善の方向）

てみても，PTBで困難を感ずると訴えている例は86％を占めている．

図5-227に，膝関節屈曲能力に関連する因子を示した．

(4) PTBを中心とした下腿義足の分類および改善の方向

下腿義足を，PTBを中心として，負荷性，懸垂性，製作方法，材質について，多くの改善に向けての努力がなされている．その方向をまとめると図5-228のようになる．

表5-12 下腿義足の処方方針

PTBの不適応例	PTB不適応例に対する他の処方	
	大腿コルセット 膝継手の取り付け	PTS処方
断端に問題がある場合		
①短断端（5cm以下）	(#)	(+)
②動揺膝関節（側副靱帯損傷）	(#)	(+)
③断端皮膚を近位側に引き上げたときに疼痛を訴える例	(−) ただし，大腿コルセットにより部分負荷が可能	(#)
④腓骨に対する外側からの圧迫により，断端に疼痛または不快感を訴える例	(−)	(+) または脛腓骨間骨接合術
⑤断端にて全負荷ができない例（広範囲の瘢痕神経腫，その他）	(#)	(+)
⑥膝蓋部に著明な軟部組織の異常を認める場合	(−)	(+)
⑦膝関節筋力低下が著明な例	(#)	(+)
職業上の不適応　重量のあるものの運搬，不整地での作業従事者には注意	(#)	(−)
生活様式上の不適応　特に室内での正座など膝屈曲を要する例	(−)	(#)
切断者が在来式下腿義足で満足している例	(#)	(−)

（−）不適応の場合，（＋）一応処方を試みてもいい場合，（#）最も適切な処方の場合

(5) 適応と不適応

　PTBの装着率はきわめて高く，ほとんどすべての断端にはPTBを処方することができる．ただ，断端に問題がある場合，また職業によりPTBの処方に注意すべき場合があり，当初は，表5-12に示すような処方不適応例とこれに代わる処方を考慮してきた．このPTB下腿義足の適合理論に対しては，膝蓋靱帯と膝窩にかかる高い荷重や，特定の荷重部位と特定の非荷重部位の設定など，非生理的な面が指摘され，後述する，吸着義足，TSBソケット，シリコーンライナーの適応などが注目される時代に変わりつつある．

―6▶エアクッションソケット付きPTB下腿義足

　PTB下腿義足装着例において，断端の末梢部に頑固な浮腫を認めることがある．この原因には，断端の近位部における適合がきつくて静脈の還流が制限される場合（図5-229）と，ソケット末梢部での適合が不十分でソケットの内面から断端にかかる圧迫が少ない場合に起こってくる．

　エアクッションソケット付きPTB下腿義足（air-cushion socket for PTB below-knee prosthesis）は，このような断端末梢部への圧を増加し，浮腫をコントロールする目的のためにカリフォルニア大学バークレー校（UCB）にて開発されたものである．この義足は，下腿脛骨結節の末梢部にシリコーンゴムで密閉された空気室が作られている（図5-230, 231）．

(1) 利　点

・シリコーンゴム自体の張力と負荷時の空気室内の圧上昇により断端末梢部に力が加わることとなり，膝蓋腱および膝窩部に対する圧が減ると同時に，シリコーンゴム自体の弾性により脛・腓骨末端部での皮膚の緊張が減る．

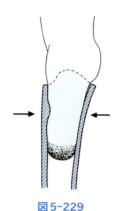

図5-229
断端の中間部に圧迫があると，断端末に浮腫を起こしやすい

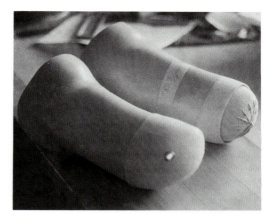

図5-230　PTBエアクッションソケット

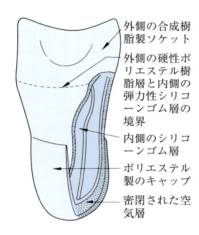

図5-231
PTBエアクッションソケットの断面

・義足のコントロールがより容易となる．
・断端の浮腫が減少し，潰瘍など創の治癒が良好となる．

(2) 欠　点

・高度の製作技術が必要である．

4 PTS下腿義足

　PTS下腿義足は，1964年にコペンハーゲンで開かれた義肢の国際セミナーでFajal（ナンシー，フランス）により初めて紹介されたものである．これはProthèse Tibiale À Emoitage Supracondylienまたは Prothèse Tibiale Supracondylienneと呼ばれ，頭文字をとってPTESまたはPTSという名称が用いられている．しかし，最近欧米では主としてPTSと呼ばれているので，今後の名称の混乱を避ける意味でPTSと呼びたい．

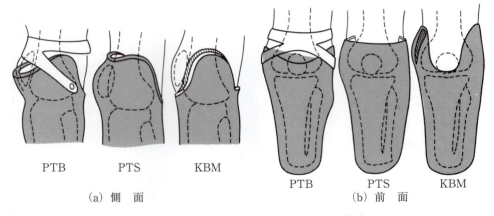

図5-232　PTB, PTS, KBMソケットの比較

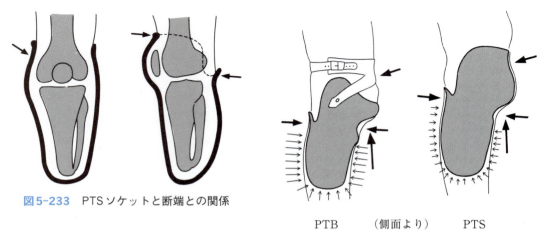

図5-233　PTSソケットと断端との関係

図5-234　PTBとPTSとの比較（ソケットと断端間の緊張度を示す）

　PTSは図5-232, 233に示したように，PTBのカフベルトによるソケットの懸垂保持に代わって，両側大腿骨顆上部および膝蓋骨上部までも完全にソケットで覆い，**適合面を広くして安定性の増加**を目的としたものである．PTSの適合の主な支持点はPTBと同様であるが，断端に対するソケットの適合方法にはかなりの差があるようである．特に，陽性モデルの修正および採型時の技術に差を認め，PTBの場合には解剖学的，機能的特徴を出すように製作されるのに対し，PTSでは採型時には均一の圧をかけるにとどめ，ほとんど陽性モデルの修正を行わず，適合面の広さにより機能をもたせている（図5-234）．懸垂機能とコントロールするために図5-235のような変法が用いられる．

　このPTS下腿義足は，膝関節屈曲能力に関連して，日本人の生活様式に結びついたいろいろな利点や欠点をもっている．

(1) 装着率

　PTSを処方する例は，PTBに適合困難な短断端や膝不安定なケースに多いために，PTBに比較して装着率はやや低い．

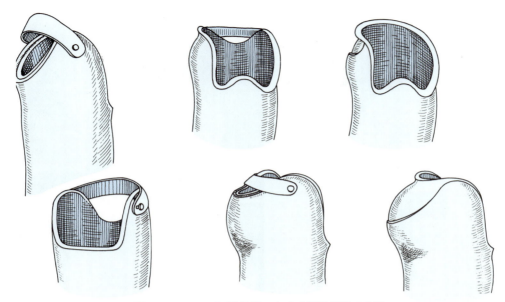

図5-235　PTS下腿義足における懸垂機能の変法

(2) 利　点

① 適合面の増加による利点
- 歩行時における内外および前後からの安定性が増加し，これは特に整地歩行での著明な利点といえる（図5-236）．
- 短断端および動揺膝関節例にも装着を成功させることがしばしば可能である．
- 義足の耐久性はさらに増加する．

② 陽性モデルの修正をあまりしないことによる利点

筆者がFajal社を訪れた1969年には，ギプス包帯によるソケットの上からバキューム吸引を用いた採型を行っていた．PTSでは，PTBで行う，荷重部位，非荷重部位での極端な陽性モデルの修正に対して批判的である．そのため，PTSの場合は，前述したとおりPTBほど著明な修正を行わず，ソケットの適合は断端の中央部でややゆるいといえる．ゆえに，断端の軟部組織の状態が不良でPTBの解剖学的適合に適しない症例でも，PTSの処方が可能となる利点を有する．

③ PTBにみられる膝カフに関連した欠点がない．
④ 義足の装着操作がPTBよりさらに簡単である．
⑤ 義足の外観が改善されたため，女性切断者に大きな利点となる．
⑥ 膝関節屈曲可能による利点：PTSの場合，膝関節が屈曲するにつれて膝蓋骨がソケットの膝蓋上部の支持点を通り越し，ソケットの外側に出ようとする．さらに膝関節屈曲を行うにつれ，断端の近位部がソケット外に出てしまって膝関節の完全屈曲が可能となる．この点は，女性切断者の場合や，座位をとることが必要な職業の場合には大きな利点となる（図5-237）．

(3) 欠　点

① 膝屈曲位での不安定性：上記のように，PTSの膝関節屈曲時に断端がソケットから脱出する傾向があることは切断者にとって不安定感として表現される．このため，膝屈曲位で日常の作業を行う職業（工員，大工，左官，重労働者，運転手など）の場合には問題となることが多く，

図5-236　PTS装着例
義足側で片足跳びができる

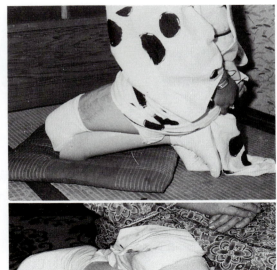

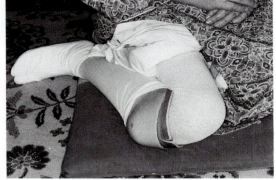

図5-237　PTS装着例
膝完全屈曲ができる（上が正座，下が横座り）

　また，一般切断者でも階段下降時および自転車運転時に義足の不安定感を訴える場合がある（図5-238）．女性の場合は，ソケットの上にはいたストッキングをガーターに留めることによりこの不安定感をある程度解消しうるが（図5-239），男性で特に重労働者の場合には不適応となる．PTSの装着失敗例の原因のほとんどがこれに起因するものである．図5-240のような短い断端コルセットを装着させることにより適応を広げることができる．

　② 外観上の欠点：男性切断者で細いズボンをはいている場合は，椅座位のときにソケットの前上縁がズボンの下から突き出た形となり，一つの欠点としてあげられる．

(4)　適応と不適応

　これについては表5-12（p462）に示したとおりであるが，積極的にPTSを処方している適応は次のとおりである．

　① PTB不適応と考えられる断端に対する適応：ⓐ下腿短断端例，ⓑ膝動揺関節例，ⓒ断端の知覚過敏，疼痛を訴える例

　② 女性切断者

　③ 室内で座位をとることを必要とする職業についている人

(5)　膝関節伸展拘縮を伴う短断端に対するPTS型スプリットソケット

　膝関節屈曲制限を伴う下腿切断はまれでない．PTB，PTSをそのまま装着させると，ADLや職業にかなりの支障をみることが多い．このため図5-241のように継手を別に付けることで座位や膝立ちが容易にとれるようになる．

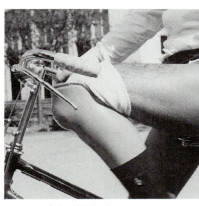

自転車運転時　　　階段下降時

図5-238　PTSでの膝関節屈曲
義足が外れそうになり，不安定感がある

図5-239
女性がPTSを装着する場合は，膝屈曲時にソケットが抜けるのを防ぐため，ストッキングをガーターに留める

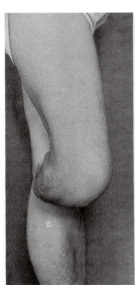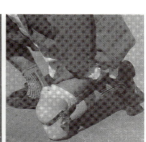

図5-240　下腿短断端（3cm）に対するPTSと大腿コルセットの取り付け

図5-241　膝関節伸展拘縮例
PTSソケットに継手を取り付け，屈曲ができるようになった

5 KBM下腿義足

　KBM下腿義足はドイツのミュンスター大学において開発されたものである．KBMはKondylen-Bettung Münsterの略であり，p464 図5-232に示すように，PTBの大腿骨顆部を覆うソケットの部分を上部に長く伸ばし，大腿骨顆部をかかえ込んだような形態をとっている．膝蓋骨部が，PTSと異なり切り取られている．このため，座位における膝屈曲位でソケットの端が衣服の下から目立つようなことはなく，外観的には優れた義足である．

　木製または合成樹脂製のソケットが製作されている（図5-242, 243）．なおこの義足は，装着操作を容易にするため，ソケットの内顆に接する場所に楔状のものを挿入し，装着後に懸垂が十分できるようにしてある．この義足はカフベルトを不要とし，内外側への安定性を良好にさせる目的をもったものといえよう．

　このKBM下腿義足は，適合理念はPTSとほぼ同様であり，PTBと異なり陽性モデルにあまり著明な解剖学的な修正を加えない，生理的な適合を目的としている．その利点，欠点は以下のとおりである．

(1) 利　点

① 外観が優れている．PTSのように膝屈曲位でソケット上縁が衣服の下で飛び出ない．
② 衣服がソケット内にかまれない．
③ 顆上部に及ぶ支持面が広いので膝の内外側方への安定が得られる．膝関節の動揺が防げる．
④ 膝蓋骨の前が開いているために通気性が良く，膝立ちその他の姿勢をとるのに適する．

(2) 欠　点

① PTSと同様に，膝屈曲をとるとソケットが外れそうになる．
② 椅座位を長くとったり自転車に長時間乗ったりしていると，両顆部に不快感を訴える場合がある．

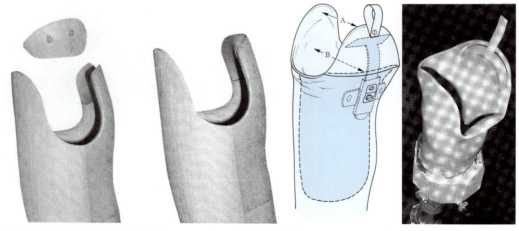

図5-242　KBM下腿義足（木製）（ミュンスター大学（ドイツ）にて）
図5-243　KBM下腿義足（合成樹脂製）とPTB下腿に着脱しうる内側ブリムをもつもの（Fillaure, C.）

6 TSB吸着下腿義足

　上述したように，PTB下腿義足では，体重を支持する表面積が制限されて荷重部位への負担が増加し，さらに懸垂機能が不十分のためにピストン運動が起こり，活動性の高い切断者にとっては擦過傷などを起こすことから不満の原因となっていた．その不満の解消のためにPTS下腿義足，KBM下腿義足の製作時には，ほとんど陽性モデルの修正を行っていなかった．その基本には，PTBのこのような非生理的なソケットの適合修正に対する批判があったためである．しかし，PTS，KBMともに，歩行時のソケット内のピストン運動の減少は期待できなかった．

　これらの批判に対して，下腿切断に対してもサクションソケットによるより優れた懸垂を行うことを目的として，Grevsten（スウェーデン），Striede（オーストリア），Kristinsson（アイスランド），そして，Staats（米国）などにより，PTBの適合理念と全く異なる吸着ソケットの適合研究が進められた．この結果，生まれたのがTSB吸着ソケット（Total Surface Bearing（TSB）Suction Trans-tibial Socket）であり，この研究の実用化を進めたのがシリコーン，ウレタンなど弾力性インターフェイスの開発である．

―1▶ TSB吸着下腿義足の特徴

　この中でも，最初に最も注目されたのが，1987年，UCLAのT. B. StaatsとJ. Lundeによる"The UCLA Total Surface Bearing Suction Below-Knee Prosthesis"[277]の開発である．彼らは，PTBソケットの適合理念と決別し，断端表面全体で体重を支持する適合理念を基本に，透明性のチェックソケットの導入によって正確な適合状態を客観的に判定し，さらに弾力性インターフェイスの開発導入によりTSB吸着下腿義足という画期的な義足が開発された．

　『TSBサクションによる懸垂の3つのかたち』（UCLA；Staats）
　このTSBサクションによる懸垂には，次の3つのバリエーションがある．

　① "tension suction"：まず，大腿吸着ソケットの適合と同じ考えであり，断端の周径よりソケットを少し小さめに製作することによって断端組織とソケットの摩擦を利用して懸垂する方法．

　② "atmospheric suspension"：非弾力性ではあるが，フレキシブルなインターフェイスを用いてソケットを密封する環境を作り，非荷重時に断端を取り囲むように働くことによって懸垂する方法．

　③ "active compression suction"：弾力性のあるインターフェイスを断端末から上部に向かって転がすようにかぶせ（roll over），断端とソケットとの間の摩擦により皮膚と密着して懸垂する方法．

　このような理念の下に，UCLAではTSBソケットを開発し，X線にて立脚時と遊脚時におけるソケット内での脛骨の動きを調査し，従来の義足に比較してソケット内での脛骨の移動，つまりピストン運動が少ない利点を認めた．そして，臨床的にも，骨隆起のある下腿切断を含めた150例のTSB装着者で不快感がきわめて少ないとの優れた装着結果を認めた．

　その後，TSBソケットは，多くの研究と弾力性ライナーの開発が行われ，現在では，PTBに変わる下腿義足の主流として用いられるようになっている．そこで，神戸医療福祉専門学校三田校では，提携教育関係をもつオーストラリアのLa Trobe大学義肢装具学科で長年TSBソケット

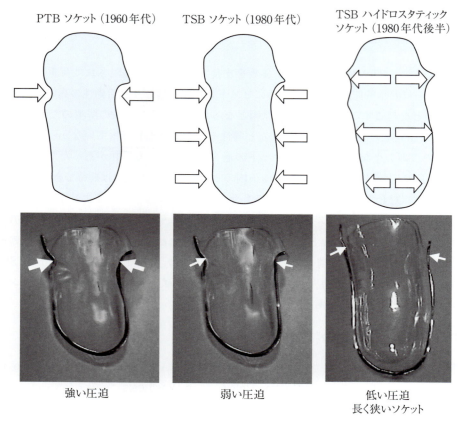

図5-244 PTB，TSB，TSBハイドロスタティックソケットのデザインの比較．膝蓋靱帯と膝窩部に対する圧迫程度の差（Kahle, 1999）

に取り組んでおられたLes Barnes氏に実技と講演をお願いした．TSBソケットの基本にきわめて忠実な最新の情報なので，許可をいただき，以下にTSB吸着ソケットの採型手技を紹介したい．

─2▶ TSB吸着ソケットの適合理念

　PTBソケット（p447図5-208，p451図5-211）と異なり，PTBで行われている荷重部と非荷重部の差を少なくし，TSB吸着ソケットは断端の表面全体で荷重することが基本理念である．PTB，TSBおよび後述するTSBハイドロスタティックソケットのデザインの差を示したのが図5-244（Kahle, 1999より）である．

─3▶ TSB吸着ソケットのギプス採型手技の基本

　TSB吸着ソケット採型手技は，陽性モデルの盛り修正や削り修正をほとんど行わない．そこがPTBソケットと異なる点である．次の4つの段階で行われる（T. Staats[277]）．
　① まず，きわめて薄いナイロンストッキネットを断端にかぶせる．
　② 最初に，腓骨頭，脛骨稜，内果のフレアを被うギプスを巻く．このときに断端のすべての骨性の解剖学的な構造を意識してモールドすることが大切であり，内外径（図5-245（a））を把

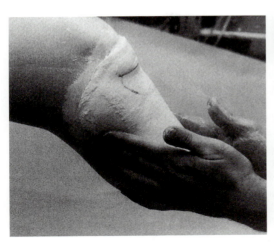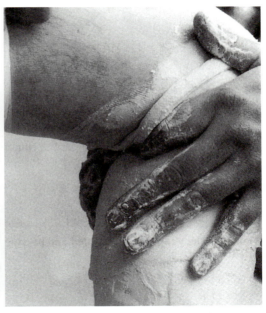

(a) 脛骨内側のフレアおよびすべての骨隆起部を注意深くモールドする
(b) ギプス採型時に膝を90°屈曲し，後壁のトリムとハムストリング腱のレリーフを行う

図5-245　UCLA TSB[277)]

握する．もし採型手技が適切で，ギプスの内外径と断端の内外径との誤差が3mm以内であれば，陽性モデルの修正は必要ない．

　③ 次に，弾力ギプス包帯を用いて，**膝窩部と膝前面を巻く**．このとき，ギプスソケットの後面は，膝窩のひだの下3cmより高くしない．前面はしっかりと押さえておく．固まりかけたら，後近位部を軽く押し前後径（図5-245（b））を把握する．このとき前後径を短くすることにこだわり，内外径を変えてはいけない．

　④ 第3番目のギプス包帯は，後のブリムの形を作り，ハムストリング腱のモールディングを行う．特に内側ハムストリングに適応させるために斜めのトリムラインとなる．同時に内側フレアより近位部でハムストリングあたりがゆるくならないように内外側をモールドする．

　⑤ 4番目には，顆上部の懸垂を意識して断端形状に沿わせる．

[TSBギプスソケットの徒手による採型手技]

　次のような順序で，徒手によるTSBギプスソケットの採型が行われ，教材として用いられている（Les Barnes，図5-246，247）．基本として，PTBのように，ギプス包帯を使用して断端全体を一度で巻いて，膝蓋靭帯と膝窩部を押さえ，あとは陽性モデルで荷重部と非荷重部を分け，生体工学的な立場から修正するのではない．TSBの採型の特長は，図5-246のように9段階に分けて，ソケットの内外径，前後径，膝窩部のトリムラインなどを明確にしていく点にある．

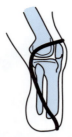 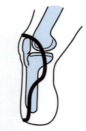 

(1) 断端の外側にギプスシーネの外縁を描く

(2) 断端の内側にギプスシーネの内縁を描く

(3) 断端に描かれた形に適合するように，ギプスシーネの形を作る（大きさ 15cm 程度のギプスシーネが6〜9枚必要）

  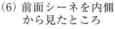

(4) 断端前面にギプスシーネを当て，荷重部位を押さえる 脛骨稜の両側を押さえ，外側により大きな荷重がかかるようにする

(5) 前面シーネを外側から見たところ 膝蓋骨の下および周辺での荷重を意識する 腓骨頭より遠位部にかけての荷重を意識する

(6) 前面シーネを内側から見たところ 脛骨内側フレアより下部での荷重を意識する

(7) 10cm 幅のギプス包帯で断端を巻く．このときに，腓骨軸および脛骨内側フレアへの荷重を意識する．ギプス包帯は内側から外側に向かって巻く

(8) 2つ目の10cm 幅のギプス包帯を内転筋結節の高さまで巻く．この包帯は決して膝蓋骨の上端部を越えてはいけない

(9) ギプスが固まる前に膝関節を90°に屈曲し，ハムストリング腱のチャネルを作り出す．膝窩部での指は平坦に保つようにする

図5-246 ギプスシーネと包帯を用いたTSB下腿義足のギプス採型手技（La Trobe大学義肢装具学科，Les Barnes）

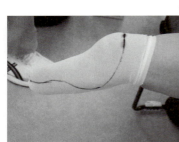  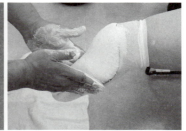

(a) 断端前内外側を覆うギプスシーネの輪郭ラインを引く
(b) このラインに形を合わせたギプスシーネを用意する
(c) 断端の前内外側にシーネを当て，脛骨内側フレア，腓骨軸に沿ってていねいにモールドする

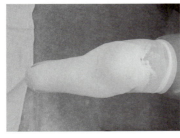  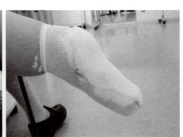

(d) 断端の前面から見たギプスシーネの形
(e) 内側から見たギプスシーネ
(f) 外側から見たギプスシーネ

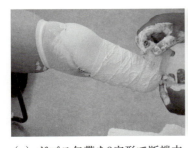 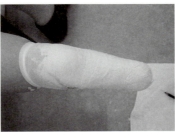 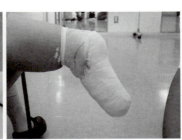

(g) ギプス包帯を8字形で断端末まで巻く
(h) 断端末まで巻いたソケット（前側から）
(i) この段階でのギプスソケット（外側から）

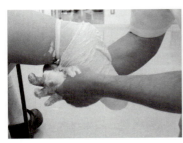 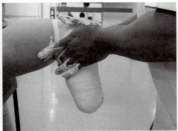 

(j) ハムストリング腱を圧迫しないようにゆるめにソケット上部を巻く
(k) 膝関節を90°に屈曲させて中指を膝窩部に置き，ハムストリング腱を押さえないようにする
(l) 同．採型時の指の位置に注意

図5-247　ギプスシーネと包帯を用いたTSB下腿義足のギプス採型手技の実際を示した（神戸医療福祉専門学校三田校・内田充彦氏指導）

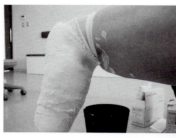  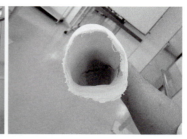

(m) ギプスソケットを巻き終わった状態　(n) 同．膝窩部のくぼみに注意　(o) 上から見たギプスソケットの輪郭

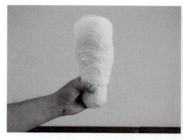  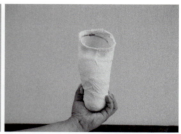

(p) 前面から見たギプスソケット　(q) 外側から見たギプスソケット．上縁トリミングに注意　(r) 後側から見たギプスソケット

図5-247　つづき

─4 ▶ インターライナーの開発・進歩

(1) インターライナー開発の基礎となった役割

　TSB吸着ソケットでは，弾力性のあるインターフェイスの進歩が，縦方向での体重支持，義足と身体との間の横方向での固定，義足の縦方向での懸垂など，重要な役割を担っている．

　義足ソケットの機能には，疼痛のない荷重性，断端の残された解剖学的特性を生かした生体力学的適合，そしてソケットと断端間のピストン運動を最小限にとどめるための懸垂機能などが含まれる．もちろんこれには，断端の状況，特に断端長，断端の成熟度（断端容積の安定性），断端の骨突出やこれを覆う軟部組織の状態，神経腫を初めとする有痛性の有無，そして膝関節屈筋力などが関連する．特に，この中でも実際の現場で苦労するのは，切断端における骨との瘢痕癒着時に再三起こる皮膚の損傷である．義足歩行の周期や速度によっては，義足ソケットの中で断端にかかる剪断応力が変化する．この剪断応力が繰り返されると上皮の中に水疱を形成し，これが破れると皮膚表面上のびらんとなる．この剪断応力が反対側の方向に間欠的に加わると皮膚細胞を損傷する結果となる．特に，骨に癒着した瘢痕組織にこの剪断応力が加わることにより，皮膚に大きな張力が加わって血行障害などを起こす．したがって，この剪断応力を弱めるためのソフトインサート材料の果たす役割はきわめて大きい．

(2) インターライナーの利点と欠点

　〔利点〕ⓐ断端の保護，特に薄くて有痛性の皮膚や骨隆起をもつ断端，末梢動脈疾患例，末梢性神経障害例に適応，ⓑポンプ作用による血行の改善，ⓒソフトインサートにいろいろな修正を加えることによる適合の改善などがある．

　〔欠点〕ⓐ汗などを吸収して不潔になりやすい，ⓑアレルギー反応を起こすことがある，ⓒ皺

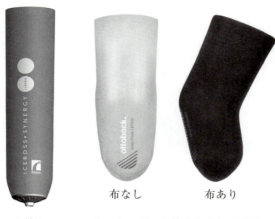

オズール社Synergy　オットーボック社ウレタンライナー　　Alps社サーモプラスティック
シリコーンライナー　　布なし　布あり　　　　　　　　　　ゲルライナー

図5-248　弾力性ライナーソケット（シリコーン，ウレタン，サーモプラスティックゲル）

がよって適合が悪くなる，ⓓソフトインサートの厚さだけソケットが太くなり，長断端の場合には断端末部が不格好となりやすく，また膝周辺部がかさばる，ⓔ重量が増える，などがあげられる．

(3) 各インターライナーの材質と特徴[386]

現在，市販されている既製品ライナーの種類（図5-248）と特徴は以下のとおりである．

① シリコーン (silicone)
・形状変化が少ない．そのために多様なサイズの既製品を用意しなければならない．
・伸縮性が高い．そのため装着時の締めつけ感が強い．
・元の形状に早く戻る．耐久性が優れている．

オズール (Össur) 社，Alps社，Medi社，オットーボック社，TEC社などのメーカーから市販されている．

② サーモプラスティック・エラストマー (thermo plastic elastomer：熱可塑性)

炭化水素で構成される高分子であり，いろいろな緩衝材，振動吸収材，弾性材料などに用いられる．
・形状の変化が大きい．そのためサイズの種類が少なくても断端の適合を得やすい．
・元の形に戻るまで時間がかかる．そのため，しばらく装着していると形状の変化が起こる．
・集中的に圧がかかると材質が押し出されて薄くなる．

メーカーとして，OWW Alpha社，オットーボック社，Alps社，Silipos社などがある．

③ ウレタン (urethane) ライナー，ポリウレタン (polyurethane) ライナー
・形状の変化がある（サーモプラスティック・エラストマーよりは少ない）．
・元の形状に戻る時間は，サーモプラスティック・エラストマーよりも早い．
・粘着性が高いが，粘着処理加工されているものが多用されており，密着感が低い．

メーカーとして，TEC社，オットーボック社などがある．

④ ゲル (gel) を用いたライナー

ゲルは可能な限り液体に近く，成型後の状態を維持できる材料である．

図5-249は，断端袋にシリコーンゲルを注入したSilosheath (Silipos prosthetic sheath) を用

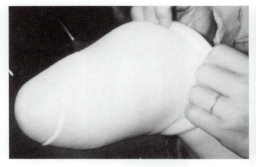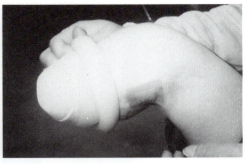

図5-249　Silosheath装着により創治癒をみた例

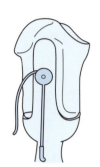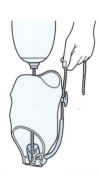

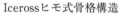

　　Icerossヒモ式骨格構造　　Icerossヒモ式殻構造　　CASCADEラチェット式

図5-250　各種ピン・ロッキングシステム（田澤英二：TSBソケット形状とシリコーンサクションスリーブ懸垂の概念．義装会誌，**7**(2)：145-150，1991．より引用）

いたもので，このような再三擦過傷を繰り返していたケースに有効である．また，類似のものとして，"ComforGel"（Comfort Products Inc.）が用いられている．これは，伸縮性のある二重のコットンの間にゲルをサンドウィッチのように挟み込んだものである．

(4) シリコーンライナーの研究・開発の経過

　これらのいろいろな材料を用いたインターフェイスが開発されているが，これまでの代表的なシリコーンライナーの研究開発の経緯を次に紹介したい．

　①1986；Össur Kristinsson；ICEROSS（Icelandic RollI-On Silicone Socket），既製シリコンライナー（図5-250）

　②1982；Carl Caspers；TECウレタンライナー（1992）

　③1986；Fillauer；3S（Silicon Suction Socket），オーダーシリコンライナー

　④1993；Össur；ICEXとIcecast compact，ダイレクトソケットの概念と採型治具

　⑤1995；TEC；Passive suction socket，受動的な吸着ソケットシステム（図5-252）

　⑥2001；Össur；TEC；Harmony Active suction socket，積極的な吸着システム，吸引ソケット（図5-253）

　⑦2004；Ossur；Seal in Liner，スリーブレス吸着ソケット（図5-254）

　⑧2010；OttoBock；Pro Seal socket，スリーブレス吸着ソケット　（大腿用）

Icelock 100	Icelock 200	Icelock 300
ラチェット，ランヤード，バルブ式	クラッチ，ランヤード式	ランヤード式．水泳，シャワー用などに適応

Icelock 400	Icelock 500	Icelock 600	Icelock 700
スムースピン式	空気排出用バルブ．シールイン用に最適	軽量で薄い構造．ラチェット，ランヤード，スムースピン，バルブ式に対応．	小児用．義手用．ラチェット式

図5-251　Icerossシステムに用いるロック，バルブシリーズ（オズール社）

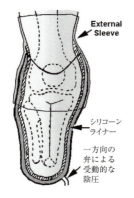  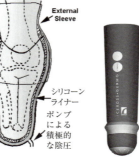

図5-252
Passive negative pressure
スリーブを要する吸着式．

図5-253
Active Negative Pressure
吸引式ソケットにより積極的な陰圧．

図5-254
オズール社シールイン・システム
スリーブが不要である．

⑨2015；Ossur；UNITY Active Suction Socket，足部に底背屈と連動した吸引ソケット
⑩2019；Osurr；Seal-in X rocking，シールインとピンロックシステムの両方での懸垂
上記のほか，数多くのインターライナーが開発，市販化されている（図5-248）

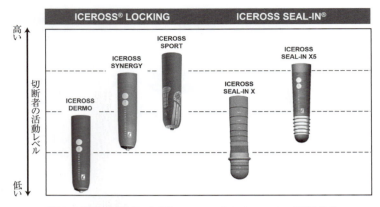

図5-255　切断者の活動レベルに応じたIceross選択基準

─5 ▶ 代表的なシリコーンライナー

　1950年代のPTB下義足の開発当初は，吸着懸垂機能をもたせるためのインターフェイスとしてケンブローが用いられ，その後，わが国では長期にわたる主流としてPEライトライナー（p140図3-3）が使用されていた．しかし，PEライトライナーは，どうしても歩行時にピストン運動が起こり，断端の皮膚に間擦疹，毛嚢炎などの障害がみられた．そこで，その欠点を改善すべく登場したのがTSB吸着下腿義足であり，そのインターフェイスとして，シリコーンを素材とする内ソケットを用い，圧分散と吸着効果を高めた現在のシリコーンライナーが開発された．義肢の適合技術においてこのインターフェイスの重要性が国際的に注目され，従来の適合理念に勝るものとして臨床的に認識されたものに，シリコーンライナーの開発普及がある．その代表的なものとしてアイスロス（Iceross：Icelandic Roll on Silicone Socket）などがあげられる．

(1) アイスロスソケット

　アイスロス（Iceross）は，1986年初期にO. Kristinssonによりアイスランドで開発されたシリコーンライナーである．これは，薄く高度の弾力性と伸縮性をもつ円錐型のシリコーンを，図5-256(a)〜(e)に示すように，断端末から装着する方法である．その目的は，シリコーンスリーブとTSBソケットによってピストン運動を最小限にとどめることによる懸垂機能（hydrostatic）の向上と，荷重性の改善にある．特に荷重時の断端にかかる剪力を弱め，傷を作りにくくなっている．具体的には，ロッキング・ライナー（locking liner）とシールイン・ライナー（seal-in liner）がある．その選択は，下腿切断者の生活における活動性（特に衝撃力の強さ）に応じて，図5-255のような切断者の活動レベルによって選択基準により処方を行う．19サイズをもつ既製品シリコーンライナーを断端にかぶせ，底部に取り付けられているキャッチピンとソケット内に取り付けてあるアタッチメント（図5-251）の合着により懸垂を行う．具体的な方法を図5-256に示す．

　① サイズの決定は，断端末より40 mm上部の周径か一つ小さいサイズを選ぶ．
　② Icerossをロールオンするとき，シリコーンが皮膚をつかみ，末梢方向に動く膝の上まで巻き上げ，トリムしない．
　③ Icerossの底部分が断端長軸に対して直角となるようにする．
　④ Icerossの上にギプスを巻く．この場合，断端に特にパッドをあてたりしない．プラスチッ

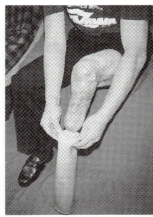
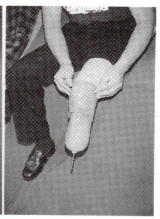

［装　着］
(a) Icerossを内底まで丸めて裏返す

(b) Icerossの底中央部を断端先端にしっかりあて，断端先端部などに空気が入らないようにする

(c) シワができないように，大腿部まで装着する

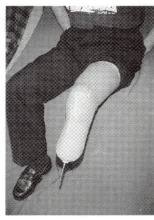
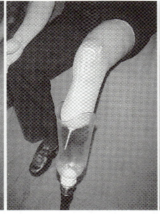
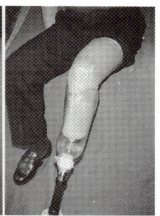

(d) ピンが断端の中央を通っているかどうかを確認する

(e) 断端袋等をIcerossの上にかぶせる

(f) ソケットのアタッチメントにきちんとキャッチするまで装着する

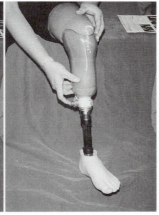

［取り外し］
(a) アタッチメントのボタンを押しながら

(b) 断端をソケットから取り外す

図5-256　Icerossの装着方法と取り外し（田沢製作所）

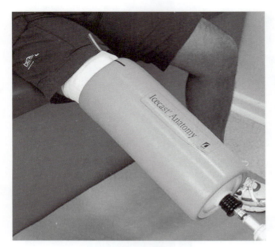

図5-257　ICECAST

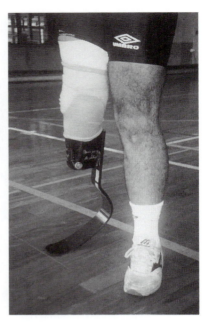

図5-258　Icerossにチータを取り付けたランニング用義足

クチューブを脛骨の骨部分に置く．

⑤　ギプス取り外しをする．トリムラインを決める．重要なことは，ソケットの容積と断端の容積が正確に合致していることである．

⑥　チェックソケットは透明な熱可塑性樹脂を使用する．立位をとらせ，荷重させて，高さを調整する．

⑦　PTBと同様の樹脂注型(lamination)を行う．ソケット底のアタッチメント(distal attachment)が確実に固定できているかチェックする．

⑧　加圧式特型システム(ICECAST)を用いれば，チェックソケットを作る必要はない．Iceross/TSBソケットを装着する際の専門の採型装置として，ICECAST(図5-257)が用いられている．これは，採型する前に採型圧の計測が行われ，これによりソケットを装着した際の感覚を体験でき，またこれにより最適な圧分数をもつTSBソケットの製作が可能である．また最近，ICECAST Anatomyを用いて，断端に直接カーボンガラス繊維を用いたソケットを約15分で製作しうるモジュラーソケットシステム(MSS)が開発されている．

〔利点〕

・ソケット自体が懸垂機能をもつために，膝カフなどの懸垂機能は不要であり，特に階段の昇降が容易である．特にスポーツには，図5-258のようにIcerossソケットとチータとの組み合わせにより大きな歩行能力を引き出すことが可能である．

・ピストン運動が少なく，断端にかかる剪力が小さく傷を作りにくい．

・断端全面に圧分数が行われた形で荷重が行われるために，瘢痕や感覚障害があっても適応となる．

・膝関節機能を制限せず，屈曲角度が得やすい．

・着脱の容易さ．

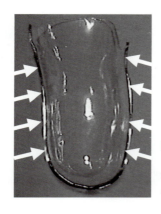

図5-259　ハイドロスタティック・クリアチェックソケット
荷重部位に高低の偏りはなく，ソケット全体に荷重される

〔欠点〕
・断端皮膚に潰瘍，発疹，水疱，発汗（装着後約3週間）がみられることがある．
・創のある断端，周径の変動が見込まれる切断術後のきわめて未熟な断端には用いられない．
・断端末に過剰な軟部組織をもつ断端には用いられない．
・断端の神経腫や骨の成長などによる神経過敏，圧痛がある断端には不適応である．
・長断端は，シャトルロック機構を取り付けるスペースを必要とするため不適応である．
・5cm以下の短断端には不適応である．
・これまでどのような義足にも適合が成功しなかったケースには不適当である．

(2) シリコーン吸着ソケット

上述したように，製品化したシリコーンソケットを用いるIcerossに対して，Fillauerは個々の断端に合わせて陽性モデルを作製し，ナイロンストッキングを積層材としてソケット全体にかぶせ，シリコーン樹脂を混合して注型硬化させる方法をとった．これがシリコーン吸着ソケット（Silicone Suction Socket；3S）と呼ばれるものである．その利点は，コンプレッション値や積層材やシリコーン樹脂の割合を個々断端に合わせて調整できる点にある．製作過程として，採寸，シリコーンソケットの採型（コンプレッション値に留意），陽性モデル作製，Purr-Plexを用いたチェックソケットの作製と歩行（透明度が高いために断端の圧迫状態の外からの観察容易），陽性モデルの復元，プラスチェックソケットの製作（陽性モデルの先端にデジタル，ソケット，プラグを差し込み），アクリル樹脂を用いて注型，3Sソケットの組立完成となる．一般に，シリコーンソケットの適合困難例は，断端の軟部組織が過剰に多くぶよぶよした断端である．3SソケットについてFillauerは，長断端以外は絶対的禁忌でないとしている．その理由は，長断端の場合，ソケット先端にシャトル・ロックを取り付けるための5cm程度のスペースがとれないためである．

(3) ハイドロスタティック・ローディング・ソケット

ハイドロスタティック・ローディング・ソケット（Hydrostatic Loading Socket）は，TSBソケットの一つのタイプである．

・ハイドロスタティック・ソケットは，流体特性をもつ新しいゲル素材によってのみ効果を発揮するソケットである．

・ハイドロスタティック・ソケットは，より高く荷重する部位やより低く荷重する部位をもたず，より均等な圧力の分布をもっていることが特徴である（図5-259）．一般的には，遠位部での荷重は近位部での荷重より高いことが多い．

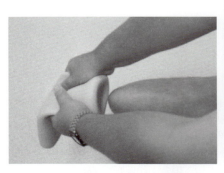 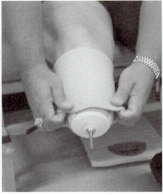 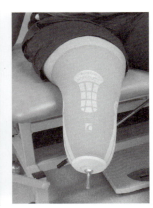
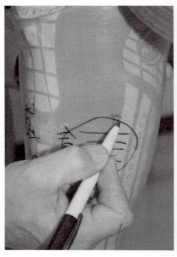  

図5-260 ハイドロスタティックソケットの適合
透明性のチェックソケットを用いて適合修正．もし，強い荷重がかかっているときはヒートガンで広げる

・ゲルに圧力が加わった際に，高い荷重部位から流出する．
・シリコーン，ゲル素材やウレタンは，これらの流体特性をもっている．

[ハイドロスタティック採型（Hydrostatic Casting）（採型）]

ハイドロスタティック・ソケットは，普通，シリコーンやウレタンなどの弾力性のあるライナーを用いており，採型するには，一般的に次の3つの方法が用いられている．

・ICECAST加圧ギプス採型（positive pressure cast）（図5-257）．
・吸引式陰圧ギプス（Suction negative pressure cast）：断端にギプス包帯を巻き，その上にプラスティック・バッグを被せ，バキューム・ポンプで空気を抜く方法である．
・徒手によりギプスソケットを巻く方法（Hand cast normal pressure cast）．

─6▶TSBソケットの適合上によく起こる問題点と対策

TSBソケットの厳密な適合を行うためには，透明性のあるチェックソケットによる調整が必要である（図5-260）．TSBソケットは特に，断端容積の変化する未成熟な断端や断端末に過剰な軟部組織をもつ断端は禁忌とされている．ソケット適合上よく起こる問題点と解決方法について述べる．

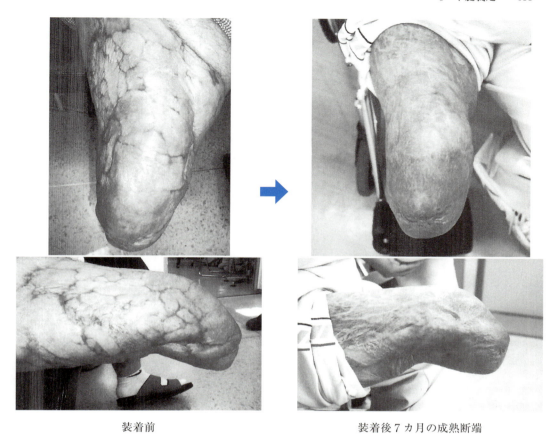

装着前　　　　　　　　　　　　　装着後7カ月の成熟断端

図5-261　多くの皮膚の移植，瘢痕を認めた下腿切断端
TSBシリコーンライナーを使用して7カ月後には浮腫が少なくなり，皮膚が移動し，優れた成熟断端となる（兵庫県立総合リハビリテーションセンター，澤村義肢・近藤潤待[358]）

① 断端の収縮（shrinkage）⇒ 断端遠位部にパッドやカップを用いる．
② ソケット適合がゆるくなったときの脛骨端への圧力 ⇒ ソックスを追加する．
③ 断端容積の変化が起こる ⇒ 厚い（6mm），あるいは薄い（3mm）ライナーを用いる．
④ 断端の摩擦による擦過傷（abrasion），水疱（blistering），懸垂不良，ピストン運動，ライナー上縁での擦過傷． ⇒ Silosheathを用いる．
⑤ 懸垂不良 ⇒ 弾力性ライナー，シールイン・ライナー，ポンプによる吸着を試みる．
⑥ 回旋方向への不安定性．ハイドロスタティック・ソケットはTSBソケットに比較してより円形に近く，回旋方向に対して不安定になりやすい

─7▶ シリコーンライナー適用への円滑な移行

　シリコーンライナーの優れた特性が注目され，従来のソフトインターフェイス付きのPTBソケットから，TSBソケットにシリコーンライナーを積極的に用いる方向にある．図5-261にあるように，皮膚移植と瘢痕に被われ浮腫が顕著な断端が，シリコーンライナーの使用により，7カ月後には浮腫が著明に減少して癒着を少なくし，成熟した断端に変わることがよく認められる．しかし，一方では，このソフトインサート付き下腿義足を長期に使用しているユーザーに対

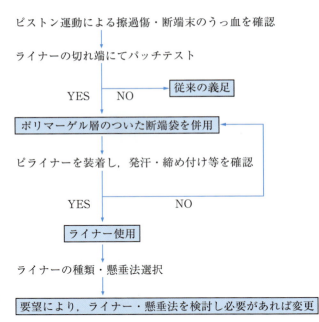

図5-262 従来型PTBソケットからシリコーンライナーへの円滑な移行（近藤潤待ほか[357]）

して新たにシリコーンライナーを適応する場合には，ライナーの締め付け感や発汗などの問題があり，挫折することが少なくない．

そこで近藤ら[357]は，多くの装着経験から，図5-262のような段階を踏んでライナーに移行する方向を推奨している．きわめて実践的な方法であるので紹介したい．

① まず，ピストン運動による擦過傷・浮腫・うっ血を認める断端に，ライナーの切れ端を用いてパッチテストを行う．アレルギー反応がなければ，

② ポリマーゲル層のついた断端袋（シリポス社製Silosheath（p476 図5-249）・オットーボック社製デルマシールなど）の装着併用により，汗，締め付け感に慣れさせる．この間，ユーザーはピストン運動の減少により断端皮膚の擦過感が少なくなる利点を経験する．しかし，この断端袋は耐久性に問題がある．そこで，

③ 次にシリコーンとして，オズール社のアイスロス・デルモとシフジーと，アイスロック600シリーズを選択し装着することによって，発汗・締め付けなどに問題がないか確認する．この時点で問題がなければ，

④ 切断者の要望に応じて，各社のライナー・懸垂方法の特性を検討し，その種類，方法などを決定し装着する．

9 サイム義足

1 サイム切断のもつ機能的特徴

サイム切断（Syme amputation）は図5-263に示すような利点および欠点をもっている．

(1) サイム切断の利点
① 断端末端部での体重の負荷が可能である．したがって，義足を装着しなくても歩行ができる．この点は日本の室内生活様式，特に入浴時，夜間就寝時の用便動作などに大きな利点となる．
② 断端の状態が術後きわめて安定しており，創を作ることはまれである．
③ 断端長が正常とほとんど変わらないために，正常に近い歩容と歩行能力をもつことができる．
④ 断端末端部の膨隆により，その上部におけるソケットの適合によって義足の懸垂が得やすい．

(2) サイム切断の欠点
① 断端末端部の膨隆のため形が不格好にならざるをえない．この理由により女性切断者には禁忌とされる．
② 断端末端部の膨隆のため，義足の装着に際しては，入りやすくするためソケットに開窓部を必要とする．このため，満足した適合を得ることができにくい．
③ 義足の外観が不格好にならざるをえない．

2 サイム義足の種類

─1▶ 在来式サイム義足

サイム義足は3つの基本的な機能をもっていなければならない．すなわち，立位で下肢長を補

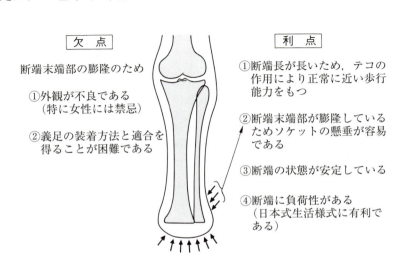

図5-263 サイム切断の利点と欠点

 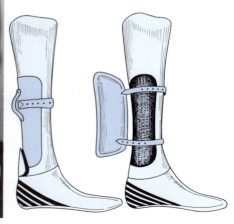

図5-264 在来式
図5-265 カナダ式合成樹脂製サイム義足
図5-266 サイム義足（ノースウェスタン大学（米国）で改良したもの） 
図5-267 VAPCサイム義足（後ろ開き式／内側開き式）

うこと，踏み切り期で前足部の支持を作ること，および底背屈ができることである．

従来より，このような目的から，図5-264のような前開き式か後開き式のセルロイド製または革製のソケットが作られ，筋金で木製足部とくっつけたものが用いられてきた．この型の義足が在来式サイム義足（conventional type Syme prosthesis）と呼ばれるものである．

〔欠点〕①筋金の破損がよくある，②外観が不格好である，③ソケットが発汗や湿気に弱いため変形しやすい，④足継手を取り付けたときはそれだけ長くなるため，健側の靴に補高を必要とする．

─2▶ カナダ式合成樹脂製サイム義足

いま述べた欠点を除くため，1954年にカナダで，合成樹脂製の新しい型の義足が開発された．これがカナダ式合成樹脂製サイム義足（Canadian type plastic Syme prosthesis）と呼ばれているものである．図5-265のように，合成樹脂製のスプリットソケットとサッチ足から成り立っている．

このサッチ足は，ソケットの底部とキールの中を通って1本のボルトとボンドで固定されている．ソケットの中に断端末端部の太い膨隆部を挿入することができないため，膨隆部の上にあたるところでソケット後半部が切り離されているのが特徴である．この部分がソケット後下縁の継手で固定され，その上部は革紐で固定されるようになっている．なおソケット底部は，負荷のために合成ゴムをひき，またソケット前上部にもスポンジゴムが用いられている．

〔在来式と比較した場合の長所〕①義足の重量が60％減少している，②外観が良好となっている，③破損率が減少している，④湿気，発汗に対する耐久性が高くなっている，⑤サッチ足の使用により，健側を補高する必要はない，⑥適合感が良く歩行しやすい．

この義足はその後，ノースウェスタン大学およびVAPCなどで追試，改良が加えられている（図5-266, 267）．

─3 ▶ VAPC内側開き式サイム義足

カナダ式のものがソケットの後半部が開かれるのに対し，VAPC内側開き式サイム義足（Veterans Administration Prosthetic Center, plastic Syme prosthesis with medial opening）は，ソケット内側に開窓部が用いられている．

ダクロンフェルトとナイロンストッキネットの使用によって耐久性が増加し，製作方法も簡単なのが利点である．しかしこれらの義足では，外観，耐久性および適合感に問題が残されていることは否定できない．

─4 ▶ 軟ソケット付き全面接触式サイム義足（兵庫県立総合リハビリテーションセンター澤村）

サイム切断の欠点は，前述のような断端末端部膨隆による外観上の問題と，これにより義足の適合と装着が困難なことにある．したがって，これらの欠点をできるだけ少なくしてサイム切断の利点を生かしながら，その適応を広げるためには，図5-268のように，切断手技と義足適合の両者からのアプローチによる改善が必要である．

(1) 切断手技での変法

① 両顆部の膨隆を一部切除する．これにより多少損なわれる負荷性の減少は，義足適合の全面接触により十分補いうる．

② 切離された腱を，なるべく生理的な緊張下に骨または骨膜部に縫合する．これにより下腿部の筋萎縮を防ぎ，断端膨隆部の周径との差を少なくする（図5-269）．

(2) 義足の改良

義足は軟・硬の二重ソケット式とし，ソケットに開窓部を作らずに全面接触を目的としている

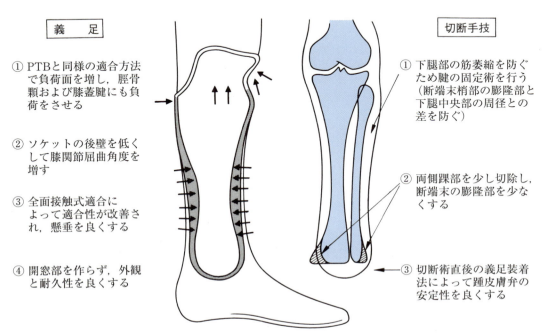

図5-268 サイム切断および義足に対して筆者が行っている方法
（兵庫県立総合リハビリテーションセンター澤村）

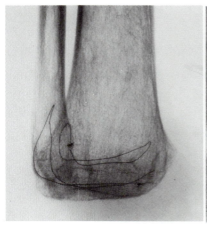
両側顆部を切離し腱を縫合する

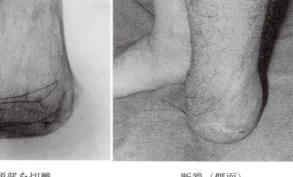
断端（側面）

断端（前面）

図5-269　サイム切断例（筆者の手技による）

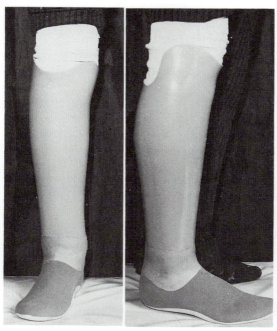

図5-270　二重ソケット式サイム義足

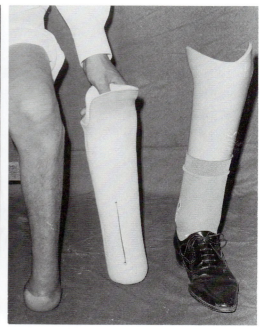

図5-271
内層はスポンジゴム製スリット入りソケット，外層は合成樹脂製ソケット

（図5-270, 271）．特徴および利点は以下のとおり．

① PTB下腿義足とほぼ同様な適合方法で，ソケット上部，特に脛骨顆および膝蓋靱帯にも負荷をさせる．

② 断端全体に全面接触を行い，適合感の改善を図る．

③ ソケットに開窓部を作らない．これにより外観が良好となり，またソケットの耐久性も著しく増加する．

3 サイム義足用足部

サイム義足においては，これまで断端長の関係から，図5-35（p328）に示したようなエネルギー蓄積型の足部を使用することができず，SACHやLAPOCサイム用足部などに限定されることが多かった．

一方，各種足部の開発に伴い，足部を軽量化したCarbon CopyⅡ foot（図5-272），シアトル足（図5-273）や新たにサイム用足部として改良されたカンタムフット（図5-274(b)），オットーボック1C20プロサイム（図5-274(c)）が使用可能となった．しかし，はたしてどの足部がどのような特性をもつのかを知っていることが処方に重要である．そこで，われわれは表5-13のように，4種類の足部について比較評価を行い，サイム用足部では，①前足部での体重支持性，②ヒールの適度な柔軟性，③側方への可動性が必要であることを認めている．この結果から，切断者の客観的評価を含めて現在の段階では総合的にシアトル足の優位性を認めている．

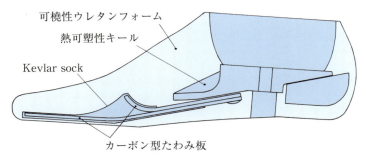

図5-272　サイム切断用Carbon Copy Ⅱ foot

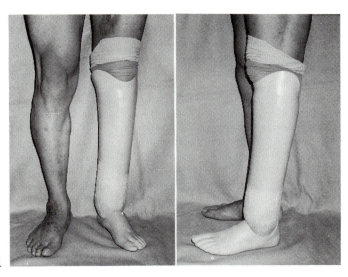

図5-273　サイム切断用シアトル足

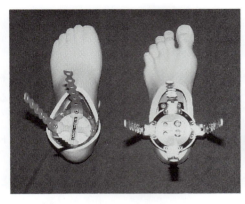 

(a) LAPOC　　(b) カンタム　　　　　(c) オットーボック社 1C20

図5-274 サイム切断用足部

表5-13 各種歩行路での主観的評価

	平地	芝生	砂場	砂利	上坂	下坂	階段	片流
SACH	×	△	△	×	×	○	○	×
LAPOC	△	△	△	△	△	×	△	○
シアトルLIGHT	◎	△	△	△	◎	◎	○	○
カンタム	○	△	△	○	○	△	△	◎

◎…特に良い　　○…良い　　△…ふつう　　×…悪い

（兵庫県立総合リハビリテーションセンター，幸　幹雄）

10 足部切断と義足

1 足部切断のもつ問題点

　足部切断には，解剖学的には足指より中足骨部，リスフラン（Lisfranc）・ショパール（Chopart）関節離断，足関節離断が含まれていると思われる．さらに，これら断端部の変形予防または負荷性獲得を目的としてボイド（Boyd），ピロゴフ（Pirogoff），Vasconcelosらの特殊な切断手技が含まれる．

　しかしこれらは，疼痛や変形があり義足適合が困難であるなどの理由から，一般的に批判的な立場がとられている．特にショパール関節は避けるべき切断部位とされ，ボイド，ピロゴフなども現在行われることはきわめてまれである．

　このような欧米の現状に比べてわが国ではこれら足部切断がかなり多数選択され行われているようである．問題点を筆者の調査をもとに述べてみたい．

―1▶ わが国において足部切断が多い理由

　足部切断者は兵庫県下の下肢切断者の8.3％を占めており，欧米に比較してかなり多い．その理由には次のようなものが考えられる．

　① 外科医が，切断時に日本の室内での移動動作における体重負荷性を意図とすると同時に，断端をできるだけ長く残したいとする本人および家族の希望を受け入れたこと．

　② 切断原因が主として外傷機転によるものであり，この点は末梢動脈疾患が主原因である欧米とは著しく異なる．したがって，この部位を選択しても創の治癒での成功率はきわめて高い．

　③ さらに，外科医が，切断後に起こってくる断端の変形，胼胝腫，潰瘍などの合併症を十分考慮せず，これらの切断部位の選択を行っていること．

　④ 切断後にこの部位で装着する義足の適合がいかに厄介であるかということについて十分な知識を持ち合わせていない点も，大きな理由の一つにあげられよう．

―2▶ ショパール・リスフラン関節離断部位に対する評価

　足部切断を体重負荷性，疼痛，変形，潰瘍，胼胝腫などについて評価した．これによると，中足骨部の切断についてはほとんど問題がなく，優れた切断部位と思われる．

　これに対して，ショパール関節離断およびリスフラン関節離断には問題があり，この両者の離断部位の比較評価をまとめてみると次のとおりである．

(1) 体重の負荷性

　断端における負荷性については，ショパール関節とリスフラン関節では明らかな差異を認める（表5-14）．すなわち，ショパール関節離断40例中，疼痛のためにまったく負荷できないもの8例，義足歩行によっても歩行困難を訴えるもの10例を認める．これに対してリスフラン関節離断31例中では負荷性に優れ，義足歩行による困難性を認めたものはなかった．

表5-14 体重負荷時の断端における疼痛の有無

断端＼疼痛	(a) 断端に体重負荷時			(b) 義足歩行のとき			
	疼痛なし	疼痛あるも負荷可能	負荷不能	疼痛なし	疼痛あるも負荷可能	疼痛のため歩行困難	義足装着せず
ショパール	15	17	8	15	15	10	
リスフラン	11	20	0	13	18	0	
中足骨	12	12	3	10	9	6	2
計(%)	38 (38.8)	49 (50.0)	11 (11.2)	38 (38.8)	42 (42.9)	16 (16.3)	2 (2.0)

表5-15 断端の変形

切断部位＼変形	尖足内反変形	尖足変形	内反変形	その他の変形	変形なし
ショパール	15	9	6	2	8
リスフラン	5	11	6	2	7
中足骨	2	2	5	3	14
計(%)	22 (22.7)	22 (22.7)	17 (17.5)	7 (7.2)	29 (29.9)

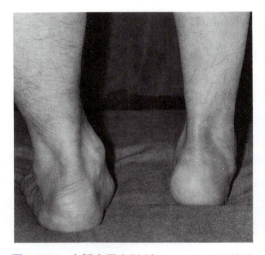

図5-275 右踵内反変形（右ショパール関節離断）

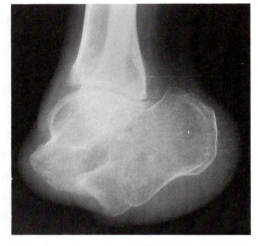

図5-276 ショパール関節離断後の尖足変形
尖足変形後の距腿関節に明らかな変形性関節症を認める

(2) 断端部の変形

　ショパール・リスフラン関節とも70％近くに変形を認めている（表5-15）．リスフラン関節では尖足変形が多いが，ショパール関節ではこれに内反変形（図5-275）が加わったものが多く認められる．また，尖足変形が長期間持続する場合には，図5-276のX線像でみられるように踵骨の前下端部が突出した形となる（図5-277）．また，足関節部に変形性関節症を合併することもある．この尖足変形に対して，踵骨前下部を切除することがある．これがさらに著明になると図5-278のように踵が後方に突出した形をとる．

　このような変形の原因は，いうまでもなく筋力の不均衡によるものであり，外科医がこれらの

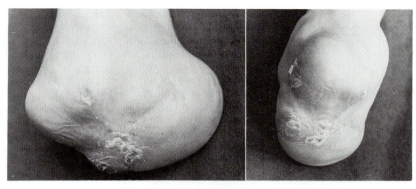

図5-277　尖足変形により踵骨前下端部に胼胝腫形成

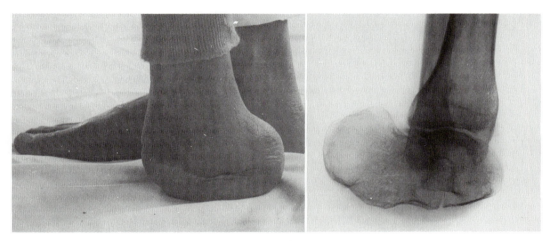

図5-278　踵骨の前下端部を切離

ショパール関節離断で著明な尖足位をとり，踵が後方に著明に突出し，距腿関節に変形性関節症を起こしている

切断部位の選択を余儀なくされる場合は，腓骨筋腱，前後脛骨筋腱，長指伸筋腱，長母指伸筋腱などを切離したまま放置せず，距骨などに再縫合を図ることが必要であろう．なお，尖足変形に対する処置として関節固定術またはアキレス腱切離術などが行われているようだが，いずれも満足すべき成績を得ることが困難で，むしろ否定的な立場がとられている場合が多い．

(3) 断端部の皮膚の状態

足部切断の場合には，断端の前下部を中心にして，図5-278のような有痛性の胼胝腫を作りやすい．そのため，不整地や砂利道での歩行が困難となることが多い．この皮膚の状態は，ショパール関節離断では創，胼胝腫などを形成するものが75％を占めるのに対して，リスフラン関節離断では55％となっている（表5-16）．

(4) 歩容および歩行能力

足部切断では前足部の長さが短くなっているため立脚相後期でドロップオフ（drop off）の現象が起こる．この傾向は断端長が短いほど著明に現れてくることは当然で，リスフラン関節離断よりショパール関節離断で歩行異常が明らかに現れている．

表 5-16 断端部の創，潰瘍，胼胝腫形成の有無

切断部位 断端の創	良好な断端	ときどき創を形成	常に創を形成	常に胼胝腫を形成
ショパール	10	11	6	10
リスフラン	14	6	5	6
中足骨	10	7	2	8
計 (%)	34 (35.8)	24 (25.3)	13 (13.6)	24 (25.3)

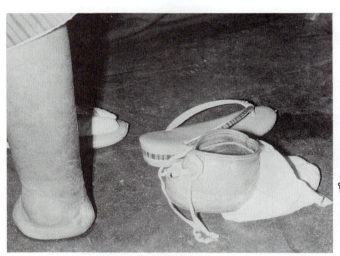
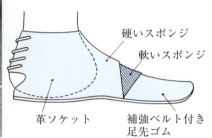

図 5-279 足袋式足根義足
良好なショパール関節離断で，この義足で十分な実用性を認める

2 足部切断用義足

　切断者が装着している義足は，わが国では，同一切断部位であっても多種多様にわたっている．一般的には，リスフラン関節離断および中足骨切断では，主として**足袋式足根義足**が装着されている．足袋式革ソケットをベルト付き足先ゴム，スポンジなどを接合したもので，図5-279のように後方開きで紐やベルクロで固定する．またショパール・ピロゴフ・ボイド離断に対しては，このような型の義足とともに**下腿式足根義足**（図5-280）が約半数に装着されている．

　これは下腿部前半面を覆う殻構造をもつもので，断端部が不良のために負荷が困難な場合に好んで用いられ，セルロイド，革または合成樹脂製のソケットで負荷させようとするもので，トウブレーク近位まで金属支柱で補強され，足継手をもたないものが大半である．なお，尖足変形などがあって断端前下部に傷または胼胝腫を形成する症例では，図5-281のように，立脚相踏み切り期から遊脚相への移行を容易にするために，靴底前部に中足骨バーを付けた靴型装具が用いられる場合もある．

　中足骨切断に対しては，靴先に綿花などを詰めて義足そのものを装着しない場合もかなり多い．しかし大多数は足袋式足根義足またはスリッパ式足指を装着し，中には足関節部を覆わずに

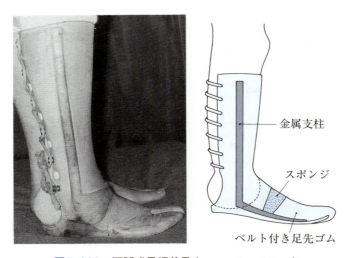

図5-280　下腿式足根義足（conventional type）
ソケットはセルロイド，革または合成樹脂製で，トウブレークのところまで金属支柱で補強される

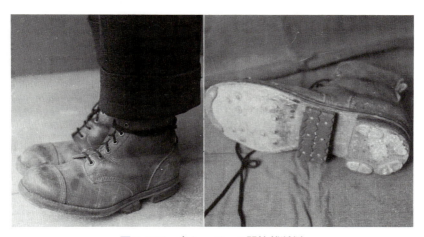

図5-281　左ショパール関節離断例
断端の前下部に相当する場所に中足骨バーを取り付け，踏み切り期に断端に力がかかることを避ける

スリッパ型をした革製または合成樹脂製のもの（図5-282）が装着されている．

ノースウェスタン大学では，カナダ式サイム義足と同様の理論のもとに，図5-283のような後ろ開きの合成樹脂製ソケットを製作している．また，図5-284のような義足がしばしば用いられている．また，最近では，ハードソケットとして足部部分切断用のエネルギー蓄積型足部（図5-285(a)）も開発されている（図5-285(b)オットーボック社カスタムメイドフット）．

わが国では，履物および足袋との関連，室内での外観上の問題から足袋式義足が長年愛用されてきたが，本義足の実用性を述べる切断者も少なくない．しかしながら一方，その製作技術には特記すべき理論もないままに，技術者の長年の経験により製作されてきたものが多く，そのため本義足に対する不満を訴える切断者もかなり多い．特に発汗と耐久性に関する問題が解決されるべきであろう．今後は，断端の解剖学的適合をより考慮した合成樹脂製ソケットなどの開発が望まれる．

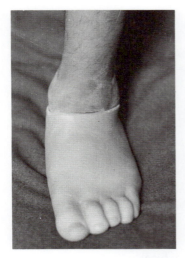

図5-282　リスフラン関節離断
中足骨切断の場合に，合成樹脂製，革製の足袋式足根義足がよく用いられる

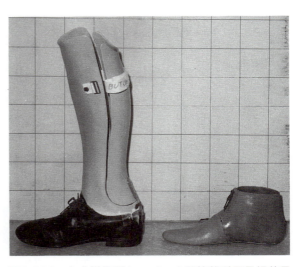

図5-283　合成樹脂製ショパール関節離断用足根義足（ノースウェスタン大学）

Fendelの義足
靴の中に用い，足関節運動は自由である

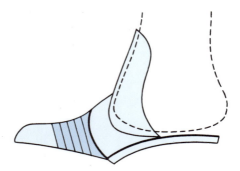

Welschの義足
義足底部がジュラルミンでトウブレークまで作られ，足先はゴムで作られる

図5-284　ショパール関節離断用の義足

（a）オットーボック社1E80/1E81ショパール

（b）オットーボック社カスタムメイドフット

図5-285　足部部分切断用のエネルギー蓄積型足部

11　3D-CAD/CAMによる義足ソケットの製作

　1980年代は世界各地で化学兵器による殺傷が問題になり，特に対人地雷による多数の切断者が生じ，限られた時間の中ですぐれた義肢を大量生産するシステムが必要となった．このために欧米で3D-CAD/CAMの研究が進み，開発途上国に整備された．筆者も対人地雷で一日30人の切断者が生じていたカンボジアで義足製作に携わったが，トラックでCAD/CAM装置を運び，1週間で200本の義足を製作し交付するシステムを経験した．

　その後，先進国で3Dデジタル技術が進歩を続け，わが国では義足ソケットとともに脊椎用装具などでもその技術を用いることが多くなっている．ここでは，わが国の3D-CAD/CAM技術のエキスパートである児玉義弘氏（プロテオールジャパン）にご指導いただき，下記のとおり義足ソケットの最新製作技術を紹介する．

(1) 3Dデジタル技術によるソケット製作の概要

　現状の義足ソケットの製作は，一般的に以下の工程で行われる．
　① 石膏ギプスによる陰性モデル採型
　② 陽性モデル製作および修正
　③ プラスチック成型，または樹脂注型

　これに対し，3Dデジタル技術を利用した場合の義足ソケットの製作は以下の工程となる．
　① 3D (3 Dimension) スキャナーでの対象部位のスキャン
　② CAD (Computer Aided Design) によるモデル修正
　③ CAM (Computer Aided Manufacturing) による陽性モデルの製作
　④ プラスチック成型，または樹脂注型
　※3Dプリンターを使用した場合は，③の工程が省略される．

　図5-286は一例として，フランスでセントラルファブリケーションを営むプロテオール社の3D-CAD/CAMシステム（Ortenシステム）で義足ソケットを製作する場合（上記3Dデジタル技術を利用した場合）の工程①～③を示す．
　以下にこれらの工程の概要，および長所と短所を述べる．

(2) 3Dデジタル技術によるソケット製作の工程

　① 3Dスキャナーによる対象部位のスキャン
　専用アプリ（Orten 3DCam）をインストールしたiPadまたはiPhoneにストラクチャーセンサーを取り付けたスキャナーで対象部位をスキャンし採型を行う．

　〔長所〕
　・スキャンは数十秒で完了し，対象者の負担が軽減される．
　・正確で高品質なスキャンができる．
　・スキャンデータのみでなくコメントや写真など必要な情報も同時にメール送信できる．
　・データとして保存ができる．

　〔短所〕
　・形状をスキャンするだけであり，採型時の加圧や除圧ができない（加圧や除圧はモデル修正

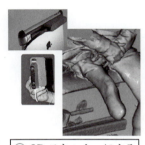 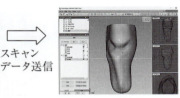 

① 3Dスキャナーによる対象部位のスキャン　② CADによるモデル修正　③ CAMによる陽性モデル製作

図5-286 Ortenシステムによる義足ソケットの製作工程

〔株式会社プロテオールジャパン児玉義弘氏提供〕

ソフトによって行われる）．

② CADによるモデル修正

専用の修正ソフト（OrtenShape）をインストールしたPC上で，石膏モデルと同じような修正を行う．

〔長所〕
・削り，盛り，角度矯正や縮小，拡大などあらゆる修正ができる．
・データは数値化されており，数値を確認しながら正確な修正ができる．
・修正したデータをオリジナルのテンプレートとして集積でき，修正時間が短縮できる．
・修正したデータは保存できるため，同じモデルの製作が可能である．

〔短所〕
・義足製作技術に加え，PCの操作に慣れることが必要である．
・PCやソフトウェアの購入など一定の投資が必要である．

③ CAMによる陽性モデルの製作

CADにより修正したデータをCAM（OrtenMake）で加工し陽性モデルを製作する．

〔長所〕
・陽性モデルの製作は10分程度で完了する．
・陽性モデルの製作材料は硬質ポリウレタンであり，石膏に比べて軽量であることから製作者の作業負担が大幅に軽減される．

〔短所〕
・設備導入時の初期投資，および材料やメインテナンスなどのランニングコストがかかる．

このように3D-CAD/CAMをはじめとした3Dデジタル技術は，義肢装具の製作に取り入れられ，その効果を発揮している．義足ソケット製作の場合，採型時の加圧や除圧の問題などの課題はあるが，その利用は今後さらに増えていくものと考える．

12 義足装着訓練

1 義足装着前訓練

―1 ▶ 断端訓練

　切断手術3～4日後から自動運動を開始し，抜糸後から，徒手，砂袋およびプーリーによる抵抗訓練を筋力の増加の段階に応じて増していく．

　下腿切断者では膝関節屈曲筋および伸展筋の筋力を，大腿切断者では膝継手の随意安定性（voluntary knee control）の獲得を目的に股関節伸展筋を，側方への安定性に大きな影響をもつ股関節外転筋を中心に，筋力の増強を主体とした断端訓練（stump exercise）を行うべきである．図5-287に基本的な断端訓練の方法を示す．

―2 ▶ 健常な姿勢の保持

　図5-288は，切断後の訓練と早期の義肢装着を怠ったために，患側の骨盤の下垂および側弯症をきたした大腿切断例である．変形が固定すれば，歩容・歩行能力ともに著減することが明らかである．上肢切断例でも同様で，小児切断で早期に義手を装着させる1つの原因にもなっている．鏡の前での矯正と早期の義肢装着でこれらの問題が解決される場合が多い．

―3 ▶ 体幹筋訓練

　長期臥床後に切断を受けた場合や老齢者の場合には，体幹筋筋力の低下は意外に大きい．歩行の持久力を獲得するには，体幹筋筋力を増強することが重要である．腹背筋の基本訓練に，体幹の回旋，側方移動および骨盤挙上などの訓練を加えて行う（図5-289, 290）．

　腹筋を例にとってみると，筋力4の状態，すなわち両手を身体の両側に置いて上体を起こすことができる筋力を基準にして，持続回数を記録した．結果は図5-291のように，開始後3週間以内に腹筋が50回可能となり，その後の筋力増加は横ばいとなる場合が多く，したがって体幹筋基本訓練はグループで行うのがよく，成人男性においては一応3週間で十分であるといえる．

―4 ▶ 下肢切断者の健脚訓練

　これは，歩行持続距離の獲得と平衡訓練に重要で，具体的には図5-292のようなことを行っている．

(1) 健脚起立訓練

　下肢切断例では骨盤が患側に下垂して側弯をみることが多く，このため，初めて義肢を装着した場合に義肢側が長く感ずることが少なくない．したがって，鏡の前で起立訓練をさせ，姿勢の矯正を主眼点として10分間支持なし起立保持可能を目標としている（図5-293）．

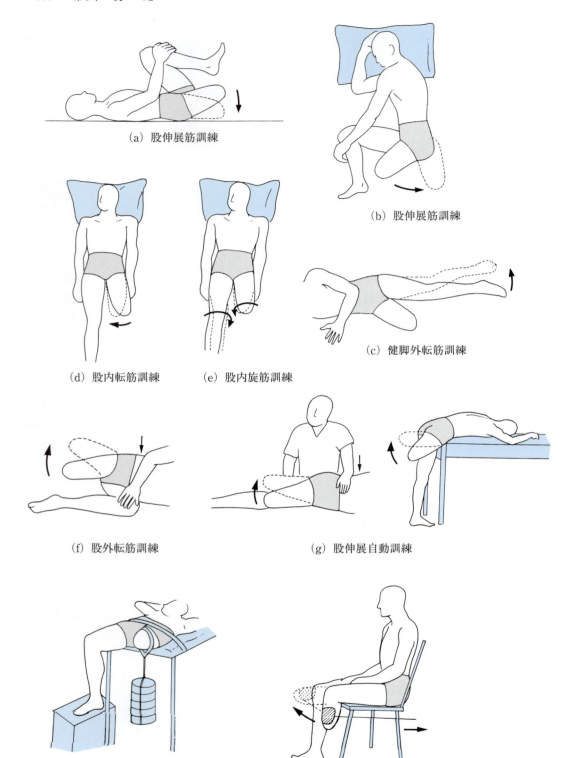

図 5-287　下肢切断者に対する断端訓練

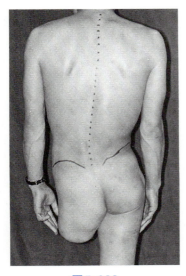

図 5-288 早期の義足装着を怠ったことによる腰椎の著明な側弯

図 5-289 下肢切断グループによる体幹筋訓練

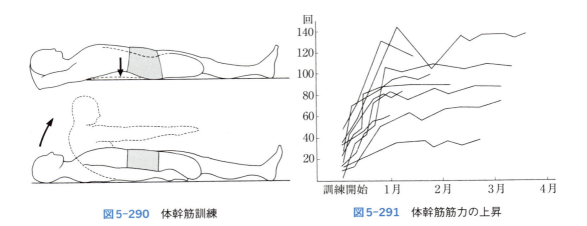

図 5-290 体幹筋訓練

図 5-291 体幹筋筋力の上昇

(2) 連続片足跳び (hopping)

　切断後に長期臥床した症例では，連続片足跳びの困難な例が少なくない．われわれは早期から夜間用便時に備えて連続片足跳びを行わせているが，目的は，前進のたびごとに平衡感覚を失い，これを回復することを繰り返すことにより，平衡感覚と安定性の獲得および健脚筋力の増強にある．

　個々の症例により訓練による距離の上昇は異なるが，距離幅が広くなり，筋持久力の増加により連続片足跳びの距離が著明に伸びる．しかしながら訓練の方法が単調なため飽きるきらいがあり，バレーボール，ピンポン，キャッチボールなどのスポーツを用いて行わせるほうがより効果的である (図 5-294, 295).

(3) 膝関節屈伸運動

　これは，階段昇降時や電車・バスの乗降時での安定性，姿勢の転換などに有効な訓練と考えている．目標として，健常者の膝関節屈伸可能回数 10〜15 を持続回数の下限とした．初期におい

図5-292　健脚訓練

図5-293　下肢切断グループによる健脚起立訓練（メディシンボール）

図5-294　下肢切断グループによるテニス

図5-295　下肢切断グループによる野球

て支持なしで行うことができない場合もあったが，成人では普通約3週間で最大能力を得るようであり，30～70回程度の持続可能回数が得られる．また応用訓練として，膝関節屈伸中間位で停止を命じ，その姿勢を数秒間保持させることを行ったが，前記の理由で実用的な訓練方法であろう．

─5 ▶ 水治療法およびマッサージからシリコンライナー装着へ

創の治癒後に，断端の表面を清潔にするとともに循環状態を良くするため，毎日20～30分間，温浴療法を行う．また切断者にとってプール運動療法は，断端のみならず全身状態の調整にとって著明な効果を認める．マッサージの必要性の有無については，いろいろと論議されてきている．もちろん，断端の疼痛または感染がある場合には禁忌である．なお，最近ではIcerossのようなシリコンライナーを装着させる方法がよく用いられている．

2 義足装着前後の断端の評価

断端の安定性，成熟度を知ることは実際的にはむずかしく，注意深い観察が必要である．このため，p296 表5-1，p297 表5-2のような評価表を用いて計測すると便利であろう．断端の成熟が得られたら義肢の処方に移る．

3 義足の適合検査

処方後に製作された義肢について，再び義肢クリニックで表5-17，18のような適合検査 (check out) が行われる．適合検査はまずソケットの適合 (initial check of fitting) を調べ，良好であるならば義足の場合にはアライメントを調節する．すなわち，調節膝 (adjustable knee)，調節足 (adjustable leg) またはカップリングを取り付ける．現在は骨格構造義足が用いられ，継手の支持部にアライメント調整機能が付加されており，この機能によりアライメントが調整される．

この場合の順序として，まず，装着する前の義足を床面に立たせた場合のベンチアライメント (bench alignment)，次いで切断者に装着させ起立させた場合の義足の静的アライメント (static alignment)，最後に平行棒内で義足歩行をさせ動的アライメント (dynamic alignment) を検査する．通常，新しい切断者の場合には，調節装置を取り付けたまま1～2週間歩行訓練をさせ，アライメントを十分検討したうえ，調節装置を除いて最良のアライメントを義足に再現させ完成させるようにする．

表5-17 適合検査表（大腿義足）

大腿義足検査表（四辺形吸着義足）

No._____ 製作担当者_____
氏　名_____ 当初検定__年__月__日　最終検定__年__月__日

処方との一致
_____ _____ 1. 義足は処方どおりか
_____ _____　　もし再チェックならば前の指示は遂行されているか

起立位での検査
適合とアライメント
_____ _____ 2. 義肢装着は快適か
_____ _____ 3. 膝の体重支持に安定性があるか（患者が断端を後方に強く押しつける過度な努力を必要としないこと）
_____ _____ 4. 義足は正しい長さか
_____ _____ 5. 坐骨結節は正しく坐骨支持面にあるか（後壁内面の後方1.3cmと内壁内面の側方1.9～2.5cm）
_____ _____ 6. 後壁縁はほぼ地面と平行であるか
_____ _____ 7. ソケット縁上での筋肉の盛り上がりは少ないか
_____ _____ 8. 恥骨結節での体重支持がないか
_____ _____ 9. ソケットの前内側面で過度の圧迫がないか（長内転筋腱，大腿三角部）
_____ _____ 10. 患者が両足をそろえて起立した場合，ソケットの外壁は硬く支圧され，しかも切断端（stump）に接着しているか

支　持
_____ _____ 11. シレジアバンドの外側前側取り付けは正しい位置か（大転子上0.6cm，外0.6cm，坐骨支持面と水平位，前中央部）
_____ _____ 12. 腰バンドやベルトは身体の外郭に正しく適合しているか
_____ _____ 13. 股継手は大転子のわずか前方に位置づけられているか
_____ _____ 14. バルブの位置は，断端ソケットを引き出したり，圧力を手でゆるめるために便利な位置にあるか（引き抜き式ソケットの場合）

椅座位での検査
_____ _____ 15. ソケットは断端から抜けないか
_____ _____ 16. 患者が椅座位のとき，ソケットは良いアライメントにあるか（内転，外転，内外回旋なしに）
_____ _____ 17. 健側の下腿，大腿の長さと義足のそれらの長さは同一か
_____ _____ 18. 靴紐を結ぶのに前壁がつかえないか
_____ _____ 19. あぐら，横座りができるか
_____ _____ 20. ハムストリングの部分に灼熱感なしに椅座位を保てるか
_____ _____ 21. 不快な空気音なくして起立位に移行できるか

歩行時での検査
動　作
_____ _____ 22. 平坦地歩行での患者の動作は良いか．注意すべき異常歩行について記載せよ．
　　　_____ _____ a. 外転歩行（abducted gait）
　　　_____ _____ b. 体幹の側傾（lateral bending of trunk）
　　　_____ _____ c. 分回し歩行（circumduction）
　　　_____ _____ d. 内側ホイップ（medial whip）
　　　_____ _____ e. 外側ホイップ（lateral whip）
　　　_____ _____ f. 踵接地時足部回旋（rotation of foot on heel-contact）
　　　_____ _____ g. 蹴り上げの不同（uneven heel rise）
　　　_____ _____ h. 膝のインパクト（terminal swing impact）
　　　_____ _____ i. フットスラップ（foot slap）
　　　_____ _____ j. 歩幅の不同（uneven length of steps）
　　　_____ _____ k. 過度の腰椎前弯（lumbar lordosis）
　　　_____ _____ l. 伸び上がり歩行（vaulting）
　　　_____ _____ m. 膝の不安定（unstable knee）
　　　_____ _____ n. その他

表5-17 つづき

_____ _____ 23. 患者は斜面を満足に昇降できるか
_____ _____ 24. 患者は階段を満足に昇降できるか
_____ _____ 25. 患者は快適に腰つきできるか（55°）
_____ _____ 26. 100mを　　　分　　　秒で歩行できるか
_____ _____ 27. 日本式トイレでかがむことができるか

義足除去時の検査
　断端の検査
_____ _____ 28. ソケット除去直後，断端は擦過，変色や刺激痛などがないか
　ソケット
_____ _____ 29. ソケットの形は四辺形（解剖学的）であるか
_____ _____ 30. ソケットは初期屈曲角度に合わされて作ってあるか
_____ _____ 31. ソケットの縁は患者の必要に応じて丸みづけられているか
_____ _____ 32. ソケットの前壁外壁は坐骨支持面より適当に6.5～7.6cm高いか
_____ _____ 33. ソケットの内面はなめらかに仕上げられているか
　股・膝・足継手と足部
_____ _____ 34. 股・膝・足継手は円滑かつ過度の動揺がなく作動するか
_____ _____ 35. 膝伸展制動は音がしないように作られているか
_____ _____ 36. 膝部ソケットと下腿との間隙は適当であるか
_____ _____ 37. 下腿後面に圧迫が少なく，膝の完全屈曲時，大腿部と下腿後面が合致するか
_____ _____ 38. 足継手部は摩擦したり衣服が引っかかったりしないか
_____ _____ 39. 足部は適切に仕上げられているか
　金属と付属品
_____ _____ 40. バルブは正確に機能を果たすか
_____ _____ 41. ソケット後側面座当てがついているか
_____ _____ 42. もし伸展補助バンド（kick strap）を用いているならば，それは完全に固定し調整の役を果たしているか
_____ _____ 43. 革仕上げは堅固に接着し縫い上げられているか

意見と指示

　　　合　格　　　　　　仮合格　　　　　　不合格

　　　　　　　　　　　　　　　　　検査療法士_____

　　　　　　　　　　　　　　　　　医　　　師_____

表5-18 適合検査表（下腿義足）

下腿義足検査表

No._____　　　　　　　　製作担当者_____
氏　名_____　当初検定__年__月__日　最終検定__年__月__日

起立位での検査
_____ _____ 1. 義足は処方どおりであるか．そうでなければその説明
_____ _____ 2. もし再検査ならば前の指示は遂行されているか
_____ _____ 3. 義足の前後アライメントは満足すべきものか（すなわち，患者は膝部の不安定や後方での抑圧を感じたりしないか
_____ _____ 4. 内外アライメントは満足すべきか（足を床上に平らに置いた場合，ソケットの内外縁に間隙がないか）
_____ _____ 5. 義足装着起立時に患者は快適か（両足踵中央線を5～10cm離し正しい姿勢で起立した場合）
_____ _____ 6. 義足は正しい長さであるか（骨盤は水平でなければならない）
_____ _____ 7. 義足の大きさ，形状，色調が健足と似ているか
_____ _____ 8. 義足を床面から上げたときのピストン動作は少ないか

表5-18 つづき

_____ _____ 9. 筋金は内外顆や大腿部の輪郭に適合しているか
_____ _____ 10. 膝継手の軸は，大腿内外顆の上0.3～0.6cmのところであるか
_____ _____ 11. 大腿コルセットは適当に伸縮でき，具合い良く適合しているか
_____ _____ 12. 大腿コルセットの上部または下部で筋肉の盛り上がりがないか，あるいは少ないか
_____ _____ 13. 大腿コルセットの長さや構造は機能的に適切と思われるか(体重支持，固定，懸垂の各目的)

座位での検査

_____ _____ 14. 膝関節を屈曲した場合，膝窩部の軟部組織に大きい隆起を作らず気持ちよく座ることができるか．膝関節を　　度まで屈曲できる
_____ _____ 15. 両側ハムストリングの緊張に対して後壁の両側の溝は圧迫していないか．カフベルトはゆるまないか

歩行時での検査

_____ _____ 16. 切断者の歩行は満足すべきものであるか．異常歩行があれば下に記入のこと．またその矯正のための諸点について記入のこと
　　　　　　　a. 踵接地～立脚中期の間 (between heel strike and mid-Stance)
　　_____ _____ 1) 過度な膝屈曲 (excessive knee flexion)
　　_____ _____ 2) 不十分な膝屈曲 (insufficient knee flexion)
　　_____ _____ 3) 膝屈曲遅延 (delayed knee flexion)
　　_____ _____ 4) 踵接地の際に上体を前方に傾ける歩行 (forward displacement of head and shoulders at heel strike)
　　　　　　　b. 立脚中期 (at mid-stance)
　　_____ _____ 1) 過度な膝横振り (excessive lateral thrust of knee)
　　　　　　　c. 立脚中期～踏み切り期の間 (between mid-stance and toe-off)
　　_____ _____ 1) 膝折れ (abrupt knee flexion)
　　_____ _____ 2) 早い膝伸展 (abrupt knee extension)
_____ _____ 17. 自転車，自動車にうまく乗れるか
_____ _____ 18. 断端とソケット間のピストン運動は少ないか
_____ _____ 19. 患者は斜面を満足に昇れるか
_____ _____ 20. 患者は斜面を満足に降りれるか
_____ _____ 21. 患者は階段を満足に昇れるか
_____ _____ 22. 患者は階段を満足に降りれるか
_____ _____ 23. 義足は音なく作動するか
_____ _____ 24. カフ，大腿コルセットは快適か
_____ _____ 25. カフは正常な位置を保持しているか
_____ _____ 26. 患者は義足の膝でうまくひざまずくことができるか

義足除去時での検査

_____ _____ 27. 断端は，義足除去直後にソケットによって起こりがちの擦過や変色などの不良状態がないか
_____ _____ 28. 体重負荷は断端の適切な部分にそれぞれ配分されているか(膝蓋靱帯，脛骨内外曲面部，その他)
_____ _____ 29. ソケットの前後左右の縁は適切な高さにあるか
_____ _____ 30. ソフトインサートはソケットの縁より上方へ約1cm高く伸びているか(ソフトインサート式の場合)
_____ _____ 31. 義足の膝継手は摩擦や過度の側方へのがたなしにスムーズに動くか
_____ _____ 32. 制動帯 (check strap) や分岐吊帯 (fork strap) はよく調整されているか
_____ _____ 33. 義足の外見的仕上げは満足すべきものか
_____ _____ 34. 患者は義足に満足しているか

意見と指示

　　　　合　格　　　　　　仮　合　格　　　　　　不　合　格

　　　　　　　　　　　　　　　　　　　理学療法士_____

　　　　　　　　　　　　　　　　　　　医　　　師_____

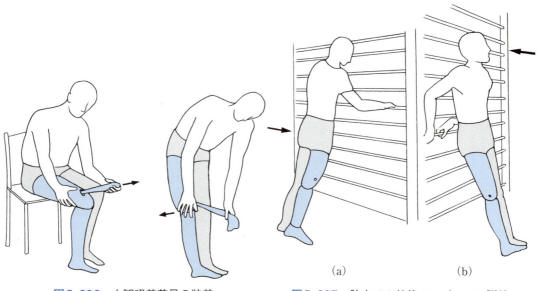

図 5-296　大腿吸着義足の装着　　　　図 5-297　肋木での前後へのバランス訓練

4　義足装着訓練

　クリニックのチームにより義足の処方が行われ，義肢製作後，良好な適合評価が得られればセラピストによる装着訓練が始まる．義肢装着訓練（prosthetic training）は，だいたい次の順序に従って行われる．近年，高度の立脚相および遊脚相制御機能をもつ膝継手が開発・処方されているが，ここでは一般に利用されている大腿四辺形吸着義足を中心として述べることにする．

─1▶ 義足の装着

　① 切断者に立位または座位をとらせる．
　② 断端にタルクを塗る．これは特に，発汗により湿っている場合，および脂肪質の患者の場合に必要である．
　③ 断端袋を，断端全体に皺が寄らないように注意して巻く（範囲は，前は鼠径部まで，後ろは坐骨結節までとする）．
　④ ソケットに断端を挿入し，バルブ穴より断端袋を引き抜く．このときは立位をとり（図5-296），義足を健足より約 20 cm ほど前に出し，切断側の手でソケット上部を押さえ，膝が中折れしないようにする．健側手でソックスを引き出す．
　⑤ ソケット内での断端の位置は，断端の内前側の長内転筋腱がソケット前方壁の角にくるようにする．
　⑥ 断端袋を引き抜くときは，健側の下肢を屈伸させ，断端を上下させながら行う．初め，引き抜きにくいならば，袋に前後内外に線をつけておき，どの部分が抜けているかをみるとわかりやすい．
　⑦ 引き抜いたあと，ソケット上縁の周囲の緊張を調整する．
　⑧ バルブを取り付ける．

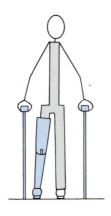 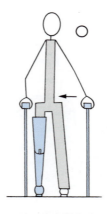 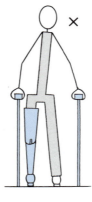 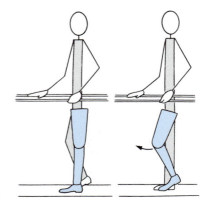

(a) 平行棒内起立（両足部間を10cmあけて起立する）

(b) 体重の義足側への移動
　肩よりも骨盤を動かして体重を足底外側にかける．肩，骨盤を常に水平に保つ
　体幹部を屈曲してはいけない．健側の膝を屈曲しないようにする

(c) 交互膝屈曲訓練：踵を床より上げ，膝の屈曲伸展訓練をする．義足膝継手を屈曲するための訓練である

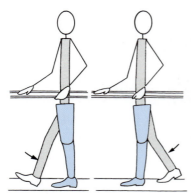 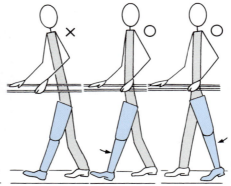

①健足を前後にステップ：このステップの初めと終わりに健足に全負荷をかける．義足側に負荷することが目的である（義足が健側の前にあるときは膝折れしないように注意）

②義足側を前後にステップ：このステップの初めと終わりに義足に全負荷をかける．断端で膝を伸展位に保つこと，健足足底を床につけておくことが大切である（上体を前傾してはならない）

③健足と義足を交互にステップ：健足を前後に3回ステップし，次いで義足を前後に3回ステップする．これを繰り返す

(d) 前方歩行基礎訓練

図5-298　平行棒内での平衡訓練

—2 ▶ 立位での平衡訓練

　切断者に初めて義足を装着させた場合，不安感があるにもかかわらず，すぐ歩こうとする．しかし，順序を経た機能訓練を行って歩行の安定性を得させ，自信をもたせたほうが最終ゴールへの近道である．一度不正な歩容を得れば，矯正が非常に困難であることはいうまでもない．したがってこの基本訓練は重要であり，断端が義足の感じに慣れ，体重の義足側への移動による平衡感覚を得ること，また，歩行の各周期における状態を把握して自信を得ることを目的とする．

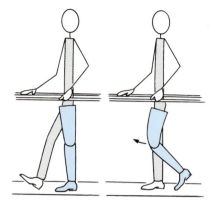
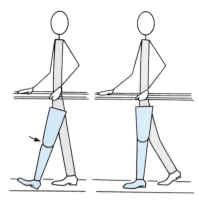

④健足を床から離す：断端を屈曲させて膝継手を屈曲し，下腿部を前にもってくる

⑤義足の踵接地期に膝継手完全伸展位をとらせ，そして断端でソケット後壁を後ろに押し，膝継手の安定をはかる

(d) つづき

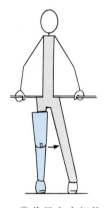
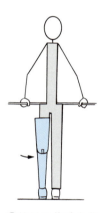
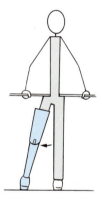
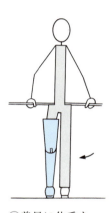

①義足を内転位に置き，健足を外転させる

②健足に体重を移し，義足を内側にそろえる

③健足に負荷し，義足を外転位にする

④義足に体重を移し，健足を内側にそろえる

(e) 側方移動訓練：①〜④を繰り返す

図5-298 つづき

立位のバランス訓練は，平行棒内，肋木，または壁面を利用して行う．

① 肋木（壁）の前80cmのところに立ち，上体を肋木のほうに倒す（図5-297(a)）．股伸展筋を働かせ，膝の中折れを防がなければならない．

② 同じ訓練を，壁から50cmのところに後ろ向きの姿勢で立ち，後方へ倒れるようにして行う（同(b)）．

③ 平行棒内で支持なしでボールを投げ，捕る訓練をする．理学療法士は，切断者の上体が左右前後に傾くようにボールを投げる．

④ 床上で，ボールをつきながら身体を回す．

⑤ 両大腿切断の場合には，立位でのバランスを獲得する訓練には，p514図5-304に示すような**短義足**を用いるときわめて効果的である．短義足は，バランスの獲得以外に，次のような利点をもっているものと考えられる．すなわち，ⓐ移動動作の獲得によって日常生活動作の早期自立

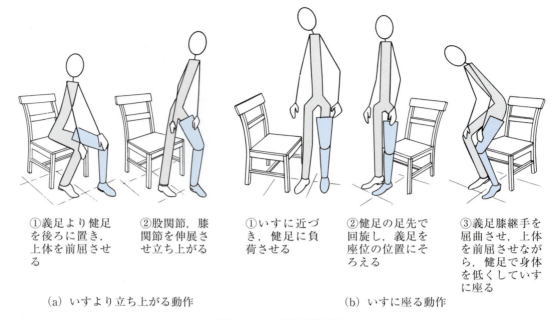

①義足より健足を後ろに置き，上体を前屈させる　②股関節，膝関節を伸展させ立ち上がる　①いすに近づき，健足に負荷させる　②健足の足先で回旋し，義足を座位の位置にそろえる　③義足膝継手を屈曲させ，上体を前屈させながら，健足で身体を低くしていすに座る

(a) いすより立ち上がる動作　　　(b) いすに座る動作

図5-299　椅座動作訓練

を図ると克服意欲の向上に役立つ，ⓑ転倒に対する恐怖心を少なくする，ⓒ股関節屈曲拘縮を少なくすると伸展筋筋力の増強に役立つ，ⓓ断端の成熟，痩削を早め，弾性包帯よりも効果を認める，ⓔ全身状態を再調整することができ長期臥床による肥満を防ぐ，などである．

長断端の場合は吸着式とし，短断端の場合は肩ベルトを取り付けて舟底型とする．

― 3 ▶ 平行棒内での平衡訓練

平行棒内での平衡訓練は，図5-298のように起立訓練を行う．体重の義足側への移動，交互膝屈曲訓練，前後ステップの訓練，側方移動訓練と順を追って行う．

― 4 ▶ 歩行訓練

この時期では，さらに平衡能力を改良し，より円滑な歩容を得るためのコントロールを覚えることにある．一側下肢切断者の場合には，杖，松葉杖その他の支持は不良な歩容の獲得の大きな原因であるから，高齢者を除き，支持なしで訓練を行わねばならない．実際的な訓練の方法は，踵および足尖部での回旋運動，種々の平衡回復訓練，骨盤挙上訓練，膝屈伸運動などである．

― 5 ▶ 日常生活動作訓練

(1) いすに腰をかけ，次いで立ち上がる訓練

座る訓練は，図5-299のようにいすの高さを低くして行う．

(2) 床上よりの起立と，座位をとる訓練

① 一側大切断の場合．立ち上がるときは義足側を半歩後方に置き，床上に膝立ちして両手を支持して立ち上がる．床に座るときは，義足の膝が床上につく前に身体を回転させて座る．

② 両側大切断の場合．両膝継手を伸展位に保持することが大切である．立ち上がり動作を図

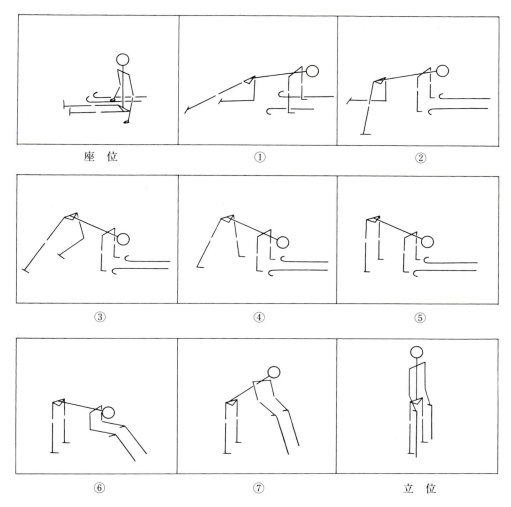

図 5-300 両側大腿切断
床上座位より立位へ立ち上がる動作(Humm による)

5-300 で示した.
(3) ズボン,靴下,靴などの着脱訓練
(4) 切断者に重量物を持たせて歩行させる
(5) 自転車,自動車の乗降訓練
　この訓練は,切断者の通勤,通学にとってきわめて重要である.
(6) バスステップの乗降訓練
(7) 階段昇降訓練(図 5-301)
　① 昇段訓練では,健脚を上段ステップに乗せ,次いで義足側を同じステップにそろえる方法から始める.この昇段のパターンは一側大腿切断者に共通したもので,バス,電車などステップが高くなるものほど,体重心の移動に対する健脚の支持力と平衡維持が困難となる.この動作は膝屈伸運動における屈曲姿勢から伸展起立位への過程と同様で,この訓練が十分行われている場合には,初回から支持なしに安定性を得ることができる.
　② 降段訓練では,逆に義足側を下段ステップに踏みおろし,健脚をこれにそろえる方法をま

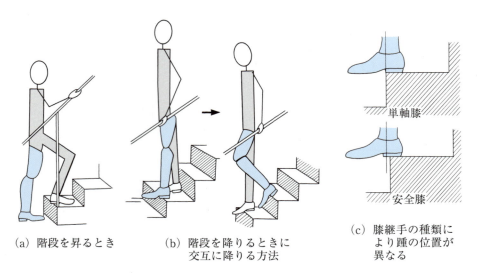

(a) 階段を昇るとき　　(b) 階段を降りるときに交互に降りる方法　　(c) 膝継手の種類により踵の位置が異なる

図5-301　階段昇降訓練

ず行う．したがって，この場合も健側膝屈曲位で体重を支持する筋力が必要で，膝屈伸運動における膝屈曲中間位で数秒間保持する訓練が実用的であろう．

③ **両足を交互にステップする方法**は，一側大腿切断例で，健脚，断端筋力および断端長が十分な場合に可能となる．この場合には，降段時には，用いた膝継手の安定性によって義足踵の階段上に置く位置が問題となる．図5-301(c)のように，単軸膝継手の場合には踵の前の部分が階段の端にくるようにし，安定膝の場合には踵の後方が階段の端にくるようにする．

本章でここまで述べたとおり，近年の膝継手の進歩により，立脚相での安定性は著しく増している．

—6 ▶ 応用・習熟訓練

① **不整地歩行**：農村，山村では難路歩行ができないと実用性に乏しい．難路のうち地面が硬い場合には比較的安定性は良好であるが，砂地，小石道では安定性を失うことはまれではない．

② **坂道歩行**：斜面では両下肢切断で特に問題となる．上行する場合は，体幹部を前傾させて体重心を前方に移すことで膝継手の安定性が保たれるのに対し，下行する場合は，短いステップをとってリズムをもって下行することが必要で，あまり速度を増すと平衡を失って転倒することがある．また斜面を横切ることが困難な場合があり，急斜面を除いては対角線上に歩行することが望ましい．

③ **障害物訓練**（図5-302）：障害物をまたぐ動作で普通，問題となるのは，下水溝をまたぐ動作，また車道から歩道へ上がる動作である．大腿切断例で幅が60〜70cmまでのまたぐ動作は問題なく，1m程度は立ち幅跳躍が十分可能である．しかし，両下肢切断例，特に両大腿切断例では杖なしでは不可能であり，杖歩行が実用歩型である．このため，30〜50cmの高さの障害物の乗り越え，50cm，70cmの高さに張った紐の下をくぐり抜ける訓練を行う．

④ **ダンス音楽による歩行訓練**：フォックストロット，ワルツ，マーチなど，リズムを変えて訓練する．

⑤ **両脚を交互に交差して歩行する**（図5-303）．

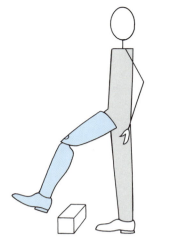
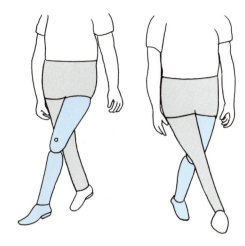

図 5-302　障害物をまたぐ訓練　　図 5-303　両脚を内転位に交差させる訓練

⑥ 平行棒上の歩行．
⑦ かけ足．
⑧ コップに水をいっぱいに入れ，盆の上にのせて歩行する．
⑨ いすの上から飛び降りる訓練．
⑩ 手すりのない階段の昇降訓練．
⑪ スポーツ運動療法：アーチェリー，バレーボール，キャッチボール，槍投げ，砲丸投げ，卓球，バスケットボール，バドミントン，テニスなどのスポーツを行う．

—7 ▶ 両下肢切断者の歩行訓練の特殊性

(1) 両側大腿切断例

　両下肢切断者に装着訓練を行う場合に重要な点は，切断者がもつ能力を十分納得させ克服意欲を向上させること，切断手術後からリハビリテーションまでの時間を短縮することだと思われる．後者の点についてWatkins[309]らは，50例の両下肢切断者について強調し，年齢や切断部位の問題よりもリハビリテーション期間を短縮することが重要であると述べている．このような意味で短義足（スタビー：stubbie，図5-304）が非常に有意義であり，両下肢切断には原則的に処方を行っている．

　〔短義足の利点〕①移動動作の獲得で日常生活動作の早期自立を図り，克服意欲の向上に役立つ，②立位姿勢による平衡感覚の獲得と，転倒に対する恐怖心を少なくする，③股関節屈曲拘縮を少なくし，伸展筋筋力の増強に役立つ，④断端の成熟，痩削を早め，弾性包帯よりも効果を認める，⑤全身状態の再調整ができ，長期臥床による肥満を防ぐ．

　長断端では吸着式とし，短断端では肩ベルトを取り付けた短義足で舟底型足部を用いることが多い（図5-304）．われわれは，長義足歩行に移行するまで，この間1〜2カ月を必要としている．長期にわたって短義足を装着すると，遊脚相への蹴り出しの過度で不自然な歩行のパターンを覚える傾向があり，あまり長期間に及ばぬほうが望ましい．長義足装着後，平行棒内でほぼ歩行のパターンを獲得すれば両松葉杖歩行へと移行する．平均して約7週間で両松葉杖から両杖歩行への移行を行い，持続距離が1kmに達したら実用訓練に移行している．

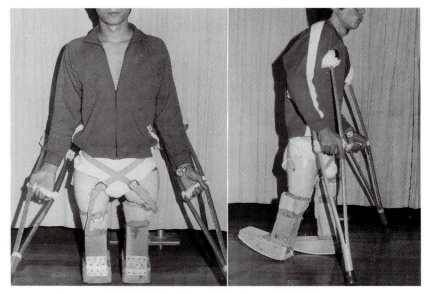

図5-304 スタビー（短義足）による両大腿切断者の歩行訓練

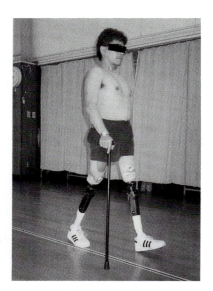

図5-305 両大腿切断の処方
フレキシブルソケット
ブラッチフォード遊脚制御荷
重ブレーキ膝
シアトル足部

　義足処方は，ソケットの種類・義足長・膝継手・足部などを決定することが必要である．骨格構造短義足による義足長の順次延長を行い，義足足部および膝継手部分の交換による歩行状態とともに切断者の意見を優先して膝継手の選択を行う．また，足部は，数種の足部を交換して，主観的な評価とともに，荷重中心の移動軌跡と垂直方向床反力を計測した結果，両大腿切断者には，図5-305に示すような処方を行った．これらは，1995年ごろに行われていた処方であり，今後の，新しい義足ソケット適合手技の進歩，より質の高い生活を目指した各継手の開発，そして，公的給付の適応などによりその内容は変更されよう．
　両大切断者では特に，いすに座る動作（図5-306），床面に座り再び立ち上がる動作（図5-307），車道より歩道への移行（図5-308(a)），溝のような障害物をまたぐ訓練（図5-308

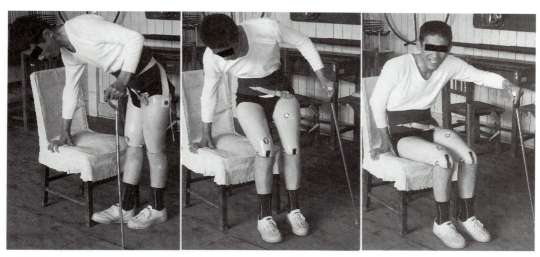

(a) 一側の手でいすを支える　(b) 一側手と反対側の杖で体重を支え、上体を回転させる　(c) いすに座る．立ち上がり動作はこの逆

図 5-306　両大腿切断者の椅座訓練

(a) 両手でふんばる　　　　　　　　　(b) 両下肢を伸ばす

(c) 膝を伸展位に保つ　　　　　　　　(d) 立ち上がる

図 5-307　両大腿切断者の床からの立ち上がり訓練

(e) あぐら訓練

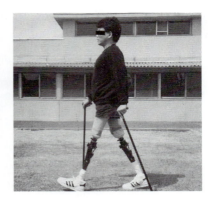
(f) 不整地歩行訓練

(g) 階段昇降訓練

(h) 坂道歩行

図5-307 つづき

(a) 障害物をまたぐ　　　　　　　　　　　　　　(b) 溝をまたぐ

図5-308 両大腿切断者の歩行訓練

(b))，不整地歩行，階段昇降，坂道歩行訓練（図5-307 (f)〜(h)），室内の壁面を用いた床面からの立ち上がり動作（図5-309），床面からの立ち上がり動作（図5-309），用便動作などを行っておくことが歩行の実用性を得るためにきわめて重要であり，反復して繰り返す必要がある．

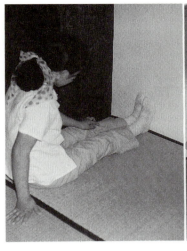

(a) 壁面に両足底部を当てて支えとする
(b) 次いで，両手で上肢を支え，膝継手伸展位のまま両手を足部に近づける
(c) 両足をふんばり起立する

図5-309　両大腿切断者の床面からの立ち上がり動作（杖を必要としない場合）

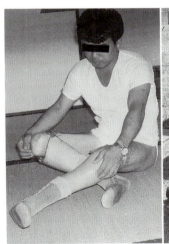

(a) あぐらを組めるように義足を処方
(b) 障害物をまたぐ
(c) 杖なし階段昇降．実用的には手すり使用

図5-311　一側大腿切断・一側下腿切断例

図5-310　一側膝離断・一側下腿切断例

(2) 一側大腿・一側下腿切断例

　両大腿切断者と同様に，大腿切断側に短義足を用い，下腿切断側に膝当てをつけて歩行させ，両大腿切断者同様に訓練を行う場合もある．しかし一般に，下腿切断側に下腿義足を装着させた場合，容易に両松葉杖歩行を行いうることが多く，正常肢と同様の力をもつようになり，あとは一側大腿切断者と同様の歩行訓練を行う．

　若年者で長断端の場合には杖なしで歩行に実用性を得ることが多い．図5-310は右側膝離断・左側下腿切断例であるが，障害物歩行，階段昇降でも杖を必要としない．

しかし，若年者の高齢化を受け入れる社会を，車椅子利用者の社会参加を進めるためには，建造物の段差を排除し，交通機関の利用を法制化する必要があることを強調したい．

日本の畳上の生活様式では座位をとることが多く，押入れや冷蔵庫の出し入れには膝立ちを必要とし，訓練の中に取り入れる必要があろう（図5-311）．

─8▶下肢切断者の歩行能力

以上のような歩行訓練を行い，社会においてどの程度の実用性を得るかが最終的な問題となる．この実用性の有無は当然，個々の切断者のニーズ，すなわち切断部位，職業，職場と家庭との交通機関の利用などによって変わってくる．この歩行能力は，膝継手および足継手の構造・機能により左右されるのは当然であるが，定摩擦膝，単軸足継手を用いたときの義足装着訓練の目標を一応次のようにおいている．

① 義足装着時間：少なくとも昼間作業中は持続して装着しうること．
② 歩行速度：歩型を問わず100mを1分30秒程度．
③ 歩行距離：歩行持続距離1km以上可能である．
④ 歩容：一側下肢切断者では杖なし歩行，両側下肢切断者では一側または両側杖歩行．
⑤ 種々の道路条件に適応し，安定性のあること．階段昇降，バス・電車などの交通機関の利用が可能である．
⑥ 両側下肢切断者の場合に，臥位，座位，立位などの各姿勢の相互転換が円滑かつ安全にできる．
⑦ 歩行能力に直接関係ないが，日本的な生活様式に，トイレ，脱靴などの畳上の生活が可能である．

下肢切断者に義肢装着訓練を行うと次のような点を観察しうる．

(1) 歩行速度，持続距離，実用歩型

100m歩行速度を毎週テストして，歩行速度の上昇を検討する．

① 一側下肢切断例では大切断者と股離断者の間に著明な差を認めない．

表5-19に示すように，持続距離も同様で，杖なし歩行で十分実用性をみる．なお，100mを1分30秒という基準を設けた根拠は，都市の道路横断における信号灯の点滅時間を調査した結果，1m1秒の速度が最小限必要であることを認めたためである．しかしこれはあくまで単軸定摩擦式膝継手の場合であり，空気圧制御膝継手（p307 図5-17）の場合には1分10秒程度が可能である．

② 一側下腿・一側大腿切断例では，大腿切断側の短断端の場合には一本杖で実用歩行速度および距離を得るが，長断端の場合は杖なし歩行可能となる．しかしながら，この場合でも持続距離および歩行速度で実用性をもたず，階段歩行の実用性から考えて必ず一本杖を放すことはできないと思われる．

③ 両側大腿切断例で，両側長断端で吸着義足装着者では杖なし平坦地歩行で実用歩行速度を得ることができ，短距離歩行も可能であるが，不整地や階段での歩行を考慮すれば一本杖歩行か二本杖歩行が実用的である．これに対して短断端例では杖なしは歩行不能であり，二本杖歩行で実用性を得る．

実生活においては，自動車により移動するのが常であり，それ以上自動車で進めない場所から目的地まで義足歩行するのが普通である．そのためにも，車いす用駐車場は，建物の入り口に設

表5-19 下肢切断者の歩行能力(災害医学7巻9号より,澤村ら[226])

			処方義足	歩行速度 (100m)	歩 型	持続距離	立ち上がり動作
一側切断	大腿切断 股離断 下腿切断		吸着式 カナダ式 PTB	1′05″～1′55″ 1′10″～1′15″ 22″～30″	杖なし	2.5～4km 3～4km 4km以上	支持不要
両側切断	大腿切断	短断端	差し込み式	1′29″	杖なし→ ←二本杖→	不能 2km	杖必要
		長断端	吸着式	1′37″	←杖なし→ 一本杖→	500m 1.5km	杖必要
	一側大腿 一側下腿	大腿側 短断端	差し込み式	1′33″	杖なし→ ←一本杖	500m 3km	杖不要 わずかな支持 必要
		大腿側 長断端	吸着式	1′49″	←杖なし→ 一本杖→	100m 2km	杖支持 不要

表5-20 階段昇降能力(25段,勾配35°)

部 位	昇 段	降 段	歩 型
一側切断 大腿切断 股離断 下腿切断	26～29秒 32～34秒 健常者と大差なし	24～29秒 33～34秒 健常者と大差なし	手すり 杖 } 不要
両側切断 両大腿切断	1分7秒	1分26秒	手すり 一本杖 } 必要
一側大腿 一側下腿切断	57秒	58秒	手すり 不要 一本杖 必要
健 常 者	15秒	12秒	

置しておくことが義務づけられるべきである.なお,自動車を運転する場合には,ターンテーブルの処方と装着によって義足を回旋させ,自動車の床面とハンドル間の幅を短くしてハンドル操作を容易にすることが大切である.

(2) 階段昇降能力

高さ15cm,幅30cmの階段25段で昇降訓練を行ったところ表5-20のような結果を得た.

① **一側下肢切断例**:この段階では,健常者の平均必要時間は昇段15秒,降段11～12秒で,下切断例では,健常者と変わらぬパターンおよび速度で歩行可能であるが,大腿切断者,股離断者とも健常者の約2倍の時間を必要とし,この場合にも股離断例と大腿切断例との間に著しい差を認めない.手すりなし,杖なしとも可能であるが,実際にはやはり手すりを持つほうがより安全である.

② **両側下肢切断例**:一側大腿・一側下腿切断例では健常者の約4倍の所要時間を必要とするが,杖使用によりかなり安定したパターンをとり,一側大腿切断例と誤認するほどである.なお杖なしでも,手すりか階段壁面に手をついて支持すれば可能となる.手すりのない階段もしばしばあることから,手すりなしで階段を昇降する訓練が必要であることを痛感する.両側大腿切断例にとっては階段昇降は最も困難な動作で,手すりによる支持および上肢筋力による身体の移動を必要とし,前者に比べてさらに時間を必要とする(図5-312).

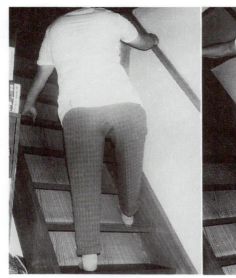
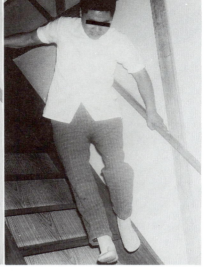

（a）昇るときは一歩一歩　　（b）降りるときは手すりで体重を支えて3〜4段を一挙に降りる

図5-312　両側大腿切断例の自宅における階段昇降

(3) その他，難路・坂道・障害物歩行などの応用動作

① 都市部では，道路の改修によって歩行しやすい現状にある．しかし，農村や山村では難路歩行ができないと実用性に乏しい．難路のうち地面が硬い場合には比較的安定性は良好であるが，砂地や小石道では安定性を失うことはまれではない．これは，いうまでもなく，踵接地期および踏み切り期での地面の支持不良によって膝継手の安定性が失われるためである．当然，立脚相制御の優れた膝継手の処方が必要となる．

② 斜面では両側下肢切断が特に問題となる．上行する場合は，体幹部を前傾させて体重心を前方に移し膝継手の安定性が保たれるのに対し，下行する場合は，短いステップをとってリズムをもって下行することが必要で，あまり速度を増すと平衡を失って転倒することがあり，必ず杖を必要とする．また斜面を横切ることが困難な場合があり，急斜面を除いては対角線上に歩行することが望ましい．

③ 障害物をまたぐ動作で通常問題となるのは，下水溝をまたぐ動作，また車道から歩道へ上がる動作である．大腿切断例で幅が60〜70cmまでのまたぐ動作は問題なく，1m程度は立幅跳躍距離が十分可能である．しかし，両側下肢切断例，特に両側大腿切断例では杖なしでは不能であり，杖歩行が実用歩型である．

④ 臥位，座位，立位への体位変換の可能性については，両側大腿切断例のみが問題となり，両側が長断端の吸着義足装着者では容易であるが，短断端例では立ち上がりに杖を必要とする．

⑤ 両側下肢切断の場合，十分な歩行訓練を行えば，社会復帰後，しばしばわれわれの想像以上の労働能力をもつことが多い．図5-313はバージャー病による両側下切断でPTBを装着した建設業者であるが，足場の不良な所でも長年にわたって作業に従事している．図5-314も血行障害による両側下切断例であるが，造園業として健常人に劣らぬ作業に長年従事している．図5-315例は，両側大腿切断例であるが，週末での神戸港突堤での魚釣りを趣味にしている．ターンテーブルを用いてのあぐら位が座ぶとんとともに安定した姿勢をとっている．車いすを用

図5-313 両側下腿切断（PTB式）（53歳，建設業）

図5-314 両側下腿切断（PTB式）（54歳，造園業）

(a) 手動式の自動車を運転

(b) トランクから車椅子を取り出す

(c) 車椅子から座布団に座る

(d) ターンテーブルを利用しあぐらで釣りを楽しむ

図5-315 両側大腿切断（58歳）

―9 ▶ 義足装着訓練ステップアッププログラムについて

　兵庫県立総合リハビリテーションセンターでは，下肢切断プロジェクトの中で，インテリジェント義足などいろいろな膝継手の開発もあって，従来の歩行訓練プログラムを終了した切断者に対し，歩行能力をさらに向上させ，QOLを高めるためのステップアッププログラムが行われている．長倉裕二氏(現在は大阪人間科学大学教授)をリーダーとする理学療法士グループが取り組んでおり，この具体的な訓練のステップを紹介する(表5-21)．

(1) ステップ1：従来の歩行訓練プログラム

　異常歩行がでないように留意しつつ，通常歩と速歩を交互に訓練し，通常歩から速歩(30～70m/分)までの速度変更を自由にできるようにする．このときの通常歩では出にくい異常歩行も，速歩では著しく目立つようになる．特に，速歩になるときに生じる伸び上がり歩行は徹底的になくすように指導する必要がある．この時期の最高歩行速度は50～70m/分を目標とする．

(2) ステップ2：歩行速度を向上させる訓練プログラム

　近年，歩調追随型義足が開発されてきたため，義足歩行訓練の中での歩行速度アップという，これまでになかった訓練プログラムに取り組む必要がある．

　歩行速度アップのためには，歩幅とケイデンスを効率よく同等に増加させなければならない．従来の義足訓練の中では，速度アップに伴い健側の歩幅を伸ばすことで代償されてきたように思われるが，この方法では積極的な速度アップは望めないばかりか，若干の速度アップと引き換えに異常歩行が身についてしまう．そのため，歩幅の均等化とケイデンスの調整を行いながら速度アップを行っていくことが重要となってくる．

　この場合，伸び上がり歩行を最小限に抑えるために義足側の靴の裏底を床面に擦るような歩行を行い上下動をなくす．そして前方への体重移動をスムーズにするために，前方からの抵抗を加えた歩行訓練などを行う．次に，義足側健脚相が追随しなくなった時点で義足の遊脚相の設定を変更することを勧める．また，歩幅の設定には床に目印を入れ，ケイデンスには携帯用メトロノームを用いて，歩行速度を一定に保つ基準にする．最終的に歩行速度は90～110m/分を訓練目標とし，最高速度で5分程度連続歩行ができるように訓練する．

(3) ステップ3：スポーツ，レクリエーションを目的とした訓練プログラム

　レクリエーションへの参加の前に，最高歩行速度と同様の速度での簡単なジョギングを経験させる．そのために理学療法士は切断者の腰の部分をしっかりと持ち，転倒に備えて介助し，切断者と並んでジョギングを行う．このときに留意する点は，ヒールコンタクトと同時に切断側股関節伸展筋群を最大限利用するようにし，断端の筋肉を最大収縮させることで，断端とソケットの間の隙間を密着させるように指導する．また，切断者の希望するスポーツ種目に合わせて，義足パーツの交換も同時に行っていく必要がある．

　長倉[359]は，スポーツレクリエーション導入のための理学療法プログラムとして，

① **ストレッチ**(下三頭筋，ハムストリング，大四頭筋，大殿筋など回旋筋群，腸腰筋)
② **筋力増強**(健側の大殿筋と大四頭筋，中殿筋，および切断側の大殿筋と中殿筋)
③ **速歩・ランニングに必要な動作の獲得**(ジャンプ，スキップランニングから交互ランニングへ)

の重要性を述べている．

表5-21　ステップアップ訓練プログラム (B)(C)(E)

プログラム進行レベル別 切断														
	股関節離断			1W	2W	3W	4W	5W	6W	8W	10W	12W	14W	16W	18W
	両大腿切断			1W	2W	3W	4W	6W	8W	10W	12W	14W	16W	18W	20W
	大腿切断 膝関節離断 両下腿切断			1W	2W	3W	4W	5W	6W	7W	8W	10W	12W	14W	16W
	下腿切断 足部・サイム切断			1W	2W	3W	4W	5W	6W	7W	8W	10W	12W	14W	16W

| 入院～退院・外来までの経過 | 術前入院 | 術後創治癒抜糸 | 仮義足装着 体力評価 | | 呼気ガス分析 | | 体力評価 | | 本義足 呼気ガス分析 | | 退院・外来通院 体力評価 | | フォローアップ 呼気ガス分析 |

ステップアップ歩行訓練　　Step 1　　Step 2　　Step 3

- 全身心理状態の把握：従来の歩行訓練／歩行速度アップ訓練／ランニング訓練
- 全身調整訓練／有酸素持久力訓練
- 移動方法：車いす＼歩行器＼両松葉杖＼杖・片松葉杖＼独歩

断端訓練
- 関節可動域・筋力増強訓練（上肢・健側下肢・体幹）：良肢位の保持／拘縮予防と改善・自動運動・他動的伸張運動／抵抗運動（等張・等尺・等速性運動）
- 浮腫の予防と改善　弾力包帯巻
- 衛生管理：断端皮膚の衛生管理（断端袋・義足ソケットの清潔）
- 断端末荷重訓練：断端末荷重訓練（膝離断・サイム）
- 軟部組織のマッサージ：瘢痕癒着・浮腫防止

義足装着訓練
- 平行棒内起立訓練 基本動作訓練：術直後義肢装着法／義肢装着指導／早期義肢装着法 平行棒内起立歩行訓練／平行棒外歩行訓練
- 歩行訓練：介助歩行訓練／抵抗を加えての歩行訓練／バランス訓練・ピボットターン・ボールつき
- 日常生活動作訓練：椅座・起居・更衣・排泄・入浴動作訓練／階段昇降
- 応用動作訓練：不整地歩行 スロープ昇降 障害物歩行 段差昇降／公共交通機関の利用
- スポーツ動作 レクリエーション：卓球・テニス・ゴルフ・野球・水泳・スキー バドミントン・アーチェリー・登山
- 義足の適合判定物：ソケット・アライメント部品のチェックアウト
- 物理療法：ホットパック・超音波・水治療法
- 住宅改修指導 職業指導：住宅改修調査・指導／職業訓練・指導

（兵庫県立総合リハビリテーションセンター，長倉裕二）

　スポーツ，レクリエーションの種目は比較的参加しやすいネットを挟んだゲームを選択し，できれば複数の下肢切断者と一緒に行う．たとえば卓球，テニス，バドミントンなどでは，初めは立位を中心とした動作から行い，健側と切断側のどちらでも軸足の役割を行えるように指導する．このとき習熟することは，膝折れが生じるタイミングを自覚できるようにすることである．

第6章
わが国内外における義肢装具発展のあゆみ

recent development in prosthesis and orthosis in Japan and abroad

義肢装具の支給サービスには，義肢装具士の卒前・卒後の教育，医師・看護師・理学療法士・作業療法士などの義肢装具教育，リハビリテーションエンジニアとの協働などチームアプローチが必要であることはすでに述べた．この義肢の支給サービスは，切断直後の訓練用仮義足は医療保険の対象となるが，以後の義肢の支給サービスは主として障害者福祉政策による義肢支給サービスによるため，その施策の変遷を理解する必要がある．特に，その中で義肢装具等の種目の見直しや価格の変更，基本価格，製作要素価格，完成用部品の指定などの諸制度が整備されつつある．そこで，わが国における義肢支給サービスに関連する障害保健福祉施策の動向を，まずとりあげてみたい．

1 障害者福祉施策の動向

─1▶わが国の障害者数

令和元年現在，身体障害者数は436万人，知的障害者は108万人，精神障害者は419万人である（**表6-1**）．

障害者数は全体的に増加傾向にあり，在宅・通所障害者が増えている．身体障害者のうち56歳以上の高齢者は69％を占める．したがって介護保険の適応を受ける65歳問題が現場では縦割り行政の問題として注目されている．

─2▶わが国の障害保健福祉施策の歴史

わが国の障害者福祉施策は，1949（昭和24）年の身体障害者福祉法から始まり，その後，身体・知的・精神と個々の法制度でスタートしている（**図6-1**）．2003（平成15）年に，行政がサービス内容を決定し事業者が行政からの受託者としてサービスを提供していた措置制度から，利用者がサービスを選択できる「支援費制度」に移行した．障害者の自己決定を尊重し，事業者と利用者が対等の立場で，契約によるサービスを受ける制度である．その後，2006（平成18）年に3障害共通の制度として一元化をはかり，障害者の地域生活を支援する「障害者自立支援法」が施行された．国際的なノーマライゼーション理念の浸透の流れを受けて，施設優先施策から地域生活への移行を促し，利用者本位のサービスに再編し，就労支援を抜本的に強化する施策がとられた．これが「障害者総合支援法」であり，現行の補装具費制度は，この法律に基づいている．その概要を紹介したい．

「障害者総合支援法」は，
① 地域社会における共生の実現に向けて，障害福祉サービスの充実など，障害者の日常生活および社会生活を総合的に支援することを基本理念としている．
② 「制度の谷間」を埋めるべく障害者の範囲に難病などが加えられた．
③ 障害支援区分の創設
従来の障害程度区分では，特に知的・精神障害の場合には，障害の多様な特性や心身の状態に応じて必要とされる標準的な支援の度合いを総合的に示すことは困難であった．このために知的・精神障害者の特性に応じた障害支援区分が創設された．
④ 障害者に対する支援
重度訪問介護の対象拡大，ケアホームの共同生活援助（グループホーム）への一元化，地域移

表6-1 わが国の障害者数

		総数	在宅者	施設入所者
身体障害児・者	18歳未満	9.8万人	9.3万人	0.5万人
	18歳以上	356.4万人	348.3万人	8.1万人
	合計	366.3万人（29人）	357.6万人（28人）	8.7万人（1人）
知的障害児・者	18歳未満	12.5万人	11.7万人	0.8万人
	18歳以上	41.0万人	29.0万人	12.0万人
	年齢不詳	1.2万人	1.2万人	0.0万人
	合計	54.7万人（4人）	41.9万人（3人）	12.8万人（1人）

		総数	外来患者	入院患者
精神障害者	20歳未満	17.9万人	17.6万人	0.3万人
	20歳以上	301.1万人	269.2万人	31.9万人
	年齢不詳	1.1万人	1.0万人	0.1万人
	合計	320.1万人（25人）	287.8万人（22人）	32.3万人（3人）

注1：（　）内数字は，総人口1,000人あたりの人数（平成17年国勢調査人口による．精神障害者は，平成22年国勢調査人口による．）．
　2：精神障害者の数は，ICD-10（国際疾病分類第10版）の「V．精神及び行動の障害」から精神遅滞を除いた数に，てんかんとアルツハイマーの数を加えた患者数に対応している．

（平成25年版障害者白書）

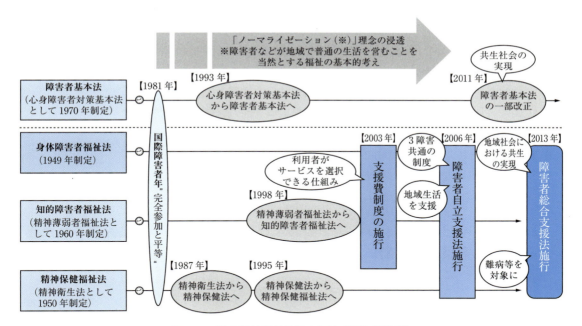

図6-1　障害保健福祉施策の歴史（厚生労働省）

行支援の対象拡大，地域生活支援事業の追加など．

⑤ 市町村のサービス基盤の計画的整備，障害者福祉計画作成

―3▶ 国連障害者権利条約批准へ

その他の障害者関連施策の動きを紹介すると，2006（平成18）年に国連総会本会議で「障害者権利条約」が採択され，2007（平成19）年12月に署名を行い，2013（平成25）年4月に障害者差別解消法が成立し，2014（平成26）年1月に「障害者権利条約」を批准している．障害のある人々を含めて誰もが差別や排除されることなく，安心して普通の生活を送れるインクルーシブ社会（地域共生社会）をゴールとしたい．

2 わが国における義肢装具発展のあゆみ

―1▶ 日本義肢装具研究同好会から「日本義肢装具学会」発足へ

日本リハビリテーション医学会が成立した50年前には，義肢装具サービスを検討する機会が皆無であった．そこで，筆者が全国の有志に呼びかけて，欧米に比較して遅れている日本の義肢装具の現状の打破と発展をテーマに，1968年に第1回義肢装具研究同好会を神戸で開催した．選択したテーマは，

① 医師・セラピスト・義肢装具製作技術者の義肢装具に関する教育と，義肢装具製作技術者の資格制度の必要性
② 切断者のリハビリテーション過程を阻害している法制上の問題
③ 義肢装具の現行価格の適正化，および義肢装具部品の開発の問題点
④ 研究・情報交換の場の必要性

をとりあげ，以後年2回開催することとした．

この義肢装具研究同好会は1972年に日本義肢装具研究会と名称を変え，1985年より，現在の「日本義肢装具学会」に発展している．

―2▶ 日本リハビリテーション医学会および日本整形外科学会に設置された義肢装具委員会の協働による行政への提言と，これにより実施された義肢装具サービスの改革

義肢装具に関する諸問題については，1972（昭和47）年に日本リハビリテーション医学会に義肢装具委員会が設置され，筆者は委員長として将来計画を作成した．その後，日本整形外科学会に設立された義肢装具委員会（加倉井周一委員長）と協働して多くの提言を行った．これに対する行政側の対応として，厚生省（現・厚生労働省．以下同じ）においては身体障害者福祉審議会に補装具小委員会が，労働省（現・厚生労働省．以下同じ）においては義肢装具等専門家会議が設置され，これにより義肢装具が初めて行政の土俵の中で討議されることとなり，多くの支給サービス上の発展を認めている．これまでに具体的に改善された問題としては，①厚生省，労働省共催による義肢装具に関する医師の卒後研修・受講者が2,000人を超えたこと，②通産省（現・経済産業省．以下同じ）による義肢装具のJIS用語化，③義肢装具のパーツの規格標準化，④切断者・義肢・下肢装具の全国的な調査，⑤厚生省側での価格の標準化，⑥国立身体障害者リ

ハビリテーションセンター学院内に「義肢装具専門職養成過程」を設置，そして，難航した⑦義肢装具士法の成立，そして後述するように⑧ISPO（国際義肢装具協会）世界会議（1989年神戸）やISO（国際標準機構）などを通じての国際協力など多くの成果があげられてきたこと，などがあげられる．このように義肢装具に関するほとんどの問題が，上記両義肢装具委員会により前向きに解決されてきた．その中で注目される課題を述べてみたい．

(1) 統一処方箋と義肢装具のJIS用語

切断者に対する義手義足の処方箋について，全国的に統一すべきであるとの合意の中，日本リハビリテーション医学会と日本整形外科学会の両義肢装具委員会で検討し作成した統一処方箋が**表6-2，3**である．この処方箋は，すでに身体障害者福祉法や労働者災害補償保険法によく使われている．

義肢装具に関する用語を国内で統一しようとする要望の中で，JIS用語作成作業が通産省工業技術院（現・独立行政法人産業技術総合研究所）から（社）日本リハビリテーション医学会に委託された．その内容は，義肢装具および車いすにおける用語，読み方，意味，これまでの慣用語，対応外国語を記したものである．このJIS用語は，1978（昭和53）年3月1日の日本工業標準調査会の審議を経て，福祉関連機器用語〔義肢装具部門〕JIS T0101として日本規格協会よりすでに出版され，1986（昭和61）年8月1日と1997（平成9）年7月，そして2014（平成26）年に改正が行われた．これらJIS用語は，まだ不足の分野，再検討を要する分野など残された問題が少なくないが，学会発表，雑誌の掲載とともに処方箋の記載にはこのJIS用語を用いていただきたい．ちなみに，本書はこのJIS用語を用いているので参考にしていただければ幸いである．

(2) 義肢装具の標準規格化

義肢装具の標準規格化に関する研究は，1976（昭和51）年から通産省より（社）日本リハビリテーション医学会に委託され，加倉井周一委員長の素晴らしいリーダーシップのもと，切断，下肢装具の調査とともに，きわめて精力的にパーツの標準化が進められた．義肢装具の部品などは国境を越えて流通しているために，品質や性能，安全性，寸法などに関する標準を国際化することが必要である．義肢の場合は国際標準化機構（ISO；International Organization for Standardization）の中のTC618で標準化を行っており，3つのWGが設置されている．

- WG1；学術用語と分類
- WG2；医学的側面
- WG3；試験方法

─3▶ 義肢装具の価格体系の変遷と今後の改革について

(1) 身体障害者福祉法から障害者総合支援法へ

わが国の義肢の公的交付は，**図6-1**にあるように，1949（昭和24）年の身体障害者福祉法施行からスタートし，その価格は交付基準における受託報酬額として規制されている．当時は戦後の貧困状態であり，義足の価格も義肢1本の全体価格で規制され，1964（昭和39）年頃でも大腿義足が25,000円に制限されていた．当然，義肢装具製作者は，少しでも利益を上げるためには，できるだけ安価な材料素材や部品を供給業者から求めて製作をせざるを得なかった時代である．筆者が米国UCLAで義肢製作の研修を受けた1959（昭和34）年には，米国では大腿義足の製作研修に膝継手としてきわめて高度で高価なハイドラ・ケーデンスを用いていた時代で，経済・技術においてわが国とのきわめて大きな格差を感じた．また，1968（昭和43）年に3カ月かけて世界

表6-2 義手処方箋

氏　名		生年月日	明治・大正 昭和・平成 令和	年　月　日（　）歳	
住　所				TEL	

| 医学的所見 | 疾患名 | | 切断部位 | 左　右 | 職　業（具体的に） | |
| | 障害名 | | 断端長 | cm | | |

| 種目 | 殻構造・骨格構造 | 採型区分 | A－（　　） | 種目名称別コード | |

| 名称 | 1. 肩義手用
2. 上腕義手用
3. 肘義手
4. 前腕義手
5. 手義手
6. 手部義手
7. 手指義手 | 型式・基本価格 | 1. 能動式
2. 電動式
3. その他
　□装飾用
　□作業用 | 加算 | 1. 肩甲胸郭間切断用
2. 吸着式
3. 顆上懸垂式
4. スプリットソケット
5. チェックソケット
　□シリコーン又はライナー
　□透明チェックソケット |

【製作要素価格】

ソケット	1. 皮革 2. 熱硬化性樹脂 3. 熱硬化性樹脂（電動式） 4. 熱可塑性樹脂 5. 熱可塑性樹脂（電動式）	ソフトインサート	1. 皮革 2. 軟性発泡樹脂 3. 皮革・軟性発泡樹脂	支持部	1. 能動式 2. 電動式 3. その他	殻構造 □肩部 □上腕部 　a. 熱硬化性樹脂 　b. 熱可塑性樹脂 □前腕部 　a. 熱硬化性樹脂 　b. 熱可塑性樹脂 □手部 □形状、接続部の修正	骨格構造 □肩義手用 □上腕義手用 □肘義手用 □前腕義手用 □形状、接続部の修正
義手用ハーネス	1. 肩義手用 　a. 胸郭バンド式肩ハーネス一式 　b. 肩たすき一式 2. 上腕義手用　3. 肘義手用 　a. 胸郭バンド式上腕ハーネス一式 　b. 肩たすき一式 　c. 8字ハーネス一式 4. 前腕義手用　5. 手義手用　6. 手部義手用 　a. 胸郭バンド式前腕ハーネス一式 　b. 8字ハーネス一式 　c. 9字ハーネス一式 　d. たわみ継手（一組） 　e. Yストラップ 　f. 上腕カフ（三頭筋パッド）			外装		殻構造 □肩部 　a. 皮革 　b. プラスチック 　c. 塗装 □上腕部 　a. 皮革 　b. プラスチック 　c. 塗装 □前腕部 　a. 皮革 　b. プラスチック 　c. 塗装	骨格構造 □肩義手用 □上腕義手用 □前腕義手用
断端袋	1. 上腕用 2. 前腕用						

【完成用部品価格】

完成用部品	

特記事項、使用者の希望事項など記述すること

（借受けの希望　有・無　）

| 処方 | 　年　月　日 | 仮合せ | 　年　月　日　　良・不良 |
| 採型 | 　年　月　日 | 適合判定 | 　年　月　日 |

表6-3 義足処方箋

氏　名		生年月日	明治・大正昭和・平成令和	年　　月　　日　（　）歳	
住　所				TEL	
医学的所見	疾患名		切断部位	左　右	職　業(具体的に)	
	障害名		断端長	cm		

| 種目 | 殻構造・骨格構造 | 採型区分 | B－（　　） | 種目名称別コード | |

		殻構造			骨格構造	
名称・型式	1. 股義足					
	2. 大腿義足	a. 差込式	b. ライナー式	c. 吸着式	a. 差込式　b. ライナー式　c. 吸着式	
	3. 膝義足	a. 差込式	b. ライナー式	c. 吸着式	a. 差込式　b. ライナー式　c. 吸着式	
	4. 下腿義足	a. 差込式	b. PTB式	c. PTS式	a. 差込式　b. PTB式　c. PTS式	
		d. KBM式	e. TSB式		d. KBM式　e. TSB式	
	5. サイム義足					
	6. 足根中足義足	a. 足袋式	b. 下腿部支持式			
	7. 足趾義足					

| 基本価格 | 1. 差込式　　　6. KBM式
2. ライナー式　7. TSB式
3. 吸着式　　　8. 有窓式
4. PTB式　　　9. 足袋式
5. PTS式　　　10. 下腿部支持式 | 加算 | 1. 片側骨盤切断用
2. 短断端切断用キャップシャフト
3. 坐骨収納型ソケット
4. 大腿支柱付き
5. チェックソケット　□シリコーン又はライナー　□透明プラスチック |

【製作要素価格】

ソケット	1. 熱硬化性樹脂 2. 熱可塑性樹脂 3. 木製 4. 皮革 □エアクッションソケット □カーボンストッキネット □下腿部支持式	ソフトインサート	1. 皮革 2. 軟性発泡樹脂 3. 皮革・軟性発泡樹脂 4. 皮革・フェルト 5. シリコーン	支持部	殻構造義肢 1. 股部 2. 大腿部 　a. 木製　b. 熱硬化性樹脂 3. 下腿部 　a. 木製　b. 熱硬化性樹脂 4. 足部	骨格構造義肢 1. 股義足用 2. 大腿義足用 3. 膝義足用 4. 下腿義足用 □土台修正
義足懸垂用部品	1. 股義足用 　a. 懸垂帯一式 2. 大腿義足用　　3. 膝義足用 　a. シレジアバンド一式　b. 肩吊り帯 　c. 腰バンド　d. 横吊帯　d. 義足用股吊帯一式 4. 下腿義足用　　d.PTB膝カフ一式 　a. 腰バンド　b. 横吊帯 　c. 大腿コルセット一式　d. PTBカフベルト一式				□土台修正 □鉄脚使用	
断端袋	1. 大腿用 2. 下腿用			外装	殻構造義肢 1. 股部　　a. 皮革 2. 大腿部　b. プラスチック 3. 下腿部　c. 塗装 4. 足部　　d. リアルソックス	骨格構造義肢 1. 股義足用 2. 大腿義足用 3. 膝義足用 4. 下腿義足用 □リアルソックス

【完成用部品価格】

完成用部品	

特記事項、使用者の希望事項など記述すること	
	（借受けの希望　有・無）

処方	年　月　日	仮合せ	年　月　日　良・不良
採型	年　月　日	適合判定	年　月　日

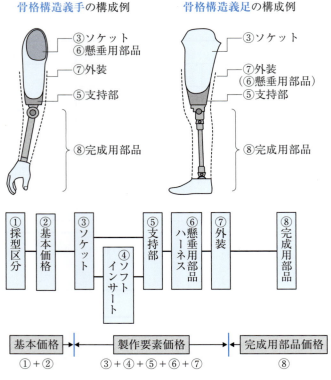

図6-2 骨格構造義肢の構成と価格体系

　23カ国の義肢の価格を調査したが，わが国の義肢価格は先進国の10〜20％程度の価格であった．しかし，GHQの指示があったと推測されるが，当時の貧困経済の1949（昭和24）年に身体障害者福祉法が施行され，義肢装具の交付基準が低価格に抑制された．そのため，靴型装具を製作できる人がいなくなり，厚生省に価格改善を申し出たことを記憶している．しかし，この身体障害者福祉法は，多くの切断者に福音となったことは事実であり，現在障害者総合支援法に引き継がれていることを大きく評価したい．

(2) 補装具費の支給基準の改革

　この価格体系を基本的に見直すために，1978（昭和53）年〜1980（昭和56）年にかけて，厚生省は，（社）日本リハビリテーション医学会（厚生科学研究）に委託して，種目，構造，工作法に分けて，補装具の体系的研究が行われた．骨格構造型大腿義足（上腕義手）を例にとると，図6-2のように，大腿義足をソケット，懸垂用部品，支持部，そして，膝継手，足継手足部などの完成部品，最後に，外装に分けた．これを基礎に，骨格構造義足の価格体系を，基本価格（①採型区分＋②基本価格），製作要素価格（③ソケット＋④ソフトインサート＋支持部＋懸垂用部品＋外装），そして，完成用部品価格（⑧完成用部品）とした．

　この義肢装具の価格体系は，2006年より厚生労働省補装具第1類評価委員会で，種目の見直しや価格変更等に関すること，義肢装具の完成用部品の指定等についての審査が行われ，2014年までに計23回開催されており頻繁に改正が行われていることを高く評価したい．

　特に，国内外で研究開発された補装具完成用部品の採用については，図6-3に示すように，申請，工学的評価，臨床的評価を経て厚労省に申請が出され，国立障害者リハビリテーションセン

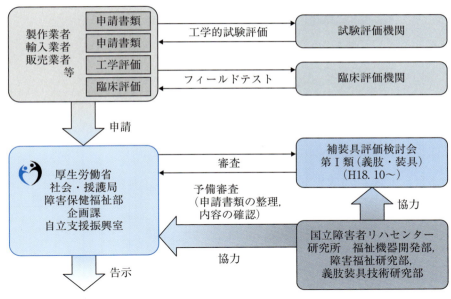

図6-3 補装具完成用部品の申請，評価，審査，公示

ター研究所の福祉機器開発部，障害福祉研究部，義肢装具技術研究部の協力を得て，補装具評価検討会第1類で検討審査され，その結果が翌年厚労省で公示され，都道府県身体障害者更生相談所の判定を経て，切断者に装着されることとなっている．

　この補装具の価格体系は，公正・公平で，懸命に汗をかいて補装具の製作に従事する義肢装具士が報われるシステムでなくてはならない．この経緯の中で危惧されるのは，基本的な価格体系が長期間にわたって根本的に変わっていなかった点である．2015（平成27）年度の基本価格部分は，2010（平成22）年度と比較すると，装具は平均で1.65％プラス改定に対して，義肢は平均0.34％プラス改定となっており，装具に比較して義肢の基本価格部分の改定が低く評価されている．このため，義肢を製作すればするほど赤字となり，真摯に優れた義肢適合を追求する義肢装具士や製作会社ほど経済的に破綻し，義肢の製作から撤退する傾向がみられていた．しかし，2024（令和6）年度の補装具の基準額改定においては，原材料費の高騰や補装具製作の新たな技術の導入などを踏まえて基準額が大きく見直された．例えば，下腿義足の基準額では81,800円から86,500円となっており，5.75％の上昇率である．今後も素晴らしい補装具の装着によりエンドユーザーである障害者の自立・社会参加を促進するために，それから健全な業界を育成するために，基本的な価格体系（基本価格＋製作要素価格＋完成用部品価格）が社会の情勢に合わせて不断に見直され，優れた補装具製作の技術が適切に評価される体制がさらに整備されることを期待したい．

　また，全国どこに住もうとも，同じレベルの義肢装具サービスが受けられるべきである．しかし，全国都道府県の身体障害者更生相談所の補装具判定における基準解釈において，地域格差があることは事実である．判定・処方にあたる基準解釈を明確にし，障害のある人々に公平な補装具サービスが行われるよう，システムの整備と厚労省の指導を期待したい．

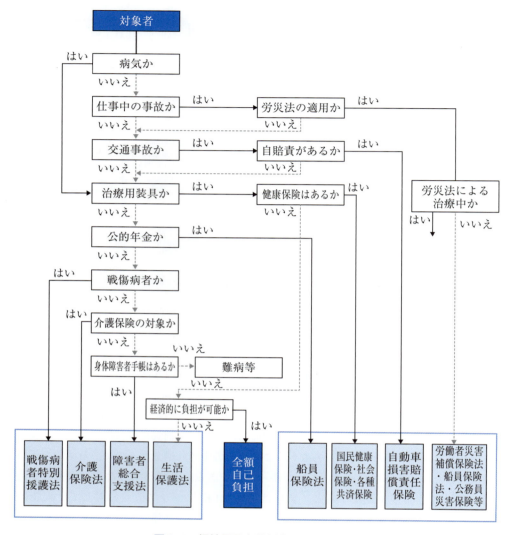

図6-4　福祉用具支給制度選択チャート
(テクノエイド協会：補装具費支給事務ガイドブック)

─4▶福祉用具法

　補装具という用語とは別に，厚労省老健局では「福祉用具法」が制定された．図6-4の福祉用具支給制度選択チャートにあるように，障害者総合福祉法のみならず，国民健康保険，社会保険，介護保険法，労働者災害補償保険法，自動車損害賠償責任保険，生活保護法などすべての制度を統一しているものである．その背景，内容について述べたい．

　福祉用具法は，「福祉用具の研究開発及び普及の促進に関する法律」を略したもので1993(平成5)年に設置された．

(1) 背　景

　1990年代に入り，高齢社会における高齢者・障害者の生活を支援するために，福祉機器を活用したいという使用者側の期待とともに，福祉機器ニーズの高まりに応え新しいビジネスチャンスを創り出そうとする供給者側からの期待が合致して，厚生労働省と経済産業省により福祉用具

法が制定された．福祉用具法の主要な内容は次のとおりである．

① 厚生労働大臣および経済産業大臣は，福祉用具の研究開発・普及の動向や目的施策などの基本方針を策定する．

② 厚生労働大臣が指定する法人は，福祉用具の研究開発・普及に対する助成や情報の収集提供を行う．

③ エネルギー・産業技術総合開発機構（NEDO）は，福祉用具に技術向上に資する研究開発を行う．

④ 国，地方公共団体，事業者，老人福祉施設等の開設者は福祉用具の研究開発とその普及のためにそれぞれの責務を負う．

(2) 福祉用具法の展開

厚生労働大臣は，福祉用法施行指定法人として，公益法人「テクノエイド協会」を指定した．テクノエイド協会は福祉用具データベースTAIS（Technical Aids Information System）を構築し，6,000種以上の福祉用具が含まれている．テクノエイド協会は「福祉用具研究開発助成事業」を，NEDOは「福祉用具実用化開発推進事業」を担当している．

―5▶ 義肢装具研究開発と地域リハビリテーションサービスの向上にむかって

(1) 義肢装具の研究開発体制のあり方について

本来，義肢装具の研究開発のあるべき姿は，リハビリテーション医学と工学との協力研究をベースとして，国家的レベルで計画され，まず障害者のニーズの分析把握から研究課目を調整し，これにより試作品が作製され，フィールドスタディが試行され，工学的および臨床的評価が行われるのが理想である．その結果は，国レベルの審議会で討議され，その研究開発されたパーツが障害者にとって有意義と認められたときに初めて厚生労働省の補装具の交付基準の中に取り入れられ，多くの障害者に利用されるように生産されるべきである．

しかし，わが国の研究開発の現状は，縦割りの行政機構の中で研究予算が別々に流れ，統一された研究計画のもとで行われていない．現実には，厚生労働省側に研究予算が少ないために，障害者のニーズとは別に，文部科学省や経済産業省を通じて工学主導型の予算が組まれ，予算決定後に，医療サイドにフィールドでの協力が求められることが多い．したがって，この過程の中で，工学と医学側の意見のすれ違いのまま，研究報告論文とプロトタイプのモデルが残るが，予算の切れ目が縁の切れ目となって，実際には障害者にフィードバックできる開発に至っていないのが現状である．1980（昭和55）年に初めてリハビリテーション工学セミナーが開催され，リハビリテーション工学カンファレンスが年々盛会となって，実際に障害者に用いられつつある研究開発が進められ，ようやく，本来のリハビリテーション工学の在り方が理解されつつあることは喜ばしいことである．特に今後，ロボット工学との協働による研究開発を期待したい．

(2) 地域における義肢装具の処方・装着訓練を行うリハビリテーション医療機関の整備

筆者は過去30年近く兵庫県身体障害者更生相談所の所長を務め，障害のある人々の義肢装具の質の更新に微力を尽くしてきた．その経験から本来，各都道府県立身体障害者更生相談所が，労働災害など縦割り行政の弊害を乗り越えて，障害原因や年齢にかかわらず，義肢装具の判定にかかわり，責任をもつべきと信じている．そのためには，相談所長を補装具の研修を受けた医師が務めるのが理想的である．しかし，現実には，全国相談所の約70％で相談判定を担当する専門医をはじめとして専門職マンパワーを欠いている．そのために，義肢装具判定を地域の中核病

院に依頼していることが多く，相談所が単なる書類の通過機関となっていることが少なくない．児童福祉法，労災補償対応の行政窓口も同じ問題を抱えている．このことにより，優れた最新の義肢装具を利用できず，一番不利益を被っているのは障害者自身であることを忘れてはならない．

さらに，介護保険の実施にあたって，福祉用具全般のサービスの向上や研修のために設置された各都道府県介護実習普及センターは，福祉用具展示場をもつものの，福祉用具の専門職を欠くことが多く，まして義肢装具に関する専門職は皆無に等しい．また，テクノエイド協会で長年研修を続けている福祉用具専門相談員を生かす機会が失われており，縦割り行政を排して，病院・施設関係のリハビリテーション専門職種との連携協働が望まれる．

日本リハビリテーション病院・施設協会では，厚労省とともに，市町村の地域包括ケアシステムを支援するための都道府県の地域リハビリテーションシステムの構築を検討している．理想的には，リハビリテーション医療の専門職をもつリハビリテーションセンターが都道府県リハビリテーション支援センターとして，特に重度障害者に対する福祉機器の適応・開発についてその役割を果たすべきであろう．そこには，障害のある人々にとって，最も適切な補装具を処方，適合判定の行える医師が必要で，その資格として，卒後研修病院で5年以上の臨床経験をもち，国立身体障害者リハビリテーションセンターで義肢装具の卒後研修の受講を終了した者が担当することとしている．

また，福祉用具や住宅改修などテクノエイド機能全般にかかわるサービス拠点としては，人口30～50万の2次圏域ごとにテクノエイドセンターを設置するのが理想であり，リハビリテーション圏域支援センターが将来その役割を担う方向が望まれる．

3 義肢装具における国際協力のあゆみ

アジアにおいて，義肢装具を必要とする障害のある人々は2,000万人と推定されている．そのうち，義肢を必要とする手足の切断者は500万人で，アフガニスタン，カンボジアなどのアジア以外でもウクライナなどで対人地雷による切断者が後を絶たない．また，アジア開発途上国では，自転車より自動二輪車が主流となっているため，交通事故が重傷化し，四肢の開放骨折後の骨髄炎による切断例が激増している．

一方，装具を必要とする脊髄性小児麻痺，脳血管障害，脳性小児麻痺，脊髄損傷などが約1,500万人とされている．特に，先進国ではワクチンの普及によりほとんど発生がみられない脊髄性小児麻痺がいまだ多く発生しており，WHOでは20世紀最後の10年間で新たに200万人が発生したといわれている．この場合，装具を装着しないと下肢の変形が増悪し，歩行が不可能となるケースが多く，装具が障害をもつ人々の社会参加に大きな役割を果たしている．障害をもつ人々にこの義肢装具を装着し，残存している能力を最大限に引き出すには，個々の筋力，変形，関節の動きなどの障害に対応した形で製作することが大切であり，それには人間の体への適合と全体のアライメント，そして材料や部品をどのように選択するかにかかってくる．このためには，義肢装具製作者の国際的な教育標準が必要であり，後述するようにISPO（国際義肢装具協会）がこれに最も重要な役割を果たしている．

また，上述したように義肢装具サービスの質の向上には，その地域の文化や生活様式に合致する新しい材料や部品の開発，そして遠隔地のコミュニティーレベルまでサービスが行き届くよう

にするCBR（Community Based Rehabilitation；地域リハビリテーション）システムの確立などが必要である．特に，低所得国では，義肢装具製作技術者の教育機関はきわめて少なく，また製作に必要な材料，部分品は限られ，財政上の理由から輸入できない現状である．

このような義肢装具に関する非政治的，諮問的な役割として，そして多くのNGO間の活動をコーディネートする国際的な組織として生まれたのがISPOである．筆者は1970年設立と同時に日本支部を設立し，事務局を兵庫県立リハビリテーションセンターに置いた．貧乏生活の中，1泊3日で年2回コペンハーゲンで開催される理事会に出席した．1984～1989年に理事から副会長，1993～1998年に次期会長から会長職を果たした．2019年には第17回ISPO世界大会が30年ぶりに再び神戸で開催され，組織委員長を務めた．そして，1998年2月のISPO教育セミナー，アジア義肢装具学術大会，日本財団によるタイ，インドネシア，フィリピンなどにおける義肢装具教育施設の設置などを通じて，国際的に大きな貢献と役割を果たしてきた．これもすべて，日本義肢装具学会をはじめ，日本義肢協会，日本義肢装具士協会などから支援をいただいたお陰であり，心からお礼申し上げたい．1970年のISPO発足以来，わが国が果たしてきたこの50年間におけるISPOの活動を中心に，義肢装具領域における国際的な動向を述べてみたい．

─1▶ ISPO（国際義肢装具協会）の目的と組織

ISPO（International Society for Prosthetics and Orthotic；国際義肢装具協会）は，非政府組織として，1970年にデンマークのコペンハーゲンに設立された．ISPOは，義肢装具による治療，リハビリテーション工学，車いす等の移動福祉機器などの関連領域に関する科学と，その実践に寄与している．2010年に本部がベルギーのブリュッセルに移転した．

(1) ISPOの目的

① 義肢装具の関連事業において，他の国内外の団体に対してのガイダンスやコースのコーディネートの実施，資源の最適な利用の探求を行う国際アドバイザリー組織としての役割を遂行する．

② 機関誌の発行，セミナー，教育コース，会議の企画により，情報交換の媒介としての役割を遂行する．

③ 研究，開発そして教育活動を促進し指導する．

④ 義肢装具関連職種の教育，訓練活動を奨励し，援助し，関連する．

⑤ 患者の治療のために義肢装具の果たすべき責任への活動を支援し，指導する．

⑥ 適切な国際水準を確立するなどの方法により，高いレベルの画一的な治療を促進するための計画を実行する．

(2) ISPOの会員組織

ISPOは，設立から50年を過ぎた現在，世界100カ国以上，3,300人以上の会員数を有している．その職種内訳は，義肢装具士・義肢装具技術者40％，医師25％（整形外科医10％，リハビリテーション専門医15％），リハエンジニア7％，セラピスト（理学療法士，作業療法士）10％，整形靴製作者5％，そのほかPodologist，技術者，看護師，臨床心理学者，管理者，ソーシャルワーカーなどが13％となっている．

5名以上の会員をもつ国・地域は協力してその国を代表する支部（National Member Society）を設立することができ，現在50か国に支部が置かれている．日本支部は，当初兵庫県立総合リハビリテーションセンターに置かれたが，その後は神戸医療福祉専門学校三田校を経て，2023

表6-4　ISPOによる義肢装具製作技術者の国際資格区分

カテゴリー	名　称	修業年数
カテゴリー Ⅰ	義肢装具士（またはそれに準するもの）	4年生の学士（あるいはそれに準ずるもの）
カテゴリー Ⅱ	義肢装具技能士	3年生教育—学士より下のレベル
カテゴリー Ⅱ（義足）	義肢装具技能士（義足）	1年の教育に，下腿・大腿義足に限った臨床経験
カテゴリー Ⅱ（下肢装具）	義肢装具技能士（下肢装具）	1年の教育に，下肢装具に限った臨床経験
カテゴリー Ⅱ（上腕義肢・上肢装具/体幹装具）	義肢装具技能士（上腕義肢・上肢装具/体幹装具）	1年の教育に，上腕義手，上肢装具，体幹装具に限った臨床経験
カテゴリー Ⅲ	義肢装具製作技術者	2年の教育，あるいは4年の実地訓練

年に新潟医療福祉大学に移管して，役員は佐々木伸会長，山本澄子副会長，大西謙吾副会長，須田裕紀事務局長となっている．日本はオランダに次いで第2番目に多いメンバー数を有している．

（3）ISPO会員のメリット

会員となることで，同様の活動や興味をもつ世界のメンバーと，専門職としての関与や連携をとることができる．また，専門のさまざまな分野（研究，教育，サービス）での実践を通じて情報を発信することができるようになる．その中で最も重要なことは，個々の会員が国内外での義肢装具に関する分野で，将来の進むべき方向を見出す最適な機会が得られることである．内外の最新方法が得られる利点もあり，ぜひ会員となられることをお勧めしたい．

（4）ISPOによる義肢装具士のカテゴリー区分

ISPOは国連経済社会理事会の特別諮問資格をもった非政府組織「NGO」であり，世界保健機構（WHO）とは公的関係にあり，協働してカテゴリー区分を行っている．

① 義肢装具士の国際資格のカテゴリー区分

ISPOとWHOは，義肢装具士の国際資格をカテゴリーⅠ，Ⅱ，Ⅲの3つに区分している（**表6-4**）．

ISPOの教育委員会による義肢装具教育プログラムのカテゴリー認定は，途上国でのカテゴリーⅡ（3年制）を中心に進められてきたが，現在ではカテゴリーⅠ（4年制）へのリクエストが多く行われており，カテゴリーⅠの認定が積極的に行われている．

ISPOカテゴリーⅠの認定を受けている教育機関は世界で16校ある（2015年現在）．アジアでは，ラ・トローブ大学（オーストラリア），香港理工大学（香港），マヒドン大学（タイ），School of Biomedical Engineering of Capital Medical University（中国），Sichun University（中国），University of the East Ramon Magsaysay Memorial Medical Centre（フィリピン），および神戸医療福祉専門学校三田校，新潟福祉大学がISPOにより認定されている．

② ISPOカテゴリーⅠの職業プロフィール

・医療チームの平等な一員として参加する．

・処方・評価において積極的な役割を担う．ソケットや身体とのインターフェイス，部品や懸垂装置の選択．

・適合と製作において，カテゴリーⅡ，Ⅲの活動を指導・管理する．

・最新の研究開発について情報を得て，適応するかどうか厳密に判断する．

・義肢装具の研究・開発への参加，論文の提供をする．

③ ISPOカテゴリーⅠとⅡの違い（WHOガイドライン）

カテゴリーⅠ：
・義肢装具全般，あるいはそれに関係するリハビリテーション領域をまんべんなく履修した者
・すべての患者の治療計画，および意思決定に責任をもつこと
・リハビリテーションチームにおいて，義肢装具士を代表する者
・総履修時間数，約4,574時間

カテゴリーⅡ：
・義肢装具に関しての主要な領域，あるいは一般的に用いられる義肢装具について履修した者
・リハビリテーションチームにおいて，カテゴリーⅠが不在の場合，義肢装具士を代表する者
・総履修時間数，約3,800時間

④ ISPOカテゴリーⅠの受験資格（2014年）
・ISPOカテゴリー1認定校を卒業していること．
・義肢装具士国家資格を所有していること．
・卒後最低15カ月間の臨床経験を有すること．
・最低5症例の症例報告書．
・卒後臨床経験の症例数を具体的に報告すること．
・受験料3万円を支払うこと．

(5) 世界大会およびセミナー，研修コース，カンファレンス

　ISPOは，義肢装具に関する研究，開発，情報交換などを目的として，多くの会合をもっている．

　① 世界大会（World Congress）：その中で，最も重要なのは，3年ごと（現在は2年ごと）に開催される世界会議であり，これまでモントルー（スイス），ニューヨーク（米国），ボローニャ（イタリア），ロンドン（英国），コペンハーゲン（デンマーク），神戸，シカゴ（米国），メルボルン（オーストラリア），アムステルダム（オランダ），グラスゴー（英国），香港，バンクーバー（カナダ），ライプツィヒ（ドイツ），ハイデラバード（インド），リヨン（フランス），神戸，2023年にメキシコで開催された．

　② Consensus Conference：義肢装具サービスの内容については，多くの異なる意見があり，国際的には意見の統合を図るためのカンファレンスが必要となる．これまで，切断術（1990，グラスゴー（英国）），脳性小児麻痺に対する下肢装具（1994，ダラム（英国）），開発途上国における適切な義肢サービス（1995，プノンペン（カンボジア）），そして脊髄性小児麻痺（1997，チュニス（チュニジア））が開かれ，世界に情報を発信できた．

　③ 切断術と義肢のコース：低所得国において，ICRC，WOC，WHOとの協力関係の中で，切断術と義肢の5日間コースを，モシ（タンザニア，1993），パタヤ（タイ，1994），パナマ（パナマ，1995），チェンナイ（インド，1996），ジャイプール（インド，1997）で開催した．先進工業国でも，同様なコースを，ラングステッド（デンマーク，1978），コーゲ（デンマーク，1982），フローニンゲン（オランダ，1992），ヘルシングボリ（スウェーデン，1997），千葉（1998）で開催した．

　④ ISPO研究開発，評価活動：研究開発評価分野での活動は，骨格構造義肢（1972，アスコット（英国）），義足のデザイン評価と名称（1973，ダンディー（英国）），二分脊椎（1973，グラスゴー（英国）），義足の標準化（1977，フィラデルフィア（米国）），義足の適合とアライメント（1987，

マイアミ（米国）），義足ソケットの各種（1987，シカゴ（米国）），義肢装具におけるCAD/CAM（1988，シアトル（米国））となっている．

(6) 出　版

義肢装具に関する上記のコース，セミナー等についての多くの出版がされている．また，*Prosthetics Orthotics International*が年3回出版され，これが会員間のコミュニケーションの大切な手段となっている．

(7) 国際標準化活動

義肢装具の国際標準化において，ISO TC168およびTC173への参加活動を通じて，名称，断端の記載，身体評価（physical testing），車いすなどについての情報交換，研究による国際標準化が行われている．

(8) 国際組織との交流

ISPOは，義肢装具およびリハビリテーション工学分野において，多くの国際組織に対する専門的，諮問的，協調的な立場で活動している．

具体的には，国連に対して諮問的な立場（consultative status）（CategoryⅡ），WHOに対して公式な関係をもち，ILO（International Labour Organization：国際労働機関）やアフリカリハビリテーション研究所（African Rehabilitation Institute）と関連をもっている．また，日本のJICAに相当するドイツのGTZ（Deutsche Gesellshaft für Technische Zusanmenarbeit）とは，低所得国における義肢装具教育の実施と教育水準の標準化において，中国・武漢，ベトナム・ハノイのプロジェクトがその例であるように，きわめて優れた関係をもっている．また，JICAに相当する米国のUSエイド（US Agency for International Development）とは，カンボジアでの開発途上国における義肢装具サービスに関するコンセンサスカンファレンスのスポンサーをはじめとした具体的なサービス向上に大きな役割を果たしている．また，Rehabilitation International（RI：国際リハビリテーション協会）のメンバーとしてICTA（International Commission on Technology and Accessibility）と協調して，お互いの委員会で，開発途上国の地域リハビリテーション活動と義肢装具サービスの改善に討議を重ねている．

その他，WOC（World Orthopaedic Concern；世界整形外科協会），IVO（International Verband der Orthopadic Schuhtechniker；国際整形外科靴製作協会），そしてINTERBOR（International Association of Prosthetists and Orthotists；国際義肢装具士協会）などと密接な関係をもち，ISPOの理事会にはこれら諸団体の代表者に出席をお願いしている．さらに最近，ICRC（International Committee of the Red Cross：国際赤十字），およびWRF（World Rehabilitation Fund；世界リハビリテーション基金）と協力して，特に低所得国の義肢装具サービスの支援のための情報交換，セミナー，コースへの参加による交流を図っている．

(9) ISPO世界義肢装具教育者会議（Global P&O Educator's Meeting）

ISPO教育委員会が世界の全義肢装具教育機関を招いて初めての合同会議が，当時のISPO日本支部（神戸医療福祉専門学校三田校；佐々木伸義肢装具科長）が事務局となり2014年6月に神戸で開催された．その目的は次のとおりである．

① 義肢装具の発展にとって将来必要なニーズについて論議を実施
② 学生教育の充実を図るための教育モデルの検討
③ P&O教育機関間の情報交換，将来の協働
④ P&Oの実践・教育における研究の重要性

⑤ P&Oプログラムの発展における利用者の意見

―2▶わが国の義肢装具における今後の国際協力のあり方

義肢装具サービスにおける国際協力の必要性はきわめて高い．特に，低所得国では多くのニーズを抱えながら，サービスが不足しているために，障害をもつ人々の社会参加を妨げている現状にあり，いろいろな形での援助が必要である．そのためには，WHO，RI，ICRC，HI（Handicap International：ハンディキャップインターナショナル・本部フランス），GTZなどとの協力体制で，国際的に認知された形での動きが必要である．たとえば，日本のJICAに相当するドイツのGTZは，常にこれらの国際組織と連携をとりながら，過去長年にわたり，専門職員の派遣を含めて多くの汗をかきながら，ロメ（トーゴ），モシ（タンザニア），武漢（中国），ハノイ（ベトナム）に義肢装具製作者（カテゴリーⅡ）の教育機関を作りあげてきた．その結果，これらの教育機能が現在その国の義肢装具サービスの中核となって，きわめて大きな効果をあげてきた．

(1) ISPO第6回，第17回世界大会を神戸で開催

わが国は，義肢装具領域における国際貢献については長く後塵を拝していたが，1970年ISPO組織のスタートとともに，兵庫県立総合リハビリテーションセンターに日本支部を立ち上げ，積極的な活動を開始した．1989年に神戸で第6回ISPO世界会議を開催し，従来の世界大会よりレベルの高い運営進行により国際的に高い評価を得ることができた．特に，アジア諸国からの義肢装具の展示を企画し，これを支えていただいた厚生省をはじめとする国の支援の賜物であり，わが国が義肢装具の領域で国際的に大きな役割を果たすことができた．その成果が評価されたのか，第8回ISPO世界大会（アムステルダム）で，筆者がPresident職を務めさせていただいた．その後，第6回大会から30年目にあたる2019年に，再び神戸コンベンションセンターで，第17回世界大会（陳隆明事務総長，筆者が組織委員長を務めた）を開催した．97か国より4,700人の参加を得て，これまでの世界大会をはるかにしのぐ大会となった．総合リハビリテーションセンターと神戸医療福祉専門学校三田校が力を合わせてone teamとして運営に努力いただいたことが成功のもととなった．特に，三田校の義肢装具士科の学生の活動が出席された海外からの参加者からの賛辞を得た．この世界大会の成功は，日本義肢装具学会をはじめとして，日本義肢協会，日本義肢装具士協会など，わが国の義肢装具にかかわる関係機関の全面的な協力による成果の賜物であったことを確信している．

(2) アジア義肢装具学術大会の設置

長い間アジア諸国を歩いて決定したアジア各国の代表者が集まり，よりよい義肢装具サービスの向上を目指して，情報を交換する企画を検討していた．田澤英二氏と相談し，筆者がISPO presidentを務めていた1997年に，理事会を神戸で開催したが，その機会を利用して理事会終了後，理事の方々に参加いただき，また，かねてからアジア各国を訪ねて選出した代表者を招いて，幕張にて初めてのアジア義肢装具学術大会（APOSM；Asian Prosthetics Orthotics Scieintific Meeting）を開催した．本学術大会は神戸医療福祉専門学校三田校義肢装具士科長・現ISPO日本支部長の佐々木伸氏の努力の賜であり，その後，香港，韓国，神戸，台湾，タイ，インドネシアなどで開催されている．ぜひ参加して，アジアの友人を作っていただきたい．

(3) 日本財団によるアジアにおける義肢装具教育施設の設置

筆者はISPO設立以来，田澤英二氏（日本義肢装具学会前会長，ISPO副会長）とともに，アジアの国際コンサルタントとしての役割を果たしてきた．その立場から，アジア・太平洋障害者

10年の記念事業として，アジア開発途上国の障害者の具体的で将来にまたがる支援として，アジア義肢装具センターの設立を要望し，その実現に微力を尽くしてきた．

当初，インドネシアに日本政府の支援による義肢装具士の教育機関の設立を目指し，毎年何度かインドネシア政府と交渉を続けたが，2年ごとに担当者が変わる日本政府外務省の国際組織との情報不足と国際的な教育基準を無視した姿勢により，残念ながら挫折した．一方，1990年当初から，兵庫県立総合リハビリテーションセンターにおいて，神戸JICAのプログラムにより，タイの国立医療リハビリテーションセンターの人材育成を続けていた．あきらめかけたときに，筆者らの長年の活動を知った日本財団が経済的支援を含めて全面協力してくれることになった．その後，この東南アジア義肢装具士リーダー養成プログラムの推進に，日本財団が果された功績はきわめて大きい．1999年からカンボジアトラスト，2001年から上記のタイのシリンドン国立医療リハビリテーションセンター，マヒドン大学にカテゴリーⅠの義肢装具士養成施設設立を支援した．その後，日本財団はカンボジアトラストとの連携の中で，2003年からスリランカ義肢装具士養成施設，2007年からジャカルタ義肢装具士養成学校，2010年からフィリピン義肢装具士養成学校設立・経営支援を行っている．また，スリランカ北部東部における義肢装具クリニックの運営やベトナム障害者のための義肢装具支援をいただいた．改めて，アジア義肢装具士養成学校ネットワーク（APOS）の戦略的運営を通じて日本財団の素晴らしい国際協力に感謝したい．

これらの学校に最も必要な人材は教員となる義肢装具士である．わが国の義肢装具士教育施設がISPOカテゴリーⅠの認定施設をとり，少しでも多くのグローバルな人材が海外で活躍できる時代がくることを期待したい．

わが国における義肢装具の発展の歩みの詳細については，筆者が2020年10月に第36回日本義肢装具学会で特別講演の機会をいただき，学会誌に記載したのでご参考にしていただければ幸いである．

文　献

1) Aitken, G. T. and Frantz, C. H.：Management of the child amputee. Instructional course lecture. *Am. Acad. Orthop. Surg.*, **17**：246, 1960.
2) Aitken, G. T.：Surgical amputation in children. *J. Bone Joint Surg.*, **45**-A：1735, 1963.
3) Alexander, A. G.：Immediate postsurgical prosthetic fitting, the role of the physical therapist. *Phys. Ther.*, **51**：2, 15, 152-157, 1971.
4) Alldredge, R. H.：Major amputations. *Surg. Gynecol. Obstet.*, **84**：759, 1947.
5) Alldredge, R. H.：The principles of amputation surgery orthopaedic appliances atlas. *Artif. Limbs*, **2**：383, 1960.
6) Alldredge, R. H. et al.：The technique of Syme amputation. *J. Bone Joint Surg.*, **28**：415-426, July, 1946.
7) 天児民和ほか：大腿義肢の新しい問題，サクションソケットに就いて．臨床外科, **7**：423, 1952.
8) American Academy of Orthopaedic Surgeons：Atlas of limb prosthetics, surgical and prosthetic principles. The C. V. Mosby Co., St. Louis, 1981.
9) Anderson, M. H.：Clinical prosthetics for physicians and therapists. Charles C. Thomas, Springfield, 1963.
10) Anderson, M. H.：Prosthetic principle above-knee amputation. Charles C. Thomas, Springfield, 1963.
11) 青山　孝：骨格型モジュラー義肢の問題点．総合リハ, **1**：1081, 1973.
12) 青山　孝：義足の部品．義肢学（日本義肢装具学会編），医歯薬出版, 1988, pp. 135-152.
13) Arbogast, R.：The carbon Copy II-From Concept to Application. *J. Prosthetics and Orthotics*, **1**(1)：32-36, 1989.
14) Ariel, I. M.：Hemipelvectomy (Interilio abdominal amputation). *Prosthetics International*, **2**：1-2, 1965.
15) 浅田　剛：膝義足の製作（全面接触ソケットについて）．日本義肢協会，昭和51年度研究会記録, 1976, p. 28.
16) Bailey, R. W. and Stevens, D. B.：Radical exarticulation of the extremities for the curative and palliative treatment of malignant neoplams. *J. Bone Joint Surg.*, **43**-A：845, 1961.
17) Bar, A. et al.：Pneumatic supracondylar suspension for knee-disarticulation prostheses. *Orthotics and Prosthetics*, **31**：3-7, 1977.
18) Barber, C. G.：Amputation of lower leg with induced synostosis of distal ends of tibia and fibula. *J. Bone Joint Surg.*, **26**-A：356, 1944.
19) Batch, J. W. et al.：Advantage of the knee disarticulation over amputations through the thigh. *J. Bone Joint Surg.*, **36**-A：921-930, 1954.
20) Baumgartner, R. F.：Allgemeine Probleme der Indikation und der operativen Technik der Amputation und Prosthesenversorgung. *Orthopädie*, **7**：94-98, 1978.
21) Baumgartner, R. F.：Knee disarticulation versus above-knee amputation. *Prosthet. Orthot. Int.* **3**：15, 1979.
22) Baumgartner, R. and Botta, P.：Amputation und Prothesenversorgung der unteren Extremitat. Ferdinand Euke Uerlag, Stuttgart, 1989.
23) Bechtol, C. O.：The above-knee socket artificial leg. Instructional course lecture, *Am. Acad. Orthop. Surg.*, **7**：232, 1950.
24) Bechtol, C. O.：Suction socket, proper selection of patients for above-knee artificial leg. *JAMA*, **141**(7)：625, 1951.
25) Bell, G.：Swing phase control for through-knee prosthesis. Prosthetic and Orthotics Practice, 1970, p. 269.
26) Berlemont, M. et al.：Ten years of experience with the immediate application of prosthetic devices to amputees of the lower extremities on the operating table. *Prosthetics International*, **3**(2)：8, 1969.
27) Berlemont, M.：*Prosthetics International*, **3**(8)：8, 1969.
28) 別当有光：骨格構造義足システム開発と実用化．日本義肢協会，昭和51年度研究会記録1, 1976.
29) Biedermann, W. G.：Die Versorgung von Oberschenkel-Kurzstumpfen. *Orthopädie-Technik*, **12**：173-177, 1975.
30) Biedermann, W. G.：Management of short above-knee amputees. *Orthotics and Prosthetics*, **30**(4)：21-29, 1976.
31) Billock, J. N.：The Northwestern University Supracondylar Suspension Technique for Below-Elbow Amputations. *Orthotics and Prosthetics*, **26**(4)：16-23, 1972.
32) Biomechanics Laboratory, University of California, San Francisco Berkeley：Air cushion socket for

patellar-tendon-bearing below-knee prosthesis. Veterans Administration. Washington D.C., May, 1968.
33) Blakeslee, B. : The limb-deficient child, Berkeley and Los Angeles. University of California, Press, 1963.
34) Boldley, E. : Amputation neuroma in nerves implanted in bone. *Ann. Surg.*, **118** : 1052-1057, 1943.
35) Bonica, J. J. : The management of pain. Lea & Febiger, Philadelphia, 1954.
36) Burgess, E. M. : Sites of amputation election according to modern practice. *Clin. Orthop.*, **37** : 17-22, 1964.
37) Burgess, E.M. : Immediate postsurgical prosthetics in the management of lower extremity amputees. Prosthetic and sensory aids service. Veterans Administration, Washington D. C., April, 1967.
38) Burgess, E. M. et al. : *Prosthetics International*, **3** (8) : 28, 1969.
39) Burgess, E. M. et al. : The management of lower-extremity amputations. Prosthetic and sensory aids service. Department of medical and surgery, Veterans Administration, Washington D. C., 1969.
40) Burgess, E. M. et al. : Controlled environmental treatment for limb surgery and trauma. *BRR*, **10** (28) : 16-57, 1977.
41) Canty, J. J. : Manual for the U. S. Navy soft closed & plastic above-knee socket. Navy Prosthetic Research Laboratory Amputation Center, 1959.
42) Catterall, R. C. F. : Syme's amputation by Joseph Lister after sixty-six years. *J. Bone Joint Surg.*, **49**-B : 144, 1967.
43) Chilvers, A. S. et al. : Below and through-knee amputations in ischaemic disease. *Br. J. Surg.*, **58** (11) : 824, 1971.
44) Committee on Prosthetics Research and Development : Symposium on below-knee prosthetics. *Orthotics and Prosthetics*, **23** : 142, 1969.
45) Condon R. E. et al. : Immediate postoperative prosthesis in vascular amputations. *Ann. Surg.*, **170** : 435, Sept., 1969.
46) Coventry, M. B. and Dahlin, D. C. : Osteogenic sarcoma. *J. Bone Joint Surg.*, **39**-A : 74, 1957.
47) Convery, P. et al. : A clinical evaluation of an ultra light-weight polypropylene Below-knee Prosthesis. *Orthotics and Prosthetics*, **40** (3) : 30-37, 1986.
48) Crenshaw, A. H. : Campbell's operative orthopaedics. 4th ed., C. V. Mosby, St. Louis, 1963.
49) Dahlin, D. C. and Henderson, E. D. : Chondrosarcoma. *J. Bone Joint Surg.*, **38**-A : 1025, 1956.
50) Dale, G. M. : Syme's amputation for gangrene from peripheral vascular disease. *Artif. Limbs*, **6** : 44-51, 1961.
51) Davees, R. M. et al. : The Rapidform process for automated thermoplastic socket production. Prosthet. *Orthot. Int.*, **9** : 27-30, 1985.
52) Dederich, R. : Plastic treatment of the muscle and bone in amputation surgery. *J. Bone Joint Surg.*, **45**-B : 60, 1963.
53) Dively, R. L. et al. : An improved prosthesis for a Syme amputation. *J. Bone Joint Surg.*, **38**-A : 219-221, 1956.
54) 道免久士 : Suction Socket大腿義肢に関する研究. 日整会誌, **31** : 229, 1957.
55) Early, P. F. et al. : Rehabilitation of patients with through-knee amputation. *Br. Med. J.*, **16** : 418-421, 1968.
56) Eberhart, H. D. et al. : Suction socket suspension of the above-knee prosthesis. Human Limbs and their Substitute. McGraw-Hill Book Co., 1959.
57) Ebiskov, B. : Trends in lower extremity amputation. Amputation surgery and lower limb prosthetics (ed. by Murdoch, G.), Blackwell Scientific Publications, Oxford, London, 1988, pp. 3-8.
58) Edwards, J. W. : Orthopedic appliances atlas. Vol. 2., Michigan, 1960.
59) Ellemed, R. : Amputierte und Prothesen Gustau Fisher in Jena, 1950.
60) Entin, M. A. : Reconstruction of congenital abnormalities of the upper extremities. *J. Bone Joint Surg.*, **41**-A : 681, 1959.
61) Erikson, U. : Circulation in traumatic amputation stumps. *Acta Radiol. Suppl.*, **238**, 1965.
62) Erikson, U. : Healing of amputation stumps with special reference to vascularity and bone. *Acta Orthop. Scand.*, **37** : 20-28, 1966.
63) Ertl, J. : Über Amputation Stumpfe. *Chirurg*, **20** : 218, 1949.
64) Fajal, G. : Stump casting for the PTS below-knee prosthesis. *Prosthetics International*, **3** (4-5) : 22, 1968.
65) Feliz, W. : Practische Erfahrungen mit der Saugprothese. *Z. Orthop.*, **72** : 352, 1941.
66) Filarski, S. A. Jr., et al. : The PTB supracondylar-suprapatellar air-cushion socket. Orthotics.
67) Fillauer, C. E. et al. : Evolution and Development of the Silicone Suction Socket (3S) for Below-knee

Prostheses. *J. Prosthetics and Orthotics,* : 1 (2) : 92-103, 1989.
68) Flatt, A. E. : The care of minor hand injuries. 2nd. ed., C. V. Mosby Co., St. Louis, 1963.
69) Foort, J. and Radcliffe, C. W. : The Canadian type hip disarticulation prosthesis. Prosthetic Devices Research Project, Institute of Engineering Research, University of California, Berkeley, 1956.
70) Foort, J. : The Canadian type Syme prosthesis. University of California, Berkeley, December, 1956.
71) Frantz, C. H. and Aitken, G. T. : Management of juvenile amputee. *Clin. Orthop.,* 14 : 30, 1959.
72) Frantz, C. H. and O'Rahilly, R. : Congenital skeletal limbs defficiencies. *J. Bone Joint Surg.,* 43-A : 1202, 1961.
73) 藤田ほか：新薬と臨床，13：45，1964.
74) 藤原 朗ほか：上肢先天性奇形に対するKrukenberg法の1治験．中部整災誌，10：790，1966.
75) Garner, H. F. : A pneumatic system for below-knee stump casting. *Prosthetics International,* 3 (4-5) : 12, 1968.
76) Gardner, H. F. : Some physiological and prosthetic considerations in the selection of amputation sites about the knee. *BRR,* Fall, 26, 1969.
77) Ghiulamilia, R. I. : Semirigid dressing for postoperative fitting of below-knee prosthesis. *Arch. Phys. Med. Rehabil.,* 53 : 186, 1972.
78) Gill : Amputation. 361, 1954.
79) Gladstone, H. and Iuliucci, L. : Some American experience with Syme prosthesis. *Artif. Limbs,* 6 : 90-101, 1961.
80) Gleave, J. A. E. : A plastic socket and stump casting technique for above-knee prosthesis. *J. Bone Joint Surg.,* 47-B : 100, 1965.
81) Gleave, J. A. E. : Moulds and casts for orthopaedic and prosthetic appliances. Charles C. Thomas, Springfield, 1972.
82) Golbranson, F. L. : *Clin. Orthop. Relat. Res.,* 56 : 119, 1968.
83) Grevsten, S. : The patellar tendon bearing suction prosthesis functional studies. Acta Universitatis Upsaliensis, Upsala, 1977.
84) Habermann, H. : Above-knee prosthetic technique in Germany. *Journal of Orthopedic & Prosthetic Appliance,* 15, March, 1963.
85) Habermann, H. : An AK prosthesis with tilt socket. *Prosthetics and Orthotics, technical notes,* 27 (1) : 42-44, 1973.
86) Hadden, C. C. : Status of the above-knee suction socket in the United States. *Artif. Limbs,* 29, May, 1961.
87) Hampton, F. : A hemipelvectomy prosthesis. *Prosthetics International,* 2 (2) : 3, 1965.
88) Hampton, F. L. : The suspension method for casting of below − knee stumps. *Prosthetics International,* 3 (4-5) : 9, 1968.
89) Hall, C. B. : Prosthetic socket shape as related to anatomy in lower extremity amputees. *Clin. Orthop.,* 37 : 32, 1964.
90) Hall, C. B. and Bechtol, C. O. : Modern amputation technique in the upper extremity. *J. Bone Joint Surg.,* 45-A : 1717, 1963.
91) Hanger, H. B. : The Syme and Chopart prosthesis. Prosthetic Orthotic Education. Northwestern University Medical School, Chicago, Illinois.
92) Harris, R. I. : Syme's amputation. The technical details essential for success. *J. Bone Joint Surg.,* 38-B : 614-632, Aug., 1956.
93) Harris, R. I. : The history and development of Syme's amputation. *Artif. Limbs,* 6 : 4-43, 1961.
94) 稗田正虎：膝遊動大腿義足の基礎的理論について．整形外科，12 (2)：141，1961.
95) Himwich, H. E. et al. : *Canad. Psychiat. Ass. J.,* 4, Special Supplement.
96) Hirsch, H. et al. : Exartikulation im Kniegelenk ; künftig eine Standard-Amputation des Greisenalters und der arteriellen Verschlusskrankheit ? *Med. Mschr.,* 29 (5) : 201-203, 1975.
97) Hittenberger, D. A. : The Seattle foot. *Orthotics and Prosthetics,* 40 (3) : 17-23, 1986.
98) Hohmann, G. et al. : Orthopadisch Gymnastik. Georg Thieme Verlag, Stuttgart, 1957.
99) Hoyt, C. et al. : The UCLA CAT-CAM Above-knee Prosthesis. UCLA Prosthetics Education and Research Program. March, 1987.
100) Hughes, J. : Through-knee amputation—Biomechanics. Prosthetic and orthotic practice. Edward Arnold Ltd., London, 1970, p. 259-261.

101) Hutter, C. G. : Improved type of hip-disarticulation prosthesis. *J. Bone Joint Surg.*, **35**-A : 3, 745-748, 1953.
102) 飯田卯之吉：義肢——理論と実際．医歯薬出版，1970.
103) 飯田卯之吉ほか：義肢ソケット改良に関する研究．国立身障センター業績集22.
104) 飯田卯之吉：義肢装具の素材とその特性．リハ医学，**12**(2)：81，1975.
105) 飯田卯之吉：プラスチックの特長と扱い方．理・作療法，**11**：125，1977.
106) 生駒光彦：下腿短断端に対するzur VerthのWertzone批判及び腓骨残存部の転位並びに同剔出に関する研究．臨床外科，**14**：1137-1152，1959.
107) Inman, V. T. : Functional aspects of the abductor muscles of the hip joint. *J. Bone Joint Surg.*, **29** : 607, 1961.
108) 糸原　学：切断手技の相違による断端筋肉の変化について．日整会誌，**46**(4)：245，1972.
109) Irons, G. et al. : A light weight above-knee prosthesis with an adjustable socket. *Orthotics and Prosthetics*, **31** : 3, 1977.
110) 石倉泰之：和式生活とFJ足部．日義肢装具研会報，**11**：22，1977.
111) Iuliucci, L. : VACP technique for fabricating. A plastic Syme prosthesis with medial opening. Veterans Administration Prosthetics Center, New York, September, 1959.
112) Jaffe, H. L. : Tumors and tumorous conditions of the bone and joints. Lea & Febiger, Philadelphia, 1958.
113) Janelle, C. : The role of the social service worker in the rehabilitation of the juvenile amputee. *Inter-Clinic Info. Bull.*, **7** (4) : 20-21, 1968.
114) Kallio, K. E. : Recent advance in Krukenberg's operation. *Acta Chir. Scand.*, **97** : 165, 1948.
115) 糟谷精一郎ほか：義肢を使用しつつある下肢切断者の断端の骨変化．臨床外科，**6**：73-75，1951.
116) Kelly, P. J. and Janes, J. M. : Criteria for determining the proper level of amputation in occulussive vascular disease. A review of 323 amputations. *J. Bone Joint Surg.*, **39**-A : 883, 1957.
117) Kerr, D. and Brunnstrom, S. : Training of the lower extremity amputee. Charles C. Thomas, Springfield, 1956.
118) Kersten, H. : Gehschule für Beinamputierte. George Thieme Verlag, Stuttgart, 1961.
119) Kerstein, M. D. : Utilization of an air splint after below-knee amputation. *Am. J. Phys. Med.*, **53** (8) : 119, 1974.
120) Kessler, H. : Principles and practices of rehabilitation. Henry Kimpton, London, 1950.
121) Key, H. W. : Wound dressing ; soft, rigid or semirigid. *Orthotics and Prosthetics*, **29** (2) : 59, June, 1975.
122) Kirschner, F. et al. : Über Erfahrungen mit dem Niederdruck Kunstbein. *Arch. Orthop. Unfall-Chir.*, **43** : 101, 1944.
123) Klasson, B. : Computer aided design, computer aided manifucture and other computer aids in prosthetics and orthotics. *Prosthet. Orthot. Int.*, **9** : 3-11, 1985.
124) 北川敏夫：余の試作せるサクションソケットに依る大腿義足について．日整会誌，**26**：191，1952.
125) 河野左宙：四肢切断法の吟味．手術，**3**：575-581，1949.
126) 児玉俊夫：神経断端腫を論じ切断時の神経処理に及ぶ．日整会誌，**17**：1339-1395，1943.
127) Kristinsson, Ö. : Flexible above knee socket made from low density polyethylene suspended by a weight transmitting frame. *Orthotics and Prosthetics*, **37** : 25-27, 1983.
128) Kuhn, R. : *Schweiz. Med. Wschr.*, 87, Nr. 35/36, S. 1135, 1957.
129) 黒丸正四郎ほか：精神神経科領域からみた疼痛対策．日本臨牀，**21**：103，1963.
130) 黒丸正四郎ほか：日本臨牀，**21**：189，1963.
131) Laforest, N. T. et al. : The physical therapy program after an immediate semirigid dressing and temporary below-knee prosthesis. *Physical Therapy*, **53** (5) : 497, May, 1973.
132) Lamb, D. W. : Amputation and congenital deficiency in the upper extremity. Prosthetic and orthotic practice. Edward Arnold Ltd., London, 1969.
133) Langhagel, J. : Angiographische Untersuchungen der Stumpfdruckblutung bei Beimampaierten unter bosonderer Berucktigung Osteo-und myoplastiocher Stumpfkorrekturen. Georg Thieme Verlag, Stuttgart, 1968.
134) Letter, J. W. : Neurovascular pedicle method of digital transplantation for reconstruction of thumb. *Plast. Reconstr. Surg.*, **12** : 303, 1953.
135) Levens, A. S. et al. : Transverse rotation of the segments of the lower extremity in locomotion. *J. Bone Joint Surg.*, **30**-A : 4, 859, 1948.
136) Lichtenstein : Bone tumors. C. V. Mosby Co., St. Louis, 1959.

137) Lindguist, C.: Chopart, Pirogoff and Syme amputations. A survey of Syme's amputation, 21 cases. *Acta Orthop. Scand.*, **37**: 110-116, 1966.
138) Linstedt, G. and Linschmann, A: Leichtmetallstumpfschale bei Hüftexarticulation und Oberschenkelkurzstümpfen. *Z. Orthop.*, **90**: 219-223, 1958.
139) Litting, D. H. and Lundt, J. E.: The UCLA anatomical hip disarticulation prosthesis. *Clinical Prosthetics and Orthotics*, **12** (3): 114-118, 1986.
140) Little, J. M.: A pneumatic weight-bearing temporary prosthesis for below-knee amputees. Lancet, 271, Feb., 1971.
141) Livingston, K. E.: *J. Neurosurg.*, **2**: 251, 1945.
142) Loon, H. E.: Below-knee amputation surgery. *Artif. Limbs*, **6** (2): 86, 1962.
143) Liquist, E.: Clinical study of the application of the PTB air-cushion socket. *Orthotics and Prosthetics*, 159, 1969.
144) Liquist, E.: Das Ansetzen künstlicher Glieder durch Kniegelenkentferung. *Orthopädie Technik.*, **2**: 41-46, 1973.
145) Liquist, E.: The OHC knee-disarticulation prosthesis. *Orthotics and Prosthetics*, **30**: 27-28, 1976.
146) MacDonald, A.: Chopart's amputation. *J. Bone Joint Surg.*, **37**-B: 468-470, 1955.
147) MacDonell, J. A.: Age of fitting upper-extremity prosthesis in children. *J. Bone Joint Surg.*, **40**-A: 655, 1958.
148) Madden, M.: The flexible socket system as applied to the hip disarticulation amputee. *Orthotics and Prosthetics*, **39** (4): 44-47, 1986.
149) Manual of below-knee prosthetics. School of Medicine, University of California, San Francisco, 1959.
150) Marquardt, W.: Gliedmassenamputationen und Gliedersatz. Wissenschaftliche Verlagsgesellschaft. M. B. H., Stuttgart, 1941.
151) 松本義康ほか：切断術直後義肢装着法．臨整外, **2** (8): 867, 1967.
152) Mazet, R. Jr. et al.: Analysis of one hundred and twenty-four suction socket wearers followed from six to fifty-five months. *J. Bone Joint Surg.*, **34**-A: 731, 1952.
153) Mazet, R. Jr. et al.: Upper-extremity amputation surgery and prosthetic prescription. *J. Bone Joint Surg.*, **38**-A: 6, 1185, 1956.
154) Mazet, R. et al.: Knee disarticulation. *J. Bone Joint Surg.*, **48**-A: 126-138, 1966.
155) Mazet, R. Jr.: Syme's amputation. A follow up study of fifty-one adult and twenty-two children. *J. Bone Joint Surg.*, **50**-A: 1549-1563, 1968.
156) Mazet, R. et al.: Disarticulation of knee. *J. Bone Joint Surg.*, **60**-A: 675-678, 1978.
157) Michael, J.: Component selection criteria, lower limb disarticulations. *Clinical Prosthetics and Orthotics*, **12** (3): 99-108, 1988.
158) Michael, J.: Energy storing feet: A clinical comparison. *Clinical Prosthetics and Orthotics*, **11** (3): 154-168, 1987.
159) McLaurin, C. A. et al.: Fabricating hip disarticulation sockets using the vacuum method. *Orthop. & Pros. Appl. J.*, June: 66-70, 1960.
160) McLaurin, C. A. et al.: A method of taking hip disarticulation casts using hip sticks. *Orthop. & Pros. Appl. J.*, June: 71-77, 1960.
161) McLaurin, C. A.: The Canadian hip disarticulation prosthesis. Prosthetic and orthotic practice. Edward Arnold, 1969, pp.285-311.
162) Mcquirk, A. W.: Prostheses for the hip disarticulation and hemipelvectomy. Amputation surgery and lower limb prosthetics. Blackwell Scientific Publications, Oxford, London, Edinburgh, 1988, pp. 236-244.
163) Melford, L.: The hand. C. V. Mosby Co., St. Louis, 1971.
164) Michael, J.: Energy storing feet: A clinical comparison. *Clinical Prosthetics and Orthotics*, **11** (3): 154-168, 1987.
165) 水町四郎：下肢断端形成術の適応に就いて．日整会誌, **23**: 44, 1949.
166) 水町四郎：四肢切断に対する検討．手術, **7**: 548-559, 1953.
167) Mondry, F.: Der Muskelkraftige Ober und Unterschenkel Stumps. *Chirurg*, **23**: 517, 1952.
168) Mooney, V. et al.: Fabrication and application of transparent polycarbonate sockets. *Orthotics and Prosthetics*, **26**: 1, 1972.
169) Mooney, V. et al.: Comparison of postoperative stump management. Plasterv.s. Soft dressings. Rancho

Los Amigos Hospital, personal communication.
170) Moore, W. S. et al.: Below-knee amputation for vascular insufficiency. *Arch. Surg.*, **97**: 886, Dec., 1968.
171) 村上ほか：精神医学, **1**：411, 1959.
172) Müller, S. and Bauer, F.: Stumpfbettung bei einem beidseite Oberschenkelamputierten mit extrem kurzed Stümpfen. *Orthopädie-Technik*, **6**: 89-90, 1976.
173) Murdoch, G.: New concepts in the treatment of amputees. *Physiotherapy*, **46**: 385-390, 1966.
174) Murdoch, G.: The "Dundee" socket for the below-knee amputation. *Prosthetics International*, **3** (4-5): 15, 1968.
175) Murdoch, G. (ed.): Prosthetics and orthotic practice. Edward Arnold Ltd., London, 1969.
176) Näder, M.: Problemversorgungen mit Otto Bock Modular-Prothesen. *Orthopädie-Technik*, **10**: 192, 1976.
177) 中川昭夫：4節リング機構を用いた膝義足の開発．リハ医学, **16**(4)：235, 1979.
178) 中川昭夫：膝継手の分類．総合リハ, **13**(2)：153-154, **13**(3)：237-238, **13**(4)：319-320, 1985.
179) 中川昭夫ほか：股義足継手の選択．日義肢装具研会誌, **5**(3)：175-179, 1989.
180) 中川昭夫：大腿義足における遊脚相制御―インテリジェント大腿義足の開発．REIS―'90リハビリテーション工学国際セミナー, 1990.
181) 中島咲哉ほか：切断肢の筋電図学的研究，切断手技の相違による断端筋肉の変化について（第2報）．日整会誌, **44**(10)：828, 1970.
182) 中島咲哉ほか：上肢切断者のリハビリテーション．整形外科, **28**(5)：369, 1977.
183) 中村幸夫：カナダ式股義足の遊脚相コントロールに関する一考察．リハ医学, **12**：105-107, 1975.
184) Nakamura, S. and Sawamura, S.: HRC adjustable pneumatic swing-phase control knee. *Prosthet. Orthot. Int.*, **2**: 137-142, 1978.
185) Naval Prosthetic Research Laboratory: Suction socket prosthesis for above-knee amputations. U. S. Naval Hospital, Oakland, Calif., 1952.
186) Neff, B. et al.: Halbschalenbettung statt Bechkenkorb bei Hüftexartikulation. *Orthopädie-Technik*, **9**: 142-145, 1979.
187) New York University: Prosthetic education postgraduate medical school. Management of the above-knee amputee. New York, August, 1959.
188) New York University: A flexible casting brime technique for above-knee total contact sockets. Prosthetics & Orthotics. N. Y. University, 1964.
189) 西岡正明ほか：兵庫県リハビリテーションセンターにおけるグループ運動療法とスポーツ訓練．総合リハ, **3**：305, 1975.
190) 西岡正明ほか：股義足，大腿義足の特徴と歩行訓練．理・作療法, **12**：805-818, 1978.
191) 西岡正明：膝関節離断者の歩行能力と義足．第14回日本理学療法士学会誌, 1979.
192) 野村 進ほか：肢切断術の適応について．災害医学, **8**：230-237, 356-360, 398-406, 484-487, 1965.
193) 大喜多潤ほか：上肢切断における術直後義肢装着法．理・作療法, **8**(4)：242, 1974.
194) 小嶋 功ほか：フレキシブルソケット―ISNYソケットを中心に．理学療法学, 1986年11月.
195) 小嶋 功ほか：両下肢切断者におけるリハビリテーションの検討．日義肢装具研会誌, **5**(1)：43-48, 1989.
196) 小嶋 功ほか：股離断患者の身体能力．日義肢装具研会誌, **5**(3)：187-193, 1989.
197) 小嶋 功：片麻痺に大腿切断を合併した重複障害例のリハビリテーション―苦労した症例報告集―重複障害．理学療法ジャーナル, 医学書院, 1990年3月.
198) O'Rahilly, R.: Morphological patterns in limb deficiencies and duplications. *Am. J. Anat.*, **89**: 135, 1951.
199) Pack, G. T.: End results in the treatment of sarcomata of the soft somatic tissues. *J. Bone Joint Surg.*, **36**-A: 241, 1954.
200) Pack, G. T.: Major exarticulation for malignant neoplasms of the extremities. *J. Bone Joint Surg.*, **38**-A: 249, 1956.
201) Paoli, F. et al.: Proceedings. Vol. 2, International Congress of Psychiatry at Montreal, 1961.
202) Pederson, H. E.: Treatment of ischemic gangrene and infection in the foot. *Clin. Orthop.*, **16**: 199, 1960.
203) Pederson, H. E. et al.: The transmetatarsal amputation in peripheral vascular disease. *J. Bone Joint Surg.*, **36**: 1190, 1954.
204) Pritham, C. H. et al.: Experiences with the Scandinavian Flexible Socket. *Orthotics and Prosthetics*, **39**(2): 17-32, 1985.
205) Record, E. E.: Surgical amputation in the geriatric patient. *J. Bone Joint Surg.*, **45**-A: 1742, 1963.
206) Radcliffe, C. W.: Some experience with problems of above-knee amputees. *Artif. Limbs*, **4**: 41, Spring,

1957.
207) Radcliffe, C. W.：The biomechanics of the Canadian type hip disarticulation prosthesis. *Artif. Limbs*, **4**：29-38, Autumn, 1957.
208) Ratliff, A. H. C.：Syme's amputation. Result after forty-four years. Report of a case. *J. Bone Joint Surg.*, **49**-B：142-143, Feb., 1967.
209) Readhead, R. G. et al.：Controlled environment treatment for the postoperative management wounds of the upper and lower limb including amputation stump. ISPO I . World Congress, Montreux, 1974.
210) Regner, S. I.：Applications of transparent sockets. *Orthotics and Prosthetics*, **30**：35, 1976.
211) Reiner, E. et al.：Bericht über die Versorgung eines Kniegelenkexartikulierten mit der Kniegelenkkonstruktion des Forschungsinstitutes für Orthopädietechnik (FIOT Wine). *Orthopädie-Technik*, **26**：81-82, 1975.
212) Report of workshop on below-knee and above-knee prostheses. *Orthotics and Prosthetics*, **27** (4), 1973.
213) Sabolich, John：Contoured adducted trochanteric controlled alignment method (CAT-CAM). Introduction and basic principles. *Clinical Prosthetics and Orthotics*, **9** (4)：15-26, 1985.
214) Sabolich, J.：The CAT-CAM H. A new design for hip disarticulation patients. *Clinical Prosthetics and Orthotics*, **12** (3)：119-122, 1988.
215) Salomomidis, S. et al.：Bewertung von Modular-Unterschenkel Prothesen. *Orthopädie-Technik*, **3**：42, 1976.
216) Santschi, W. R.：Manual of upper extremity prosthesis. Dept. of Engineering, UCLA, 1958.
217) Sarmients, A.：A new surgical-prosthetic approach to the Syme's amputation. A preliminary report. *Artif. Limbs*, **10**：52, 1966.
218) Sarmients, A.：*Prosthetics International*, **3**：8, 45, 1969.
219) 佐藤俊之：上肢切断者の更生に関する2, 3の問題. 若草園, 1960.
220) Saunders, J. B. et al.：The major determinations in normal and pathological gait. *J. Bone Joint Surg.*, **35**-A：3, 543, 1953.
221) Saunders, C. G. et al.：Computer aided design of prosthetic sockets for below-knee amputees. *Prosthet. Orthot. Int.*, **9**：17-22, 1985.
222) 澤村誠志ほか：カナダ式股関節離断用義足について．整形外科，**14** (6)：495-506, 1963.
223) 澤村誠志ほか：膝蓋腱荷重下腿義足について．整形外科，**14** (3)：170-185, 1963.
224) 澤村誠志ほか：下肢切断者の歩行能力の検討—義肢装着訓練方法とその効果．災害医学，**7**：539, 1964.
225) 澤村誠志ほか：Forequarter amputation prosthesisについて．整形外科，**15** (7)：538, 1964.
226) 澤村誠志ほか：下肢切断者の歩行能力の検討．災害医学，**7**：566-573, 1964.
227) 澤村誠志ほか：切断後の幻想肢痛に対するImipramine (Tofranil) の治療効果．整形外科，**16** (7)：632-637, 1965.
228) Sawamura, S.：Prosthetic problems of lower extremity amputees in Japanese daily life. 3th Pan Pacific Rehabilitation Conference, 1965.
229) 澤村誠志ほか：大腿吸着義足の適合について．災害医学，**9** (6)：371-382, 1966.
230) 澤村誠志ほか：大腿吸着義足の適合について．災害医学，**9** (7)：438, 1966.
231) 澤村誠志：切断者のリハビリテーション．臨整外，**1** (9)：923, 1966.
232) 澤村誠志ほか：兵庫県に於ける切断者の実態調査．神戸大学医学部整形外科学教室，昭42 (1967) 年11月．
233) 澤村誠志ほか：切断手技の相違による断端筋肉の変化について (第一報) —主として脈管学的立場よりの実験的研究．日整会誌，**41** (10)：4, 1967.
234) 澤村誠志ほか：下腿義足の最近の進歩．整形外科，**18** (12)：132, 1967.
235) 澤村誠志ほか：日整会誌，**41**：4, 1967.
236) Sawamura, S.：Functional requirement for prosthetics in the Orient. 4th Pan Pacific Rehabilitation Conference, 1968.
237) 澤村誠志ほか：カナダ式股関節離断用義足の実用性．臨整外，**3** (7)：575, 1968.
238) 澤村誠志ほか：切断術直後の義肢装着法について．整形外科，**19**：1010, 1968.
239) 澤村誠志ほか：Symeおよび足部切断に関する経験的考察．日整会誌，**43** (10)：54, 1969.
240) 澤村誠志：下腿義足の実際．日整会誌，**43** (3)：63, 1969.
241) 澤村誠志ほか：Hemipelvectomy Prosthesisと切断直後の義足装着法について．臨整外，**3** (6)：494, 1968.
242) 澤村誠志ほか：足部切断に対する検討—特にChopart, Lisfranc切断について．臨整外，**5** (5)：355, 1970.
243) 澤村誠志ほか：最近における切断手技の動向．災害医学，**14** (8)：829, 1971.

244) 澤村誠志：大腿義足の最近における進歩．外科治療, **24**(1)：59, 1971.
245) 澤村誠志ほか：切断術直後義肢装着法について―あすの整形外科展望．金原出版, 1972, p.409.
246) 澤村誠志：下肢切断部位の選択と義足の処方方針．日整会誌, **46**(1)：63-79, 1972.
247) 澤村誠志ほか：術直後義肢装着法の実際とチームアプローチ．リハ医学, **10**(1)：3, 1973.
248) 澤村誠志ほか：下腿切断における脛骨腓骨間接合術について．臨整外, **8**(8)：623-633, 1973.
249) 澤村誠志ほか：切断手技における最近の進歩．災害医学, **19**(7)：443-454, 1976.
250) 澤村誠志ほか：膝継手の処方方針．日義肢装具研究会報, **12**：3-19, 1977.
251) 澤村誠志：最近における義肢装具の進歩．理・作療法, **11**(2)：111-124, 1977.
252) Sawamura, S.：Turntable prosthesis for above-knee amputation. 2nd World Congress of ISPO, New York, June, 1978.
253) 澤村誠志：切断者のリハビリテーションにおける最近の傾向．理・作療法, **12**：749-757, 1978.
254) 澤村誠志ほか：大腿短断端の選択と義足．総合リハ, **7**(7)：535-545, 1979.
255) 澤村誠志：最近における義足の進歩．日整会誌, **53**(2)：233-251, 1979.
256) 澤村誠志ほか：膝離断と膝義足について．総合リハ, **8**(12)：945-957, 1980.
257) 澤村誠志ほか：股義足の処方について．総合リハ, **9**(1)：41-49, 1981.
258) 澤村誠志：下肢切断者の評価，最近における義足の進歩を中心として．臨理療, **6**(2)：20-28, 1981.
259) 澤村誠志：日本式生活様式と義肢―その進歩と問題点．障害者問題研究, **28**：6-15, 1982.
260) 澤村誠志：切断前後の看護のポイント．臨看, **8**(2)：216-228, 1982.
261) Sawamura, S.：Syme amputation. A review and a modified surgical-prosthetic approach. Amputation surgery and lower limb prosthetics (ed. by Murdoch, G.). Blackwell Scientific Publications, Oxford, London, 1988, pp. 81-86.
262) 澤村誠志ほか：股義足―ソケットの適合と処方について．日義肢装具研会誌, **5**(3)：165-173, 1989.
263) Scheibe, G.：Zur Bewertung von Kurzstümpfen. *Arch. Orthop. Unfall-Chir.*, **68**：261-269, 1970.
264) Schuch, C. M. et al.：The use of surlyn and polypropylene in flexible rim socket designs for below-knee prostheses. *Clinical Prosthetics and Orthotics*, **10**(3)：105-110, 1986.
265) Schuch, C. M.：Modern above-knee fitting practice, A report on the ISPO workshop on above-knee fitting and alignment techniques, May 15-19, 1987, Maiami USA. *Prosthetics and Orthotics International*, **12**：77-90, 1987.
266) Schuch, C. M. and Wilson, A. B. Jr.：The use of surlyn and polypropylene in flexible brim socket designs for below-knee prostheses. *Clinical Prosthetics and Orthotics*, **10**(3)：105-110, 1986.
267) Schuch, C. M.：Dynamic alignment options for the flex foot. *J. Prosthetics and Orthotics*, **1**(1)：37-40, 1989.
268) 東海林博：断端痛と切断神経腫特に骨膜との関係．日整会誌, **32**：969, 1958.
269) Shurr, D. G. et al.：Hip disarticulation ; A prosthetic follow-up. Prosthetics and Orthotics, **37**：50-57, 1983.
270) Silbert, S. and Haimocici, H.：Criteria for the selection of the level of amputation for ischemic gangrene. *J. Am. Med. Ass.*, **155**：1554, 1954.
271) Slocum, D. B.：Amputations of the finger and the hand. *Clin. Orthop.*, **15**：35, 1959.
272) Slocum, D. B.：An atlas of amputation. C. V. Mosby Company, St. Louis, 1949.
273) Slocum, D. B.：Upper extremity amputation. Hand surgery. The Williams Co., Baltimore, 1966.
274) Solomonidis, S. E. et al.：Biomechanics of the hip disarticulation prosthesis. *Prosthet. Orthot. Int.*, **1**：13-14, 1977.
275) Sommelet, J., Paquin, J. M. and Fajal, G.：Problems D'Amputation. Atlas d'Appareillage Prothoetique et Orthpédique, No. 5-6-Septembre-Novembre, 1964.
276) Spittler, A. W. and Rosen, I. E.：Cineplastic muscle motors for prosthesis of arm amputee. *J. Bone Joint Surg.*, **33**-A：601, 1951.
277) Staats, T. B. et al.：The UCLA total surface bearing suction below-knee prosthesis. *Clinical Prosthetics and Orthotics*, **11**(3)：118-130, 1987.
278) Steindler, A.：Kinesiology. Charles C. Thomas. Springfield, Illinois, 1955.
279) 鈴木重行ほか：遊脚相コントロール義足の評価―空気圧シリンダー（HRC）の使用経験より．理・作療法, **10**(4)：317-321, 1976.
280) Swanson, A. B.：Multiple finger amputations. *J. Mich. Med. Soc.*, **61**：316, 1962.
281) Swanson, A. B.：Restoration of hand function by the use of partial or total prosthetic replacement. *J. Bone Joint Surg.*, **45**-A：276, 1963.
282) Swanson, A. B.：Evaluation of impairment of function in the hand. *Surg. Clin. North Am.*, **44**：925, 1964.

283) Swanson, A. B. : Levels of amputation of fingers and hand-considerations for treatment. *Surg. Clin. North Am.*, **44** : 1115, 1964.
284) Swanson, A. B. : The Krukenberg procedure in the juvenile amputee. *J. Bone Joint Surg.*, **46**-A : 1540, 1964.
285) Swanson, A. B. : Classification of limb malformations of the basis of embryological failures. *Inter-Clin. Inform. Bull.*, **6** : 1, Dec., 1966.
286) Swanson, A. B. : Improving the end-bearing characteristics of lower extremity amputation stumps by the use of silicone rubber implants. Blodgett Memorial Hospital, Grand Rapids, Mich., September, 1967.
287) Syme, J. : The classic amputation of the ankle joint. *Clin. Orthop.*, **37** : 8-10, 1964.
288) 武智秀夫ほか：義足．医学書院，1968.
289) 武智秀夫ほか：臨整外，**4**(2)：103, 1969.
290) 田中稔正：木製吸着義足装着に関する諸問題．福岡医誌，**49**(6)：1410, 1958.
291) 田中　徹：切断肢の筋電図学的研究．日整外会誌，**45**(5)：343, 1971.
292) 田沢英二ほか：股義足．義肢学，医歯薬出版，1988, pp.265-281.
293) Thompson, R. G. : Amputation in the lower extremity. *J. Bone Joint Surg.*, **45**-A : 1723, 1963.
294) Thompson, R. G. et al. : Above-knee amputations and prosthetics. *J. Bone Joint Surg.*, **47**-A(3) : 619, 1965.
295) Thorndike, A. : Suction socket prosthesis for above-knee amputees. *Am. J. Surg.*, **78** : 603, 1949.
296) Thorndike, A. et al. : Suction socket prosthesis for above-knee amputations. *Am. J. Surg.*, LXXX : 727, 1950.
297) Amputations. Campbell's operative orthopaedics, 5th ed., The C. V. Mosby Co., St. Louis, 1971.
298) Tosberg, W. A. : Upper lower extremity prosthesis. Charles C. Thomas, Springfield, Illinois, 1962.
299) Troup, J. B. and Bickel, W. H. : Malignant disease of the extremities treated by exarticulation. *J. Bone Joint Surg.*, **42**-A : 1041, 1960.
300) University of California Los Angeles : Prosthetics orthotics education program. Total contact socket for the above-knee amputation. January, 1970.
301) V. A. Prosthetics Center. : Above-knee prosthetics. Stump casting and socket costruction. New York, U. S. A., May, 1962.
302) Veterans Administration Program Guide : Selection and application of knee mechanisms. *Bull. Prosthetics Res.*, **10**(18) : 90-158, 1972.
303) De Vetten, A. L. et al. : Ein neues Kunstkniegelenk für die Knieexartikulation. *Orthopädie-Technik*, **26** : 10-11, 1975.
304) Vitali, M.K.P. et al. : *Prosthetics International,* **3**(8) : 22, 1969.
305) Vitali, M. K. P. et al. : Amputation and prostheses. Tindall, London, 1978.
306) Warren, R. : The Syme's amputation in peripheral vascular disease. *Surgery*, **37** : 156-164, 1955.
307) Warren, R. and Record, E. E. : Lower extremity amputations for arterial insufficiency. Little, Brown and Company, Boston, 1967.
308) Watermann, H. : Amputations problems. *Z. Orthop.*, **79** : 93, 1949.
309) Watkins, A. L. and Liao, S. J. : *JAMA,* **166** : 1584, 1958.
310) Weiss, M. : Myoplasty immediate fitting ambulation. Tenth World Congress of the International Society for Rehabilitation of the Disabled. September, Wiesbaden, Germany, 1966.
311) Weiss, M. : Physiologic amputation. Immediate prosthesis and early ambulation. *Prosthetics International*, **3**(8) : 38, 1969.
312) Werssowetz, O. and Don, F. : Above-knee suction socket prosthesis. *J. Bone Joint Surg.*, **34**-A : 731, 1952.
313) Wilson, A. B. Jr. : Limb prosthetics today. *Artif. Limbs*, **7**(2) : Autumn, 1963.
314) Wilson, A. B. Jr. : Limb prosthetics 1970. *Artif. Limbs*, **14**(1) : 1, Spring, 1970.
315) Wilson, A. B. Jr. et al. : Ultra-light prostheses for below-knee amputees. *Orthotics and Prosthetics*, **30** : 43, 1976.
316) Wirbatx, W. et al. : *Orthopädie und Traumatologie*, **7** : 378-382, 1967.
317) Wise, R. A. : A successful prosthesis for sacroiliac disartication (Hemipelvectomy). *J. Bone Joint Surg.*, **31**-A : 426-430, 1949.
318) 山本末雄：日本の生活様式に適した骨格構造式大腿義足の試作経験．日義肢装具研会報，**9**：62, 1976.
319) 山下隆昭ほか：当院における義肢装具クリニックの現況について．第8回日本理学療法士学会誌，**40**，1973.
320) 幸　幹雄ほか：両側大腿切断者の歩行へのアプローチ—義足処方の観点から．日義肢装具研会誌，**6**(2)：177-183, 1990.

321) 幸 幹雄ほか：足部の選択とその考察―サイム義足を中心として．日本義肢装具技術者協会，高松市，1990．
322) Gottschalk, F. K.：Transfemoral amputation, Amputation. Butterworth, Heinemann, 1996, pp.112-118.
323) Day, H. J. B.：The ISO/ISPO classification of congenital limb deficiency. Butterworth, Heinemann, 1996, pp.354-459.
324) Kristinsson, O.：The ICEROSS concept；a discussion of philosophy. *Prosthetic and Orthotics International*, 17：49-55, 1993.
325) Fillauer, C. E. et al.：Evolution and Development of the Silicone Suction Socket (3S) for Below-Knee Prostheses. *J. Prosthetics and Orthotics*, 1(2)：92-103, 1989.
326) 滝 吏司ほか：最近の義足ソケット「ICEROSS」．義装会誌，14(2)：174-176，1998．
327) 中村 亘ほか：最近の義足ソケット「最近の3Sソケット」．義装会誌，14(2)：169-173，1998．
328) 中川昭夫：最近の義足膝継手の機能のトレンドと今後の展望．義装会誌，13(1)：46-51，1997．
329) 澤村誠志ほか：特集下腿義足，インターフェイス．総合リハ，23(11)：959-963，1995．
330) 長倉裕二ほか：最近の義足膝継手の動向（その2）理学療法士の立場から．義装会誌，13(3)：192-199，1997．
331) 陳 隆明ほか：インテリジェント大腿義足の歩行時エネルギー消費の検討―遊脚相制御の重要性―．総合リハ，23(12)：1067-1070，1995．
332) 月城慶一：オットボック多軸膝継手の紹介．義装会誌，13(1)：20-25，1997．
333) Schuch, M.：筋電義手の部品と構成．ISPO義肢装具国際セミナー'98講演集，101-113，1998．
334) Stocker, D.：筋電義手の訓練．ISPO義肢装具国際セミナー'98講演集，115-126，1998．
335) Datta, D. et al.：Outcome of fitting on ICEROSS prosthesis, View of trans-tibial amputees. *Prosthetics and Orthotics International*, 20：111-115, 1996.
336) Datta, D. et al.：Powered prosthetic hands in very young children. *Prosthetics and Orthotics International*, 22：150-159, 1998.
337) 関川伸哉：最近の義足膝継手の動向―膝継手の機能と歩行との関係―．義装会誌，13(1)：52-55，1997．
338) 澤村誠志，幸 幹雄：特集・下腿義足，インターフェイス．総合リハ，23(11)：959-963，1995．
339) 長倉裕二ほか：外傷による下肢切断者に対する理学療法．理学療法，15(4)：267-273，1998．
340) 長倉裕二ほか：最近の義足膝継手の動向（その2）理学療法士の立場から．義装会誌，13(3)：207-209，1997．
341) 中川昭夫：最近の義足膝継手の機能のトレンドと今後の展望．義装会誌，13(1)：46-51，1997．
342) 長倉裕二：新しい膝継手(2)各論．PTジャーナル，32(3)：194-196，1998．
343) 大藪弘子：在宅高齢下肢切断者の実態調査．理学療法学，19(特別号)：181，1992．
344) Oyabu, H.：Realities of home living for geriatric lower limb amputees. IX World Congress ISPO, Amsterdam, 1998, pp.768-770.
345) 陳 隆明ほか：大腿義足の進歩．医学のあゆみ，203(9)：649-653，2002．
346) 陳 隆明ほか：筋電義手への取り組み―片手前腕切断者を対象として―．臨床リハ，12(3)：270-275，2003．
347) 陳 隆明ほか：筋電義手の有用性と実用性―実際の症例から―．義装会誌，17(4)：243-248，2001．
348) American Academy of Orthopaedic Surgeons：Atlas of Amputations and Limb Deficiencies. Third Edition, July 2003.
349) MaCollum Peter T.：Vascular Disease. Limb Salvage versus Amputation. Atlas of Amputations and Limb Deficiencies. July 2003.
350) Mnaymneh Walid, Temple H. Tomas：Tumor. Limb salvage versus Amputation. Atlas of Amputation and Limb Deficiencies. July 2003.
351) Kristinnson O.：The ICEROSS concept；a discussion of philosophy. *Prosth Ortho Int*, 17：49-55, 1993.
352) Heckathorne, Craig W：Compornents for Electric-Powered Systems. Atlas of Amputations and Limb Deficiencies. Third Edition 2004.
353) 陳 隆明編：筋電義手訓練マニュアル．全日本病院出版会，2006．
354) 青山 孝：最近の義足ソケット．義装会誌，14(2)：193-197，1998．
355) 野坂利也：義足足部の現状―義肢装具士の立場から．義装会誌，21(4)：186-193，2005．
356) 内田充彦：スポーツ用の義足足部．義装会誌，21(4)：194-199，2005．
357) 近藤潤侍ほか：従来のスポンジ等によるソフトインサート付き下腿義足からライナーへの移行．義装会誌，2005，静岡．
358) 近藤潤侍ほか：義足の工夫を要した症例に対してライナーを用いた下腿義足の臨床経験．第13回日本義肢装具士協会研究大会大阪，2006．
359) 長倉裕二：下肢切断者のスポーツレクリエーションレベルへの復帰のための理学療法プログラムと義足適応．理学療法，20(3)，348-354，2003．

360) Nagakura Y.: Effect of comprehensive prosthetic rehabilitation program for Intelligent Prosthesis users. *Bulletin of Health Sciences Kobe*, **19**：103-109, 2003.
361) 長倉裕二：下肢断断者の体力特性とその測定方法．理学療法，**22**(1)：10-217，2005.
362) 陳　隆明ほか：当センターの訓練用筋電義手システムの紹介とその問題点，従来の訓練用仮義手システムと比較して．総合リハ，**30**(10)：947-952，2002.
363) 柴田八衣子ほか：筋電義手の装着訓練とメインテナンス―実際の症例から―．義装会誌，**17**(4)：249-256，2001.
364) 大庭潤平ほか：生活を支える義手(2)―継手・手先具の役割．OTジャーナル，**33**：125-131，1999.
365) 深澤喜啓ほか：特集　義手の現在，義手装着訓練の実際．義装会誌，**20**(1)：6-21，2004.
366) 溝部二十四ほか：筋電義手訓練後の使用状況―その1．第18回日本義肢装具学会学術大会講演集，1-1-4：62，2002.
367) 小西克浩ほか：乳幼児用筋電義手の製作経験，第18回日本義肢装具学会学術大会講演集，1-5-3：196，2002.
368) 柴田八衣子ほか：兵庫リハにおける筋電義手使用者の実例から(その2)―断端評価と装着訓練について．第17回日本義肢装具学会学術大会講演集，1-2-4：72，2001.
369) 大藪弘子：下肢切断者の日常生活支援と環境調査．整形外科看護，**6**(9)：33-37，2001.
370) 大藪弘子：高齢下肢切断者のリハビリテーション．MB Med Reha **16**：61-68，2002.
371) 大藪弘子：切断―下肢切断を中心に―，系統理学療法学・筋骨格障害系理学療法学．医歯薬出版，2006，pp.164-188.
372) Sawamura S.: Culture-sensitive innovations for quality living of lower limb amputees, The Knud Jansen Lecture. *Prosth Ortho Int*, **28**：212-215, 2004.
373) 服部一郎ほか：リハビリテーション技術全書．医学書院，1974，p.927.
374) 池原由布子ほか：断端自己管理に向けての看護師サイドからの取り組み―スキンパンフレットの作成―．第23回日本義肢装具学会学術大会講演集，**23**：262-263，2007.
375) 石井雅之：重症下肢虚血肢とリハビリテーション，現況と課題．総合リハビリテーション，**42**(4)：295，2014.
376) Norgren L. et al.: Inter-Society Consensus for the Management of Peripheral Arterial Disease (TASC II). *J Vasc Surg*, **45**：S5A-S6A, 2007.
377) 木村勇亮ほか：足潰瘍，壊疽の局所治療．総合リハビリテーション，**42**(4)：305，2014.
378) 柴田八衣子：特集　筋電義手の処方とリハビリテーション③小児．臨床リハ，**24**(2)：145-151，2015.
379) 陳　隆明：下肢切断　総論・疫学．臨床整形外科，**4**(9)：3-9，2014.
380) 陳　隆明ほか：下腿切断者に対するシリコンライナーを用いた創治癒後断端マネジメントの経験―本法による病院間連携の提案．臨床リハ，**17**(4)：405-409，2008.
381) 厚生労働省障害者対策総合研究事業（障害者製作総合研究事業）(研究代表者，井上剛伸)：補装具の適切な支給実現のための制度・仕組みの提案に関する研究．平成26年度総括・分担研究報告書．2015.
382) Tsuchiya H. et al.: Pedicle frozen autograft construction in malignant bone tumors. *J Orthop Sci*, **15**(3)：340-349, 2010.
383) 高橋　泉ほか：Otto Bock製股継手7E9が股関節離断者の義足歩行能力に与える影響について．義装会誌，**32**(2)：129-132，2016.
384) Fatone, S. and Caldwell, R.: Northwestern University Flexible Subischial Vacuum Socket for persons with transfemoral amputation-Part 1: Description of technique. *Prosthetics and Orthotics International*, **41**(3)：237-245, 2017.
385) Fatone, S. and Caldwell, R.: Northwestern University Flexible Subischial Vacuum Socket for persons with transfemoral amputation-Part 2: Description and Preliminary evaluation. *Prosthetics and Orthotics International*, **41**(3)：246-250, 2017.
386) 厚生労働省：https://www.mhlw.go.jp/toukei/saikin/hw/gyousei/21/dl/kekka_gaiyo.pdf〔最終確認日：2025年1月10日〕
387) 厚生労働省：https://www.mhlw.go.jp/toukei/saikin/hw/shintai/06/dl/01.pdf〔最終確認日：2025年1月10日〕
388) 兵庫県：https://web.pref.hyogo.lg.jp/kf02/r03syakaihukusitoukei.html〔最終確認日：2025年1月10日〕
389) Pohjolainen T, Alaranta H: Epidemiology of lower limb amputees in Southern Finland in 1995 and trends since 1984. *Prosthet Orthot Int*, **23**：88-92, 1999.
390) Trautner C et al: Unchanged incidence of lower limb amputations in a German City, 1990-1998. *Diabetes*

Care, **24**:855-859, 2001.
391) Eneroth M, Persson BM:Amputation for occlusive arterial disease:a prospective multicentre study of 177 amputees. *Int Orthop*, **16**:383-387, 1992.
392) Schofield CJ et al:Decreasing amputation rates in patients with diabetes -a population-based study. *Diabet Med*, **26**:773-777, 2009.
393) van Houtum WH et al:Reduction in diabetes-related lower-extremity amputations in The Netherlands, 1991-2000. *Diabetes Care*, **27**:1042-1046, 2004.
394) Icks A et al:Incidence of low er-limbamputationsin the diabeticcom pared to the non-diabetic population. Findings from nationwide insurance data, Germany, 2005-2007. *Exp Clin Endocrinol Diabetes*, **117**:500-504, 2009.
395) Hoistcin P et al:Decreasing incidence of major amputationsin peoplewithdiabetes. *Diabctologia*, **43**:844-847, 2000.
396) Wang J et al:Secular trends in diabetes-related preventable hospitalizations in the United States, 1998-2006. *Diabetes Care*, **32**:1213-1217, 2009.
397) Norgren L et al:TASC Ⅱ Working Group, Inter-society consensus for the management of peripheral arterial disease(TASCⅡ). *J Vasc Surg*, **45**:S5-67, 2007.
398) Moxey PW et al:Epidemiological study of lower limb amputaion in England between 2003 and 2008. *British Journal of Surg*, **97**(9):1348-1353, 2010.
399) Moxey PW et al:Lower extremity amputations -a review of global variability in incidence. *Diabet Med*, **28**:1144-1153, 2011.
400) Fortington LV et al:Lower limb amputation in Northern Netherlands:Unchanged incidence from 1991-1992 to 2003-2004. *Prosthetics and Orthotics Int*, **37**(4):305-310, 2013.
401) Hughes W et al:Trends in Lower Extremity Amputation Incidennce in European Union 15 + Countries 1990-2017. *European Journal of Vasucular and Endovasucular Surgery*, **60**:602-612, 2020.
402) Fabrizio C et al:An in-depth assessment of diabetes-related lower extremity amputation rates 2000-2013 delivered by twenty-one countries for the data collection 2015 of the Organization for Econom ic Cooperation and Development(OECD). *Acta Diabetologica*, **57**:347-357, 2020.
403) 加倉井周一編:義肢装具辞典. p64, 71, 創造出版, 1991.
404) 奥山峰志ほか:可動式義指X-Finger®を作製した1例. 日本臨床整形外科学会雑誌, **45**(1):93-94, 2020.
405) 長尾竜郎ほか:義手適合困難であった前腕切断について, 日本義肢装具学会誌, **19**(3):233-237, 2003.
406) 加藤 剛ほか:能動義手/断端駆動ロック肘処方が効果的であった前腕不良短断端の2症例, リハビリテーション医学, **40**:457-460, 2003.
407) 柴田八衣子:生活を支える義肢装具・福祉用具(1)生活を支える義手(1)使いやすい義手にするためのソケットの工夫. 作業療法ジャーナル, **33**(1):65-72, 1999.
408) 大庭潤平ほか:生活を支える義肢装具・福祉用具(2)継手・手先具の役割. 作業療法ジャーナル, **33**(2):125-131, 1999.
409) 小林伸江ほか:早期義肢装着法を実践した手指・手部切断者に対する作業療法士の役割―訓練用仮義手の使用経験を通して―. 日本義肢装具学会誌, **37**(2):149-155, 2021.
410) 澤村誠志:切断と義肢 第2版. p151, 189, 医歯薬出版, 2016.
411) 労働省労働基準局:労災保険における筋電電動義手の支給について.(昭和54年8月1日付基発第433-1号), 1979.
412) 厚生労働省労働基準局労災補償部保障課:「義肢等補装具専門家会議」報告書. 2012.
413) 厚生労働省労働基準局労災補償部:義肢等補装具費支給要綱等の一部改正について.(平成25年5月16日付基発0516第2号), 2013.
414) 厚生労働省社会・援護局:補装具費支給事務取扱指針について.(平成18年9月20日付障発第0315第4号), 2006.

索引

和文索引

数字

- 1サイト2ファンクション ········ 265
- 2サイト2ファンクション ········ 265
- 2サイト4ファンクション ········ 266
- 2軸膝継手 ····································· 299
- 3Dスキャナー ····························· 497
- 3本制御ケーブルシステム ······· 170
- 4節リンク膝 ······························· 300
- 4節リンク膝継手 ······················· 443
- 6節リンク膝 ······························· 300
- 8字ハーネス ·················· 164, 218
- 9字ハーネス ·················· 164, 218

あ

- アイスロス ································· 478
- 悪性骨腫瘍 ··································· 14
- アジア義肢装具学術大会 ········· 541
- 足継手 ·· 324
- アテローム硬化 ····························· 7
- アレルギー性皮膚炎 ················· 120
- 安全膝 ·· 302

い

- イールディング機構 ················· 323
- 医学的リハビリテーション ······· 87
- 医師 ·· 89
- 異常歩行 ····································· 417
- 衣服着脱動作 ····························· 253
- インクルーシブ社会 ················· 528
- 陰性モデル ······················· 157, 356
- インターフェイス ····················· 474
- インターライナー ····················· 474
  - ──の材質 ····························· 475
  - ──の利点と欠点 ················· 474
- インテリジェント義足 ············· 307
- インナーハンド ························· 181
- インナーライナー ····················· 171

う

- 受皿式 ·· 346
- ウレタン ····································· 475

え

- エアクッションソケット付きPTB
  下腿義足 ··································· 462
- 腋窩ループ ······················ 208, 218
- エネルギー蓄積型足部 ····· 326, 495
- 円弧状皮膚切開 ··························· 62
- エンジニア ··································· 92

お

- 横断性四肢欠損 ··························· 77
- オープンエンドソケット ········· 370
- オープンショルダー式上腕ソケット
   ·· 203
- 起回転力吸収装置 ····················· 332
- オットーボックシステムハンド
   ·· 189
- オットーボック膝継手 ············· 309

か

- カーライルインデックス ········· 150
- 外側懸垂バンド ························· 208
- 階段昇降訓練 ····························· 511
- 解剖学的肩離断 ························· 191
  - ──ソケット ························· 191
- 踵接地期 ····································· 340
- 踵離床期 ····································· 340
- 殻構造義肢 ································· 132
- 殻構造義手 ································· 163
- 隔板式肩継手 ····························· 173
- 下肢切断 ····································· 294
- 下肢切断高位 ······························· 21
- 下肢切断者の歩行能力 ············· 518
- 家事動作 ····································· 258
- 荷重ブレーキ膝 ························· 302
- 加速期 ·· 340
- 肩当てハーネス ························· 218
- 下腿義足 ····································· 445
- 下腿式足根義足 ························· 494
- 下腿切断 ················ 66, 105, 294, 445

- 下腿短断端 ··································· 34
- 下腿長断端 ··································· 34
- 肩義手 ·· 191
  - ──のアライメント ············· 193
  - ──のコントロールケーブルシステム ···································· 194
  - ──のハーネス ····················· 194
- 肩スリング ································· 196
- 肩ソケット ································· 191
  - ──の採型 ····························· 192
- 肩継手 ·· 173
- 肩離断 ···························· 46, 144, 191
- カップリング ····························· 454
- カナダ式合成樹脂製サイム義足
   ·· 486
- カナダ式股離断用義足 ············· 347
  - ──の製作 ····························· 356
  - ──の歩行の特徴 ················· 355
- 可変摩擦膝継手 ························· 305
- 鎌持ち金具 ································· 183
- 仮義肢 ······························ 100, 133
- 間欠性跛行 ····································· 9
- 間欠摩擦膝継手 ························· 305
- 看護師 ·· 89
- 関節可動域 ································· 148
- 関節可動域測定 ························· 227
- カンテッドタイプ ····················· 186

き

- 利き手 ·· 252
- 義肢 ·· 132
  - ──のアライメント ············· 138
  - ──の支給サービス ············· 526
  - ──の処方 ····························· 116
  - ──の歴史 ····························· 132
- 義肢処方箋 ································· 116
- 義肢装具委員会 ························· 528
- 義肢装具士 ··································· 90
- 義肢装着開始 ····························· 100
- 義手 ·· 144
  - ──の処方方針 ····················· 159

和文索引

——のソケット ……………… 157
——の長さ …………………… 149
——の分類 …………………… 151
義手コントロール訓練 ……… 248
義手使用訓練 ………………… 251
義手処方箋 …………………… 529
義手装着訓練 ………………… 246
義手装着前訓練 ……………… 246
義足 …………………………… 294
——の適合検査 ……………… 503
義足処方箋 …………………… 529
義足装着訓練 …………… 499, 507
義足装着前訓練 ……………… 499
義足歩行 ……………………… 345
キップシャフト ……………… 429
ギプスソケット ………… 93, 246
吸着式上腕ソケット ………… 203
吸着式前腕ソケット ………… 212
吸着式ソケット ………… 138, 370
胸郭バンド …………………… 195
胸郭バンド式ハーネス ……… 164
曲鉤 …………………………… 182
筋電義手 ……………………… 262
筋電電動義手 …………… 156, 262
——の構成 …………………… 264
——の公的交付 ……………… 282
——の信号源 ………………… 264
——の制御方法 ……………… 265
——の装着訓練 ……………… 286
——の部品 …………………… 264
筋電パターン認識 …………… 267
筋肉形成術 …………………… 43
筋肉固定術 …………………… 43
筋肉の処理 …………………… 42
筋膜縫合法 …………………… 43
筋力増強訓練 ………………… 248

く

空圧制御膝 …………………… 305
屈曲・外転式肩継手 ………… 173
屈曲式手継手 ………………… 180
クルーケンベルグ切断 ……… 54
鍬持ち金具 …………………… 184
訓練用仮義肢 ………………… 133
訓練用筋電電動義手 ………… 286

け

脛骨腓骨間骨接合術 ………… 69
ケーブルハウジング …… 170, 171
血管の処理 …………………… 39
血行再建術 …………………… 11
ゲル …………………………… 475
健脚訓練 ……………………… 499
肩甲胸郭間切断 ……… 45, 144, 191
——ソケット ………………… 191
幻肢 …………………………… 118
幻肢痛 ………………………… 118
——に対する治療 …………… 120
減速期 ………………………… 341
肩部の切断 …………………… 17

こ

合成樹脂ソケット ……… 379, 454
硬性たわみ式肘継手 ………… 177
後方の長い筋肉皮膚弁 ……… 66
後方バンパー ………………… 325
コーティングケーブル ……… 197
股義足 ………………………… 346
——のアライメント ………… 351
——の継手 …………………… 361
国際義肢装具協会 …………… 537
国際協力 ……………………… 536
国際標準化機構 ……………… 529
股屈曲制限バンド …………… 354
腰バンド ……………………… 195
コスメチッククラブ ………… 181
骨ML径 ……………………… 396
骨格構造義肢 ………………… 132
骨格構造義手 ………………… 163
股継手 …………………… 298, 361
骨性ロック …………………… 386
骨直結型切断術 ……………… 42
骨盤帯 ………………………… 424
骨盤の回旋 …………………… 341
骨盤の傾斜 …………………… 342
骨盤の側方移動 ……………… 342
骨盤部での切断 ……………… 57
骨膜の処理 …………………… 41
固定式膝継手 ………………… 302
股バンパー …………………… 354
股離断 …………… 21, 23, 57, 103, 294

コントロールケーブル ……… 169
——操作効率倍増装置 ……… 198
——取り付けバンド …… 208, 218
コンプレッション値 ………… 370
コンベンショナルフット …… 325

さ

サーモプラスティック・エラストマー ……………………… 475
細菌感染症 …………………… 120
サイム義足 …………………… 485
サイム切断 …… 36, 70, 105, 294, 485
在来式下腿義足 ……………… 446
在来式サイム義足 …………… 485
在来式ソケット ……………… 441
作業用義肢 …………………… 133
作業用義手 …………………… 153
作業用手先具 ………………… 182
作業療法士 …………………… 90
坐骨収納型ソケット …… 384, 390
——の製作 …………………… 396
差し込み式上腕ソケット …… 202
差し込み式全面接触上腕ソケット ………………………… 202
差し込み式全面接触前腕ソケット ………………………… 212
差し込み式前腕ソケット …… 212
差し込みソケット …………… 137
サッチ足 ………………… 325, 447
三頭筋パッド …………… 168, 178

し

シアトル足 …………………… 489
軸摩擦式手継手 ……………… 179
支持部 ………………………… 162
システム義肢 ………………… 132
自動車運転 …………………… 260
シネプラスティー …………… 56
四辺形吸着式ソケット ……… 372
社会的リハビリテーション … 88
十五年陸軍制式義手 ………… 153
重作業用能動フック ………… 186
重症下肢虚血 ………………… 9
重度の外傷 …………………… 14
手関節離断 ……………… 51, 144
手根骨離断 ……………… 144, 220

手根中手義手 …………………… 220	シレジアバンド ………………… 424	全面接触ソケット ………… 137, 370
手指切断 ………………… 52, 144, 220	神経の処理 ………………………… 40	——の利点 …………………… 371
——のリハビリテーション … 223	迅速交換式手継手 ……………… 179	前腕義手 ………………………… 211
術直後義肢装着法 ……………… 100	身体機能検査 …………………… 227	——のアライメント ………… 215
術直後装着義肢 ………………… 133	身体障害者福祉法 ……………… 526	——のコントロールケーブルシス
手動単軸ブロック肘継手 ……… 174	伸展補助装置 …………………… 305	テム ………………………… 218
手部コネクタ …………………… 180	心理的リハビリテーション …… 88	——のハーネス ……………… 218
手部切断 …………………… 51, 220		前腕義手ソケット ……………… 212
手部の切断 ………………………… 18	す	——の採型 …………………… 212
障害者権利条約 ………………… 528	随意制御 ………………………… 302	——の適合 …………………… 211
障害者自立支援法 ……………… 526	随意閉じ式 ……………………… 185	前腕支持部 ……………………… 163
障害者総合支援法 ……………… 526	随意開き式 ……………………… 185	前腕切断 ………… 49, 109, 144, 211
上肢切断 ………………………… 144	水泳用大腿義足 ………………… 438	——に対する筋電動義手 … 276
上肢切断高位 ……………………… 15	スィング式肩継手 ……………… 173	前腕切断計測表 ………………… 148
小児筋電動義手 ………………… 277	スキンケアパンフレット ……… 128	前腕部の切断 ……………………… 17
上腕カフ …………………… 168, 177	ストレートタイプ ……………… 186	前腕用スプリットソケット …… 212
上腕義手 ………………………… 201	スポーツ用義足 ………………… 330	
——の8字ハーネス ………… 208	スリッパ式足指 ………………… 494	そ
——のアライメント ………… 206		早期義肢装着法 ………………… 113
——のコントロールケーブルシス	せ	早期の歩行訓練 ………………… 101
テム ………………………… 207	正常歩行 ………………………… 340	双嘴鉤 …………………………… 183
——のハーネス ……………… 207	静的アライメント …… 412, 455, 503	装飾手袋 ………………………… 181
上腕義手3本制御ケーブルシステム	整容動作 ………………………… 256	装飾用義肢 ……………………… 133
…………………………………… 209	生理膝 …………………………… 299	装飾用義手 ……………………… 151
上腕義手ソケット ……………… 202	世界保健機関 ……………………… 86	装飾用手先具 …………………… 181
——の採型 …………………… 204	接触性皮膚炎 …………………… 120	装飾用手袋 ……………………… 152
——の適合 …………………… 205	切断 ………………………………… 2	ソーシャルワーカー …………… 92
上腕義手ハーネス胸郭バンド式 … 209	切断義肢クリニック …………… 89	足関節/上腕収縮期血圧比 ……… 10
上腕骨頸部切断ソケット ……… 192	切断高位 …………………… 12, 15	足関節離断 ………………………… 70
上腕支持部 ……………………… 163	——の決定 …………………… 12	足指切断 …………………… 73, 294
上腕切断 ………… 47, 109, 144, 201	——の選択 …………………… 15	足底接地期 ……………………… 340
——に対する筋電動義手 … 282	切断者 ………………………… 89, 92	足部 ……………… 330, 333, 363, 489
上腕切断計測表 ………………… 147	——の疫学調査 ……………… 2, 4	足部切断 …………………… 36, 70, 491
上腕短断端 ……………………… 201	——の発生率 ………………… 2	足部切断用義足 ………………… 494
上腕半カフ ………………… 168, 177	繊維強化プラスチック ………… 140	側方安定性 ……………………… 415
上腕部の切断 ……………………… 17	全指切断 ………………………… 221	ソケット …………………… 137, 157
職業的リハビリテーション …… 88	尖足変形 ………………………… 492	——の製作の手順 …………… 157
食事動作 ………………………… 255	仙腸関節離断 …………………… 21, 57	——の適合 …………………… 137
書字動作 ………………………… 256	先天性奇形 ……………………… 75	ソケット外壁 …………… 377, 394
女性用肩義手ハーネス ………… 195	先天性欠損 ……………………… 75	ソケット後壁 …………… 378, 395
ショパール関節離断 … 70, 294, 491	先天性切断 …………………… 77, 84	ソケット前壁 …………… 374, 393
自力義肢 ………………………… 133	全人間の復権 …………………… 86	ソケット内壁 …………… 376, 392
シリコーン ……………………… 475	前方支持バンド …………… 208, 218	ソフトインサート …………… 138
シリコーン吸着ソケット ……… 481	前方に長い皮膚弁 ………………… 62	ソフトドレッシング …………… 93
シリコーンライナー … 126, 426, 476	前方バンパー …………………… 325	
——への移行 ………………… 483	前方開き式ソケット …………… 348	

た

ターンテーブル ……… 360, 363, 429
第1陽性モデル ……………………… 157
第2陽性モデル ……………………… 162
ダイアゴナルソケット ……………… 349
体外力源義肢 ………………………… 133
体外力源義手 ………………………… 155
体幹筋訓練 …………………………… 499
体重心 ………………………………… 341
耐水性義足 …………………………… 140
大腿義足 ……………………………… 369
　　──のアライメント …………… 411
　　──の懸垂方法 ………………… 423
大腿義足ソケット …………………… 369
　　──の適合不良 ………………… 382
大腿切断 ……………… 23, 59, 103, 294
大腿短断端 ……………………………… 23
　　──に対する義足 ……………… 25
大腿長断端 ……………………………… 30
体内力源義肢 ………………………… 133
体内力源義手 ………………………… 154
多軸膝継手 …………………………… 299
多軸ヒンジ肘継手 …………………… 177
竪琴型 ………………………………… 186
足袋式足根義足 ……………………… 494
たわみ式肘継手 ……………………… 177
短義足 ………………… 103, 509, 513
単式コントロールケーブルシステム
　………………………………… 169, 218
単軸足部 ……………………………… 325
単軸膝ブロック継手 ………………… 298
単軸ヒンジ肘継手 …………………… 175
単軸ブロック肘継手 ………………… 175
弾性懸垂バンド ……………………… 195
弾性包帯 ……………… 93, 122, 126, 246
断端訓練 ……………………… 248, 499
断端ケア ………………………………… 96
断端痛 ………………………………… 118
断端の拘縮 …………………………… 121
断端の清拭 …………………………… 126
断端の浮腫 …………………………… 122
断端袋 ………………………………… 126

ち

地域共生社会 ………………………… 528

チェックソケット …………………… 162
中手骨切断 ……………… 51, 144, 220
中足骨切断 …………………………… 294
肘部の切断 ……………………………… 17
腸骨切断 ………………………………… 57
腸骨大腿骨角 ………………………… 396
長軸性四肢欠損 ………………………… 77
調節足 ………………………………… 454
調節膝 ………………………………… 357

つ

継手 …………………………… 172, 298

て

定摩擦膝継手 ………………………… 305
ティルティングテーブル式 ……… 346
適合検査 ……………………………… 503
手義手 …………………………… 215, 220
テクノエイド協会 …………………… 535
手先具 ………………………………… 181
手継手 ………………………………… 179
テフロンライナー …………………… 171
電動義手 ……………………………… 156
電動式手継手 ………………………… 180
電動ハンド …………………… 189, 268
電動ブロック肘継手 ………………… 175

と

動的アライメント …… 412, 456, 503
糖尿病 …………………………………… 7
トウブレーク ………………………… 324
動力義肢 ……………………………… 133
ドリンガー足部 ……………………… 438
トルクアブソーバー ………………… 332

な

内外皮膚弁 ……………………………… 66
内反変形 ……………………………… 492
斜めの皮膚弁 …………………………… 66
ナブテスコ …………………………… 310
軟質ピーライト ……………………… 138
軟性たわみ式肘継手 ………………… 177
軟ソケット付き全面接触式サイム義足
　……………………………………… 487
軟ソケット付き全面接触ソケット
　………………………………… 441, 447

に

二重結紮 ………………………………… 39
日常生活動作 ………………………… 253
日常生活動作訓練 …………………… 510
日本義肢装具学会 …………………… 528
日本整形外科学会 …………………… 528
日本リハビリテーション医学会 … 528
入浴動作 ……………………………… 256
入浴用大腿義足 ……………………… 438

ぬ

ヌッジコントロール ………………… 196

ね

熱可塑性 ……………………………… 138
熱硬化性 ……………………………… 138

の

農耕用大腿義足 ……………………… 438
能動義肢 ……………………………… 133
能動義手 ……………………………… 154
　　──の義手検査 ………………… 231
　　──の義手操作適合検査 …… 238
　　──の義手装着検査 ………… 238
　　──の適合検査 ………………… 226
能動義手適合検査表 ………………… 226
能動単軸ヒンジ肘継手 ……………… 175
能動単軸ブロック肘継手 ………… 174
能動ハンド …………………… 155, 187
能動フック …………………… 155, 184
ノースウェスタン式前腕ソケット
　……………………………………… 212
ノースウエスタン大学式フレキシブ
　ル坐骨下吸引ソケット ……… 406

は

バージャー病 …………………………… 7
ハードソケット ……………………… 138
ハーネス ……………………………… 164
倍動ヒンジ肘継手 …………………… 177
ハイドロスタティック・ローディン
　グ・ソケット …………………… 481
ハイブリッド膝継手 ………………… 309
バウンシング機構 …………………… 323
パッシブフィンガー ………………… 222

発泡樹脂 ………………………… 140
歯止め式肩継手 ………………… 174
半側ソケット …………………… 350
ハンド型能動手掌 ……………… 189

ひ

膝カフ …………………… 448, 457
膝関節屈曲 ……………………… 342
膝関節の運動 …………………… 342
膝義足 …………………………… 440
　──の遊脚相制御 …………… 443
膝伸展補助バンド ……………… 354
膝継手 …………………… 298, 362
　──の機能区分 ……………… 313
　──の処方 …………………… 322
膝の安定性 ……………………… 412
膝ヒンジ継手 …………………… 298
膝ブロック継手 ………………… 298
膝離断 ………… 33, 62, 105, 294, 440
膝離断用ソケット ……………… 441
肘継手 …………………………… 174
肘継手ロック・コントロールケーブルシステム ……………………… 208
肘ヒンジ継手 …………………… 175
肘プーリーユニット …………… 197
肘離断 ………………… 48, 144, 202
肘離断用ソケット ……………… 203
肘ロック・コントロール ……… 170
ピッカーハンド ………………… 189
皮膚真菌症 ……………………… 120
皮膚組織灌流圧 ………………… 10
皮膚の処理 ……………………… 38
ピロゴフ切断 …………………… 70

ふ

複式コントロールケーブルシステム
　………………………… 169, 207
福祉用具法 ……………………… 534
不随意制御 ……………………… 302
踏み切り期 ……………………… 340
フレックス足 …………………… 326
ブロック式肘継手 ……………… 174

へ

米国海軍式ソフトソケット …… 446
閉塞性血栓性血管炎 …………… 7
片側骨盤切断 ………… 103, 294, 364
片側骨盤切断用義足 …………… 364
ベンチアライメント … 411, 455, 503

ほ

ボイド切断 ……………………… 70
防水パーツ ……………………… 438
歩行周期 ………………………… 340
母指切断 ………………………… 221
ホスマーハンド ………………… 189
ホスマーフック ………………… 186
補装具費の支給基準 …………… 532
骨の処理 ………………………… 40
ポリウレタン …………………… 475
本義肢 …………………………… 137

ま

摩擦式手継手 …………………… 179
末梢血管障害 …………………… 128
末梢動脈疾患 ………………… 7, 12
マットレス縫合 ………………… 38
慢性創傷 ………………………… 11

み

ミケランジェロハンド ………… 272
ミュンスター式上腕ソケット … 203
ミュンスター式前腕ソケット … 212

め

面摩擦式手継手 ………………… 179

も

モジュラー義肢 ………………… 132
物押さえ ………………………… 184

ゆ

油圧制御膝 ……………………… 305
油圧ロック膝 …………………… 302
遊脚相 …………………………… 340
　──の制御 …………………… 305
遊脚中期 ………………………… 340
有窓式ソケット ………………… 212
床反力 …………………………… 344
ユニバーサル式肩継手 ………… 173
指の切断 ………………………… 19

よ

陽性モデル ……………… 357, 399, 453
腰部切断 ………………………… 294
用便動作 ………………………… 257

ら

ラチェット式ヒンジ肘継手 …… 175

り

理学療法士 ……………………… 90
リジッドドレッシング ………… 93
リスフラン関節離断 …… 294, 491
離断 ……………………………… 2
立脚相 …………………………… 340
　──の制御 …………………… 302
立脚中期 ………………………… 340
リテーナー ……………………… 198
リハビリテーション …………… 86
リハビリテーション工学 ……… 535
リフトレバー …………………… 170
リムーバブルリジッドドレッシング
　………………………………… 94
リュックサックハーネス ……… 164
両下肢切断者の歩行訓練 ……… 513
両脚支持期 ……………………… 341
両上腕義手のハーネス …… 167, 210
両前腕義手のハーネス …… 167, 219
輪状骨壊死 ……………………… 41

れ

レバーループ …………………… 170

ろ

ロビン・エイドの義指 ………… 223
ロビン・エイド式肘ヒンジ継手 … 176

わ

ワックスメソッド ……………… 162

欧文索引

A

ABI ······························· 10
adjustable knee ··················· 357
adjustable leg ····················· 454
AE chest strap harness ············ 209
AE dual control cable system ····· 207
AE tripple control system ········· 209
alignment ·························· 138
ALLUX™ ·························· 312
amputation ·························· 2
ankle brachial pressure index ····· 10
ankle disarticulation ··············· 70
anterior bumper ··················· 325
anterior long flap ·················· 62
anterior suspension strap ········· 208
APOSM ··························· 541
APRL-Sierra フック ··············· 186
APRL ハンド ······················ 189
Arbeitsarm ························ 153
arm cuff ···························· 168
Asian Prosthetics Orthotics
　Sceientific Meeting ············· 541
auto locking hydraulic knee ······ 302
automatically ratchet-locking elbow
　hinge ····························· 175
axial rotation device ·············· 332
axilla loop ···················· 208, 218

B

bebionic Hand ····················· 270
bench alignment ········ 411, 455, 503
bony lock ·························· 386
Boyd amputation ··················· 70

C

cable hausing ······················ 170
CAD/CAM ··················· 453, 497
Canadian type hip disarticulation
　prosthesis ······················· 347
Canadian type plastic Syme
　prosthesis ······················· 486
canted type ························ 186
Carlyle index ······················ 150

CAT-CAM ························ 386
　──ソケット ···················· 350
center of gravity ·················· 341
check out ·························· 503
check socket ······················ 162
chest strap ························ 195
chest strap harness ··············· 164
C-hook ····························· 182
cineplasty ·························· 56
circular incision ··················· 62
classical congenital amputation ··· 84
C-Leg ······························ 309
CLI ································· 9
constant friction knee joint ······ 305
control cable attachment strap
　······························ 208, 218
control cable system ·············· 169
conventional foot ················· 325
cosmetic glove ··············· 152, 181
cosmetic upper-limb prosthesis
　···································· 151
coupling ···························· 454
critical limb ischemia ··············· 9
cuff suspension belt ·············· 448

D

diagonal socket ··················· 349
disarticulation ······················· 2
double axillar loop harness ······ 164
double axis knee ·················· 299
double support ···················· 341
dual control cable system ········ 169
dynamic alignment ···· 412, 456, 503

E

early ambulation ·················· 101
early prosthetic fitting ············ 113
elastic suspensor ·················· 195
elbow disarticulation ··············· 48
elbow hinge ······················· 174
elbow lock control ················ 170
electric upper limb prosthesis ··· 156
endo-skeletal prosthesis ·········· 132
endo-skeletal type ················ 162

energy storing foot ················ 326
exo-skeletal prosthesis ············ 132
exo-skeletal type ·················· 162
extension bias ····················· 305
externally powered prosthesis · 133
externally powered upper-limb
　prosthesis ······················· 155

F

fiber reinforced plastic ··········· 140
figure eight harness ·············· 164
figure nine harness ··············· 164
finger amputation ·················· 52
flexible elbow joint ··············· 177
Flexible Sub-Ischial Vacuum Socket
　···································· 406
flexion-abduction shoulder joint
　···································· 173
floor reaction force ··············· 344
Fontaine 分類 ······················· 9
forequarter amputation ····· 45, 191
friction type wrist unit ··········· 179
front support ····················· 208
front support strap ··············· 218
FRP ································ 140
functional elbow unit ············· 174
functional hand ··················· 155
functional upper-limb prosthesis
　···································· 154

G

gel ································· 475
Genium ···························· 309
Greiger-hook ······················ 184

H

hard socket ······················· 138
harness ···························· 164
hemipelvectomy ·················· 364
hip disarticulation ·················· 57
　── prosthesis ·················· 346
hip flexion control strap ········· 354
holder ······························ 184
HRC4節リンク膝継手 ············ 444

HRC式肩継手 ······················· 200
Hydrostatic Loading Socket ····· 481

I

Icelandic Roll on Silicone Socket
　·· 478
Iceross ·· 478
　――ライナー ···································· 426
i-Digits Quantum ································· 275
i-Limb® hand ·· 274
iliofemoral angle ··································· 396
immediate postoperative fitting
　prosthesis ··· 133
immediate postoperative prosthetic
　fitting ··· 100
intercalary longitudinal ······················· 76
intercalary transverse ·························· 76
intermittent claudication ······················· 9
internally powered prosthesis ·· 133
internally powered upper-limb
　prosthesis ··· 154
International Society for Prosthetics
　and Orthotic ······································ 537
IRCソケット ···························· 384, 390
Ishial-Ramal-Containment Socket
　·· 390
ISO ··· 529
ISPO ·· 537

J

JIS用語 ··· 529
joint ··· 172

K

KBM下腿義足 ····································· 468
　――の特徴 ·· 468
kick strap ·· 354
knee disarticulation ················· 62, 440
knee motion ··· 342
knee stability ······································· 412
Kondylen-Bettung Münster ········· 468
Krukenbergplastik ······························ 54

L

LAPOC ··· 312
lateral suspension strap ················· 208

level of amputation ···················· 12, 15
lever loop ··· 170
long posterior myofascio-cutaneous
　flap ·· 66
Longの基準線 ···································· 385
lyre type ·· 186

M

M.A.S.® ··· 403
manual locking elbow unit ······· 174
Marlo Anatomical Socket ············ 403
mattress suture ····································· 38
mechanical claw ································ 183
medial and lateral myofascio-
　cutaneous flap ··································· 66
mediolateral stability ······················ 415
metacarpal amputation ···················· 51
Michelangelo hand® ······················· 272
modular prosthesis ·························· 132
Münster type trans-radial socket
　·· 212
MYOBOCK® ·· 268
Myoboy® ··· 268
myodesis ·· 43
myoelectric upper limb prosthesis
　·· 156
myofascial suture ································· 43
myoplasty ·· 43

N

NK-6＋Lシンフォニー ············· 310
Northwestern type trans-radial
　socket ··· 212
nudge control ···································· 196
NU-FlexSIVソケット ················· 406
　――の製作 ·· 407

O

open end socket ······························ 370
osseointegrated implant ············· 42
OT ·· 90
outside locking elbow hinge ······ 175

P

PAD ··· 7
paraxial hemimelia ····························· 75

partial foot amputation ················ 70
partial hand amputation ············· 51
passive hand ····································· 181
patellar tendon bearing cuff suspen-
　sion type below knee prosthesis
　·· 447
P-BASS ·· 312
PE lite ··· 138
pelvic band ··· 424
pelvic rotation ···································· 341
pelvic tilt ··· 342
Peripheral Arterial Disease ········· 7
permanent prosthesis ··················· 137
PEライトライナー ·························· 478
phantom limb ····································· 118
　―― pain ··· 118
Pirogoff amputation ························· 70
plug fit socket ··································· 137
polycentric elbow hinge ············ 177
polycentric knee ······························ 299
polyurethane ······································· 475
posterior bumper ····························· 325
prescription ·· 116
proprioceptive sensation ············ 448
prosthesis ··· 132
prosthetic elbow ······························ 174
prosthetic training ·························· 507
Prothèse Tibiale À Emoitage
　Supracondylien ······························· 463
Prothèse Tibiale Supracondylienne
　·· 463
PT ··· 90
PTB下腿義足 ····································· 447
　――のアライメント ················· 454
　――の構成 ······································· 447
　――の製作 ······································· 450
　――の特性 ······································· 459
　――の特徴 ······································· 448
PTS下腿義足 ····································· 463
　――の適応 ······································· 466
　――の特徴 ······································· 465

Q

quick disconnect wrist unit ····· 179

R

rehabilitation … 86
removable rigid dressing … 94
Rheo Knee … 310
rigid dressing … 93
Ringsequestrum … 41
RRD … 94

S

SACH … 325
sacroiliac amputation … 57
safety knee … 302
sectional plate shoulder joint … 173
shoulder disarticulation … 46
shoulder joint … 173
shoulder saddle harness … 218
shoulder sling … 196
shoulder socket … 191
Silesian bandage … 424
silicone … 475
Silicone Suction Socket … 481
single axis ankle … 325
single axis elbow unit … 175
single axis knee joint … 298
single control cable system … 169, 218
single pivot axis elbow hinge joint … 175
skeletal ML dimension … 396
skewed flap … 66
skin perfusion pressure … 10
socket … 137
socket compression value … 370
soft dressing … 93
soft insert … 138
soft liner … 138
solid ankle cushion heel … 325
SPP … 10
stance phase … 340
—— control … 302
static alignment … 412, 455, 503
step-up elbow hinge … 177
straight type … 186
stubbie … 103, 513
stump edema … 122
stump exercise … 499
stump pain … 118
suction socket … 138, 370
swing phase … 340
—— control … 305
Syme amputation … 36, 70, 485
system prosthesis … 132

T

TASCⅡ … 10
temporary prosthesis … 133
terminal device … 181
terminal longitudinal … 75
terminal transverse … 75
thermo plastic elastomer … 475
thermoplastics … 138
thermosetting plastics … 138
TKA線 … 412
toe amputation … 73
toe break … 324
torque absorber … 332
total contact socket … 137
Total Surface Bearing Suction Trans-tibial Socket … 469
trans-femoral amputation … 59
trans-femoral total contact socket … 370
trans-humeral amputation … 47
transiliac amputation … 57
transiliac and sacroiliac amputation … 57
transiliac prosthesis … 364
trans-radial amputation … 49
trans-radial split socket … 212
trans-radial suction socket … 212
trans-tibial amputation … 66, 445
triceps pad … 168
triple control cable system … 170
TSB吸着下腿義足 … 469
—— の特徴 … 469
TSB吸着ソケットの採型手技 … 470
TSB吸着ソケットの適合理念 … 470

U

universal ball shoulder joint … 173
urethane … 475
utility hand … 187
utility hook … 155, 184
—— for heavy duty … 186

V

VAPC内側開き式サイム義足 … 487
variable friction knee joint … 305
VC type … 185
VO type … 185
voluntary closing type … 185
voluntary opening type … 185

W

waist band … 195
wax method … 162
WHO … 86
work arm … 153
World Health Organization … 86
wrist disarticulation … 51
wrist flexion unit … 180
wrist unit … 179

X

X-Finger® … 223

【著者略歴】
澤村誠志（さわむらせいし）

1930年	神戸市に生まれる
1955年	神戸医科大学卒業，整形外科入局．「切断者のリハビリテーション」をライフワークとする
1958年	米国UCLA義肢教育プロジェクトで義肢製作研修を受ける
1960年	神戸大学医学部整形外科に復帰．兵庫県立身体障害者更生相談所の巡回移動相談を担当し，障害のある人々の生活から多くを学ぶ．そのニーズから，総合リハビリテーションセンター設立を企画し，知事に提出
1968年	第1回日本義肢装具研究同好会（現日本義肢装具学会）を神戸市で開催
1969年	兵庫県立総合リハビリテーションセンター開設．以後，同附属中央病院副院長，院長，兵庫県立総合リハビリテーションセンター所長（1994年）を経て，2001年より，中央病院名誉院長，現在に至る．この間22年間，兵庫県立身体障害者更生相談所長を兼務
1973年	日本リハビリテーション医学会義肢装具委員会委員長として［義肢装具における将来計画］を作成し，義肢装具士の教育・資格制度に着手．兵庫県リハビリテーション協議会を設立
1974年	ISPO（国際義肢装具協会）の設立後，ISPO日本支部会長，アジア地域担当の国際コンサルタントを務め，ISPO副会長（1986）として第6回ISPO世界会議を神戸市で開催（1989）．以後，次期会長（1992～1995），会長（1995～1998）を務める
1992年	日本リハビリテーション医学会会長を務める．日本リハビリテーション病院・施設協会会長に就任し，地域リハビリテーションをライフワークとする．2003年10月より名誉会長を務める
1995年	兵庫県立福祉のまちづくり工学研究所所長を兼任
1997年	日本福祉のまちづくり研究会の設立に伴い，副会長を経て，2001～2005年まで日本福祉のまちづくり学会会長に就任
2000年	神戸医療福祉専門学校三田校名誉校長に就任し，2003年より校長，現在に至る
2002年	日本リハビリテーション連携科学学会理事長に就任し，2012年より顧問，現在に至る
2005年	福祉用具プラザ北九州所長を1年間兼任
2007年	兵庫県社会福祉事業団顧問，兵庫県立総合リハビリテーションセンター中央病院名誉院長に就任．現在に至る
2019年	第17回ISPO世界大会（神戸市）の組織委員長を務める

切断と義肢　第3版　　　　ISBN978-4-263-26691-5

2007年 2月10日　第1版第1刷発行
2015年 1月10日　第1版第9刷発行
2016年 2月10日　第2版第1刷発行
2023年 1月25日　第2版第8刷発行
2025年 2月20日　第3版第1刷発行

著　者　澤　村　誠　志
発行者　白　石　泰　夫
発行所　医歯薬出版株式会社
〒113-8612　東京都文京区本駒込1-7-10
TEL．(03)5395-7628(編集)・7616(販売)
FAX．(03)5395-7609(編集)・8563(販売)
https://www.ishiyaku.co.jp/
郵便振替番号 00190-5-13816

乱丁，落丁の際はお取り替えいたします．　　　　　印刷・真興社／製本・明光社
© Ishiyaku Publishers, Inc., 2007, 2016, 2025.　Printed in Japan

本書の複製権・翻訳権・翻案権・上映権・譲渡権・貸与権・公衆送信権（送信可能化権を含む）・口述権は，医歯薬出版(株)が保有します．
本書を無断で複製する行為（コピー，スキャン，デジタルデータ化など）は，「私的使用のための複製」などの著作権法上の限られた例外を除き禁じられています．また私的使用に該当する場合であっても，請負業者等の第三者に依頼し上記の行為を行うことは違法となります．

JCOPY ＜出版者著作権管理機構　委託出版物＞
本書をコピーやスキャン等により複製される場合は，そのつど事前に出版者著作権管理機構（電話03-5244-5088，FAX 03-5244-5089，e-mail:info@jcopy.or.jp）の許諾を得てください．